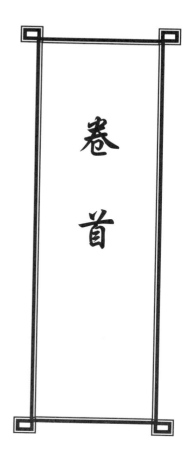

卷

首

# 章學誠傳

## 一

　　章學誠，字實齋，會稽人。乾隆四十三年進士，官國子監典籍。自少讀書，不甘為章句之學，從山陰劉文蔚、童鈺游，習聞蕺山、南雷之說。熟於明季朝政始末，往往出於正史外，秀水鄭炳文稱其有良史才。繼游朱筠門，筠藏書甚富，因得縱覽羣籍，與名流相討論，學益宏富。著《文史通義》、《校讐通義》。推原官禮，而有得於向歆父子之傳。其於古今學術，輒能條別而得其宗旨，立論多前人所未發。嘗與戴震、汪中，同客馮廷丞寧紹台道署。廷丞甚敬禮之。學誠好辯論，勇於自信。有《實齋文集》，視唐宋文體，夷然不屑。所修和州、亳州、永清縣諸志，皆得體要，為世所推。（《清史稿》〈文苑傳〉）

## 二

　　章實齋名學誠，乾隆戊戌進士，官國子監典籍。長於紀覽，習聞蕺山、南雷緒言。論明季黨禍緣起，奄寺亂政及唐魯二王本末，往往出正史外。評騭子史，捭闔萬輩，深有得于向歆父子之傳。遇時以博聞稱，如袁枚、邵晉涵、戴震者，恆以氣折之。嘗曰：諸君讀書如捧散錢，奈無貫索何。著《文史通義》內外篇、《湖北通志稿》，秀水鄭虎文推為良史才。（《碑傳集補》卷四十七）

# 三

## 章學誠傳
沈元泰撰

　　章學誠字實齋。父鑣,乾隆王戌進士,湖北應城縣知縣,著有《瀚雲山房集》。學誠年十二,時父母詣外,家慮其嬉游,鍵之一室,桌上有新輯《紹興府志》,歷指其謬,書於簡端。父歸,痛施榎楚,而心私喜之。教以舉業,初,竟日不能成一藝,因取諸名稿,閱至數千篇,躍然曰:「《南華》、《楞嚴》可取徑也。」自是拈一題,動成十餘藝,必盡其奇正變化。父罷官後貧甚,學誠入都,肄業成均,所居門無扉,張蘆箔一片,嚴冬睡醒身沒雪中。日惟麥餅兩枚解餒,而攻苦愈銳,暇則代人編纂館閣諸書。大興朱學士筠見而異之,邀館其邸。及視學安徽,復延諸幕中。學士嘗慨然以復古自任,學誠因請搜訪遺書,仿劉向《七略》,條別羣書,各疏原委。學士遂有徵書之奏,而四庫全書之館自此開矣。戊子,中副車。丁酉鄉試,出尹侍御壯圖房,主司為梁文定公。次年聯捷,經策俱進呈。以拙於書,朝考不入選,歸班待銓。學誠尤精史學,畢宮保沅撫豫,倣朱氏《經義考》為《史籍考》,屬之學誠。及督兩湖,復延修《湖北通志》。二書皆因畢公離任未梓。同時論學最契者姚江邵學士晉涵、海昌陳學正以綱、高郵王觀察念孫、蕭山王進士宗炎數人而已。于戴東原、汪容甫、洪稚存時有異同,所尤詆者袁隨園也。著《文史通義》內外篇,其論史謂有史才、史學,尤貴有史德。其論文謂有文情、文心,尤貴有文性。外篇專論修志,謂方志宜立三書:倣紀傳正史之體作志,倣律令典例之體作掌故,倣《文選》、《文苑》之體作文徵。三書相輔而行,闕一不可,合而為一,尤不可也。謂州縣當立志科,以掌文獻,異日備朝史之要冊。又謂修志當乘二便、盡三長、去五難、除八忌、立四體、以歸四要,皆切中利病。游跡所至,應聘修者有和州、亳州、永清、天門諸志。學誠性孤高卞急,會試出于文襄門,又居梁文定邸中最久。然筆墨誹謗,多不

肯曲從，為兩相國所器重。少患鼻癰，中年兩耳復聵，老苦頭風，右目偏盲，其歿也以背瘍。晚景貧病交加，極文人之不幸。卒年六十四。文集藏於家，傳鈔者眾。《文史通義》內篇五卷外篇三卷，《校讐通義》三卷，已刊布流行。（《碑傳集補》卷四十七）

## 四

### 文林郎國子監典籍會稽實齋章公傳　　譚獻撰

章先生學誠，字實齋，會稽世族。生而質魯，賦稟瘠弱，少入塾讀書，百餘言猶亟亟不赴程。已而日親墳籍，不樂事章句，少長，披覽子史，識去取，久之，洞明著作之本末。交餘姚邵晉涵氏，益推究古近史家之學。嘗出游，客馮兵備廷丞所，與休寧戴震、江都汪中，皆兵備所敬禮，而所學異趣。先生學長於史，嘗謂六經皆史，《書》與《春秋》同原，《詩》教最廣，太史陳之，官禮制作與大《易》之制憲明時，聖王經世之大，皆所以為史也。以故秀水鄭虎文推先生為良史才。成乾隆戊戌進士，官國子監典籍，恆就南北方志之聘，創州縣立志科，方志立三書議，世未能盡用也。畢尚書沅總督湖廣，延撰《湖北通志》，書成而論者詆諆，先生條辨之，今所論定和州、永清、亳州、天門諸志，或傳或不傳，而《湖北通志》亦非先生之舊矣。論課蒙學文法，略曰：使孺子屬文，雖僅片言數語，必成其章，當取《左氏》論事，君子設辭，熟讀而仿為之。孺子能讀《左傳》者，未必遂能運用，今使仿傳例為文，文即用以論事，是以事實為秋實，而議論為春華矣。《左氏春秋》稱述《易》《書》《詩》《禮》，孺子讀經傳而不知所用，則分類而習其援經證傳之文辭，擴而充之，根柢深厚。初學先為論事，繼則論人。論事之文明暢疏通，知遠本於《書》教，論人之文含蓄抑揚，詠歎本於《詩》教，纂類《左傳》人物而學論贊，必讀司馬遷書，遂使孺子因論贊而略知紀傳之事，因紀傳

而妙解論贊之文，論人之功既畢，則於《左氏春秋》之業，思過半矣。童孺知識初開，甫學為文，必有天籟自然之妙，非雕琢以後所能及也。譬若小兒初學字畫，時或近於篆籀，非工楷以後所能為也。迎其機而善導，參之以變化，故自論事論人以下諸體迭變，復又使之環轉無窮，所謂一尺之捶，日取其半，而終身用之不竭也。與友書略曰：考論人物，向為同志商定條例，曾刊印格，標為《讀史年譜》，旁行十道，首行甲子，次行紀年，凡涉十年，年甲一板，如唐三百年，三十板足矣。前後空編甲子三數板，俾生隋時，卒五代時之人皆竟顛末，餘史均可類推。其人止載姓名生卒年月，下注某紀某傳篇名出處，則翻閱時，一切考證，均可照注自尋本文，若兼載他事，則例不純，而功亦難竣。外戚、列女、隱逸、方技、姦臣、佞幸，凡見史策中者，無一不收。至於紀年之法，正統、偏安，均照各史編年，如《三國志》各自為書，各編譜首，各分年甲，各注本國之人可矣。僭竊載紀，其國並無本史，然後以十六國仍晉年，九國仍五代年，既以《讀史年譜》為名，分合之例，一以本史為斷可也。先生文不空作，探原官禮，而有得於向歆父子之傳。每一篇成，恆寫寄友人，人閒傳錄，多有異同，所撰《通義》數十萬言，嘉慶辛酉先生卒時，曾以稿草寄蕭山王宗炎為次目錄，道光壬辰，次子華紱寫定《文史通義》內篇五卷，外篇三卷，《校讐通義》三卷，刻於大梁。譚廷獻曰：《通義》寫本，得讀於廈門，大梁板刻，浙東兵後，獻渡錢江，訪得於會稽周氏祠堂，亦闕佚矣。出篋中舊本，補刻於杭州書局，印行廣州，有伍氏叢書本。近歲後裔又重刻於黔，於是來學日開遺書津逮矣。獻所得遺稿一二未刻雜篇，要刪如右，庶幾布之章氏家塾，四方承學就傅之士，以時興起云爾。（《碑傳集補》卷四十七）

五

章學誠，字實齋，會稽人，乾隆戊戌進士，官國子監典簿（案當作典

籍），王宗炎曰：實齋地產霸材，天挺史識，學古文於朱笥河太史，沈雄
醇茂，過於其師，尤長攻難駁詰之文，班范而下，皆遭指摘。自謂卑論仲
任，俯視子元，未免過詡，平心而論，夾漈之伯仲也。所撰《和州志》、
《永清縣志》，簡核可傳。為畢秋帆尚書撰《湖北通志》，謝蘇潭侍郎修
《史籍考》，皆未就。遺文數百篇及《文史通義》、《方志略例》、《校
讐通義》，稿存予家。生平不好吟詠，臨沒寄余〈題隨園詩話〉，持論甚
正。（《兩浙輶軒錄補遺》）

# 六

　　會稽章（案原作張，今正）學誠，有《文史通義》若干卷，秀水鄭虎
文稱其有良史才。與休寧戴震、江都汪中，同為馮觀察廷丞客，觀察甚敬
禮之。以明經終（案此亦誤）。少從山陰劉文蔚豹君、童鈺二樹游，習聞
蕺山、南雷之說，言明季黨禍，緣起奄寺亂政及唐魯二王本末，往往出於
正史之外。自學誠謝世，而南江之文獻亡矣。（《文獻徵存錄》）

# 吳興劉氏嘉業堂刊《章氏遺書》序

## 一

實齋先生著述宏富，易簀時，以全稿屬蕭山王穀塍編定，今所行世《文史通義》、《校讐通義》，蓋不及全稿三分之一，且多其子姓丐人竄改，識者病之。吳興劉翰怡京卿，得嘉興沈寐叟丈所藏先生原稿，則穀塍所編次皆在焉。又益以未刻諸書，鳩緝最錄，合若干種若干卷，於是先生之學賅備，殺青可繕寫，以序命余。余曰：此夙昔之志也。書既成，序之曰：宙合之學之肇也，因夫恆幹皆有所藉，瞿曇氏觀十二因緣而悟道海，彼之學純籀物質邦學而無藉也，如其有則非史不足當之。人之一生曰始曰壯曰究，人類之一期亦然，彼其古今成敗禍福存亡之迹，與夫蕃變之所由然，苟無史焉，雖聖者無所麗其思，而一切道術且將不立。史也者，彰往而察來者也。老之術葆之於始孩，孔之術贍之於既壯，而皆所以坊其究，究則聖者不忍言矣。故六藝大原厥維史，諸子立言，雖其精粗本末不同，而皆籀於史，自劉向氏後，經籍道熄，綴學溝猶以自為，方六朝汩於玄，宋明以來菑於理，乾嘉間，休寧、高郵諸儒起，始稍稍有窺於遺經，然而一出焉，一入焉，恆幹之亡已伏於茲，儒者智不足以知聖，其於六籍之原，匪特不敢言，抑且不能言，則相與正訓詁，明音韻，考名物，覈度數，曰：吾且為之郵焉。及其蔽也，棄本逐末，至視前經往詁與商之龜甲文、周之毛公鼎、散盤，秦漢之瓦當，曾無以異，暖姝相循，汔今若絕而未遽絕者，恃好古之一念，懂以維繫於人心也。一旦好古之念去，而人之禍亟矣。先生當舉世溺於訓詁、音韻、名物、度數之時，已慮恆幹之將

亡，獨昌言六藝皆史之誼，又推其說，施之於一切立言之書，而條其義例，比於子政，辯章舊聞，一人而已，然而世之宗休寧、高郵者，其議先生也且百端，吾則以為先生之召世疾也蓋有五焉，何則？為休寧高郵之學者，憑據佐驗，得一孤證，即可間執承學之口，而不必問其全書宗旨之如何，不通，則引申假借以說之，又不通，則錯簡衍文以遷就之。為先生之學，則每立一例，必穿穴羣籍，總百氏之所撢，而我乃從而管之，故為先生之學也拙，而為休寧高郵之學也巧，人情憙巧而惡拙，一也。為休寧、高郵之學者，勞於目治，逸於心獲，但使有古類書、字學書數十種，左右鈎稽，一日可以得三四條。為先生之學，則其立義也，探賾甄微，徬徨四顧，有參考數年而始得者，亦有參考數十年而始得者，及其得也適如人所欲言，則人之視之也亦與常等矣。故為先生之學也難，而為休寧、高郵之學也易，人情趨易而避難，二也。為休寧、高郵之學者，嚴絕勦說，故必引據成文，往見時賢解經之書，王伯申說、段茂堂說，開卷爛然，非是，則人以為陋。為先生之學，則不異不非，惟義之與比，放諸四海而準，公諸四達之衢而人不能竊，故為先生之學也約，而為休寧、高郵之學也博，人情尚博而鄙約，三也。為休寧、高郵之學者，意主疏通以求是，解一名，詳一訓，雖繁殺殊科，而其義也皆有所底。為先生之學，則規榘誠設其用無乎不在，有略引其端以俟好學深思之自反者，有泛稱廣譬駁之造述而後確者，雖復節目有疏落，援攷有舛繆，而正無害其大體，故為先生之學也虛，而為休寧高郵之學也實，人情畏虛而夸實，四也。抑又有其可異者，為休寧、高郵之學者，以墨守為宗，再傳而後疲，精許鄭至甘以大義微言拱而讓之，宋儒佞程朱者，憙其不我牴犧也，則往往援之以自重。為先生之學，則務矯世趨，羣言殽列，必尋其原而遂之於大道，雖以舉世所鄙棄之鄭漁仲，舉世所呰毀之象山陽明先生，揚摧所及，亦且時時稱道焉，先生以不黨救黨，而守門戶者以為黨，先生以不衷治衷，而昧別識者以為衷，故為先生之學也逆風會，而為休寧高郵之學也順風會，逆則不樂從，而順則人人皆騖之，五也。五者浸以成俗，則先生之書之不大顯於時

也,固其宜矣。雖然,學之為術,有統有宗,必倫必脊,或治其分,或攬其總,雖相迕而實相濟,譬則振裘然,先生絜其領,而休寧、高郵諸儒則理其氄,為先生之學,而不以休寧、高郵精密徵實之術佐之,憑臆膚受,其病且與便詞巧說者,相去不能以寸。為休寧高郵之學者,苟無先生則經藝大原學之恆幹必至盡亡,始也以古為菑畬者,繼且敝之而薦芻狗,以芻狗為學,則我宗邦之學,乃真可以拉襍而燒之矣。今者聖伏神徂,一二孺子守見聞,槁項箝舌,方日乞殘鉛蠹槧以自活,向之訓詁、音韻、名物、度數之學,舉不足以堙斷流之禍,而先生之書,乃稍稍有好之者出焉,意者古哲人憂患前民之一緃,其將自先生而復歟。抑惟異欲聞或借先生之說,摧陷舊藩,以為秦火之導歟。宣尼悲麟出非時,反袂沾袍而傷道窮,吾今幸見先生之書之傳,雖憙也而又不能無懼焉,已喪亂餘生,精神遐漂,不復欲以語言文字禍古人,感京卿繼絕之雅,心所蘊輵,聊復一書。辛酉孟夏,錢塘張爾田譔。

## 二

翰怡京卿刻《章氏遺書》成,以余佐編校之役,謂余曰:實齋先生之學,君嗜之特深,其無一言以讚述之乎。余不敢辭,爰為之序曰:先生之學,精深博大,其傑然成一家言哉。先生湛於史,年少時,取《左》、《國》諸書,分為紀表志傳,作《東周書》,幾及百卷,其書雖不傳,知先生之於史學殆天性然也。又嘗為畢秋帆尚書撰《史籍考》,世亦未見傳本,觀其目錄,自制書以下,凡為類者十二,至其條例如所謂古逸宜存、家法宜辨者,析之為十有四,大體一準《經義考》,此書存,讀史者所獲裨益必匪淺尠,惜乎其有酒誥俄空之歎也。從來論史家得失者,莫詳於唐劉知幾六家二體,為後世修史者作之則,其大要則歸之才、識、學,蓋謂具此三長,乃可與語乎史也。先生推崇史德,以為著書者之心術,不可不慎,如此則襃貶予奪,悉秉至公,而人禍天刑,可無顧慮,豈非較子元之

說進而益上九得《春秋》微婉之義哉。當先生時，學者溺於聲音、文字，相習成風，別樹漢幟，其極也支離破碎，先生則一言蔽之，曰六經皆史。窺先生之意，六經為先王政典，孔子所以刪述之者，實萬世治術之所從出，漢儒以〈禹貢〉行水，以《公羊》決獄，皆原本經義，潤飾吏治，斯可見先聖經教，無不可措之行事者也。後之儒者，高言性道，既失之玄虛，斤斤於名物訓詁，亦不免為苟取譁眾，博而寡要矣。今夫簿錄之學，史官之所以辯章道術者也。自班固作《漢書》，首纂〈藝文志〉，後史因之，究其學之所本，則託始於劉子政氏，每一書竟，條其篇目，撮其恉意，固不僅文辭異同，詳加諟正而已，必通乎古今派別，識作者立言之指，而辨析其是非，故孟堅但知備篇籍，將其〈輯略〉一類揭羣書之綱要者，毅然刪去之，此則大可憾也。先生熟精流略，所著《校讎通義》，考鏡源流，掎摭利病，孟子知言之學，庶幾得之。近世顧千里輩，是猶不賢識小，彼鄭樵、焦竑，亦豈能如先生之窺乎其大，然則，上接中壘之傳者，微先生其誰與歸。顧先生遭時不偶，身未列乎國史之職，鬱鬱無所試，其所表見者，惟此方州志乘耳。然《湖北通志》則為人所改竄，《和州》一志，散失之後寫定二十篇，非復全帙，衹《永清縣志》尚稱為完本，而《天門》則非其主名，《亳州》又世所罕覯，吾於此不能無文獻不足之感也。雖然，得其敘說讀之，正列女之目，次前志之傳，掌故文徵，各自為篇，創通義例，折衷經史，其論皆日月不刊，真可懸之國門而莫能增損者也。或問曰：先生為史才，文則非其所長與？曰：是不然。先生之文，蓋取達意而止。夫文以理為主，先生本其中之所得，著之於書，惟求乎理明而辭達。昔樂廣善於清言，而不長於手筆，請潘岳為讓表，潘曰：要得君意，樂為標位二百許語，潘直取錯綜，便成名筆，是古人有意所欲言，筆不足以達之者。先生之於學，類能自闢新意，而筆則無不達之患，則先生之長於文也可知已。且先生特工論文，集中〈文德〉、〈文集〉諸篇，或願心氣之檢攝而持之以敬，或慨著作之衰微而返之於古，誠謙家可之所云道人之所不道，到人之所不到者，宋劉摯之訓子孫也。曰一號為文

人，無足觀矣。先生其文人乎哉。抑先生不徒非文人已也，其器識宏通，議論奇肆，〈原道〉、〈言公〉之作，一則探政教之源，一則覈名實之辨。至於〈婦學〉、〈詩話〉，所以為世道人心憂，有子輿氏息邪距詖之志。顧亭林嘗謂文須有益於天下，此二篇者，有益風化，關係天下為至巨，此蓋洞明乎治亂興亡之故，亦由其得力於史者深也。嗚呼，周秦而後，諸子專家之術，寂滅而無聞，士之能文者，往往旨義不純，倜然無所歸宿，欲如昌黎之為儒，柳州之為名，荊公之為法，眉山之為從橫，不數數遘，先生則意無旁雜，反復推詳，一抒以獨得之見，萬變而不離其宗。戰國時道、墨諸家，各崇所長，以明其指，正如是也。龍門《史記·自序》稱為成一家之言，非先生之謂哉。余往在弱年，始致力於考據之學，久之而病其繁瑣，不足為傳世之業，而子勝斐然之志，則未或有閒也。及得先生書，讀而善之，將有所造述，又不勝劉彥和，就有深解，未足立家，搦管和墨，乃始論文之慮，於是攻習百家，遺其章句，神思冥窅，輒有捃獲，雖先生治史，余則治子，趨向自異，要其觸類引伸，則一本乎先生為學之方，吾師乎，吾師乎，末敢昧所自也。先生之書，刊本行世者，僅《文史通義》一二種，今幸而獲覩其全，京卿之功。余為之釐篇第，糾謬誤，亦與有力也。世之願學先生者眾矣，倘守其成說而不加推闡，資其雄辨而但務新奇，未為知先生者。竊不自揆，舉其學術要略，著之此篇，庶承學之士，得以覽觀焉。壬戌八月，元和孫德謙。

# 三

我朝學派，開自亭林，其後婺源有江慎修，休寧有戴東原，歙有程易疇，由聲韻、訓詁、名物、度數以返求之於諸經，一洗前代儒者膚受之陋，其所變易，灼然如晦之見明，其所彌縫，奄然如合符復析。三吳間則惠定宇治《易》，莊方耕治《春秋》，西京墜緒，亦稍稍萌芽。東原之學傳於南有段若膺，傳於北有孔巽軒、郝蘭皋，其在江淮者汪容甫、劉端臨

之倫，翕聲而桴應之，而高郵父子，則以朴才精識，諟正晚周先秦書，哀然為乾嘉大師。說者謂古學復興，遠邁唐宋，而吳、皖、淮、魯諸儒，實啟其先，可謂盛已，然此皆浙西產也。當時浙東與亭林並世，則黃黎洲氏獨衍蕺山之傳，下開二萬兄弟，再傳而得全謝山，三傳而得邵二雲，而實齋先生實集其成焉。先生之學，其縝密繁博或不逮吳、皖、淮、魯諸儒遠甚，即其文事僂蔓亦不如容甫輩之淵雅，然識足以甄疑似，明正變，提要挈綱，卓然有以見夫經史百家之支與流裔，而得大原則，有非諸儒所能諦言者，蓋吳、皖、淮、魯諸儒之學精於覈，而先生之學則善於推，吳、皖、淮、魯諸儒之學譣於析，而先生之學則密於綜，吳、皖、淮、魯諸儒所用以為學之術徑，惟先生能會其通，亦惟先生能正其謬，以唐宋以下言之，吳、皖、淮、魯諸儒實為古學之功臣，而以國朝一代言之，則先生又為吳、皖、淮、魯諸儒之諍友，二者如兩曜之麗乎天，非是則不能以代明，又如車之雙轂，非是則不能以致遠。吳、皖、淮、魯諸儒之學，既世學者承習，浸成風會，破壞形體，支離大道，而治西京言者，則又敢為非常異義可怪之論，其所治也益精，其為效也益小，而見之於世也益荒，蓋自道光中葉以迄於今八九十年間，學統凌夷，由盛而衰，駸駸絕矣。《易》曰：窮則變，變則通，通則久。然則居今日，欲挽末流回冗之失，而納諸正軌者，舍先生將何從哉。世衰道微，邪說誣民又作，至有奉吳、皖、淮、魯諸儒為正宗，謂曲符乎科學方法者。夫彼以其異域譎觚之譚，文之以苟鉤鈲析亂之術，而強附於吳、皖、淮、魯諸儒，使吳、皖、淮、魯諸儒有知，其許之乎。其必黜夫外襲者，而引先生為知己，可斷言也。先生書曾一刻於大梁，再刻於浙江、貴州，乃其子姓改竄者，鈔本流傳，歧異錯出。前歲始得見王穀塍原編於沈子培尚書許，爰錄而覆刊之，又益以已刊、未刊諸書，都為一集，以備先生一家之言。世有精研浙東之學者，得先生說因其已知而益窮之，以蘄與吳皖淮魯諸儒之學溝遂相通，斯固先生未竟之緒，抑亦余小子區區纂眷之意也夫。辛酉重陽節，吳興劉承幹書於西湖留餘草堂。

# 《校讐通義》提要·序跋

## 一

### 校讐通義內篇三卷外篇一卷提要　吳興劉氏嘉業堂章氏遺書本

　　清章學誠撰。學誠《文史通義》已著錄。此書〈內篇〉卷一九篇，卷二三篇，卷三六篇，篇又分若干章。卷首有〈自序〉一篇，據其〈跋酉冬戌春志餘草文〉云：「己亥著《校讐通義》四卷，自未赴大梁時，知好鈔存三卷者，已有數本，及余失去原稿，第四卷竟不可得，戌申在歸德別自校正，又以意為更定。」則是脫稿於乾隆四十四年，更定於五十三年，其第四卷始終不得見矣。〈外篇〉一卷，收錄與校讐有關之文二十一首，其中〈天玉經解義序〉一文，作於嘉慶二年，〈論修史籍考要略〉一文，作於三年，距其卒時，首尾不過四稔，頗疑〈外篇〉為王宗炎所編定，劉氏所收，即據王本，故前此刊本如粵雅堂等皆無〈外篇〉也。是書大旨，以校讐之業，始自向歆，將欲辨章學術，考鏡源流，非深明道術精微羣言得失之故者，不足與此。因據班志以窺二劉，即援二劉以正鄭略，其所立互著、別裁、辨嫌、輯逸諸條，皆有獨得之見，〈原道篇〉云：有官斯有法，有法斯有書，有書斯有學，有學斯有業，故官守學業，皆出於一，私門無著述文字。又云：六藝皆周官政典，此為章氏生平學術宗旨，與《文史通義》一貫者也。然就其別裁之例言之，亦有不可通者，如云《韓詩外傳》，雜記春秋時事，與《詩》意相去甚遠，當互見春秋類，與虞卿、鐸椒之書相比可也。案班志云：魯申公為詩訓故，而齊轅固、燕韓生皆為之

傳，或取春秋，采雜說，咸非其本義，與不得已，魯最為近之。是謂三家詩或有取春秋采雜說之事，非專指《韓詩外傳》。且春秋為通名，非正斥仲尼筆削之《魯春秋》，《韓詩外傳》今得見其大概，是以春秋雜事說詩，非以詩說春秋也，就如其言，則齊詩有五際六情，《易》有陰陽，《書》有五行，《春秋》有災異，推之它書，亦多此比，並應解散眾篇，分隸當部，則別裁之事，可勝既乎。又云：《書》之〈無逸〉，《詩》之〈豳風〉，《大戴》之〈夏小正〉，《爾雅》之〈釋艸〉，《管子》之〈牧民篇〉，《呂氏春秋》〈任地〉諸篇，俱當裁篇別出，冠於農家之首。苟以〈無逸〉有稼穡艱難之戒，遂以弁冕農書，則〈堯典〉之分命欽若，步天授時之政也，巡守班瑞，朝覲會同之禮也，象以典刑，名法之守也，播時百穀，耕稼之務也，揆之政典，各有司存，亦將分隸各家以充互著別裁之例乎。如謂《爾雅》〈釋艸〉可入農家，則〈釋天〉當入天文，〈釋樂〉當入六藝，而山、丘、水、地、鳥、獸、蟲、魚，又將若為安置。斯誠穿鑿迂疏絕不可通之說也。又以于長《天下忠臣》入陰陽家為非，近人章太炎說于長書曰：學誠篤信《七略》，尤纏繞為異論，不睹其書，則伊尹、周公在道家，務成子在小說家，尚不可知，獨此書邪。若徵驗它書，承意逆志，故确然眼晰，因引淮南及董生說以明《忠臣書》入陰陽家之故，夫所謂徵驗它書承意逆志之術，固學誠之所短也。（《續修四庫全書提要》）

# 二

## 文史通義·校讐通義跋

先君子幼資甚魯，賦稟復羸弱，少從童子塾日誦百餘言，常形呫呫，先大父顧而憐之，從不責以課程。惟性耽墳籍，不甘為章句之學，塾師所授舉子業，不甚措意，塾課稍暇，輒取子史等書，日夕披覽，孜孜不倦，

觀書常自具識力,知所去取,意所不愜,輒批抹塗改,疑者隨時劄記,以俟參考。自遊朱竹君先生之門,先生藏書甚富,因得徧覽羣書,日與名流討論講貫,備知學術源流同異,以所聞見證平日之見解,有幼時所見及至老不可移者,乃知一時創見,或亦有關天授。特少時學力未充,無所取證,不能發揮盡致耳。從此所學益以堅定,著有《文史通義》一書,其中倡言立議,多前人所未發,大抵推原官禮,而有得於向歆父子之傳,故於古今學術淵源,輒能條別而得其宗旨。易簀時,以全稿付蕭山王穀塍先生乞為校定,時嘉慶辛酉年也。穀塍先生旋遊道山,道光丙戌,長兄杼思自南中寄出原草併穀塍先生訂定目錄一卷,查閱所遺尚多,亦有與先人原編篇次互異者,自應更正,以復舊觀。先錄成副本十六冊,其中亥豕魯魚,別無定本,無從校正。庚寅辛卯,得交洪洞劉子敬、華亭姚春木二先生,將副本乞為覆勘。今勘定《文史通義》內篇五卷、外篇三卷,《校讎通義》三卷,先為付梓,尚有雜篇及《湖北通志》檢存稿並文集等若干卷,當俟校定再為續刊。道光壬辰十月,男華紱謹識。(此見浙刻本)

## 三

## 文史通義·校讎通義跋

右《文史通義》八卷,《校讎通義》三卷,國朝章學誠撰。案學誠字實齋,會稽人,乾隆戊戌進士,官國子監典籍,朱文正門下士也。著有《實齋文集》。典籍淹貫經史,豁然洞究本原,特著是書,意欲力挽頹波,網羅放失。每豎一義,獨開生面,前無古人,後無來者,而實則齊心同所願,含意俱未伸,洵不朽盛業也。賀藕庚制府《皇朝經世文編》獨采其〈言公〉數條於文學部中,蓋是書刻於道光壬辰,或猶未見其全帙歟。卷首有男華紱〈序〉,稱其推原官禮,有得於向歆父子之傳,故於古今學術淵源,輒能條別而得其宗旨,殆獲自庭誥,故迥異影響之談。然如謂集

大成者周公，而非孔子，學者不可妄分周孔，學孔子者不當先以垂教萬世為心。又謂鄭樵《通志》遠過杜佑《通典》、馬端臨《文獻通考》，袁樞《通鑑紀事本末》為闇合古人等各條，皆發前人所未發，信手拈來，悉成妙諦，實則五城十二樓，一一從瓴甓造起，固非矯同立異，特矜創解，以驚暴時人耳目者，宜邵二雲學士亟稱之也。所議修志條例綦詳，均足為後來取法，如康海《武功志》、韓邦靖《朝邑志》，自前明以來，翕然以簡括推之，顧痛詆不遺餘力，未嘗不深中其失。至〈州縣請立志科〉一條，謂平日當於典史中僉稍明文法者，以充其選，立為成法，如案牘之有公式云云，亦何嘗不當於理，顧安所得若人而用之，迂矣。即如顧亭林徵君所談，舉天下胥吏悉易以士流，猶恐未稱厥職，比之井田學校，倍覺難行，存而不論可耳。又如〈婦學〉〈詩話〉數條，似專為痛詆袁簡齋太史而作，簡齋固多可議，亦何至天下之惡皆歸也。又如〈記與戴東原論修志〉一條、〈地志統部〉一條，於戴東原、洪稚存兩先生，均夷然不屑，適徵其所養之未純。顧亭林一代偉儒，其〈答汪鈍翁論師道書〉云：學究天人，確乎不拔，不如王寅旭；讀書為己，探賾洞微，不如楊雪臣；獨精三禮，卓然經師，不如張稷若；蕭然物外，自得天機，不如傅青主；堅苦力學，無師而成，不如李中孚；險阻備嘗，與時屈伸，不如路安卿；博文強記，羣書之府，不如吳任臣；文章爾雅，宅心和厚，不如朱錫鬯；好學不倦，篤於友朋，不如王山史；精心六書，信而好古，不如張力臣。所謂不薄今人也。然其上下數千年，縱橫九萬里，洵足推倒一時豪傑，開拓萬古心胸，匪兼才、識、學三長者不能作，其亦我朝之劉子元乎。特重梓之，俾廣為流佈。道光辛亥立秋後八日，南海伍崇曜謹跋。（此見粵雅堂本）

# 四

## 文史通義跋

右實齋先生《文史通義》內外篇凡八卷，刻於道光壬辰，而先生生平所著古文辭不與焉。敝篋中尚存《實齋文略》一巨冊，皆先生手鈔以遺先大父，冀彼此互藏以為傳世之計。顧六七十年來，南舟北馬，先世手澤，轉以仕宦簿書，不免殘蝕，覩此書刻成，為之心快。咸豐四年八月，世晚後學周爾墉謹識。

# 五

## 文史通義·校讐通義跋

右《文史通義》八卷《校讐通義》三卷，先曾祖實齋公所譔遺書也。道光壬辰，伯祖緒迂刊之大梁，山陰杜氏曾為繙本，大梁板旋亦攜回，於是兩板皆存越中。咸豐初，先君子幕遊梁宋間，索是書者眾，命真印數十冊齎往，至日，先君子詔真曰：先箸刻者厪此，吾思不克表揚，爾又不自立，將無以世其家學，奈何。真慚然無以對。辛酉，吾郡失陷，兩板皆毀，惟先君行篋尚存一冊，因校正僞譌，付真弆之，曰：曩所謂厪有是刻者，今竝此而遺矣。爾其力圖重梓，勿使湮沒，重滋不肖罪。無何，先君子捐館。真橐筆奔走，恆兢兢奉是書自隨。同治癸酉，在楚南永順幕罹蛟患，是書幸得之泥沙中無缺略，至是謀刻益亟。光緒乙丑，真遊幕黔臬，得交貴筑羅植盫、西蜀王雪澄兩君，因謀重刻，兩君慨為校讐，始於丁丑二月付雕，至戊寅七月竣事，用識其緣起如此。曾孫季真。

# 六

## 文史通義·校讐通義跋

　　光緒戊寅夏，貴陽重刻《文史通義》、《校讐通義》竟，秉恩乃識刊校本末於尾，曰：乙丙之際，秉恩與羅儀部植盒得例，翔實可師，亟鈔之，會小同將授梓，屬為校勘，苦無它本可讐。書中間有先生孫同卿箋改者，原序所謂別無定本可校，洎姚春木、劉子敬覆勘，而譌誤仍不免，知原草之是非，不能悉正也。會將北上，攜鈔本之京，思假通人校本是正，江陰繆編修炎之言，周侍郎荇農許有鈔本，視粵雅堂本為多，屢借不得。比歸，書適刊成，植盒為言，曾以粵雅本斠數四，其原箋舉正者依改外，原本之譌者，亦間改一二，而是非迄有不能遽定者。復授秉恩校竟，仍以粵雅本細勘。粵雅所刻即大梁本，校未精審，然有奪譌而無增減，間有據改原書者。惟《校讐通義》中引《漢志》，原刻挩譌尤夥，則據志正之，益信原本是非不能悉定也。〈言公〉、〈婦學〉諸篇，《湖海文傳》、《經世文編》、《國朝文錄》、《藝海珠塵》諸書，曾為選錄，然異同奪漏亦不少。蓋先生每一篇已，嘗錄示人，〈婦學〉篇又嘗別行，故迻寫不無柴虒，諸家或未得睹全帙邪。焦里堂嘗撰〈讀書三十二贊〉，《通義》列十九，當時流傳推重已如此。其書大惰具見先生《文集》與嚴冬友侍讀及上尹楚珍先生書中。《文集》尚未刊，厪鈔本一冊，曾離蛟患，漬痕擩透，先生涂乙刪定，丹墨爛若，手蹟具在，標識卷數至二十九止，全冊存河南周君許，小同將郵索歸謀刊焉。先生粹於史學，平生纂述有《紀元韻編》、《湖北通志》、《和州》、《亳州》、永清縣、天門縣諸志，今都罕覯。又〈書教〉下云：別有〈圓通〉篇，今亦不見，或即在原序稱尚有雜篇中，亦未可知。《通志》已為妄人刪改，原囊存否不可知。先生別纂有〈駁議〉一篇，小同藏諸行篋。《永清志》板尚存，昨在京聞將印行，恩遽南旋，不果得。《通義》兩板皆淪失，今幸重刻，小同之不忘先業，

洵堪嘉尚，而植盦與秉恩雖經屢勘，而卒多未正者，竝識之以竢補訂云。
華陽王秉恩。

# 七

## 文史通義·校讐通義跋

右《文史通義》內篇五卷，外篇三卷，《校讐通義》三卷，會稽章實齋先生箸。洪維昭代右文屬學，隆慶之際，通逸傀儒，厖然蠭出，寡不根究名制，斠補譌脫，為實事求是之學，然而句節字泥，宣此窒彼，鉤釽析亂，其失也紛，而罔紀先生生於越東，爾姚思復上祖致良經文大義，不為苟姁，殊於時流，凡所論箸，皆胎原《周官》，脈法《春秋》歸魂太史，以經旋史，以復官師聯事之規，與汪容甫先生之言若合符節。先生既沒，遺書編次，定於王晚聞先生，而稿草乙識，多未是正。華紱先生復浼劉子敬、姚椿木二先生刊正。是書梓於大梁，其後山陰杜氏復梓之。咸同之交，粵逆肇興，板片流失，莫可究詰，先生曾孫小同乃梓是本於貴陽，而大梁之本，旋為浙江書局所得。大荒壯月，有以是本相鬻者，樹蘭以鄉先遺箸不欲淪於方外，遂得而庋之，因識其元始，而附論先生所學之大且異，以詒世之讀先生書者。光緒十九年辜月，後學徐樹蘭識。（以上見黔刻本）

內篇

卷一

# 敍

　　敍曰：校讐❶之義，蓋自劉向父子❷部次條別❸，將以辨章❹學術，考鏡❺源流；非深明於道術精微、羣言得失之故者，不足與此。後世部次甲乙❻，紀錄經史者，代有其人；而求能推闡大義，條別學術異同，使人由委溯源❼，以想見於墳籍❽之初者，千百之中，不十一焉。鄭樵❾生千載而後，慨然有會於向、歆討論之旨，因取歷朝著錄，略其魚魯豕亥❿之細，而特以部次條別，疏通倫類⓫，考其得失之故而為之校讐⓬。蓋自石渠天祿以還，學者所未嘗窺見者也。顧樵生南宋之世，去古已遠，劉氏所謂《七略》⓭《別錄》⓮之書，久已失傳；（《唐志》尚存，《宋志》已逸⓯，嗣是不復見矣。）所可推者，獨班固〈藝文〉一志⓰。而樵書首譏班固，凡所推論，有涉於班氏之業者，皆過為貶駁之辭。⓱蓋樵為通史，而固則斷代為書，兩家宗旨，自昔殊異，所謂道不同不相為謀，⓲無足怪也。獨〈藝文〉為校讐之所必究，而樵不能平氣以求劉氏之微旨，則於古人大體，終似有所未窺。又其議論過於駿利

⓴。隋唐史志⓴，甲乙部目，亦略涉其藩㉑，而未能推闡向、歆術業㉒，以究悉其是非得失之所在。故其自為《通志》，〈藝文〉〈金石〉〈圖譜〉諸略，牴牾㉓錯出，與其所譏前人著錄之謬，未始徑庭㉔，此不揣本而齊末㉕者之效也。又其論求書之法㉖，校書之業㉗，既詳且備。然亦未究求書以前，文字如何治察，校書以後，圖籍如何法守；凡此皆鄭氏所未遑暇㉘。蓋其涉獵㉙者博，又非專門之精，鉅編鴻製，不能無所疎漏，亦其勢也。今為折衷㉚諸家㉛，究其源委，作《校讎通義》總若干篇㉜，勒成一家㉝，庶於學術淵源，有所釐別㉞。知言㉟君子，或有取於斯焉。

## 【今註】

❶ 校讎：本做斠讎。《昭明文選·魏都賦》李善《注》引《風俗通義》云：「劉向《別錄》：『校讎者，一人讀書，校其上下，得謬誤為校。一人持本，一人讀書，若怨家相對為讎。』」校讎，本指改正謬誤，後世則舉凡目錄、輯佚、纂輯等，與蒐採圖書，整理圖書等有關之作，均屬校讎之範圍。改正謬誤，可稱狹義之校讎；後世之校讎則為廣義之校讎。今或稱校勘。

❷ 劉向父子：指劉向、劉歆。劉向字子政，本名更生，年十二，以父德任為輦郎。既冠，以行脩飭，擢為諫大夫。是時，宣帝循武帝故事，召選名儒俊才，向以通達能文與焉。元帝初，為宗正，以謀誅許史、恭、顯，坐廢十餘年。成帝即位，顯等伏辜，召拜為郎中。數奏封事，遷光祿大夫。上方精於《詩》、《書》，觀古文，詔向領校中《五經》祕書。為中壘校尉卒。劉歆字子駿，少以通《詩》、《書》能屬文，召見成帝，待詔宦者署，為黃門郎。河平中，受詔與父向領校祕書。講六藝傳記，諸子詩賦，數術方技，無所不究。向死，歆復為中壘校尉。哀帝即位，遷光祿大夫，貴幸，復領《五

《經》，卒父前業。歆乃集六藝羣書，種別為《七略》。事蹟具《漢書》（卷三十六）〈楚元王傳〉。

❸ 部次條別：排比部居，分條著錄。《漢書・藝文志》：「昔仲尼沒而微言絕，七十子喪而大義乖，故《春秋》分為五，《詩》分為四，《易》有數家之傳。戰國從衡，真偽紛爭，諸子之言，紛然殽亂，至秦患之。乃燔滅文章，以愚黔首。漢興，改秦之敗，大收篇籍，廣開獻書之路。迄孝武世，書缺簡脫，禮壞樂崩，聖上喟然而稱曰：『朕甚閔焉！』於是建藏書之策。置寫書之官，下及諸子傳說，皆充秘府。成帝時，以書頗散亡，使謁者陳農求遺書於天下。詔光祿大夫劉向校經傳、諸子、詩賦，步兵校尉任宏校兵書，太史令尹咸校數術，侍醫李柱國校方技。每一書已，向輒條其篇目，撮其指意，錄而奏之。會向卒，哀帝復使向子侍中奉車都尉歆卒父業，歆於是總羣書而奏其《七略》。」部次條別，即指劉向、劉歆整理圖書之事。

❹ 辨章：也做辯章、平章，辨別彰明也。見《書・堯典》。《史記・五帝本紀》作「便章百姓」。《集解》引鄭玄曰：「百姓，羣臣之父子兄弟。」《索隱》：「古文《尚書》作平，此文蓋讀平為浦耕反，平既訓便，因作便章，其今文作辯章。古平字亦作便，音婢緣反。便則訓辯，遂作辯章。」《後漢書・劉愷傳》注引鄭玄注：「辯，別也。章，明也。」

❺ 考鏡：稽考使之明白。

❻ 甲乙：次第也。《碧雞漫志》：「詩人王昌齡、高適、王渙之，詣旗亭飲，梨園伶官亦召妓聚宴。三人私約曰：我輩擅詩名，未第甲乙。」此指圖書分類。

❼ 由委溯源：委，細小，指末尾。溯，推尋。源：源頭，指開始。由末流推循至源頭。

❽ 墳籍：墳，指三墳，籍，指書籍。孔安國《尚書・序》：「古者伏羲氏之王天下也，始畫八卦，造書契，以代結繩之政，由是文籍生焉。伏羲、神農、黃帝之書，謂之三墳。」後世稱圖書為墳籍。

❾ 鄭樵：鄭樵（1104－1162），字漁仲，宋莆田人。博學強記，搜奇訪古，遇藏書家，必借留，讀盡乃去。初為經旨、禮樂、文字、天文、地理、蟲魚、草木、方書之學，皆有論辨。紹興中以薦召對，授右迪功郎，禮兵部架閣，言者劾之，改監南嶽廟。給札歸抄所著《通志》，書成，入為樞密院編修官。紹興三十一年（1161）高宗幸建康，命以《通志》進呈。次年（1162）

病卒，年五十九。樵居夾漈山，學者稱夾漈先生。又自號溪西逸民。著有《爾雅注》、《夾漈遺籍》、《溪西集》等。事蹟具《宋史》卷四三六。

❿ 魚魯豕亥：指文字因形體相近而傳寫錯誤之現象。《抱朴子‧遐覽》：「書三寫，魚成魯，虛成虎。」《呂氏春秋‧慎行》：「子夏之晉，過衛，有讀史記者曰：『晉師三豕涉河。』子夏曰：『非也，是己亥也。』夫己與三相近，豕與亥相似。至於晉而問之，則曰『晉師己亥涉河也。』」

⓫ 倫類：類別，指圖書之分類。《通志‧校讎略‧編次必謹類例論》：「學之不專者，為書之不明也；書之不明者，為類例之不分也。有專門之書，則有專門之學；有專門之學，則有世守之能。人守其學，學守其書，書守其類。人有存沒而學不息；世有變故而書不亡。以今之書，校古之書，百無一存，其故何哉？士卒之亡者，由部伍之法不明也；書籍之亡者，由類例之法不分也。類例分，則百家九流各有條理，雖亡而不能亡也。」

⓬ 考其得失之故，而為之校讎：鄭樵《通志‧總序》：「冊府之藏，不患無書。校讎之司，未聞其法。欲三館無素餐之人，四庫無蠹魚之簡，千章萬卷，日見流通，故作〈校讎略〉。」《通志》（卷七十一）〈校讎略〉篇目有：〈秦不絕儒學論〉（兩篇）、〈編次必謹類例論〉（六篇）、〈編次必記亡書論〉（三篇）、〈書有名亡實不亡論〉（一篇）、〈編次失書論〉（五篇）、〈見名不見書論〉（一篇）、〈收書之多論〉（一篇）、〈闕書備於後世論〉（一篇）、〈亡書出於後世論〉（一篇）、〈亡書出於民間論〉（一篇）、〈求書遣使校書久任論〉（一篇）、〈求書之道有八論〉（九篇）、〈編次之訛論〉（十五篇）、〈崇文明於兩類論〉（一篇）、〈泛釋無義論〉（一篇）、〈書有不應釋論〉（三篇）、〈書有應釋論〉（一篇）、〈不類書而類人論〉（三篇）、〈編書不明分類論〉（三篇）、〈編次有敘論〉（二篇）、〈編次不明論〉（七篇）。

⓭ 《七略》：《漢書‧藝文志》：「（劉）歆於是總羣書而奏《七略》，故有〈輯略〉，有〈六藝略〉，有〈諸子略〉，有〈詩賦略〉，有〈兵書略〉，有〈術數略〉，有〈方技略〉。」參見註❸。

⓮ 《別錄》：梁阮孝緒《七錄‧序》：「昔劉向校書，輒為一錄，論其指歸，辨其訛謬，隨竟奏上，皆載在本書。時又別集眾錄，謂之別錄，即今之《別錄》是也。」可知《別錄》是將原載在各書前之〈敘錄〉，另行撮集為一書也。

❺ 《唐志》尚存，《宋志》已逸：《唐書·藝文志》史部目錄類：「劉向《七略》《別錄》二十卷。」又：「劉歆《七略》七卷。」《宋史·藝文志》則不見著錄。

❻ 班固〈藝文〉一志：班固（西元 32－92），東漢安陵人，字孟堅，九歲能屬文，及長，博貫載籍，明帝奇之，以為郎。與校秘書，續父所著《漢書》，積思二十餘年，至建初中乃成，當世甚重其書。後遷玄武司馬。帝會諸儒講論五經，撰《白虎通德論》。竇憲出征匈奴，以固為中護軍，行中郎將事。憲敗，洛陽令种兢捕繫固，死獄中。事蹟具《後漢書》（卷七十上）〈班彪傳〉。《漢書》共一○○卷，〈藝文志〉在卷三十。《漢書·藝文志》班固自序謂〈藝文志〉乃根據《七略》「刪其要」而成。

❼ 樵書首譏班固……皆過為貶駁之辭：鄭樵譏班固之語，見於《通志·總序》：「自《春秋》之後，惟《史記》擅制作之規模。不幸班固非其人，遂失會通之旨。司馬氏之門戶，自此衰矣。班固者，浮華之士也。全無學術，專事剽竊。肅宗問以制禮作樂之事，固對以在京諸儒必能知之。儻臣鄰皆如此，則顧問何取焉。及諸儒各有所陳，固惟竊叔孫通十二篇之儀以塞白而已，儻臣鄰皆如此，則奏議何取焉。肅宗知其淺陋，故語竇憲曰：『公愛班固，而忽崔駰，此葉公之好龍也。』固於當時已有定價。如此人材，將何著述？《史記》一書，功在十表，猶衣裳之有冠冕，木水之有本原，班固不通旁行邪上，以古今人物彊立差等，且謂漢紹堯運，自當繼堯，非遷作《史記》，廁於秦項，此則無稽之談也。由其斷漢為書，是致周秦不相因，古今成閒隔，自高祖至武帝，凡六世之前，盡竊遷書，不以為慚。自昭帝至平帝，凡六世，資於賈逵、劉歆，復不以為恥。況又有曹大家終篇，則固之自為書也幾希，往往出固之胷中者，古今人表耳，他人無此謬也。後世眾手修書，道傍築室，掠人之文，竊鐘掩耳，皆固之作俑也。固之事業如此，後來史家，奔走班固之不暇，何能測其淺深？遷之於固，如龍之於豬，奈何諸史棄遷而用固？」

❽ 道不同不相為謀：《論語·衛靈公》：「子曰：『道不同，不相為謀。』」

❾ 駿利：駿，通峻。苛刻，銳利。

❿ 隋唐史志：指《隋書·經籍志》、《舊唐書·經籍志》、《新唐書·藝文志》。

❿ 藩：籬笆。此指邊緣。

㉒　業：《說文解字》：「業，大版也。」引伸為圖書、學術。

㉓　牴牾：抵觸、矛盾。

㉔　徑庭：比喻兩者相距甚遠或迥不相同。

㉕　揣本齊末：《孟子・告子篇（下）》：「不揣其本而齊其末，方寸之木，可使高於岑樓。」趙岐《注》：「孟子言夫物當揣量其本，以齊等其末。知其大小輕重乃可言也。不節其數，累積方寸之木，可使高於岑樓。岑樓，山之銳嶺者，寧可謂寸木高於山邪？」

㉖　求書之法：《通志・校讎略・求書之道有八論》：「求書之道有八：一曰即類以求，二曰旁類以求，三曰因地以求，四曰因家以求，五曰求之公，六曰求之私，七曰因人以求，八曰因代以求，當不一於所求也。」

㉗　校書之業：《通志・校讎略・求書遣使校書久任論》：「求書之官，不可不遣，校書之任，不可不專。漢除挾書之律，開獻書之路，久矣。至成帝時，遣謁者陳農求遺書於天下，遂有《七略》之藏。隋開皇間，奇章公請分遣使人搜訪異本，後嘉則殿藏書三十七萬卷。祿山之變，尺簡無存，乃命苗發等使江淮括訪，至文宗朝，遂有十二庫之書。唐之季年，猶遣監察御史諸道搜求遺書。知古人求書欲廣，必遣官焉，然後山林藪澤可以無遺。司馬遷世為史官，劉向父子校讎天祿，虞世南、顏師古相繼為秘書監，令孤德棻三朝當修史之任，孔穎達一生不離學校之官；若欲圖書之備，文物之興，則校讎之官，豈可不久其任哉？」

㉘　遑暇：閒暇。未遑暇，無空暇時間。

㉙　涉獵：比喻粗略閱讀而不深入專精。《漢書・賈山傳》：「涉獵書記，不能為醇儒。」師古曰：「涉，若涉水。獵，若獵獸。言歷覽不能專精也。」

㉚　折衷：也作折中，為調節過與不及，使其適中。《史記・孔子世家贊》：「中國言六藝者，折衷於夫子。」《索隱》引宋均云：「折，斷也。衷，當也。」

㉛　源委：也作「原委」，猶言本末。《禮記・學記》：「三王之祭川也，皆先河而後海，或源也，或委也，此之謂務本。」《疏》：「河為海本，源為委本。」

㉜　《校讎通義》總若干篇：《校讎通義》撰於乾隆四十四年，初為四卷，後二年遊汴，遇盜失去，幸前三卷有友人抄存本可據，（〈跋酉冬戌春志餘草〉）即此十八篇，是也。民國十一年（1922），吳興劉氏（承幹）嘉業堂

刊《章氏遺書》十九種，以原刊三卷十八篇為〈內篇〉，別取其他論及校讐之義者共二十一篇為〈外篇〉。若干，約計之詞。

**㉝** 勒成一家：勒，統合，統率。《後漢書·光武紀》（上）建武三年：「親勒六軍，大陳戎馬。」勒成，統合而成。一家，即一家之言，指有獨特見解，自成體系之論著。《史記·自序》：「略以拾遺補藝，成一家之言。」

**㉞** 釐別：釐，治理。《尚書·堯典》：「允釐百工，庶幾咸熙。」釐別，治理區別。

**㉟** 知言：能洞悉語言之真意。《孟子·公孫丑》（上）：「何謂知言？曰：詖辭知其所蔽，淫辭知其所陷，邪辭知其所離，遁辭知其所窮。」

## 【今譯】

〈敘〉曰：「校讐二字成為一詞，並有具體的含義，是開始於劉向、劉歆父子。他們把圖書依性質的區別，分立部類，用以彰顯學術的內容與性質，稽考辨明圖書與學術的源流，如果不能深切瞭解學術原理及各家學說得失道理的人，是不能勝任這項工作的。此後每代都有人從事圖書分類及編錄圖書，但是能推求闡發學術要旨，辨別學術異同，讓讀者得以推求學術的源流及瞭解圖書最初的面貌者，在千百人之中，不到十分之一。比劉向父子晚生千年的鄭樵，深刻瞭解劉向、劉歆所從事整理文獻的理念，於是取歷代目錄，於其中如錯別字的細節問題，不予討論，而專就其分別部次及類別的問題，討論其得失的道理。鄭樵所從事的工作，是從漢代設置石渠閣、天祿閣等藏書之所以來，歷來學者所沒注意到的事。但是，鄭樵生於南宋，劉氏父子所著的《七略》、《別錄》二書，失傳已久（《唐書·藝文志》還著錄這二書，《宋史·藝文志》已不著錄，此後就不再見到這二書）。所可以推究討論的，就只有班固的《漢書·藝文志》了。鄭樵在《通志·校讐略》中，一開始就批評班固，凡是書中對班固著述的譏評，都是貶譏過度的話。由於鄭樵的著作是通史，而班固的著作是斷代史，兩家撰述的旨趣，本來就不同，所謂「道不同不互相商量」，不足為怪。只是《漢書·藝文志》是研究校讐者所必需探討的，而鄭樵不能心平

氣和的探討劉向父子的用意，對前人的意旨和道理，終究未能完全瞭解，
同時評論過於嚴厲。《隋書·經籍志》、《舊唐書·經籍志》、《新唐
書·藝文志》等，於圖書分類的道理，也曾涉及一些，但未能推求闡述劉
向、劉歆的學術，以透徹瞭解他們的得失。鄭樵所寫《通志》，其中〈藝
文〉〈金石〉〈圖譜〉等略，矛盾之處甚多，與他所指責前人著錄的錯
誤，沒有太多的不同，這就像一棵樹，未能揣量、端正根本而想端正末稍
的結果，是不可能有好的成效。此外，他談論求書的方法、校書的工作，
詳細而完備，但是沒能推究在求書之前，如何研究觀察文字；校書以後，
如何訂定守藏的制度方法，這些都是鄭氏未及討論的。這是由於鄭氏涉獵
雖廣博，但不專精，加上篇幅過大，疏漏難免，自是必然。現在調和各家
說法，取其至當，推究其本末，作《校讎通義》，總共有好幾篇，統合成
有系統的著述，希望使學術淵源更加條理分明。能辨別是非的君子，對我
的著作，或許有所參考取資。

# 原道第一

　　古無文字。結繩之治❶，易之書契❷，聖人明其用
曰：「百官以治，萬民以察。❸」夫為治為察，所以宣❹
幽隱而達形名❺，蓋不得已而為之，其用足以若是焉斯已
矣。理大物博，不可殫也，聖人為之立官分守，而文字亦
從而紀焉。有官斯有法，故法具❻於官；有法斯有書，故
官守其書；有書斯有學，故師傳其學；有學斯有業，故弟
子習其業。官守學業皆出於一❼，而天下以同文為治❽，
故私門無著述文字。私門無著述文字，則官守之分職，即
羣書之部次，不復別有著錄之法也。

　　（上一之一）

　　後世文字，必溯源於六藝❾。六藝非孔氏之書，乃
《周官》之舊典也❿。《易》掌太卜⓫，《書》藏外史⓬，
《禮》在宗伯⓭，《樂》隸司樂⓮，《詩》領於太師⓯，
《春秋》存乎國史⓰。夫子自謂述而不作⓱，明乎官司失
守，而師弟子之傳業，於是判⓲焉。秦人禁偶語《詩》
《書》⓳，而云「欲學法令者，以吏為師」⓴。其棄
《詩》《書》，非也。其曰「以吏為師」，則猶官守學業

合一之謂也。由秦人以吏為師之言，想見三代盛時，《禮》以宗伯為師，《樂》以司樂為師，《詩》以太師為師，《書》以外史為師；三《易》㉑《春秋》亦若是則已矣。又安有私門之著述哉？

（上一之二）

劉歆《七略》㉒，班固刪其輯略而存其六。顏師古㉓曰：「〈輯略〉㉔謂諸書之總要。」蓋劉氏討論羣書之旨也。此最為明道之要，惜乎其文不傳；今可見者，唯總計部目之後，條辨流別數語耳。即此數語窺之，劉歆蓋深明乎古人官師合一之道，而有以知乎私門初無著述之故也。何則？其敍六藝而後，次及諸子百家，必云某家者流，蓋出古者某官之掌，其流而為某氏之學，失而為某氏之弊。其云某官之掌，即法具於官，官守其書之義也。其云流而為某家之學，即官司失職，而師弟傳業之義也。其云失而為某氏之弊，即孟子所謂「生心發政，作政害事」㉕，辨而別之，蓋欲庶幾於知言之學者也。由劉氏之旨，以博求古今之載籍，則著錄部次，辨章流別，將以折衷六藝，宣明大道，不徒為甲乙紀數之需，亦已明矣。

（上一之三）

【今註】

❶ 結繩之治：用結繩之方法治理事情。《周易·繫辭（下）》：「上古結繩而治，後世聖人易之以書契。」《集解》引《九家易》：「古者無文字，其有

約誓之事，事大大其繩，事小小其繩，結之多少，隨物眾寡，各執以相考，亦足以相治也。」

❷ 書契：書，指文字，契，刻。《尚書・序》：「古者伏羲氏之王天下也，始畫八卦，造書契，以代結繩之政，由是文集生焉。」《經典釋文》：「書者文字。契者，刻木而書其側。」

❸ 百官以治，萬民以察：《易・繫辭（下）》：「上古結繩而治，後世聖人易之以書契，百官以治，萬民以察。」

❹ 宣：顯示。《左傳》僖公二十七年：「民未知信，未宣其用。」

❺ 形名：形指事物實體，名指事物名稱。《莊子・天道》：「古之語大道者，五變而形名可舉，九變而賞罰可言也。」

❻ 具：完備。《史記・商君傳》：「此一物不具，君固不出。」

❼ 官守學業皆出於一：《漢書・藝文志》：「儒家者流，蓋出於司徒之官。」「道家者流，蓋出於史官。」「法家者流，蓋出於理官。」「名家者流，蓋出於禮官。」「墨家者流，蓋出於清廟之守。」「縱橫家者流，蓋出於行人之官。」「雜家者流，蓋出於議官。」「小說家者流，蓋出於稗官。」

❽ 同文為治：《禮記・中庸》：「今天下車同軌，書同文。」

❾ 六藝：《漢書・藝文志》：「有六藝略。」師古曰：「六藝，六經也。」

❿ 周官之舊典：《周官》即《周禮》，相傳為周公所作。《書序》以〈大誥〉、〈嘉禾〉、〈康誥〉、〈酒誥〉、〈梓材〉、〈多士〉、〈無逸〉、〈君奭〉、〈將蒲姑〉、〈多方〉皆周公作。《尚書大傳》：「周公攝政六年，治禮作樂。」《左傳》文十八年：「先君周公治《周禮》。」杜預〈春秋序〉：「韓宣子適魯，見《易象》與《魯春秋》，曰：『周禮盡在魯矣，吾乃今知周公之德，與周之所以王。』韓子所見，蓋周之舊典禮經也。」鄭玄〈詩譜序〉：「周公致太平，制禮作樂，而頌聲興。」《隋書・經籍志》：「文王作卦辭，周公作爻辭。」

⓫ 《易》掌太卜：《周禮・春官》：「太卜掌三《易》之法，一曰《連山》，二曰《歸藏》，三曰《周易》，其經卦皆八，其別皆六十有四。」

⓬ 《書》藏外史：《周禮・春官》：「外史掌三皇五帝之書。」

⓭ 《禮》在宗伯：《周禮・春官》：「大宗伯之職，掌建邦之天神、人鬼、地示之禮，以佐王建保邦國。」鄭注云：「建，立也。立天神、地祇、人鬼之禮者，謂祀之、祭之、享之。禮，吉禮是也。保，安也。所以佐王立安邦國

者，主謂凶禮、賓禮、軍禮、嘉禮也。」

⓮ 《樂》隸司樂：《禮記・文王世子》：「樂正司業，父師司成。」

⓯ 《詩》領於太師：《周禮・春官》：「大師教六詩：曰風，曰賦，曰比，曰興，曰雅，曰頌。」

⓰ 《春秋》存乎國史：杜預〈春秋序〉：「《周禮》有史官掌邦國四方之事，達四方之志。諸侯亦有國史，大事書之於策，小事簡牘而已。」

⓱ 夫子自謂述而不作：《論語・述而》：「子曰，述而不作，信而好古，竊比於我老彭。」《集解》引包咸曰：「老彭，殷賢大夫，好述古事。我若老彭，但述之耳。」

⓲ 判：析分也。《左傳》莊三年：「紀於是乎始判。」杜預《注》：「判，分也。言分為附庸，始於此。」

⓳ 偶語《詩》、《書》：偶語，也作耦語，與「私語」相對，兩人以上聚在一處說話稱「偶語」。《史記・秦始皇本紀》：「有敢偶語《詩》、《書》，棄市。」

⓴ 欲學法令者，以吏為師：《史記・秦始皇本紀》：「三十四年，始皇置酒咸陽宮。博士齊人淳于越進曰：『臣聞殷周之王千餘歲，封子弟功臣，自為枝輔。今陛下有海內，而子弟為匹夫，卒有田常六卿之臣，無輔拂，何以相救哉？事不師古而能長久者，非所聞也。』始皇下其議。丞相李斯曰：『五帝不相復，三代不相襲，各以治，非其相反，時變異也。今陛下創大業，建萬世之功，固非愚儒所知。且越言乃三代之事，何足法也？異時諸侯並爭，厚招游學。今天下已定，法令出一，百姓當家則力農工，士則學習法令辟禁。今諸生不師今而學古，以非當世，惑亂黔首，禁之便。臣請史官非秦紀皆燒之。非博士官所職，天下敢有藏《詩》、《書》、百家語者，悉詣守尉雜燒之。有敢偶語《詩》、《書》，棄市。以古非今者，族。令下三十日不燒，黥為城旦。所不去者，醫藥卜筮種樹之書。若欲有學法令，以吏為師。』制曰：『可。』」

㉑ 三《易》：指《連山》、《歸藏》、《周易》。《連山》為夏代之《易》，《歸藏》為殷代之《易》，《周易》為周代之《易》。《連山》、《歸藏》已亡佚。今所見者，均是後人偽造。宋邵博《聞見後錄》云：「《連山易》意義淺甚，其劉炫之偽書乎？」元馬端臨《文獻通考》云：「《連山》、《歸藏》乃夏、商之《易》，本在《周易》之前，然《歸藏》，《漢志》無

之，《連山》，《隋志》無之，蓋二書至晉、隋間始出，而《連山》出於劉炫之偽作，《北史》明言之，度《歸藏》之為書，亦此類耳。夾漈（鄭樵）好奇，獨尊信此二書與古《三墳》書，且咎世人以其晚出而疑之，殊不知《毛氏詩》、《左氏春秋》、《小戴氏禮》與《古文尚書》、《周官》六典比之，當時皆晚出者也，然其義理、其文詞一無可疑，非二《易》、《三墳》之比，不謂之六經可乎？故今序二《易》，不敢遽指為夏、商之書，姑隨所出，置之漢之後，唐之前。」

㉒ 《七略》：〈輯略〉、〈六藝略〉、〈諸子略〉、〈詩賦略〉、〈兵書略〉、〈術數略〉、〈方技略〉。

㉓ 顏師古：唐萬年人，之推孫。字籀（一說名籀，字師古，一字思古），少博覽，精訓詁學，善屬文，高祖時，授朝散大夫，累遷中書舍人，專典機密。性敏給，明練治體，詔令一出其手。太宗即位，拜中書侍郎，晉祕書少監，封琅邪縣男。嘗受詔於祕書省考定五經文字，多所釐正。又撰定五禮，禮成，進爵為子。時承乾在東宮，命師古注班固《漢書》，解釋詳明，深為學者所重。遷祕書監，弘文館學士，卒年六十五。永徽三年，其子揚庭為符璽郎，表上師古所撰《匡謬正俗》八卷。事蹟具《舊唐書》卷七十三。

㉔ 《輯略》謂諸書之總要：《漢書・藝文志》：「歆於是總羣書而奏其《七略》，故有〈輯略〉。」師古注曰：「輯與集同，為諸書之總要。」

㉕ 生心發政，作政害事：《孟子・公孫丑上》：「公孫丑曰：『敢問夫子惡乎長？』」曰：『我知言，我善養吾浩然之氣。』『何謂知言？』曰：『詖辭知其所蔽；淫辭知其所陷；邪辭知其所離；遁辭知其所窮。生於其心，害於其政，發於其政，害於其事。聖人復起，必從吾言矣。』」趙岐注：「生於其心，譬若人君有好殘賊嚴酷心，必妨害仁政，不得行之也。發於其政者，若出令欲以非時田獵，築作宮室，必妨害民之農事，使百姓有飢寒之患也。吾見其端欲妨而止之，如使聖人復興，必從吾言也。」

## 【今譯】

　　古代沒有文字，先是用結繩來治事，後來改用刻寫文字，聖人說明文字的功用說：「所有的官員，用它來治理事情，所有的民眾，用它來瞭解事情。」不論是治理事情或瞭解事情，都是用來顯示隱晦的事情而使人瞭

解事物的實體和名稱。古人是在環境的改變下不得已發明了文字，其功用就是如此。天下的道理繁雜，事物繁多，不能一一詳盡列舉，於是聖人設立官職，分掌各自的工作，就用文字加以記載。有了官職，就有法制，所以官府有完備的法制。有法制就有相關的圖書，所以各個官府都有圖書。有各種圖書就有各種專門的學術，所以教師傳授學術；有某種學術就有某種圖書，所以學生學習某種圖書。官府所守的圖書和學習所用的圖書都是同一來源，而全天下治事都用同一種文字，所以各自的學術門派沒有著作文字。各自的學術門派沒有著述文字，那末各官府所主管圖書的類別，就是羣書的分類現象，不需要另有著錄的方法。

（以上一之一）

後代的文字，必定溯源到六經。六經不是孔子所著，而是《周官》一書產生時就有的典籍。太卜掌《易經》，外史藏《書經》，宗伯掌《禮》，司樂掌《樂》，太師掌《詩》，國史典藏《春秋》。孔子說自己只述古事而不創作，可知官府一旦不能法守屬於自己的專門圖書，於是教師、弟子所傳習的圖書，就開始分成了不同的學說流派了。秦代禁止人們聚在一起談說《詩》、《書》，而規定「想要學法令的，要向當時的官吏學習。」秦人毀棄《詩》、《書》，是錯誤的。秦人說「向官吏學習」，也就是要做到官府所法守的圖書與師徒傳授的圖書合一的意思。由秦人「以吏為師」的話，想到夏商周的盛時，《禮》向宗伯學習，《樂》向司樂學習，《詩》向太師學習，《書》向外史學習，《連山》、《歸藏》、《周易》及《春秋》，也都是如此，又那裡有私家學派的著述呢？

（以上一之二）

劉歆的《七略》，班固在編纂《漢書·藝文志》時，將〈輯略〉刪去，而保存其它六略。顏師古《注》說：「〈輯略〉的內容就是諸書的總要。」也就是劉歆討論各書的要旨。〈輯略〉可以說是最能讓人瞭解學術的要點，可惜它已亡佚不傳，今日所見得到的，只有在每部類總計每部類圖書數目之後，有敘述每部學術源流變遷的一小段文字而已。就這一小段

文字來看，劉歆深切瞭解古人官府藏書與教師傳道授業合一的道理，從這裡也就可知早期個別學派並無著述的緣故。這是什麼道理呢？劉氏在敘說六經之後，接著敘說諸子各家，他必定說明「某家流派，是出自古代某官府的職掌，然後演變為某家學派；一些偏失，就成為某家學派的缺失。」所謂「出自古代某官府的職掌」，就是說明官府有詳細的法制，也就是官府法守相關圖書的意思。所謂「演變為某家學派」，也就是官府不能守書，而演變為教師傳授弟子的意思。所謂「一些偏失，就成為某家學派的缺失」，就是《孟子》所說「人君有了不好的居心，會妨害仁政的施行；若人君發生不好的政令，會妨害到政事。」劉氏如此詳細說明各家學說的不同，是對那些能辨別是非的學者有所期待。根據劉氏的要旨，用以博求古今的圖書，那末將圖書分類著錄，辨明學術源流變遷，推衍六經使歸於至當，進而宣明大道理，不僅僅只是為了把圖書排比次第、統計其數目而已，非常清楚了。

　　　（以上一之三）

# 宗劉❶第二

　　《七略》之流而為四部❷，如篆隸之流而為行楷❸，皆勢之所不容已者也。史部日繁，不能悉隸以《春秋》家學❹，四部之不能返《七略》者一。名墨諸家，後世不復有其支別❺，四部之不能返《七略》者二。文集熾盛，不能定百家九流之名目❻，四部之不能返《七略》者三。鈔輯之體，既非叢書❼，又非類書❽，四部之不能返《七略》者四。評點❾詩文，亦有似別集而實非別集❿，似總集⓫而又非總集者，四部之不能返《七略》者五。凡一切古無今有、古有今無之書，其勢判如霄壤，又安得執《七略》之成法，以部次近日之文章乎？然家法⓬不明，著作之所以日下也；部次不精，學術之所以日散也。就四部之成法，而能討論流別，以使之恍然⓭於古人官師合一之故，則文章之病，可以稍救；而《七略》之要旨，其亦可以有補於古人矣。

　　（上二之一）

　　二十三史⓮，皆《春秋》家學也⓯。本紀為經，而志表傳錄，亦如《左氏傳》例之與為終始發明耳。故劉歆次

《太史公》百三十篇於《春秋》之後❶，而班固敘例亦云，作春秋考紀十二篇，明乎其繼《春秋》而作也。他如儀注乃《儀禮》之支流❶，職官乃《周官》之族屬❶，則史而經矣。譜牒通於曆數❶，記傳合乎小說❷，則史而子矣。凡此類者，即於史部敘錄，申明其旨，可使六藝不為虛器❷，而諸子得其統宗，則《春秋》家學，雖謂今日不泯可也。

（上二之二）

　　名家者流，後世不傳。得辨名正物❷之意，則顏氏《匡謬》❷，丘氏《兼明》❷之類，經解中有名家矣。墨家者流，自漢無傳。得尚儉兼愛之意❷，則老氏貴嗇❷，釋氏普度❷之類，二氏中有墨家矣。討論作述宗旨，不可不知其流別者也。

（上二之三）

　　漢、魏、六朝著述，略有專門之意。至唐宋詩文之集，則浩如煙海矣。今即世俗所謂唐宋大家之集論之，如韓愈之儒家，柳宗元之名家，蘇洵之兵家，蘇軾之縱橫家，王安石之法家❷，皆以生平所得，見於文字，旨無旁出，即古人之所以自成一子者也。其體既謂之集，自不得強列以諸子部次矣。因集部之目錄，而推論其要旨，以見古人所謂言有物而行有恆者❷，編於敘錄之下，則一切無實之華言，牽率❸之文集，亦可因是而治之。庶幾辨章學

術之一端矣。

（上二之四）

類書自不可稱為一子，隋唐以來之編次，皆非也❸。然類書之體亦有二：其有源委❸者，如《文獻通考》❸之類，當附史部故事之後；其無源委者，如《藝文類聚》❸之類，當附集部總集之後；總不得與子部相混淆。或擇其近似者，附其說於雜家之後，可矣。

（上二之五）

鈔書始於葛稚川❸。然其體未雜，後人易識別也。唐後史家，無專門別識，鈔撮前人史籍，不能自擅名家；故《宋志》藝文史部，創為史鈔一條❸，亦不得已也。嗣後學術，日趨苟簡，無論治經業史，皆有簡約鈔撮之工；其始不過便一時之記憶，初非有意留青❸；後乃父子授受，師弟傳習，流別既廣，巧法滋多；其書既不能悉畀丙丁❸；惟有強編甲乙；弊至近日流傳之殘本《說郛》❸而極矣。其書有經有史，其文或墨或儒，若還其部次，則篇目不全；若自為一書，則義類難附。凡若此者，當自立書鈔名目，附之史鈔之後，可矣。

（上二之六）

評點之書，其源亦始鍾氏《詩品》❹、劉氏《文心》❹。然彼則有評無點，且自出心裁❹，發揮道妙；又且離詩與文，而別自為書，信哉其能成一家言矣。自學者因陋

就簡，即古人之詩文，而漫為點識批評，庶幾便於揣摩誦習。而後人嗣起，囿於見聞，不能自具心裁，深窺古人全體，作者精微，以致相習成風，幾忘其為尚有本書者，末流之弊，至此極矣。然其書具在，亦不得而盡廢之也。且如《史記》百三十篇，正史已登於錄矣。明茅坤、歸有光輩，復加點識批評❸，是所重不在百三十篇，而在點識批評矣，豈可復歸正史類乎？謝枋得之《檀弓》❹，蘇洵之《孟子》❺，孫鑛之《毛詩》❻，豈可復歸經部乎？凡若此者，皆是論文之末流，品藻❼之下乘，豈復有通經習史之意乎？編書至此，不必更問經史部次，子集偏全，約略❽篇章，附於文史評之下，庶乎不失論辨流別之義耳。

　　　　（上二之七）

　　凡四部之所以不能復《七略》者，不出以上所云；然則四部之與《七略》，亦勢之不容兩立者也。《七略》之古法終不可復；而四部之體質又不可改，則四部之中，附以辨章流別之義，以見文字之必有源委，亦治書之要法。而鄭樵顧刪去《崇文》敍錄❾，乃使觀者如閱甲乙簿注，而更不識其討論流別之義焉，烏乎可哉？

　　　　（上二之八）

【今註】

❶　宗劉：宗，尊崇也。劉，指劉歆。

❷　《七略》之流而為四部：中國圖書目錄以四部分類者，始於晉荀勗之《中經

新簿》，以甲、乙、丙、丁四部，總括群書，丙部為史部；其後，東晉時著作郎李充，著《晉元帝四部書目》，據《中經新簿》，重分四部，以乙部為史部，則李充之書，亦四部之分類者也。至唐代魏徵等修《隋書》，其中〈經籍志〉以經、史、子、集為四部之名，中國圖書之四部分類法終於確立，後之目錄，多沿用之，以迄於今。

❸ 篆隸之流而為行楷：篆，小篆。隸，隸書。行，行書。楷，楷書。小篆演變為隸書之過程，見於東漢許慎《說文解字・敘》：「宣王太史籀著《大篆》十五篇，與古文或異。秦丞相李斯作《倉頡篇》，中車府令趙高作《爰歷篇》，太史令胡母敬作《博學篇》。皆取史籀大篆，或頗省改，所謂小篆者也。是時秦燒滅經書，滌除舊典，大發吏卒，興戍役，官獄職務繁，初有隸書，（下杜人程邈所作）以趣約易，而古文由此絕矣。」楷書則秦漢間王次仲所作。《晉書・衛恆傳》云：「上谷王次仲始作楷法，至靈帝好書，時多能者，而師宜官為最，大則一字徑丈，小則方寸千言，甚矜其能。或時不持錢詣酒家飲，因書其壁，顧觀者以酬酒，討錢足而滅之。每書輒削而焚其柎。梁鵠乃益為版而飲之酒，候其醉而竊其柎。鵠卒以書至選部尚書。宜官後為袁術將，今鉅鹿宋子有耿球碑，是術所立，其書甚工，云是宜官書也。梁鵠奔劉表，魏武帝破荊州，募求鵠，……署軍假司馬。在秘書，以勤書自效，是以今者多有鵠手跡。魏武帝懸著帳中，及以釘壁玩之，以為勝宜官。今宮殿題署，多是鵠篆。鵠宜為大字，邯鄲淳宜為小字，鵠謂淳得次仲法，然鵠之用筆，盡其勢矣。鵠弟子毛弘教於秘書，今八分皆弘法也。漢末有左子邑，小與淳鵠不同，然亦有名。」行書則東漢靈帝時劉德昇所創。唐張張懷瓘《書斷》曰：「劉德昇，字君嗣，潁川人。桓靈之時，以造行書擅名。雖以草創，亦豐妍美，風流婉約，獨步當時。胡昭鍾繇並師其法，世謂鍾繇行押書是也。而胡書體肥，鍾書體瘦，亦各有君嗣之美。胡昭字孔明，潁川人……甚能史書，真行又妙。衛恆云：『昭與鍾繇，並師於劉德昇，俱善草行，而胡肥鍾瘦，書牘之迹也，動見模楷。』羊欣云：『胡昭得其骨，索靖得其肉，韋誕得其筋。』張華云：『胡昭善隸書。』茂先與荀勖共整理記籍，立書博士，置弟子教習。以鍾胡為法。嘉平二年公車徵，會卒，年八十九。」

❹ 史部日繁，不能悉隸以《春秋》家學：《漢志・六藝略》著錄《國語》、《新國語》、《世本》、《戰國策》、《奏事》、《楚漢春秋》、《太史

公》、《馮商所續太史公》、《太古以來年紀》、《漢著記》、《漢大年紀》等於《春秋》家。元馬端臨《文獻通考·經籍考》史部《總序》：「班孟堅〈藝文志〉無史類，以《世本》以下諸書，附於六藝《春秋》之後。蓋《春秋》即古史，而春秋之後，唯秦漢之事，卷帙不多，故不必特立史部。」

❺ 名墨諸家，後世不復有其支別：《漢書·藝文志》諸子略名家類著錄七家，三十六篇，墨家類著錄六家，八十六篇，至《隋書·經籍志》子部名類僅四部，七卷，墨類僅三部，一十七卷，由於名墨兩家不復有支別，清《四庫全書總目》不再置名家類及墨家類，將《墨子》及《公孫龍子》置於雜家類。《四庫全書簡明目錄》於《墨子》之〈提要〉云：「舊本題宋墨翟撰，然其書中多稱子墨子，則其門人記也。原本七十一篇，今佚八篇。其說為《孟子》所闢，不行於世。」於《公孫龍子》之〈提要〉云：「周公孫龍撰。亦《漢志》所謂名家流也。原本十四篇，今存六篇，大旨欲綜覈名實，而恢詭其說，務為博辨。《孔叢子》所謂詞勝於理，殆確論焉。」

❻ 文集熾盛，不能定百家九流之名目：章學誠《文史通義·文集》：「自校讎失傳，而文集類書之學起，一編之中，先自不勝其龐雜；後之興者，何從而窺古人之大體哉？……著錄既無源流，作者標題，遂無定法。郎蔚之《諸州圖經集》，則史部地理而有集名矣。王方慶《寶章集》，則經部小學而有集名矣。玄覺《永嘉集》，則子部釋家而有集名矣。百家雜藝之末流，識既庸闇，文復鄙俚，或抄撮古人，或自明小數，本非集類，而紛紛稱集者，何足勝道？然則三集既興，九流必混，學術之迷，豈特黎丘有鬼，歧路亡羊而已耶？」

❼ 叢書：叢，聚也，將多種圖書彙聚成一書者，謂之叢書，如《十三經》、《二十五史》、《皇清經解》、《四庫全書》等。

❽ 類書：將文獻依類纂輯之圖書，謂之類書，如《北堂書鈔》、《太平御覽》、《冊府元龜》、《古今圖書集成》等。

❾ 評點：曾國藩《經史百家簡編·序》：「梁氏劉勰、鍾嶸之徒，品藻詩文，褒貶前哲，其後或以丹黃識別高下，於是有評點之學。」

❿ 別集：《隋書·經籍志》〈別集類〉小敘：「別集之名，蓋漢東京之所創也。自靈均以降，屬文之士眾矣，然其志尚不同，風流殊別。後之君子，欲觀其體勢，而見其心靈，故別聚焉，名之為集。」《四庫全書總目》〈別集

類〉小序：「集始於東漢，荀況諸集，後人追題也。其自製名者，始於張融
《玉海集》；其區分部帙，則江淹有《前集》，有《後集》；梁武帝有《詩
賦集》，有《文集》，有《別集》；梁元帝有《集》，有《小集》；謝朓有
《集》，有《逸集》；與王筠之一官一集，沈約之《正集》百卷，又別選
《集略》三十卷者，其體例均始於齊梁，蓋集之盛，自是始也。」

⓫ 總集：《隋書・經籍志》〈總集類〉小敘：「總集者，自建安以後，辭賦轉
繁，眾家之集，日以滋廣，晉代摯虞苦覽者之勞倦，於是採摘孔翠，芟簡繁
蕪，自詩賦下，各為條貫，合而編之，謂為《流別》。是後又集總鈔，作者
繼軌，屬辭之士，以為覃奧而取則焉。」《四庫全書總目》〈總集類〉小
敘：「文籍日興，散無統記，於是總籍作焉。一則網羅放佚，使零章殘什，
並有所歸；一則刪汰繁蕪，使菁稗咸除。菁華畢出，是故文章之衡鑒，著作
之淵藪矣。三百篇既列為經，王逸所裒，又僅《楚辭》一家，故體例所成，
以摯虞《流別》為始，其書雖佚，其論尚散見《藝文類聚》中，蓋分體編錄
者也。《文選》而下，互有得失，至宋真德秀《文章正宗》，始別出談理一
派，而總籍遂判兩途，然文質相扶，理無偏廢，各明一義，未害同歸。」

⓬ 家法：《後漢書・左雄傳》：「雄上言郡國所舉孝廉，請皆詣公府諸生試家
法。」章懷注：「儒有一家之學，故稱家法也。」

⓭ 恍然：猛然領悟。宋朱熹《中庸章句・序》：「一旦恍然，似有以得其要領
者。」

⓮ 二十三史：《四庫全書總目提要》：「正史之名，見於《隋志》，至宋而定
著有十七。明刊監板，合《宋》《遼》《金》《元史》二十有一。皇上欽定
《明史》，又詔增《舊唐書》為二十有三。近蒐羅四庫，薛居正《舊五代
史》得裒集成編，欽稟睿裁，與歐陽修書並列，共為二十有四。」今《二十
五史》則《二十四史》再加民國柯劭忞所撰《新元史》。

⓯ 皆春秋家學：《史通・六家》：《春秋家》，「太史公著《史記》，始以天
子為本紀，考其宗旨，如法《春秋》，自是為國史者，皆用斯法。」

⓰ 劉歆次《太史公》百三十篇於《春秋》之後：《漢書・藝文志》〈春秋
類〉：「《楚漢春秋》九篇。《太史公》百三十篇。」

⓱ 儀注乃《儀禮》之支流：《隋書・經籍志》史部〈儀注類〉小敘：「儀注之
興，其所由來久矣。自君臣父子，六親九族，各有上下親疏之別。養生送
死，弔恤慶賀，則有進止威儀之數。唐虞以上，分之為三，在周因而為五，

《周官》宗伯所掌，吉、凶、賓、軍、嘉，以佐王安邦國，親萬民，而太史執書以協事之類，是也。」

❶⓼ 職官乃《周官》之族屬：《隋書・經籍志》史部〈職官類〉小敘：「古之仕者，名書於所臣之策，各有分職，以相統治。《周官》冢宰掌建邦之六典，而御史數凡從正者。然則冢宰總六卿之屬，以治其政，御史掌其在位名數先後之次焉。今《漢書・百官表》列眾職之事，記在位之次，蓋亦古之制也。」

❶⓽ 譜諜通於曆數：《漢書・藝文志》〈數術略〉有〈曆譜〉類，著錄十八家，六百六卷。〈小敘〉：「曆譜者，序四時之位，正分至之節，會日月五星之辰，以考寒暑殺生之實。故聖王必正曆數，以定三統服色之制。又以探知五星日月之會，兇阨之患，吉隆之喜，其術皆出焉。此聖人知命之術也。非天下之至材，其孰與焉。道之亂也，患出於小人，而強欲知天道者。壞大以為小，削遠以為近，是以道術破碎而難知也。」

❷⓿ 記傳合乎小說：《隋書・經籍志》史部〈雜傳類〉小敘：「古之史官，必廣其所記，非獨人君之舉。《周官》外史掌四方之志，則諸侯史記兼而有之。……魏文帝又作《列異》以序鬼物奇怪之事，嵇康作《高士傳》以敘聖賢之風，因其事類相繼，而作者甚眾，名目轉廣，而又雜以虛誕怪妄之說，推其本源，蓋亦史官之末事也。」

❷❶ 虛器：空虛的器物。《淮南子・謬稱篇》：「有義者不可欺以利，有勇者不可劫以懼，如飢渴者，不可欺以虛器也。」

❷❷ 辨名正物：《易・繫辭下》：「開而當名，辨物正言，斷辭則備矣。」《正義》：「開而當名者，謂開釋爻卦之義，使各當所象之名，若乾卦當龍，坤卦當馬也。辨物正言者，謂辨天下之物，各以類正定言之，若辨健物，正言其龍，若辨順物，正言其馬，是辨物正言也。」

❷❸ 顏氏《匡謬》：《舊唐書・經籍志》〈經解類〉：「《匡謬正俗》八卷，唐秘書監顏籀師古撰。」顏師古，見〈原道〉第一。宋晁公武《郡齋讀書志》〈經部・經解類〉著錄此書，晁氏曰：「右唐顏籀師古撰。以世俗之言多謬誤，質諸經史，刊而正之。永徽中，其子揚庭上之。」

❷❹ 丘氏《兼明》：《宋史・藝文志》〈經部・經解類〉：「丘光庭《兼明書》三卷。」《四庫全書總目》〈子部・雜家類〉著錄《兼明書》五卷，〈提要〉曰：「五代丘光庭撰。……是書皆考證之文。……所記社稷諸條，多得

禮意。駁五臣《文選註》諸條，亦皆精核。謂《春秋》之例，有褒而書者，有貶而書者，有譏而書者，有非褒、非貶、非譏，國之大事法合書者，尤為卓識。在唐人考證書中，與顏師古《匡謬正俗》可以齊驅。」按：丘光庭，五代烏程人，官太學博士。《宋史・藝文志》經部禮類著錄所著《兼明書》四卷，經解類著錄《兼明書》三卷，子部儒家類著錄《康教論》一卷。子部小說家類著錄《海潮論》一卷，《海潮記》一卷。子部類事類著錄《同姓名錄》一卷。

㉕ 墨家……得尚儉兼愛之意：《莊子・天下》：「墨子泛愛兼利而非鬥，其道不怒。」《孟子・盡心（上）》：「墨子兼愛，摩頂放踵，利天下為之。」《史記・太史公自序》：「墨者儉而難遵。」《史記・孟子荀卿列傳》：「蓋墨翟，宋之大夫，善守禦，為節用。」

㉖ 老氏貴嗇：《老子》第五十一章：「治人事天莫若嗇，夫惟嗇是以蚤服。」清魏源《老子本義》引蘇轍曰：「嗇者有而不用也。斂藏其用，至於沒身而終不試，則得重積矣。」

㉗ 釋氏普度：《佛學詞典》：「普度，廣行剃度也。《宋史》：『嘗勸上於征戰地修寺，及普度僧尼。』」

㉘ 韓愈之儒家……王安石之法家：劉師培《論文雜記》據章氏此說申論之：「古人學術，各有專門，故發為文章，亦復旨無旁出，成一家言，與諸子同。試即唐宋之文言之。韓、李之文，正誼明道，排斥異端，歐、曾繼之，文以載道，儒家之文也。子厚之文，善言事物之情，出以形容之詞，而知人論事，復能探源立論，核覈刻深，名家之文也。明允之文，最喜論兵，謀深慮遠，排兀雄奇，兵家之文也。子瞻之文，以璨花之舌，運掉闓之詞，往復卷舒，一如意中所欲出，而屬詞比事，翻空易奇，縱橫家之文也。介甫之文，侈言法制，因時制宜，而文辭奇峭，推闡入深，法家之文也。立言不朽，此之謂歟！」

㉙ 言有物而行有恆：《易・家人》象辭：「君子以言有物而行有恆。」王弼注：「君子以言必有物，而口無擇言。行必有恆，而身無擇行也。」

㉚ 牽率：也作「牽帥」，牽引。《左傳》襄公十年：「女既勤君而興諸侯，牽帥老夫，以至於此。」《後漢書》（卷七十）〈孔融傳〉議加禮馬日磾：「日磾以上公之尊，秉髦節之使，銜令直指，寧輯東夏，而曲媚奸臣，為所牽率。」

❸❶ 類書自不可稱為一子，隋唐以來之編次，皆非也：《隋書·經籍志》將《皇覽》一百二十卷、《類苑》（一百二十卷）、《華林遍略》（六百二十卷）、《壽光書苑》（二百卷）、《聖壽堂御覽》（三百六十卷）、《長洲玉鏡》（二百三十八卷）等置於子部雜家類。《舊唐書·經籍志》始於子部設〈類事類〉，《唐書·藝文志》則設〈類書類〉，此後史志目錄多沿用之。《四庫全書總目》〈類書類〉小敘：「類事之書，兼收四部，而非經，非史，非子，非集，四部之內，乃無類可歸。《皇覽》始於魏文，晉荀勗《中經部》分隸何門，今無所考。《隋志》載入子部，當有所受之，歷代相承，莫之或易。明胡應麟作《筆叢》，始議改入集部，然無所取義，徒事紛更，則不如仍舊貫矣。」

❸❷ 源委：也作「原委」，本末。《禮記·學記》：「三王之祭川也，皆先河而後海，或源也，或委也。此之謂務本。」孔《疏》：「河為海本，源為委本。」

❸❸ 《文獻通考》：《四庫全書簡明目錄》（卷八）〈史部·政書類〉：「《文獻通考》三百四十八卷，元馬端臨撰。因杜佑《通典》而廣之。以《通典》八門，析為一十有九，而增以〈經籍〉、〈帝系〉、〈封建〉、〈象緯〉、〈物異〉五門，共為二十四門。所述事蹟，上承《通典》，下迄南宋寧宗。雖分條排纂，不能如《通典》之剪裁鎔鑄，成一家言。然上比佑不足，下比鄭樵有餘也。」按：馬端臨（1254－1330），字貴與，元江西饒州樂平人，宋丞相廷鸞之子。與兄端復因受學於曹涇，咸淳九年（1273）漕試第一。至元間任慈湖書院山長，歸教於鄉。延祐五年（1318）復起為柯山書院山長。至治三年（1323）遷台州路學教授，三月，謝病歸，卒於家。事蹟具《宋元學案》卷八十九、《宋元學案補遺》卷八十九、《元史類編》卷三十四、《元史》卷八十九、《新元史》卷二三四等書。

❸❹ 《藝文類聚》：《舊唐書·經籍志》丙部類事：「《藝文類聚》一百卷，歐陽詢等撰。」宋陳振孫《直齋書錄解題》：「按《唐志》令狐德棻、趙宏智等同修。其所載詩文賦頌之屬，多今世所無之文集。」《四庫全書簡明目錄》類書類：「中有蘇味道、李嶠、宋之問、沈佺期詩，皆後人竄入也。凡四十八門，以事實居前，詩文列後，在諸類書中，體例最善。」按：歐陽詢，唐臨湘人，字信本，博貫經史，仕隋為太常博士，太宗時官至太子率更令，弘文館學士，封渤海男。善書，初倣王羲之，而險勁過之，因曾為率更令，故名其體曰率更體。卒年八十五。有《藝文類聚》一百卷，隋以前遺文

秘籍，十九不存，此書可資考證。事蹟具《新唐書》（卷一九八）本傳。

❸❺ 鈔書始於葛稚川：《新唐書・藝文志》雜史類：「葛洪《史記鈔》十四卷。」《晉書・葛洪傳》：「洪字稚川，丹陽句容人。從祖玄得仙，號葛仙公，洪悉得其法。干寶薦洪領著作，洪固辭，求為句漏令，曰：『非欲為榮，以有丹耳。』自號抱朴子，因以名書。」

❸❻ 《宋志》藝文史部，創為史鈔一條：《宋史・藝文志》史部史鈔類，著錄七十四部，一千三百二十四卷。

❸❼ 留青：青，指竹簡之青皮，留青，謂存留簡冊，即存留圖書。

❸❽ 丙丁：《呂氏春秋・孟夏紀》：「孟夏之月，其日丙丁。」漢高誘《注》曰：「丙丁，火日也。」俗謂火曰丙丁，悉畀丙丁，謂全部付火也。

❸❾ 《說郛》：《四庫全書簡明目錄》（卷十三）雜家類：「《說郛》一百二十卷，明陶宗儀編。體例如曾慥《類說》，而採摭較富，所摘錄亦稍詳。原本一百卷，後佚其三十卷，弘治中，上海郁文博仍補為一百卷。此本為國朝姚安、陶珽所刊，又增為一百二十卷，蓋非宗儀之舊矣。」按：陶宗儀（1316－1403），明黃巖人，字九成，元時舉進士，古學無所不窺，工詩文。家貧，教授自給。洪武初累徵不就，晚年有司聘為教官。常客松江，躬親稼穡，暇則休於樹陰，有所得，摘葉書之，貯一破盎，十年積盎以十數，一日發而錄之，得三十卷，名《輟耕錄》。所著又有《國風尊經》、《南村詩集》、《滄浪櫂歌》、《書史會要》、《四書備遺》、《草莽私乘》、《古刻叢鈔》等。參見昌彼得先生《說郛考》。

❹❿ 鍾氏《詩品》：宋陳振孫《直齋書錄解題》文史類：「《詩品》三卷，梁記室參軍鍾嶸撰。以古今作者為三品而評之，上品十一人，中品三十九人，下品六十九人。」《梁書・文學傳》：「鍾嶸字仲偉，潁川長社人。好學有思理。衡陽王元簡出守會稽，引為寧朔記室，專掌文翰，遷西中郎晉安王記室。嶸嘗品古今五言詩，論其優劣，名為《詩評》。」

❹❶ 劉氏《文心》：《四庫全書簡明目錄》（卷二十）集部〈詩文評類〉：「《文心雕龍》十卷，梁劉勰撰。分上下二篇。上篇二十有五，論體裁之別；下篇二十有四，論工拙之由。合〈序志〉一篇，亦為二十五篇。其書於文章利病，窮極微妙。摯虞《流別》，久已散逸，論文之書，莫古於是編，亦莫精於是編矣。」《文心雕龍・序志》：「夫文心者，言為文之用心也。昔涓子《琴心》，王孫《巧心》，心哉美矣！故用之焉。」《梁書・文學

傳》：「劉勰字彥和，依沙門僧祐，與之居處，積十餘年，遂博通經論。天監初，起家奉朝請，中君臨川王宏引兼記室，遷君騎倉曹參軍，出為太末令，政有清績，除仁威南康王記室，兼東宮通事舍人。初，勰撰《文心雕龍》五十篇，論古今文體，引而次之。既成，未為時流所稱。勰自重其文，欲取定於沈約。約時貴盛，無由自達，乃負其書候約出，干之於車前，狀若貨鬻者。約便命取讀，大重之，謂為深得文理，常陳諸几案。」

❷ 心裁：構思、設計、籌畫。《文心雕龍·原道》：「心裁文章，研神理而設教。」

❸ 明茅坤，歸有光輩，復加點識批評：茅坤所評選之《史記鈔》九十一卷，今臺北國家圖書館有明萬曆三年原刊本。《明史·文苑傳》：「茅坤字順甫，號鹿門，歸安人。嘉靖十七年進士，累官廣西兵備僉事，遷大名兵備副使，為忌者所中，落職。年九十，卒於萬曆二十九年。坤善古文，所選《唐宋八大家文鈔》，盛行海內。」歸氏《評點史記·例意》：「《史記》起頭處來得勇猛者圈，緩些者點。硃圈點處總是意句與敘事好處，黃圈點處總是氣脈。亦有轉折處用黃圈而事乃聯下去者。黑擲是背理處，青擲是不好要緊處，硃擲是好要緊處，黃擲是一篇要緊處。」《明史·文苑傳》：「歸有光字熙甫，崑山人，徙居嘉定安亭江上，讀書談道，學徒常數百人，稱為震川先生。為古文，原本經術，好《太史公書》，得其神理。」

❹ 謝枋得之《檀弓》：今臺北國家圖書館有謝枋得批點《檀弓》二卷，明閔刊朱墨套印本。謝枋得（1226－1289），字君直，號疊山，宋信州弋陽人，寶祐四年（1256）進士，為人豪爽，觀書五行俱下，好直言，每掀髯抵几，跳躍自奮，以忠義自任。應吳潛辟，團結民兵以扞饒信，尋應試建康，語侵賈似道，乃誣以居鄉不法，謫居興國軍。咸淳中赦歸，德祐初以江東提刑知信州，元兵東下，信州不守，乃變姓名入建寧唐石山，日麻衣躡屨，東鄉哭。已而賣卜建陽市，惟取米屨，委以錢，謝不取。宋亡，居閩中，留夢炎薦之不起，遺書有曰：「今吾年六十餘矣，所欠一死耳，豈復有它志哉！」元至元二十六年（1289），福建參政魏天祐強之而北，至都，遂不食死，年六十四。門人私諡文節，世稱疊山先生。著有《文章軌範》、《疊山集》。事蹟具《宋史》卷四二五。

❺ 蘇洵之《孟子》：今臺北國家圖書館有蘇洵批點《孟子》二卷，明吳興閔氏刊朱墨藍三色套印本。《宋史·文苑傳》：「蘇洵字明允，眉州眉山人。年

二十七，始發憤為學。至和、嘉祐間，與其二子軾、轍至京師。翰林學士歐陽修上其所著書二十二篇，既出，士大夫爭傳之。除秘書省校書郎，旋與姚闢同修禮書，為《太常因革禮》一百卷。書成，方奏，未報，卒。贈光祿寺丞。有《文集》二十卷。」

❹ 孫鑛之《毛詩》：孫氏評點者有《詩經》、《春秋左傳》、《春秋繁露》、《荀子》、《文選瀹注》等。孫鑛（1542－1613），字文融，號月峯，明餘姚人。萬曆二年（1574）會試第一，為文選郎中，澄清銓法，名籍甚。累進兵部侍郎，加右都御史，代顧養謙經略朝鮮。還遷南京兵部尚書，時採鑛使橫出，妖人噪眾為亂，鑛請以重典治之。被劾乞歸，卒年七十二。有《孫月峯評經》、《今文選》、《書畫跋跋》、《孫月峯全集》。事蹟具《明史》卷八十五。

❹ 品藻：品評、鑑定。《法言・重黎》：「或問《周官》？曰立事。《左氏》？曰品藻。」

❹ 約略：大約、概略。

❹ 鄭樵顧刪去《崇文》敘錄：鄭樵，見前。鄭樵《通志・校讎略・泛釋無義論》：「古之編書，但標類而已，未嘗注解其著注者人之姓名耳。蓋經入經類，何必更言經，史入史類，何必更言史。但隨其凡目，則其書自顯。惟《隋志》於疑晦者則釋之，無疑晦者則以類舉，今《崇文總目》出新意，每書之下，必著說焉。據標類自見，何用更為之說，且為之說也，已自繁矣，何用一一說焉。至於無說者，或後書與前書不殊者，則強為之說，使人意怠，且《太平廣記》者，乃《太平御覽》別出《廣記》一書，專記異事，奈何《崇文》之目所說，不及此意，但以謂博採群書，以類分門，不知《御覽》之與《廣記》又何異，《崇文》所釋大槩如此，舉此一條可見其他。」《直齋書錄解題》目錄類：「《崇文總目》一卷。景祐初，學士王堯臣同聶冠卿、郭稹、呂公綽、王洙、歐陽修等撰定，凡六十六卷。諸儒皆有論議，歐陽公文集頗見數條。今此惟六十六卷之目耳。題云紹興改定。」

【今譯】

《七略》演變為四部分類，就像篆書、隸書演變為行書、楷書一樣，都是不得不如此的趨勢所致。史部的書漸多，不能全部隸屬於《春秋》的

學術系統，這是四部之圖書不能再用《七略》分類的原因之一。名家、墨家，後代不再有支派傳承，這是四部之圖書不能再用《七略》分類的原因之二。文集越來越多，無法用諸子百家的名目釐定這些文集的類別，這是四部之圖書不能再用《七略》分類的原因之三。將鈔寫所得彙輯成書的體製，既非叢書，也非類書，這是四部之圖書不能再用《七略》分類的原因之四。評點詩文的圖書，像別集但實際上不是別集，像總集但實際上不是總集，這是四部之圖書不能再用《七略》分類的原因之五。凡是古代沒有現代才有或古代有而現代沒有的圖書，其文章體製有如天地之別，又怎麼可以用《七略》既有的方法排比分類近代的文章呢？但是由於各學派方法之不同，導致著作內容日益低下；分類不精確，導致圖書日漸散亡。根據既有之四部分類，討論學術的源流變遷，使人明白古代官府和教學合一的道理，那麼後代文集難以考定源流的缺失，就可以漸漸釐清，而《七略》的要旨，對古人的著述也就能有所裨益了。

　　（以上二之一）

　　二十三種正史，都是源自《春秋》之學。以本紀為經，而志、表、傳、錄，就像《左氏傳》從開始到結束都在從事《春秋》經文的說解一樣。所以劉歆將一百三十篇的《史記》排在《春秋》之後，而班固在《漢書・敘傳》也說「作春秋考紀十二篇」，用以表明《漢書》的本紀是繼承《春秋》而作的。其他如儀注類著作是《儀禮》的支流，職官類著作是與《周官》同樣的性質，這樣說起來，史類也成經類了。譜牒類與曆數類相通，部分記傳類與虛誕怪妄的小說相合，這樣說起來，史類也成子類了。像這些情形，在史部敘錄中說明其旨要，可使六經不再是空虛的名稱，而諸子可以追溯其淵源，那麼《春秋》的學派方法，即使說成「至今仍然不曾泯滅」，也是可以的。

　　（以上二之二）

　　名家這一派學術，後代已不傳。能得名家分辨端正名物思想的，則有顏師古的《匡謬正名》、丘光庭的《兼明書》，可見經解中有名家思想。墨

家這一派學術，從漢代就已不傳。能得墨家崇尚儉約及兼愛思想的，則有《老子》崇尚有而不用的思想及佛家普度眾生的思想，可見道家、釋家中也有墨家思想。所以討論各書的寫作宗旨，不能不知其源流變遷。

（以上二之三）

漢、魏、六朝的著作，只有一些有專門學派的思想。到了唐、宋的詩文集，就多得難以盡數。就現代一般人所稱的唐宋著名的詩文集來說，像韓愈的文章，具有儒家思想；柳宗元的文章，具有名家的風格；蘇洵的文章，具有兵家的謀略；蘇軾的文章，像縱橫家的文筆；王安石的文章，具有法家的思維。它們的體制既然稱為集，自然就不能一定要把它們列在子部了。根據集部的目錄，推論其要旨，以見古人所謂言必有物，行必有恆的道理，編於敘錄之下，那麼所有無內容的虛言、牽強草率的文集，也可趁此加以整理，這也可以說是辨明學術的一個方法。

（以上二之四）

類書自是不可稱為子書的一種，隋唐以來的目錄，都錯了。類書的體制也有兩種：一是有本末的，如《文獻通考》之類，應附在史部故事類之後；一是不具本末的，如《藝文類聚》之類，應當附在集部總集類之後。總之不得與子部相混淆。或擇其中與子部內容近似的類書，附在雜家類之後，那是可以的。

（以上二之五）

鈔寫圖書，始於晉代的葛洪。但是其體制很單純，後人容易識別。唐以後的史家，缺乏異於常人的專門學識，抄寫撮集前人的史書，不能自成一個學派，所以《宋史・藝文志》在史部，創立了「史鈔」一類，也是不得已的方法。此後的學術，越來越苟且簡約，不論治經治史者，都從事一些簡約的鈔寫撮集的工作，最初的用意只不過方便記憶，並沒有留傳後世的意思。其後父子授受，師弟傳習，流派越來越廣，巧法也漸漸多了起來，這些書既不能全部燒掉，只好勉強編目分類，這種缺失至近日流傳的殘本《說郛》而到極致。這部書內容有經有史，所收文章有墨家有儒家，

若要一一回復到它所屬的類目，可是書中所載篇目不全；若把它當作獨立的一部書，其性質很難歸類。像這種情形，應當單獨成立「書鈔」這個類目，附在「史鈔」類之後，就可以了。

（以上二之六）

評點類的著作，源自鍾嶸的《詩品》、劉勰的《文心雕龍》。但是他們只有評論而沒有點定文句，而且有獨特的構思，發揮文思的微妙，同時又把詩與文分開，各自成書，的確能成一家之言。自從讀書人因陋就簡，取古人的詩文，隨便加以批評點定，只想方便揣摩誦讀。而後人繼起，由於見聞的拘限，不能有獨特的構思，也不能深切探究古人的整體內容及撰作者的精妙所在，以致成為風氣，幾乎忘了本書的存在，末流的弊端，到了極點。不過這些書都還存傳，不能完全廢掉。而且像《史記》一百三十篇，正史類已收錄，明代茅坤、歸有光等，又加以評論點定，他們的重點不在一百三十篇的史事，而是在點定評論，這些評點類的圖書可以歸屬正史類嗎？謝枋得批點的《檀弓》，蘇洵批點的《孟子》，孫鑛批點的《毛詩》，可以歸屬經部嗎？這些著作，都是評論文章類著作的末等，品評類著作中最差的，怎會有通經習史的意旨呢？編輯圖書見到這類著作，不必再討論應放在經史子集的那一部類，把這些篇章附在文史評類，那麼討論學術流派就不會有所錯失了。

（以上二之七）

四部分類法不可能再回復到《七略》分類的原因，不出上而所說的理由，這樣說來，四部與《七略》兩種分類法，是不可能同時並存的。《七略》的分類法不能恢復，四部的性質又不能改變，那麼，在四部分類法裡，加上彰顯學術源流變遷的道理，以顯示著述一定有始末，這也是整理圖書文獻的重要方法。而鄭樵反而刪去《崇文總目》的敘錄，使讀者閱讀《崇文總目》時，像閱覽一般的帳簿，不再知道其討論學術流變的道理，怎麼可以呢？

（以上二之八）

# 互著第三

　　古人著錄，不徒為甲乙部次計。如徒為甲乙部次計，則一掌故令史❶足矣。何用父子世業，閱年二紀，僅乃卒業乎？蓋部次流別，申明大道，敍列九流百氏之學，使之繩貫珠聯，無少缺逸；欲人即類求書，因書究學。至理有互通、書有兩用者，未嘗不兼收並載，初不以重複為嫌❷；其於甲乙部次之下，但加互注，以便稽檢而已。古人最重家學❸。敍列一家之書，凡有涉此一家之學者，無不窮源至委，竟別其流，所謂著作之標準❹，羣言之折衷❺也。如避重複而不載，則一書本有兩用而僅登一錄，於本書之體，既有所不全；一家本有是書而缺而不載，於一家之學，亦有所不備矣。

　　（上三之一）

　　劉歆《七略》亡矣，其義例之可見者，班固〈藝文志〉注而已。（班固自注，非顏注也。）《七略》於兵書權謀家有《伊尹》、《太公》、《管子》、《荀卿子》（《漢書》作《孫卿子》。）、《鶡冠子》、《蘇子》、《蒯通》、《陸賈》、《淮南王》九家之書❻，而儒家復有《荀卿子》、

《陸賈》二家之書❼，道家復有《伊尹》、《太公》、《管子》、《鶡冠子》四家之書❽，縱橫家復有《蘇子》、《蒯通》二家之書❾，雜家復有《淮南王》一家之書❿。兵書技巧家有《墨子》⓫，而墨家復有《墨子》之書⓬。惜此外之重複互見者，不盡見於著錄，容有散逸失傳之文。然即此十家之一書兩載，則古人之申明流別，獨重家學，而不避重複著錄，明矣。自班固併省部次，而後人不復知有家法，乃始以著錄之業，專為甲乙部次之需爾。鄭樵能譏班固之胸無倫次⓭，而不能申明劉氏之家法，以故〈校讎〉一略，工訶⓮古人而拙於自用；即矛陷盾⓯，樵又無詞以自解也。

（上三之二）

著錄之創為〈金石〉、〈圖譜〉二略，與〈藝文〉並列而為三，自鄭樵始也。就三略而論之，如〈藝文〉經部有三字石經⓰、一字石經⓱、今字石經⓲、《易》篆石經、鄭玄《尚書》之屬凡若干種，而〈金石略〉中無石經；豈可特著金石一略，而無石經乎？諸經史部內所收圖譜，與〈圖譜略〉中互相出入，全無倫次。以謂鉅編鴻製，不免牴牾，抑亦可矣。如〈藝文〉傳記中之祥異一條，所有《地動圖》、《瑞應翎毛圖》之類，〈名士〉一條之《文翁學堂圖》、〈忠烈〉一條之《忠烈圖》等類，俱詳載〈藝文〉而不入〈圖譜〉，此何說也？蓋不知重複互注之

法，則遇兩歧牽掣之處，自不覺其牴牾錯雜，百弊叢生，非特不能希蹤古人，即僅求寡過，亦已難矣。

（上三之三）

　　若就書之易淆者言之，經部《易》家與子部之五行陰陽家相出入，樂家與集部之樂府、子部之藝術相出入，小學家之書法與金石之法帖相出入，史部之職官與故事相出入，譜牒與傳記相出入，故事與集部之詔誥奏議相出入，集部之詞曲與史部之小說相出入，子部之儒家與經部之經解相出入，史部之食貨與子部之農家相出入，非特如鄭樵之所謂傳記、雜家、小說、雜史、故事五類，與詩話、文史之二類，易相紊亂已也❶❾。若就書之相資❷⓿者而論，《爾雅》與《本草》之書相資為用，地理與兵家之書相資為用，譜牒與曆律之書相資為用，不特如鄭樵之所謂性命之書求之道家，小學之書求之釋家，《周易》藏於卜筮，〈洪範〉藏於五行已也❷❶。書之易混者，非重複互注之法，無以免後學之牴牾；書之相資者，非重複互注之法，無以究古人之源委。一隅三反❷❷，其類蓋亦廣矣。

（上三之四）

　　別類敍書，如列人為傳，重在義類，不重名目也。班、馬列傳家法，人事有兩關者，則詳略互載之。如子貢在〈仲尼弟子〉為正傳，其入〈貨殖〉，則互見也❷❸。〈儒林傳〉之董仲舒、王吉、韋賢，既次於經師之篇，而

別有專傳❷。蓋以事義標篇，人名離合其間，取其發明而已。部次羣書，標目之下，亦不可使其類有所闕，故詳略互載，使後人溯家學者，可以求之無弗得，以是為著錄之義而已。自列傳互詳之旨不顯，而著錄亦無復有互注之條，以至《元史》之一人兩傳❷，諸史〈藝文志〉之一書兩出❷，則弊固有所開也。

（上三之五）

## 【今註】

❶　令史：官名。漢代設有蘭臺令史、尚書令史，掌文書，職位次於郎。晉、南北朝沿置。史皆有品秩，可補升為郎。

❷　嫌：憎惡、不滿意。《荀子·正名》：「其累百年之欲，易一時之嫌。」楊倞《注》：「嫌，惡也。」

❸　家學：猶「家法」，指師徒傳授之系統。《北史·江式傳》：「式少專家學，數年中常夢兩人相教授，及寤，每有記識。」

❹　標準：可為依據之法度程式。韓愈〈伯夷頌〉：「聖人乃萬世之標準。」

❺　折衷：也作折中，調節過與不及，使其適中。

❻　《伊尹》……九家之書：《漢書·藝文志·兵書略》兵權謀家未著錄此九家之書，班固自注：「省《伊尹》、《太公》、《管子》、《孫卿子》、《鶡冠子》、《蘇子》、《蒯通》、《陸賈》、《淮南王》二百五十九，種。」（王先謙《漢書補注》引劉奉世曰：種當作重。九下又脫一篇字。）

❼　儒家復有……二家之書：《漢書·藝文志·諸子略》儒家類：「《孫卿子》三十三篇」又：「《陸賈》二十三篇。」

❽　道家復有……四家之書：《漢書·藝文志·諸子略》道家類：「《伊尹》五十一篇。」又「《太公》二百三十七篇，《謀》八十一篇，《言》七十一篇，《兵》八十五篇。」又：「《筦子》八十六篇。」又：「《鶡冠子》一篇。」

❾　縱橫家復有《蘇子》、《蒯通》二家之書：《漢書·藝文志·諸子略》從橫

家類：「《蘇子》三十一篇，《蒯子》五篇。」

❿ 雜家復有《淮南王》一家之書：《漢書·藝文志·諸子略》雜家類：「《淮南內》二十一篇，《淮南外》三十三篇。」

⓫ 兵書技巧家有《墨子》：《漢書·藝文志·兵書略》技巧十三家下，班固自注：「省《墨子》，重。」

⓬ 墨家復有《墨子》之書：《漢書·藝文志·諸子略》墨家類：「《墨子》七十一篇。」

⓭ 鄭樵能譏班固之胸無倫次：《通志·校讎略》〈篇次不明論〉：「班固〈藝文志〉出於《七略》者也。《七略》雖疏而不濫，若班氏步步趨趨，不離於《七略》，未見其失也。間有《七略》所無，而班氏雜出者，則躓矣。揚雄所作之書，劉氏蓋未收，而班氏始出，若之何以《太玄》、《法言》、《樂箴》三書合為一，總謂之《揚雄所序》三十八篇，入於儒家類。按儒家舊有五十二種，固新出一種，則揚雄之三書也。且《太玄》，《易》類也，《法言》，諸子也，《樂箴》，雜家也，奈何合而為一家，是知班固胸中元無倫類。」

⓮ 訶：斥責。

⓯ 即矛陷盾：矛與盾，兩種兵器名。矛用以攻擊，盾用以防禦。比喻思考或言語前後不一，或互相抵觸之現象。《韓非子·難一》：「楚人有鬻楯與矛者，譽之曰：『吾楯之堅，物莫能陷也。』又譽其矛曰：『吾矛之利，於物無不陷也。』或曰：『以子之矛，陷子之楯，何如？』其人弗能應也。」

⓰ 三字石經：東漢熹平四年，靈帝詔令正定《五經》文字，命議郎蔡邕以隸體書丹於碑，刻石立太學門外。因用古文、篆、隸三種字體參校，故亦稱三體石經。魏正始中，邯鄲淳又用古文、小篆、漢隸三種字體書寫石經，立於漢碑西，亦曰三體石經。

⓱ 一字石經：即熹平石經，以隸書一種字體刊石，故稱一字石經。

⓲ 今字石經：一字石經以隸字書寫，故又稱今字石經。

⓳ 非特如鄭玄之所謂傳記、雜家、小說、雜史、故事五類，與詩話、文史之二類，易相紊亂而已：《通志·校讎略·編次之譌論》：「古今編書所不能分者五，一曰傳記，二曰雜家，三曰小說，四曰雜史，五曰故事。凡此五類之書，足相紊亂。又如文史與詩話，亦能相濫。」

⓴ 資：提供參考、利用。

㉑ 不特如鄭樵之所謂性命之書求之道家……〈洪範〉藏於五行已也：《通志·
校讐略·求書之道論》：「凡性命道德之書，可以求之道家，小學文字之
書，可以求之釋氏。如《素履子》、《玄真子》、《尹子》、《鶡子》之
類，道家皆有。如《倉頡篇》、《龍龕手鑑》、郭逡《音訣圖》、《字母》
之類，釋氏皆有。《周書》之書，多藏於卜筮家。《洪範》之書，多藏於五
行家。且如邢璹《周易略例正義》，今《道藏》有之。京房《周易飛伏
例》，卜筮家有之。此之謂旁類以求。」

㉒ 一隅三反：也作「舉一反三」。物有四角，舉其一角，便可推知其他三角。
比喻由一事加以類推，以知其他相關事物。《論語·述而》：「舉一隅不以
三隅反，則不復也。」

㉓ 子貢在〈仲尼弟子〉為正傳，其入〈貨殖〉則互見也：《史記·仲尼弟子列
傳》略云：「端木賜，衛人，字子貢，少孔子三十一歲。田常欲作亂於齊，
憚高、國、鮑、晏，故移其兵欲以伐魯。子貢請行，一出存魯、亂齊、破
吳、強晉而霸越。常相魯、衛，家累千金，卒終於齊。」又〈貨殖傳〉：
「子貢既學於仲尼，退而仕於衛，廢著鬻財於曹魯之間，七十子之徒，賜最
為饒益。原憲不厭糟糠，匿於窮巷。子貢結駟連騎，束帛之幣，以聘享諸
侯，所至，國君無不分庭與之抗禮。夫使孔子名布揚於天下者，子貢先後之
也。此所謂得勢而益彰者乎！」

㉔ 〈儒林傳〉之董仲舒、王吉、韋賢，既次於經師之篇，而別有專傳：經師之
篇，指《漢書·儒林傳》。〈儒林傳〉云：「胡母生字子都，齊人也，治
《公羊春秋》，為景帝博士，與董仲舒同業。仲舒著書稱其德。年老，歸教
於齊，齊之言《春秋》者，宗事之。公孫弘亦頗受焉。而董生為江都相，自
有傳。」又曰：「趙子，河內人也，事燕韓生，授同郡蔡誼。誼授同郡食子
公與王吉。吉為昌邑王中尉，自有傳。吉授淄川長孫順。順為博士。由是
《韓詩》有王、食、長孫之學。」又：「韋賢治《詩》，事博士大江公及許
生。又治《禮》，至丞相。傳子玄成，以淮陽中尉論石渠，後亦至丞相。玄
成及兄子賞以《詩》授哀帝，至大司馬車騎將軍，自有傳。由是魯詩有韋氏
學。」《漢書》卷五十六有〈董仲舒傳〉，卷七十二有〈王吉傳〉，卷七十
三有〈韋賢傳〉。

㉕ 《元史》之一人兩傳：《日知錄》卷二十六：「《元史》列傳八卷速不台，
九卷雪不台，一人作兩傳。十八卷完者都，十九卷完者拔都，亦一人作兩

傳。蓋其成書不出於一人之手。」

❷ 諸史〈藝文志〉之一書兩出：如《唐書・藝文志》經部小學類著錄虞龢《法書目錄》六卷，史部目錄類又重複著錄。又《名手畫錄》一卷，史部目錄類及子部雜藝術類重複著錄。

## 【今譯】

　　古人著錄圖書，不是只從圖書分類作考量。如果只從圖書分類作考量，只要找個懂得制度、文書的人就夠了，何必要父子代代相傳，經過二十四年，才能完成呢？這是因為排比學術流派，陳述高深的道理，敘述列舉九流百家之學，使它們有系統的排比，沒有缺漏，讓人可以依據類別索求圖書，根據書從事研究。至於學理有相通，一書有兩種功用的，可以在不同的類別同時收錄，不會以重複著錄為缺失，只要在不同的類別下，相為著錄，方便稽考檢索就可以了。古人最重視學派世代相傳的專門學術。敘述列舉一家之書時，如涉及到一家之學時，無不窮究始末，徹底瞭解其源流，所謂使著作有一定之標準，各家言論得以適中，就是這個意思。如果為了避免重複而不著錄，那末一書有兩種功用而只一類著錄，於一書之體制內容，既不能完全顯現；一個學派本來有這本書卻不著錄，對於那一個學派的學術來說，也是有所不完整了。

　　　　（以上三之一）

　　劉歆的《七略》已經亡佚了。它的內容體制還可知道的，只有根據班固《漢書・藝文志》的注了。（這是指班固的自注，不是顏師古的注）。《七略》在兵書權謀家著錄了《伊尹》、《太公》、《管子》、《荀卿子》（《漢書》作《孫卿子》）、《鶡冠子》、《蘇子》、《蒯通》、《陸賈》、《淮南王》九家的著作，而儒家又有《荀卿子》、《陸賈》二家的著作，道家又有《伊尹》、《太公》、《管子》、《鶡冠子》四家的著作，縱橫家又有《蘇子》、《蒯通》二家的著作，雜家又有《淮南王》一家的著作。兵書技巧家有《墨子》，而墨家又有《墨子》的著作。很可

惜除了以上這些重複的情形以外，其他的不能完全見於《漢志》的著錄，可能有散亡失傳的資料。不過只就這十家一書重複著錄的情形來看，古人說明學術源流變遷，重視學術流派，不避諱重複著錄的態度，是非常明顯的。從班固開始省併圖書重複著錄，後代不再瞭解各家的學術源流，從而以為編纂目錄的工作，只是為了排比圖書分類的需要而已。鄭樵譏刺班固在編纂《漢書·藝文志》時，心中沒有學術類別的觀念，鄭樵自己卻不能闡述劉氏的學術思想，以致〈校讎略〉的內容，善於詆斥古人而愚昧的固執己見，所造成的矛盾鄭樵又不能作合理的解釋。

（以上三之二）

圖書目錄創設〈金石〉、〈圖譜〉二略，與〈藝文〉略並列為三，始自鄭樵。就這三略而論：如〈藝文略〉經部有三字石經、一字石經、今字石經、《易》篆石經、鄭玄《尚書》等幾種，而〈金石略〉裡沒有石經的著述，怎麼可以特地立了〈金石略〉，而居然不收石經類的著述呢？經部、史部所收的圖譜，與〈圖譜略〉中所著錄的互有不同，毫無條理。也許可以說篇幅這麼大的著作，不免有差訛，這些差誤，還算可以。但是如〈藝文略〉史部傳記類〈祥異〉這個類別裡，著錄《地動圖》、《瑞應翎毛圖》之類的著作；〈名士〉這一類別裡，著錄了《文翁學堂圖》，〈忠烈〉類裡著錄了《忠烈圖》等，這些書都著錄於〈藝文略〉而不入〈圖譜略〉，這又怎麼說呢？這是由於不瞭解重複互注的方法，一遇到分歧牽制的地方，不能發覺衝突、雜錯的地方，以致產生各種缺失，不但不能追蹤前人，就是只求少些錯誤，都很難了。

（以上三之三）

如果就圖書容易混淆的情形來說，經部《易》類與子部的五行陰陽類彼此有所淆亂；史部的職官類與故事類彼此有所淆亂；譜牒類與傳記類有所淆亂；故事類與集部的詔誥奏議類彼此有所淆亂；集部的詞曲類與史部的小說類彼此有所淆亂；子部的儒家類與經部的經解類彼此有所淆亂；史部的食貨類與子部的農家類彼此有所淆亂；不是如鄭樵所說只有傳記、雜

家、小說、雜史、故事五類及詩話、文史兩類，容易彼此紊亂而已。如果就圖書彼此助益、利用的情形來說，《爾雅》與《本草》的書可用來彼此助益；地理類與兵家類的書可用來彼此助益；譜牒類與曆律類的書可以用來彼此助益；不僅如鄭樵所說性命的圖書可以在道家類中獲得、小學類的圖書可以在釋家類中獲得、可以在卜筮類中發現《周易》類的著作、可以在五行類中發現〈洪範〉類著作而已。容易淆亂的書，只有用重複互注的方法，才能避免使讀者錯誤；可以相互助益、利用的圖書，只有用重複互注的方法，才能推求古人學術的始末。能舉一反三，在其他很多類別，也可以應用這個道理。

　　（以上三之四）

　　分類敘列圖書，就像為人物列傳，重點在類別的內容，而不在其名稱。班固、司馬遷為人物列傳的方法，如果人或事關係到兩類的，則在兩類中或詳或略的加以記載。例如子貢的生平在〈仲尼弟子〉篇是正傳，在〈貨殖〉傳中的事蹟則可供互相參考。〈儒林傳〉所載有董仲舒、王吉、韋賢，他們的事蹟已列在經師的傳記裡，另外又為他們撰寫個人的傳記。這是由於以內容標定篇目，人名錯綜其間，用這種方法使他們的事蹟更加彰明罷了。編輯目錄，為了避免某類有所遺漏，所以在不同的類別中都加以著錄，使後之推求學術源流者，可以尋得，這就是編輯目錄的精神所在。自從列傳相互補充的功能不彰，著錄圖書也不再有互注的項目，甚至像《元史》居然有一人兩篇傳記，各史〈藝文志〉也有一書重複著錄的，這些缺失其來有自。

　　（以上三之五）

# 別裁第四

　　《管子》，道家之言也，劉歆裁其〈弟子職〉篇入小學❶。七十子所記百三十一篇，《禮經》所部也，劉歆裁其〈三朝記〉篇入《論語》❷。蓋古人著書，有採取成說❸，襲用故事者❹。（如〈弟子職〉必非管子自撰，〈月令〉必非呂不韋自撰，皆所謂採取成說也。）其所採之書，別有本旨，或歷時已久，不知所出；又或所著之篇，於全書之內，自為一類者；並得裁其篇章，補苴❺部次，別出門類，以辨著述源流；至其全書，篇次具存，無所更易，隸於本類，亦自兩不相妨。蓋權於賓主重輕之間，知其無庸互見者，而始有裁篇別出之法耳。

　　（上四之一）

　　〈夏小正〉在《戴記》之先，而《大戴記》收之❻，則時令而入於《禮》矣。《小爾雅》在《孔叢子》之外，而《孔叢子》合之❼，則小學而入於子矣。然《隋書》未嘗不別出《小爾雅》以附《論語》❽，《文獻通考》未嘗不別出〈夏小正〉以入時令❾，而《孔叢子》、《大戴記》之書，又未嘗不兼收而並錄也。然此特後人之幸而偶

中，或《爾雅》、〈小正〉之篇，有別出行世之本，故亦
從而別載之爾。非真有見於學問流別，而為之裁制也。不
然，何以本篇之下，不標子注，申明篇第之所自也哉？

（上四之二）

## 【今註】

❶ 《管子》，道家之言也，劉歆裁其〈弟子職〉篇入小學：《漢書・藝文志・
諸子略》道家類：「《筦子》八十六篇。」而《六藝略》《孝經》類，有
《弟子職》一篇。師古注引應劭曰：「管子所作，在《管子》書。」王先謙
補注引沈欽韓曰：「今為《管子》第五十九篇。鄭〈曲禮〉注引之，蓋漢時
單行。」

❷ 劉歆裁其〈三朝記〉篇入《論語》：《漢書・藝文志・六藝略》《禮》類：
「記百三十一篇。」班固自注：「七十子後學者所記也。」又《論語》類：
「《孔子三朝》七篇。」顏師古曰：「今《大戴禮》有其一篇，蓋孔子對哀
公語也。三朝見公，故曰三朝。」王先謙《補注》云：「沈欽韓曰：『今
《大戴記》〈千乘〉、〈四代〉、〈虞戴德〉、〈誥志〉、〈小辯〉、〈用
兵〉、〈少閒〉。《別錄》云：「孔子三見哀公，作《三朝禮》，今在《大
戴記》」，是也。』」

❸ 成說：成定理之學說。

❹ 故事：前代制度。

❺ 補苴：補綴、縫補。漢劉向《新序・刺奢》：「今民衣弊不補，履決不苴，
君則不寒，民誠寒矣。」韓愈〈進學解〉：「觗排異端，攘斥佛老。補苴罅
漏，張皇幽眇。」

❻ 《夏小正》在《戴記》之先，而《大戴記》收之：《直齋書錄解題》時令
類：「《夏小正》四卷，漢戴德撰，宋山陰傅崧卿注。此書本在《大戴
禮》，鄭康成注〈禮運〉夏時曰：『夏四時之書也。其存者有〈小正〉。』
後人於《大戴禮》鈔出別行。崧卿以正文與傳相雜，仿《左氏》經傳，列正
文其前而附以傳，且為之注。」《漢書・儒林傳》：「后倉說《禮》數萬
言，曰后氏《曲臺記》，授聞人通、漢子方、梁戴德延君、戴聖次君、沛慶

普孝公。孝公為東平太傅。德號大戴，為信都太傅。聖號小戴，以博士論石渠，至九江太守。由是《禮》有大戴、小戴、慶氏之學。」

❼ 《小爾雅》在《孔叢子》之外，而《孔叢子》合之：陳振孫《直齋書錄解題》小學類：「《小爾雅》一卷，《漢志》有此書，亦不著名氏。《唐志》有李軌解一卷。今《館閣書目》云，孔鮒撰。蓋即《孔叢子》第十一篇也。曰：〈廣詁〉、〈廣言〉、〈廣訓〉、〈廣義〉、〈廣名〉、〈廣服〉、〈廣器〉、〈廣物〉、〈廣鳥〉、〈廣獸〉，凡十章。又〈廣度量衡〉，為十三章。當是好事者鈔出別行。」沈欽韓《漢書疏證》卷二十四曰：「按班書時，《孔叢》未著，已有《小爾雅》，亦孔氏壁中文，不當謂其從《孔叢》鈔出也。」《直齋書錄解題》儒家類：「《孔叢子》七卷，孔氏子孫雜記其先世系言行之書也。《小爾雅》一篇，亦出於此。《中興書目》稱『漢孔鮒撰，一名《盤盂》。』按〈孔光傳〉夫子八世孫鮒，魏相順之子，『為陳涉博士，死陳下。』則固不得為漢人。而其書紀鮒之沒。第七卷號《連叢子》者，又記太常臧而下數世，迄於延光三年季彥之卒，則又安得以為鮒撰？按〈儒林傳〉所載為博士者，又曰孔甲，顏注曰：『將名鮒而字甲也。』今考此書稱子魚名鮒，陳人，或謂之子鮒，或稱孔甲，然則顏監未嘗見此書耶？〈藝文志〉有孔甲《盤盂》二十六篇。本注謂『黃帝史，或曰夏帝孔甲，似皆非也。』其書蓋田蚡所學者，與孔鮒初不相涉也。《中興書目》乃曰一名《盤盂》，不知何據。豈以《漢志》所謂孔甲，即陳王博士之孔甲耶？」

❽ 《隋書》未嘗不別出《小爾雅》以附《論語》：《隋書·經籍志》經部《論語》類：「《小爾雅》一卷，李軌略解。」

❾ 《文獻通考》未嘗不別出《夏小正》以入時令：《文獻通考·經籍考》史部時令類：「《夏小正》一卷。」

## 【今譯】

《管子》，是道家的學說，劉歆裁取其中〈弟子職〉篇入於小學類。孔子弟子所記一百三十一篇，是《禮經》類的書，劉歆裁取其中〈三朝記〉篇入《論語》類。這是由於古人著書，有時採取既有的學說，沿用已有的制度。（如〈弟子職〉，必非管子自撰，〈月令〉，必非呂不韋自

撰，都是採用既有的學說。）所採用的書，已另有原本的旨意；或時代已久，不知原作者；又或者所著錄的篇章，在全書中，自成一類的，都可以裁取部分篇章，填補部類，或另立門類，用以考辨著述源流。至於原書，篇次仍然完整，沒有更改，仍隸屬原本的類別，不相妨礙。這是經過衡量其間的輕重主客的關係，判定不需用互著的方法，於是有這種別裁的方法。

（以上四之一）

〈夏小正〉成於《戴記》成書之前，而收在《大戴記》中，如此一來時令類的著作入於《禮》經了。《小爾雅》本不在《孔叢子》中，而今在《孔叢子》一書中，如此一來小學類的著作入於子部了，但是《隋書·經籍志》分出《小爾雅》附在《論語》類；《文獻通考·經籍考》分出〈夏小正〉歸屬時令類，而《孔叢子》、《大戴記》，仍載有《小爾雅》及〈夏小正〉。不過，這只是後人幸運而偶然做對了，或者《小爾雅》、《（夏）小正》，有單獨行世的本子，所以就據以分別著錄了。並不是真的瞭解學術的源流變遷，才如此決定的。不然，為什麼不在〈夏小正〉、《小爾雅》下，加上小注，說明它們的出處呢？

（以上四之二）

# 辨嫌名❶第五

　　部次有當重複者，有不當重複者。《漢志》以後，既無互注之例，則著錄之重複，大都不關義類，全是編次之錯謬爾。篇次❷錯謬之弊有二，一則門類疑似，一書兩入也❸；一則一書兩名，誤認二家也❹。欲免一書兩入之弊，但須先作長編❺，取著書之人與書之標名，按韻編之，詳注一書源委於其韻下；至分部別類之時，但須按韻稽之，雖百人共事，千卷雷同，可使疑似之書，一無犯複矣。至一書兩名誤認二家之弊，則當深究載籍，詳考史傳；並當歷究著錄之家，求其所以同異兩稱之故，而筆之於書，然後可以有功古人，而有光來學耳。

　　（上五之一）

　　《太史公》百三十篇，今名《史記》❻。《戰國策》三十三篇，初名《短長語》❼。《老子》之稱《道德經》❽，《莊子》之稱《南華經》❾，《屈原賦》之稱《楚詞》❿，蓋古人稱名樸，而後人入於華也。自漢以後，異名同實，文人稱引，相為弔詭⓫者，蓋不少矣。《白虎通德論》刪去德論二字⓬，《風俗通義》刪去義字⓭，《世

說新語》，刪去新語二字❹，《淮南鴻烈解》刪去鴻烈解而但曰《淮南子》❺，《呂氏春秋》有十二紀八覽六論，不稱《呂氏春秋》，而但曰《呂覽》❻。蓋書名本全，而援引者從簡略也。此亦足以疑誤後學者已。鄭樵精於校讐，然〈藝文〉一略，既有《班昭集》，而復有《曹大家集》，則一人而誤為二人矣。晁公武善於考據，然《郡齋》一志❼，張君房《脞說》，而題為張唐英❽，則二人而誤為一人矣。此則人名字號之不一，亦開歧誤之端也。然則校書著錄，其一書數名者，必當歷注互名於卷帙之下；一人而有多字號者，亦當歷注其字號於姓名之下，庶乎無嫌名歧出之弊矣。

　　　　　　　　（上五之二）

【今註】

❶　嫌名：禮：「不避嫌名。」嫌名，謂音聲相近之字。如唐李賀父名晉肅，賀舉進士，「進」「晉」音近，為犯嫌名，見韓愈〈諱辨〉。

❷　篇次：篇，當作編，劉承幹刻《章氏遺書・附錄》載王秉恩《校記》：「此承上文言，應從黔本為編次。」

❸　門類疑似，一書兩入：如《新唐書・藝文志》史部故事類有《魏廷尉決事》十卷，史部刑法類又有《廷尉決事》二十卷，當是一書而卷數析併不同。又如《唐書・藝文志》史部雜傳類有《圈稱陳留風俗傳》三卷，史部地理類亦載此書。

❹　一書兩名，誤認二家：《通志・藝文略》既有《班昭集》，復有《曹大家集》。

❺　長編：將各種資料蒐採彙集，然後依年月次序，排比資料，謂之「長編」。宋高似孫《緯略》（卷十二）〈通鑑〉條，載司馬光致宋敏求書，云：「某

自到洛以來，專以修《資治通鑑》為事，至今八年，僅了得晉、宋、齊、梁、陳、隋六代以來奏御。唐文字尤多，託范夢得將諸書依年月編次為草卷。每四十（闕字）為一卷，自課三日刪一卷，有事故妨廢，則追（闕字）。自前秋始刪，到今已二百餘卷，至大曆末年耳。向後卷數，又須倍此，共計不減六、七百卷，須更三年，方可粗成編，又須細刪，所存不過數十卷而已。」范夢得所從事者，即是長編之編纂工作。

❻ 《太史公》百三十篇，今名《史記》：《漢書·藝文志》：「《太史公》百三十篇。」王先謙《補註》：「《隋志》題《史記》，蓋晉後著錄，改從今名。」

❼ 《戰國策》三十三篇，初名《短長語》：劉向《戰國策·序》：「《國策》或曰國事，或曰短長，或曰事語，或曰長書，或曰修書。臣向以為戰國時游士輔所用之國，為之策謀，宜為《戰國策》。其事繼《春秋》以後，訖楚漢之起，二百四十五年間之事，皆定以殺青，書可繕寫，得三十三篇。」

❽ 《老子》之稱《道德經》：《漢書·藝文志》著錄《老子鄰氏經傳》四篇，《老子傅氏經說》三十七篇，《老子徐氏經說》六篇、《劉向說老子》四篇等書，《隋書·經籍志》始改稱《老子道德經》。

❾ 《莊子》之稱《南華經》：《唐書·藝文志》子部道家類著錄王士元《亢倉子》二卷，註云：「天寶元年，詔號《莊子》為《南華真經》，《列子》為《沖虛真經》，《文子》為《通玄真經》，《亢桑子》為《洞靈真經》。」

❿ 《屈原賦》之稱《楚詞》：《漢書·藝文志》詩賦略：「《屈原賦》二十五篇。」王逸《楚辭章句·序》：「屈原依詩人之義而作《離騷》，上以諷諫，下以自慰。遭時闇亂，不見省納，不勝憤懣，遂復作《九歌》以下凡二十五篇。楚人高其行義，瑋其文采，以相教傳。至於孝武帝恢廓道訓，使淮南王安作《離騷經》章句，則大義粲然。後世雄俊莫不瞻慕，舒肆妙慮，纘述其詞。逮至劉向典校經書，分為十六卷。」《隋書·經籍志》〈楚辭類〉小敘：「《楚辭》者，屈原之所作也。自周室衰亂，詩人寢息。諂佞之道興，諷刺之辭廢。楚有賢臣屈原，被讒放逐，乃著《離騷》八篇，言己離別愁思，申杼其心，自明無罪，因以諷諫，冀君覺悟，卒不省察，遂赴汨羅死焉。弟子宋玉，痛惜其師，傷而和之。其後賈誼、東方朔、劉向、揚雄，嘉其文彩，擬之而作。蓋以原楚人也，謂之《楚辭》。」

⓫ 弔詭：怪誕、奇異。《莊子·齊物論》：「丘也與女皆夢也，予謂女夢，亦

夢也。是其言也,其名為吊詭。」唐陸德明《經典釋文》:「吊如字,又音的,至也。詭,九委反,異也。」

⓬ 《白虎通德論》刪去德論二字:《後漢書·儒林傳》:「建初中,大會諸儒於白虎觀,考詳同異,連月乃罷,肅宗親臨稱制,如石渠故事,顧命史臣,著有《通義》。」〈班固傳〉:「天子會諸儒,講論《五經》,作《白虎通德論》,令固撰集其事。」《隋書·經籍志》〈論語〉類:「《白虎通》六卷。」陳振孫《直齋書錄解題》〈經解類〉著錄《白虎通》十卷。

⓭ 《風俗通義》刪去義字:《後漢書·應奉傳》:「應劭字仲遠,撰《風俗通》,以辯物類名號,釋時俗嫌疑。文雖不典,後世服其洽聞。」劭〈自序〉:「至於俗間行語,眾所共傳,積非習貫,莫能原察。私懼後進益以迷昧,聊以不才,舉爾所知,方以類聚,凡一十卷,謂之《風俗通義》。言通於流俗之過謬,而事該之於義理也。」

⓮ 《世說新語》,刪去新語二字:《隋書·經籍志》子部小說類:「《世說》八卷,宋臨川王劉義慶撰。」《唐書·藝文志》丙部子錄小說類:「劉義慶《世說》八卷。」《四庫全書總目》《世說新語》(三卷)〈提要〉:「黃伯思《東觀餘論》,謂《世說》之名,肇於劉向,其書已亡,故義慶所集,名《世說新書》。段成式《酉陽雜俎》引王敦操豆事,尚作《世說新書》可證。不知何人改為《新語》,蓋近世所傳,然相沿已久,不能復正矣。」

⓯ 《淮南鴻烈解》刪去鴻烈解而但曰《淮南子》:《漢書·藝文志》雜家類:「《淮南》內二十一篇。」又「《淮南》外三十三篇。」師古曰:「內篇論道,外篇雜說。」《隋書·經籍志》子部雜家類:「《淮南子》二十一卷,漢淮南王劉安撰,許慎注。」又「《淮南子》二十一卷,高誘注。」《唐書·藝文志》雜家類:「高誘注《淮南子》二十一卷。又《淮南鴻烈音》二卷。」宋陳振孫《直齋書錄解題》雜家類:「《淮南鴻烈解》二十一卷,漢淮南王安與賓客撰。」是此書歷來所題不同。清梁章鉅《退庵隨筆》(十七):「鴻烈之義,一見於本書〈要略訓〉,而高誘敘中亦言『講論道德,總統仁義,而著此書,號曰《鴻烈》。』故內篇亦有稱《鴻烈解》者。誘又曰:『光祿大夫劉向,校定撰具,名之《淮南》。』〈藝文志〉亦向、歆所述,是當時品題《淮南》,不必稱子,直至《隋志》始題《淮南子》也。」

⓰ 《呂氏春秋》有十二紀八覽六論,不稱《呂氏春秋》,而但曰《呂覽》:《史記·呂不韋傳》:「是時諸侯多辯士,如荀卿之徒,著書布天下。呂不

韋乃使其客人人著所聞，論集以為八覽、六論、十二紀，二十餘萬言。以為備天地萬物古今之事，號曰《呂氏春秋》。」《漢書・司馬遷傳》：「不韋遷蜀，世傳《呂覽》。」

**⑰** 《郡齋》一志：《宋史・藝文志》傳記類：「晁公武《讀書志》二十卷。」又，目錄類：「晁公武《讀書志》四卷。」《四庫全書總目提要》目錄類：「《郡齋讀書志》四卷，晁公武撰。《後志》二卷，亦公武所撰，趙希弁重編。《附志》一卷，則希弁所續輯也。公武字子止，鉅野人，沖之之子。官至敷文閣直學士，臨安少尹。始，南陽井（度）憲孟為四川轉運使，家多藏書，悉舉以贈。公武乃躬自讐校，疏其大略，為此書。以時方守榮州，故名《郡齋讀書志》。後書散佚而志獨存。淳祐己酉，鄱陽黎安朝守袁州，因令希弁即其家所藏書目參校，刪其重複，摭所未有，益為《附志》一卷，而重刻之，是為袁本。時南充游鈞守衢州，亦取公武門人姚應績所編蜀本刊傳，是為衢本。當時二書竝行於世。惟衢本分析至二十卷，增加書目甚多。卷首公武自序一篇，文亦互有詳略。希弁以衢本所增，乃公武晚年續裒之書，而非所得井氏之舊，因別摘出為《後志》二卷。又以袁衢二本異同，別為《攷異》一卷，附之編末。蓋原志四卷，為井氏書，後志二卷，為晁氏書，竝至南渡而止。《附志》一卷，則希弁家書，故兼及於慶元以後也。」

**⑱** 張君房《脞說》，而題為張唐英：《郡齋讀書志》（卷十二）子部小說類：「《搢紳脞說》二十卷。右皇朝張唐英（君房）撰。君房博學，通釋老，善著書，如《名臣傳》、《蜀檮杌》、《雲笈七籤》，行於世者，無慮數百卷，此書亦詳實。」陳振孫《直齋書錄解題》（卷十一）子部小說家類：「《乘異記》三卷，南陽張君房撰，咸平癸卯〈序〉，取晉之乘之義也。君房又有《脞說》，家偶無之，晁公武《讀書志》以《脞說》為張唐英君房撰，又言君房著《名臣傳》、《蜀檮杌》、《雲笈七籤》行於世。按君房，祥符、天禧以前人。楊大年（指楊億）〈改閑忙令〉，所謂『紫微失卻張君房』者，即其人也。嘗為御史屬，坐鞫獄貶秩，因編修《七籤》，得著作佐郎。《七籤序》自言君房蓋其名，非字也。唐英字次功，熙豐間人，丞相商英天覺之兄，作《名臣傳》《蜀檮杌》者，與君房了不相涉。不知晁何以合為一人也？其誤明矣。」

## 【今譯】

圖書分類排比有應重複的，有不應重複的。《漢書·藝文志》以後，既無互注的方法，所以重複著錄的，大致都和著作的類別無關，都是分類編纂的錯誤。這種錯誤有兩種：一是類別近似，一書著錄兩次；一是一書有兩個名稱，誤以為是兩書。想要避免一書著錄兩次的缺失，只要先編製長編，將所有的作者與書名，按韻編纂，在每一韻下注明一書的學術源流，到編纂目錄要決定每一書的歸屬門類時，只要查考每一韻下所注明的資料，如此，即使很多人參與編纂目錄，很多書名相同，可使那些類別近似的書，不致重複著錄。至於一書有兩個名稱，誤認為兩書的缺失，就得多閱典籍，詳考史書傳記，同時研究歷代目錄，瞭解何以有兩種名稱的原故，再做確認，如此可以發揚古人著作，並指引後學。

（以上五之一）

《太史公》一百三十篇，現在稱《史記》。《戰國策》三十三篇，開始時稱《短長語》。《老子》後來又稱《道德經》，《莊子》後來又稱《南華經》，《屈原賦》後來又稱《楚辭》，這是由於古人取名較質樸，後人則趨於華麗。從漢代以後，同一書有不同的名稱，文人引用時，有各種詭異的情形。《白虎通德論》刪去德論二字；《風俗通義》刪去義字；《世說新語》刪去新語二字；《淮南鴻烈解》刪去鴻烈解三字而只說《淮南子》；《呂氏春秋》有十二紀八覽六論，不稱《呂氏春秋》而只說《呂覽》。書名本來是完整的，而援引的人加以簡略了，這些現象會誤導後學。鄭樵很懂校讐，但是〈藝文略〉裡，已經有《班昭集》，又有《曹大家集》，這是將一人誤做兩人。晁公武很懂考據，但是《郡齋讀書志》裡，張君房《脞說》，作者改作張唐英，這是將不同的兩個人誤以為同一人。這是人的字號有時有好幾個，造成這些錯誤。所以整理圖書編輯目錄時，一書有數名的，在書名下應注明其它的名稱；如果一個人有好幾個字號，也應在姓名下注明各種字號，這樣大致就能避免相關的名稱重複出現的缺失了。

（以上五之二）

# 補鄭❶第六

　　鄭樵論書，有名亡實不亡❷，其見甚卓。然亦有發言太易者，如云：「鄭玄《三禮目錄》雖亡，可取諸三《禮》。」則今按以《三禮正義》，其援引鄭氏《目錄》多與劉向篇次不同❸，是當日必有說矣，而今不得見也。豈可曰取之三《禮》乎？又曰：「《十三代史目》雖亡，可取諸十三代史。」❹考〈藝文〉所載《十三代史目》，有唐宗諫及殷仲茂兩家❺；宗諫之書凡十卷，仲茂之書止三卷，詳略如此不同，其中亦必有說。豈可曰取之十三代史而已乎？其餘所論，多不出此，若求之於古而不得，無可如何，而旁求於今有之書，則可矣。如云古書雖亡而實不亡，談何容易耶？

　　（上六之一）

　　若求之於古而不得，無可如何，而求之今有之書，則又有采輯補綴❻之成法，不特如鄭樵所論已也。昔王應麟以《易》學獨傳王弼，《尚書》止存偽《孔傳》，乃采鄭玄《易》注《書》注之見於羣書者，為鄭氏《周易》、鄭氏《尚書》注；又以四家之《詩》，獨《毛傳》不亡，乃

采三家《詩》說之見於羣書者，為《三家詩考》❼。嗣後好古之士，踵其成法，往往綴輯逸文，搜羅略遍。今按緯候之書，往往見於《毛詩》、《禮記》注疏及《後漢書》注❽；漢魏雜史，往往見於《三國志》注❾；摯虞《流別》及《文章志》往往見於《文選》注❿；六朝詩文集，多見採於《北堂書鈔》、《藝文類聚》⓫；唐人載籍，多見採於《太平御覽》《文苑英華》⓬；一隅三反，充類求之，古逸之可採者多矣。

    （上六之二）

  鄭樵論書，有不足於前朝而足於後世者，以為《唐志》所得舊書盡梁書，卷帙而多於隋⓭，謂唐人能按王儉《七志》⓮、阮孝緒《七錄》⓯以求之之功，是則然矣。但竟以卷帙之多寡，定古書之全缺，則恐不可盡信也。且如應劭《風俗通義》，劭自序實止十卷，《隋書》亦然，至《唐志》乃有三十卷⓰，又非有疏解家為之離析篇第，其書安所得有三倍之多乎？然今世所傳《風俗通義》，乃屬不全之書，豈可遽以卷帙多寡定書之全不全乎？

    （上六之三）

## 【今註】

❶ 補鄭：補鄭樵《通志》〈藝文略〉、〈校讎略〉之不足。

❷ 名亡實不亡：《通志·校讎略·書有名亡實不亡論》：「書有亡者，有雖亡而不亡者，有不可以不求者，有不可求者。《文言略例》雖亡，而《周易》

具在。漢、魏、吳、晉《鼓吹曲》雖亡，而《樂府》具在。《三禮目錄》雖亡，可取諸三《禮》。《十三代史目錄》雖亡，可取諸十三代史。常鼎寶《文選著作人名目錄》雖亡，可取諸《文選》。孫玉汝《唐列聖實錄》雖亡，可取諸唐實錄。《開元禮目錄》雖亡，可取諸《開元禮》。《名醫別錄》雖已亡佚，陶隱居已收入《本草》，李氏《本草》雖亡，唐慎微已收入《證類》，《春秋括甲子》雖亡，不過起隱公至哀公甲子耳。韋嘉《年號錄》雖亡，不過起漢後元至唐中和年號耳。《續唐曆》雖亡，不過起續柳芳所作至唐之末年，亦猶《續通典》續杜佑所作至宋初也。《毛詩蟲魚草木圖》蓋本陸機疏而為圖，今雖亡，有陸機疏在，則其圖可圖也。《爾雅圖》蓋本郭璞注而為圖，今雖亡，有郭璞注在，則其圖可圖也。張頻《禮粹》出於崔靈恩《三禮義宗》，有崔靈恩《三禮義宗》，則張頻《禮粹》為不亡。……。紀元之書亡者甚多，不過《紀運圖》《歷代圖》可見其略，編年紀事之書亡者甚多，不過《通曆》《帝王曆數圖》可見其略，凡此之類，名雖亡而實不亡者也。」

❸ 援引鄭氏《目錄》，多與劉向篇次不同：如〈曲禮〉上下第一第二，引鄭《目錄》云：「名曰〈曲禮〉者，以其篇記五禮之事。此於《別錄》屬制度。」〈檀弓〉上下第三第四，引鄭《目錄》云：「名曰〈檀弓〉者，以其記人善於禮，故著姓名以顯之。此於《別錄》屬通論。」〈王制〉第五引鄭《目錄》云：「名曰〈王制〉者，以其記先王班爵、授錄、祭祀、養老之法度，此於《別錄》屬制度。」每篇下引鄭《目錄》並及《別錄》，篇次與《別錄》不同。

❹ 《十三代史目》雖亡，可取諸十三代史：十三代史，指《史記》、《漢書》、《後漢書》、《三國志》、《晉書》、《宋書》、《齊書》、《梁書》、《陳書》、《後魏書》、《北齊書》、《後周書》、《隋書》。《通志·藝文略》三，通史類著書錄《十三代史選》五十卷，注：「敘《史記》、前後漢、《三國志》、晉、宋、齊、梁、陳、後魏、北齊、後周、隋十三家史。」

❺ 《十三代史目》，有唐宗諫及殷仲茂兩家：《唐書·藝文志》史部目錄類：「宗諫注《十三代史目》十卷。」《宋史·藝文志》：「宗諫注《十三代史目》十卷。」又：「殷仲茂《十三代史目》一卷。」宋晁公武《郡齋讀書志》史部目錄類：「《十三代史目》三卷。右唐殷仲茂撰。輯《史記》、兩

漢、三國、晉、宋、梁、陳、後魏、北齊、周、隋史籍篇次名氏。」

❻ 采輯補綴：採求編集佚文，補綴佚闕。

❼ 王應麟……至《三家詩考》：王應麟（1223－1296），字伯厚，宋慶元府人。九歲通六經，學問該博，第淳祐元年（1241）進士，從王埜受學，寶祐四年（1256），舉博學宏詞科，歷浙西安撫使幹辦公事，累擢秘書郎，應詔極論時政。度宗即位，累遷禮部尚書，東歸後二十年卒。著有《詩考》、《詩地理考》、《詩草木鳥獸蟲魚廣疏》、《踐阼篇集解》、《春秋三傳會考》、《六經天文篇》、《蒙訓》、《小學紺珠》、《小學諷詠》、《急救篇補注》、《通鑑地理考》、《通鑑答問》、《通鑑地理通釋》、《漢書藝文志考證》、《漢制考》、《尚書草木鳥獸譜》、《周書王會篇集解》、《困學紀聞》、《詩辨》、《玉海》、《姓氏急救篇》、《詞學指南》等書。事蹟具《宋史》（卷四三八）。王氏又輯有《周易鄭氏注》一卷、《三家詩考》一卷，附刻《玉海》中。王氏所輯《尚書鄭注》十卷，今收在《學津討原》第二集。

❽ 緯候之書，往往見於《毛詩》、《禮記》注疏及《後漢書》注：陳振孫《直齋書錄解題》讖緯類著錄《乾坤鑿度》二卷，陳氏曰：「一作《鑿度》，題包羲氏先文，軒轅氏演籀，蒼頡脩。……隋、唐以來，其學寖微矣。考《唐志》猶存九部八十四卷，今其書皆亡。惟《易緯》僅存如此。及孔氏《正義》或時援引，先儒蓋嘗欲刪去之，以絕偽妄矣。」

❾ 漢魏雜史，往往見於《三國志》注：《三國志》六十五卷，晉陳壽撰，南朝宋裴松之注。清趙翼《廿二史劄記》（卷六）〈裴松之三國志注〉條云：「宋文帝命裴松之采三國異同，以註陳壽《三國志》。松之鳩集傳記，增廣見聞。……今案：松之所引書凡百五十餘種：謝承《後漢書》、司馬彪《續漢書》、《九州春秋》、《戰略序傳》、張璠《漢記》、袁暐《獻帝春秋》、孫思光《獻帝春秋》、袁宏《漢紀》、習鑿齒《漢晉春秋》、孔衍《漢魏春秋》、華嶠《漢書》、《靈帝紀》、《獻帝紀》、《獻帝起居注》、《山陽公載記》、《三輔決錄》、《獻帝傳》、《漢書地理志》、《續漢書郡國志》、蔡邕《明堂論》、《漢末名士論》、《先賢行狀》、《汝南先賢傳》、《陳留耆舊傳》、《零陵先賢傳》、《楚國先賢傳》、荀綽《冀州記》、《襄陽記》、《英雄記》、王沈《魏書》、夏侯湛《魏書》、陰澹《魏紀》、魏文帝《典論》，孫盛《魏世籍》、孫盛《魏氏春

秋》……凡此所引書，皆注出書名，可見其採輯之博矣。」

❿ 摯虞《流別》及《文章志》，往往見於《文選》注：《隋書·經籍志》集部
總集類：「《文章流別志論》二卷，摯虞撰。」《隋書·經籍志》史部簿錄
類：「《文章志》四卷，摯虞撰。」《昭明文選》班叔皮〈北征賦〉注引
《流別論》曰：「更始時，班彪避難涼州，發長安，至安定，作〈北征賦〉
也。」曹大家〈東征賦〉注引《流別論》曰：「發落至陳留，述所經歷
也。」木玄虛〈海賦〉注引《文章注》曰：「廣州木玄虛〈海賦〉，文甚雋
麗，足繼前良。」張平子〈思玄賦〉注引摯虞《流別》，題云「衡注」。應
吉甫〈華林園集詩〉注引《文章志》曰：「應貞字吉甫，少以才聞，能談
論，晉武帝為撫軍將軍，以貞參軍，晉室踐阼，遷太子中庶子、散騎常侍，
卒。」應璩〈百一詩〉注引《文章志》曰：「璩，汝南人也。」潘正叔〈贈
陸機出為吳王郎中令詩〉注引《文章志》曰：「潘尼字正叔，少有清才，初
應州辟，後以父老歸供養，父終，乃出仕，位終太常。」繆熙伯〈挽歌詩〉
注引《文章志》曰：「繆襲字熙伯。」潘元茂〈冊魏公九錫文〉注引《文章
志》曰：「潘勗字元茂，獻帝時為尚書郎，遷東海相，未發，拜尚書左丞，
病卒。《魏錫》，勗所作。」繁休伯〈與魏文帝牋〉注引《文章志》曰：
「繁欽字休伯，潁川人，少以文辯知名，以豫州從事稍遷至丞相主簿，病
卒。」陳孔璋〈答東阿王牋〉注引《文章志》曰：「陳琳字孔璋，廣陵人
也。避亂冀州，袁紹辟之，使典密事。紹死，魏太祖辟為軍謀祭酒，典記
室，病卒。」

⓫ 六朝詩文集，多見採於《北堂書鈔》、《藝文類聚》：晁公武《郡齋讀書
志》（卷十四）子部類書類：「《北堂書鈔》一百七十三卷，右唐虞世南
撰。世南仕隋秘書郎時，鈔經史百家之事以備用。分八十部，八百一類。北
堂者，省中虞世南鈔書之所也。」又：「《藝文類聚》一百卷，右唐歐陽詢
等撰。分門類事，兼采前世詩賦銘頌文章，附於逐目之後。按《唐志》，詢
與令狐德棻、袁朗、趙弘智同修。」如郭璞《爾雅圖贊》散引於《藝文類
聚》，鮑照《河清頌》見於《北堂書鈔》一百五十八，是也。

⓬ 唐人載籍，多見採於《太平御覽》、《文苑英華》：陳振孫《直齋書錄解
題》（卷十四）子部類書類：「《太平御覽》一千卷，翰林學士李昉、扈蒙
等撰。以前代《修文御覽》、《藝文類聚》、《文思博要》及諸書參詳條次
修纂。本號《太平總類》，太平興國二年受詔，八年書成，改名《御覽》。

或言，國初古書多未亡，以《御覽》所引用書名故也，其實不然，特因前諸家類書之舊爾。以《三朝國史》考之，館閣及禁中書總三萬六千餘卷，而《御覽》所引書多不著錄，蓋可見矣。」《四庫全書簡明目錄》（卷十四）子部類書類：「《太平御覽》一千卷。宋太平興國二年，李昉等奉敕撰。凡五十五門，所採書一千六百九十種。雖多轉引類書，不能一一出自原本，而搜羅浩博，至今為考據之淵藪，他類書莫能先也。」《四庫全書簡明目錄》（卷十九）集部總集類：「《文苑英華》一千卷，宋太平興國七年李昉等奉敕編。蓋以續《昭明文選》，故《文選》迄於梁初，此書即託始於梁末，而下迄於唐。然南北朝之文十之一而弱，唐代之文十之九而強，往往全部收入。唐人諸集，傳世日稀，所藉以考見者，賴此編之存而已。」

❸ 《唐志》所得舊書盡梁書，卷帙而多於隋：《通志·校讎略·闕書備於後世論》：「古之書籍，有不足於前朝而足於後世者。觀《唐志》所得舊書盡梁書，卷帙而多於隋，蓋梁書至隋，所失已多，而卷帙不全者又多。唐人按王儉《七志》、阮孝緒《七錄》搜訪圖書，所以卷帙多於隋，而復有多於梁者。如《陶潛集》，梁有五卷，隋有九卷，唐乃有二十卷。諸書如此者甚多，孰謂前代亡書，不可備於後代乎？」

❹ 王儉《七志》：《隋書·經籍志》（卷二）史部簿錄類：「今書《七志》七十卷，王儉撰。」王儉，字仲寶，南朝宋明帝時歷官秘書丞，依《七略》撰《七志》四十卷，表獻之，又撰《元徽四部書目》，齊臺建，遷尚書左僕射，封南昌縣公。時朝儀草創，皆儉議定之。卒諡文憲。著有《古今喪服集記》、《文集》。

❺ 阮孝緒《七錄》：《隋書·經籍志》（卷三）史部簿錄類：「《七錄》十二卷，阮孝緒撰。」阮孝緒，梁尉氏人，字士宗，年十三，徧通《五經》，外兄王晏貴顯，屢至門，孝緒穿籬逃匿，不與相見。大同初卒，門徒追論德行，諡文貞處士。著有《文字集略》（六卷）、《正史削繁》（九十四卷）、《高隱傳》（十卷）、《七錄》（十二卷）等。

❻ 應劭《風俗通義》……至《唐志》乃有三十卷：《隋書·經籍志》（卷三）子部雜家類：「《風俗通義》三十一卷。」注：「《錄》一卷，應劭撰，梁三十卷。」《唐書·藝文志》丙部子錄雜家類：「應劭《風俗通義》三十卷。」參見〈辨嫌名〉註❸。

## 【今譯】

鄭樵談論圖書時，發現有些書名義上，說是已亡佚，但書並未亡佚，見解很卓越。但是也有太輕率的言論，例如說：「鄭玄《三禮目錄》雖已亡佚，但可從三《禮》得到其內容。」現在詳讀《三禮正義》，其中所引用的《三禮目錄》，大部分與劉向原來的篇次不同，可見當時一定有相關論說，今日已不得見了。所以怎麼說可從《三禮》取得呢？又說：「《十三代史目》雖已亡佚，可以從十三代正史得到其內容。」〈藝文志〉所著錄的《十三代史目》，有唐代宗諫所撰及殷仲茂所撰兩種，宗諫撰的是十卷，仲茂撰的只三卷，兩書差異很大，一定有相關的論說。怎麼說可從十三代史取得呢？其它所論，大致都是如此。如果無法從古書中獲取佚書內容，那是沒辦法的事，如從現存的書廣博尋求就可以了。如果說古書雖已亡佚而書仍然存在，談何容易呢？

（以上六之一）

如果古書已找不到，在無其他方法之下，只好從現存的書中檢索，過去已有采輯補綴的方法，不是只有鄭樵所論的方法而已。從前宋代的王應麟由於《易》學僅存王弼的《注》，《尚書》則僅存偽《孔傳》，於是把各書中所載的鄭玄《易》注、《尚書》注予以採輯，纂成鄭玄《周易注》和鄭氏《尚書注》。又以四家《詩》，只有《毛傳》傳世，於是把各書中所載的三家《詩》說予以採輯，纂成《三家詩考》。此後好古的讀書人，效法他的方法，每每採綴逸文，從各種書中搜羅。今按：緯候方面的著作，每每見於《毛詩》、《禮記》的注疏及《後漢書》注裡；漢、魏的雜史類著作，每每見於《三國志》注中；晉代摯虞的《文章流別》及《文章志》，每每見於《昭明文選》注裡；六朝人的詩文集，很多被採錄在《北堂書鈔》及《藝文類聚》兩部類書中；唐人的著作，很多被採錄在《太平御覽》及《文苑英華》中。舉一隅而知其三，從各類圖書中索求，可供採輯的古代佚書很多。

（以上六之二）

　　鄭樵談論圖書，有些在前朝殘缺而後代則有完備的本子，以為《唐書·藝文志》所著錄的前代著作，就書的卷帙來說，涵蓋梁朝時的存書卷數，同一書，唐時的卷帙又多於隋朝，鄭樵說這是由於唐人能根據王儉的《七志》及阮孝緒的《七錄》蒐採圖書的貢獻，的確是如此。但是完全以卷帙之多寡，來判定圖書之完整或殘缺，恐怕不完全可靠。例如應劭的《風俗通義》，應劭〈自序〉此書只有十卷，《隋書·經籍志》也是十卷，到了《唐書·藝文者》所載，卻有三十卷，如果不是注疏者離析該書篇卷，該書怎麼可能多出三倍呢？而現在所傳世的《風俗通義》，是不完整的殘本，又怎可以卷帙之多寡就冒然判定一部書是否完整呢？

　　（以上六之三）

# 校讎條理第七

　　鄭樵論求書遣官、校書久任之說❶，真得校讎之要義
矣。顧求書出於一時，而求之之法，亦有善與不善，徒曰
遣官而已，未見奇書祕策之必無遺逸也。夫求書在一時，
而治書在平日。求書之要，即鄭樵所謂其道有八❷，無遺
議矣。治書之法，則鄭樵所未及議也。古者同文❸稱治；
漢制，吏民上書，字或不正，輒舉劾❹。蔡邕正定石經
❺，以謂四方之民，至有賄改蘭臺漆書，以合私家文字者
❻。是當時郡國傳習，容有與中書不合者矣。然此特就小
學字體言之也。若紀載傳聞，詩書雜誌，真訛糾錯，疑似
❼兩淆；又書肆說鈴，識大識小❽，歌謠風俗，或正或
偏；其或山林枯槁❾，專門名家❿，薄技偏長，稗官脞說
⓫；其隱顯出沒，大抵非一時徵求所能彙集，亦非一時討
論所能精詳；凡若此者，並當於平日責成州縣學校師儒講
習，考求是正，著為錄籍，略如人戶之有版圖⓬。載筆之
士，果能發明道要，自致不朽，願託於官者聽之。如是，
則書掌於官，不致散逸，其便一也。事有稽檢，則奇衺⓭
不衺之說，淫詖邪蕩⓮之詞，無由伏匿，以干禁例，其便

二也。求書之時，按籍而稽，無勞搜訪，其便三也。中書不足，稽之外府；外書訛誤，正以中書；交互為功，同文稱盛，其便四也。此為治書之要，當議於求書之前者也。

（書掌於官，私門無許自匿著述，最為合古。然數千年無行之者，一旦為之，亦自不易。學官難得通人，館閣校讎未必盡是，向、歆一流，不得其人，則窒礙難行，甚或漸啟挾持訛詐、騷擾多事之漸，則不但無益而有損矣。然法固待人而行，不可因一時難行，而不存其說也。）

（上七之一）

校書宜廣儲副本❺。劉向校讎中祕，有所謂中書，有所謂外書，有所謂太常書，有所謂太史書，有所謂臣向書，臣某書❻。夫中書與太常太史，則官守之書不一本也。外書與臣向臣某，則家藏之書不一本也。夫博求諸本，乃得讎正一書，則副本固將廣儲，以待質也。夫太常領博士❼，今之國子監也❽。太史❾掌圖籍，今之翰林院也❿。凡官書不特中祕之謂也。

（上七之二）

古者校讎書，終身守官，父子傳業，故能討論精詳，有功墳典❹。而其校讎之法，則心領神會❷，無可傳也。近代校書，不立專官，眾手為之，限以程課，畫以部次，蓋亦勢之不得已也。校書者，既非專門之官，又非一人之力，則校讎之法，不可不立也。竊以典籍浩繁，聞見有限，在博雅者，且不能悉究無遺，況其下乎？以謂校讎之

先，宜盡取四庫之藏，中外之籍，擇其中之人名地號，官階書目，凡一切有名可治，有數可稽者，略倣《佩文韻府》之例❸，悉編為韻，乃於本韻之下，注明原書出處及先後篇第，自一見再見以至數千百，皆詳注之，藏之館中，以為羣書之總類。至校書之時，遇有疑似之處，即名而求其編韻，因韻而檢其本書，參互錯綜，即可得其至是。此則淵博之儒，窮畢生年力，而不可究殫者，今即中才校勘，而坐收於几席之間，非校讐之良法歟？

（上七之三）

古人校讐，於書有訛誤，更定其文者，必注原文於其下；其兩說可通者，亦兩存其說；刪去篇次者，亦必存其闕目，所以備後人之采擇，而未敢自以謂必是也。班固併省劉歆《七略》，遂使著錄互見之法，不傳於後世；然亦幸而尚注併省之說於本文之下，故今猶得從而考正也。向使自用其例，而不顧劉氏之原文，今日雖欲復劉歆之舊法，不可得矣。

（上七之四）

《七略》以兵書、方技、數術為三部，列於諸子之外者，諸子立言以明道，兵書、方技、數術皆守法以傳藝，虛理實事，義不同科❹故也。至四部而皆列子類矣。南宋鄭寅《七錄》❺，猶以藝、方技為三門❻，蓋亦《七略》之遺法。然列其書於子部可也；校書之人，則不可與諸子

同業也。必取專門名家，亦如太史尹咸校數術，侍醫李柱國校方技，步兵校尉任宏校兵書之例❷，乃可無弊。否則文學之士，但求之於文字語言，而術業之誤，或且因而受其累矣。

（上七之五）

## 【今註】

❶ 求書遣官、校書久任之說：《通志·校讎略·求書遣使校書久任論》：「求書之官，不可不遣。校書之任，不可不專。漢除挾書之律，開獻書之路，久矣。至成帝時遣謁者陳農求遺書於天下，遂有《七略》之藏。隋開皇間，奇章公請分遣使人搜訪異本，後嘉則殿藏書三十七萬卷。祿山之變，尺簡無存，乃命苗發等使江淮括訪，至文宗朝，遂有十二庫之書。唐之季年，猶遣監察御史諸道搜求遺書。知古人求書欲廣，必遣官焉，然後山林藪澤，可以無遺。司馬遷世為史官，劉向父子校讎天祿，虞世南、顏師古相繼為秘書監，令狐德棻三朝當修史之任，孔穎達一生不離學校之官，若欲圖書之備，文物之興，則校讎之官，豈可不久其任哉？」

❷ 求書之要，即鄭樵所謂其道有八：《通志·校讎略》：「求書之道有八：一曰即類以求，二曰旁類以求，三曰因地以求，四曰因家以求，五曰求之公，六曰求之私，七曰因人以求，八曰因代以求，當不一於所求也。」

❸ 同文：《禮記·中庸》：「今天下車同軌，書同文。」文，文字。

❹ 漢制，吏民上書，字或不正，輒舉劾：許慎《說文解字·敘》：「（漢）尉律：學僮十七已上，始試，諷籀書九千字乃得為史。又以八體試之，郡移大史并課，最者以為尚書史，書或不正輒舉劾之。」段玉裁注：「劾者用法以糾有罪也。」

❺ 蔡邕正定石經：《後漢書·蔡邕傳》：「建寧三年，辟司徒橋玄府，玄甚敬待之。出補河平長，召拜郎中，校書東觀，遷議郎。邕以經籍去聖久遠，文字多謬，俗儒穿鑿，疑誤後學。熹平四年，乃與中郎將堂谿典、光祿大夫楊賜、諫議大夫馬日磾、議郎張馴、韓說、太史令單颺等奏，求正定六經文字。靈帝許之。邕乃自書冊於碑，使工鐫刻，立於太學門外。於是後儒晚

學，咸取正焉。及碑始立，其觀視及摹寫者，車乘日千餘兩，填塞街陌。」

❻ 賄改蘭臺漆書，以合私家文字者：《後漢書‧宦者呂強傳》：「時宦者汝陽李巡，以為諸博士試甲乙科，爭第高下，更相告言，至有行賄定蘭臺漆書經字，以合其私文者，迺白帝，與諸儒共刻五經文於石，於是詔蔡邕等正其文字，自後五經一定，爭者用息。」蘭臺，漢代典藏祕書之宮觀。漆書，古無紙筆，以漆書於竹簡。

❼ 疑似：是非難辨。《呂氏春秋‧疑似》：「疑似之迹，不可不察。」

❽ 書肆說鈴，識大識小：揚雄《法言‧吾子》：「好書而不要諸仲尼，書肆也。好說而不要諸仲尼，說鈴也。」晉李軌注：「賣書市肆，不能釋義。鈴以喻小聲，猶小說不合大雅。」《論語‧子張篇》：「衛公孫朝問於子貢曰：『仲尼焉學？』子貢曰：『文武之道，未墜於地，賢者識其大者，不賢者識其小者，莫不有文武之道焉，夫子焉不學，而亦何常師之有。』」何晏《集解》曰：「孔曰：文武之道，未墜落於地，賢與不賢，各有所識，夫子無所不從學。」

❾ 山林枯槁：指隱居不得志，非毀時世之人。《莊子‧刻意》：「刻意尚行，離世異俗，高論怨誹，為亢而已矣。此山谷之士，非世之人，枯槁赴淵者之所好也。」司馬彪注：「枯槁，若鮑焦、介推；赴淵，若申徒狄。」鮑焦，周隱士，飾行非世，廉潔而守，不臣天子，子貢譏之，因抱木而死。介推，亦稱介之推、介子推。從晉文公出亡十九年，及還，賞諸從亡者，介推不言祿，祿亦弗及，遂與其母隱於綿山，公求之不得，謂焚其山宜出，及焚山，竟不出而焚死，公哀之，以綿山為之田，名曰介山。申徒狄，商代賢人，湯以天下授之，恥不以義聞己，自投於河。

❿ 專門名家：《漢書‧儒林傳》：「（嚴）彭祖，（顏）安樂各自顓門教授。」師古曰：「顓與專同。專門，言各自名家。」

⓫ 稗官脞說：《漢書‧藝文志》：「小說家者流，蓋出於稗官。」如淳曰：「細米為稗，街談巷說，其細碎之言也。王者欲知閭巷風俗，故立稗官，使稱說之。」師古曰：「稗官，小官。」脞說，細微之說。

⓬ 版圖：指戶籍地圖，及戶口冊及疆域圖。《周禮‧天官‧司會》：「掌國之官府郊野縣都之百物財用，凡在書契版圖者之貳，以逆群吏之治，而聽其會計。」

⓭ 奇衺：不正也。

❹ 淫詖邪蕩：《孟子・公孫丑上》：「何謂知言？曰：詖辭知其所蔽，淫辭知其所陷，邪辭知其所離，遁辭知其所窮。」朱註：「詖，偏陂也。淫，放蕩也。邪，邪僻也。」

❺ 副本：書本或文件之鈔本或複製本，別於正本、原本而言。《隋書・經籍志》：「煬帝即位，祕閣之書，限寫五十副本。」

❻ 劉向校讐中秘……臣某書：如《列子敘錄》云：「所校中書，《列子》五篇，臣向謹與長社尉臣參，校讐太常書三篇、太史書四篇、臣向書六篇、臣參書二篇，內外書凡二十篇，以校。」

❼ 太常領博士：太常，官名。秦置奉常，漢景帝中元六年改名太常，為九卿之一，掌禮樂郊廟社稷事宜。

❽ 國子監：《周禮・師氏》：「以三德教國子。」鄭玄注：「國子，公卿大夫之子弟。」晉武帝時，據此語以立國子學，自此以後，或稱國學，或稱太學，唐代後改名國子監，後皆沿之。掌教者，名博士及助教。明制國子監設祭酒一人，司業一人，司士廳五經博士五人，率性、修道、誠心、正義、崇志、廣業六堂助教十五人，學正十人，學錄七人。清代大體仍如明制，惟員額減少。祭酒滿漢各一人，司業滿、蒙、漢各一人，監丞及博士皆滿漢各一人，而六堂皆以漢人為助教。

❾ 太史：官名，三代為史官及曆官之長。秦稱太史令，漢屬太常，掌天文曆法，秩六百石。

⓴ 翰林院：翰林之名，始於唐代，其初凡以文學技藝供奉宮廷者，稱為翰林待詔或翰林供奉，其職務與政治不甚有關，亦非正式職官。至明代始以翰林院為正三品衙門，兼掌制誥史冊文翰之事，其官屬自學士以下有侍讀、侍講、編修、檢討，皆作為文學侍從之臣，稱之曰翰林官。清代沿之，翰林院遂為清華之極選，享有極高之榮譽。

㉑ 墳典：指《三墳》《五典》。《左傳》昭十二年：「左史倚相趨過，王曰：『是良史也，子善視之。是能讀《三墳》《五典》《八索》《九丘》。』」《正義》引孔安國《尚書・序》云：「伏羲、神農、黃帝之書，謂之《三墳》，言大道也。少昊、顓頊、高辛、唐、虞之書，謂之《五典》，言常道也。」今泛指圖書。

㉒ 心領神會：深刻領會。明李東陽《麓堂詩話》：「律者規矩之謂，而其為調，則有巧存焉，苟非心領神會，自有心得，雖日提耳教之，無益也。」

❷❸ 《佩文韻府》：《四庫全書簡明目錄》類書類：「《佩文韻府》四百四十四卷，康熙四十三年奉敕撰。以《韻府羣玉》《五車韻瑞》所已載者列前，而博徵典籍，補所未備列於後，並以經史子集為次，然舊有者不及十之二三，新增者逾於十之七八，自《韻海鏡源》以來，未有如是之總括詞林、環絡藻府者也。」

❷❹ 科：類別。

❷❺ 鄭寅《七錄》：《直齋書錄解題》目錄類：「《鄭氏書目》七卷，莆田鄭寅子敬以所藏書為《七錄》，曰經，曰史，曰子，曰藝，曰方技，曰文，曰類。寅，知樞密院僑之子，博文彊記，多識典故，端平初，召為都司，執法守正，出為漳州以沒。」

❷❻ 三門：當是二門之誤。

❷❼ 太史尹咸……任宏校兵書之例：《漢書・藝文志》：「成帝時，以書頗散亡，使謁者陳農求遺書於天下。詔光祿大夫劉向校經傳、諸子、詩賦，兵部校尉任宏校兵書，太史令尹咸校數術，侍醫李柱國校方技。每一書已，向輒條其篇目，撮其指意，錄而奏之。會向卒，哀帝復使向子侍中奉車都尉歆卒父業，於是總群書而奏其《七略》，有〈六藝略〉，有〈諸子略〉，有〈詩賦略〉，有〈兵書略〉，有〈術數略〉，有〈方技略〉。」

## 【今譯】

　　鄭樵談論派遣專職官員蒐採圖書、整理圖書，這些人員要久任其位的說法，真是得到校讐的關鍵了。但是求書只是一時的事，求書的方法，也有好與不好，只注意到派遣專職官員求書，一些珍祕的圖書未必全部蒐求得到。求書工作是一時的，整理圖書則是每天都要做的。求書的主要方法，就是鄭樵所說的八個方法，十分完備了。整理圖書的方法，則鄭樵還沒談到。古代寫同樣的字體才符合規定，漢代的法制規定，官吏、民眾上書，字體如有不標準，就會被列舉彈劾。蔡邕校定石經時，談到當時各地的民眾，甚至有行賄修改蘭臺用漆所寫的經文，以與私人所寫的文字符合，可見當時各地方所傳習的字體，可能有與宮中藏書不同，這些僅就文字的字體而言。至於各種傳聞記載，有關《詩經》、《尚書》的各種記

載，正與誤交錯，是非混淆；還有那些書肆中所售的小說家類圖書，有記識大道理的，有記識小道理的；歌謠風俗，有雅正的，有偏頗的；或者那些隱居山林、至死不仕的人，各自名家，或淺薄的技能，小說叢談之類的圖書，有時流傳易見，有時隱藏不易得，這些圖書大致不是短時間能全部徵求彙集，也不是短時間內討論得清楚的。這些圖書，應於平常要求州縣學校教師講授，考訂改正，加以著錄，有點像人的戶口必有戶口名冊及疆界圖一樣。知識份子如能發明整理圖書的方法，一定不朽於世，請求做官者能接受這些建議。如此，由官府掌管圖書，不致流失亡佚，這是第一個好處。事情經過稽考，那麼奇怪不正的說法、偏頗邪僻的言詞，無從躲藏，以至冒犯法規，這是第二個好處。需求圖書時，依據目錄查檢，不需辛苦搜集訪求，這是第三個好處。宮中藏書不足的話，可以在府庫之外考求，府庫之外的書如有錯誤，可據宮中的藏書勘正，交互助益，學術興盛，這是第四個好處。這是整理圖書的要點，應當在求書之前討論。（官府掌管圖書，私人不得藏匿著作，最合乎古代。但數千年沒有施行，一旦要做，自屬不易。辦學的官員博學者不多，館閣的校讐又未必全對，如果得不到劉向、劉歆這種人，那就窒礙難行，甚至漸漸開啟威脅欺騙，騷擾滋事的風氣，這就不但無益反而有害了。不過，好的方法固然要有人去做，不可因一時難行，就連建議也廢棄了）。

（以上七之一）

校書要儲備許多正本以外的其他本子。劉向校讐宮中珍祕藏的圖書時，有所謂宮中的書，有所謂宮外的書，有所謂太常的書，有所謂太史的書，有所謂臣（劉）向的書，臣某的書。有宮中的書與太常、太史的書，可知官府的藏書，不全是同樣的本子。有宮外的書與臣向、臣某的書，可知私家的藏書，不全是同樣的本子。博求這種本子，才可從事一書的校勘工作，因此先要廣儲副本，以備比對改正。太常統率博士，相當於現在的國子監；太史掌管圖籍，相當於現在的翰林院。官府的藏書，不止限於宮中秘藏的圖書。

（以上七之二）

　　古代校讐圖書，一輩子從事這種工作，父子相傳，所以能討論精詳，於圖書有貢獻。而校讐的方法，全靠各自深刻體會，不能傳授。近代校讐，不專立官職，多人共同為之，規定進度與分量，這是必然的趨勢。校書的人，既非專職的官員，又是很多人一起從事，就不能不建立校讐的方法了。個人以為典籍很多，見聞有限，博學之士，尚且不能全部瞭解，何況是一般常人？我認為在校讐之前，應採集《四庫全書》的圖書及宮中、宮外的圖書，擇取書中的人名、地名、職官、書目等所有名稱、數目，倣效《佩文韻府》的體例，將這些資料編在各韻目中，然後在每條下注明在原書的出處及篇次，不論出現多少次，都一一注明，這部用來檢索的書，藏在館中，做為所有圖書的總體匯合。到校書時，遇到困惑的地方，根據文字找到所屬的韻目，再根據韻找到原書，如此相互交錯，就可得正確的結果。一位博學之士，即使用一輩子的力量，也不能完全推究的工作，現在由一般人從事校勘，在桌子上不用太多心力就能完成，這不是很好的校讐方法嗎？

（以上七之三）

　　古人從事校讐，發現錯誤，改正文字時，一定注明原來的字；如果兩種說法都可以，也會保留兩種說法；如果篇目被刪除，也會保留所缺的篇目，以提供後人選擇，不敢自以為是。班固將劉歆《七略》一書兩出者予以刪併省略，遂使目錄互見的方法，不傳於後代，所幸的是班氏將刪併省略的現象註釋說明，所以現今可以根據這些說明加以考釋改正。如果班固當時只用自己的方法，而不顧劉氏的原文，那麼今天想恢復劉歆的舊法，也就不可能了。

（以上七之四）

　　《七略》將兵書、方技、數術三個類別，不放在諸子類中，這是由於諸子的言論在說明思想，兵書、方技、數術則在依法傳授技藝，一為不真實的理論，一為實際的事物，道理不同的原故。到了四部分類，就全部放

在子類了。南宋鄭寅的《七錄》，還以藝、方技為三門，是《七略》遺留的方法。將這些圖書放在子部還算可以，但是校書者，不可能具有每種子類的專門知識。必需由專家從事校勘，就如太史尹咸校數術類的書，侍醫李柱國校方技類的書，步兵校尉任宏校兵類的書，才能無缺失。不然，一般學者只注意到語言文字的問題，涉及專業技術的錯誤，就會受到影響。

　　（以上七之五）

# 著錄殘逸第八

　　凡著錄之書，有當時遺漏失載者，有著錄殘逸不全者。《漢書‧藝文志》注，卷次部目，與本志不符；顏師古已云「歲月久遠，無由詳知」矣❶。今觀蕭何律令❷、叔孫朝儀❸、張霸《尚書》❹、尹更始《春秋》❺之類，皆顯著紀傳，而本志不收。此非當時之遺漏，必其本志有殘逸不全者矣❻。《舊唐書‧經籍志》集部內，無韓愈、柳宗元、李翱、孫樵之文❼，又無杜甫、李白、王維、白居易之詩❽，此亦非當時之遺漏，必其本志有殘逸不全者矣。校讐家所當歷稽載籍，補於藝文之略者也。

【今註】

❶ 顏師古已云「歲月久遠，無由詳知」：《漢書‧藝文志》：「今刪其要，以備篇籍。」顏師古注：「其每略所條，家及篇數有與總凡不同者，傳寫脫誤，年代久遠，無以詳知。」

❷ 蕭何律令：《漢書‧刑法志》：「漢興，高祖初入關，約法三章曰：『殺人者死，傷人及盜抵罪。』蠲削煩苛，兆民大悅。其後四夷未附，兵革未息，三章之法不足以禦姦，取其宜於時者，作律《九章》。」

❸ 叔孫朝儀：《漢書‧叔孫通傳》：「孝惠即位，徙通為奉常，定廟儀法，及稍定漢諸儀法。」《後漢書‧曹褒傳》：「令小黃門持班固所上叔孫通《漢儀》十二篇。」《周禮‧凌人》疏：「禮器制度，叔孫通前漢時作。」

❹ 張霸《尚書》：《漢書·儒林傳》：「世所傳《百兩篇》者，出東萊張霸，分析合二十九篇，以為數十，又採《左氏傳》《書敘》，為作首尾，凡百二篇。篇或數簡，文意簡陋。成帝時，求其古文者，霸以能為《百兩》徵。以中書校之，非是。霸辭受父，父有弟子尉氏樊並。時大中大夫平當、侍御史周敞勸上存之。後樊並謀反，迺黜其書。」

❺ 尹更始《春秋》：《漢書》（卷八十八）〈儒林傳〉：「瑕丘江公受《穀梁春秋》及《詩》於魯申公，傳子至孫為博士。武帝時，江公與董仲舒並。仲舒通《五經》，能持論，善屬文。江公吶於口，上使與仲舒議，而丞相公孫弘本為《公羊》學，比輯其議，卒用董生。於是上因尊《公羊》家，詔太子受《公羊春秋》，由是《公羊》大興。太子既通，復私問《穀梁》而善之。其後浸微，唯魯榮廣王孫、皓星公二人受焉。廣故能傳其《詩》、《春秋》，高材捷敏，與《公羊》大師眭孟等論，數困之，盡好學者頗復受《穀梁》。沛蔡千秋少君，梁周慶幼君、丁姓子孫，皆從廣受。千秋又事皓星公，為學最篤。……汝南尹更始翁君本自事千秋，能說矣，會千秋病死，徵江公孫為博士。……甘露元年，……尹更始為諫大夫、長樂戶將，又受《左氏傳》，取其變理合者以為章句，傳子咸及翟方進、琊邪房鳳。」

❻ 本志有殘逸不全者：姚振宗：《漢書藝文志條理》：「按本志不載之書，見於傳記可考者有三百餘部，予已別輯《拾補》六卷，詳見《拾補》中。」

❼ 《舊唐書·經籍志》集部內，無韓愈、柳宗元、李翱、孫樵之文：《唐書·藝文志》集錄別集類：「《韓愈集》四十卷。」「《柳宗元集》三十卷。」「《李翱集》十卷。」「孫樵《經緯集》三卷。注：字可之，大中進士第。」《舊唐書·經籍志》皆不載。

❽ 又無杜甫、李白、王維、白居易之詩：《唐書·藝文志》別集類：「李白《草堂集》二十卷。注：李陽冰錄。」「《杜甫集》六十卷，《小集》六卷。注：涯州刺史樊晃集」「《王維集》十卷。」「《白氏長慶集》七十五卷。注：白居易。」《舊唐書·經籍志》皆不載。

## 【今譯】

所有的目錄，有在編纂時遺漏未及著錄的，有些則是目錄本身殘缺不完整。《漢書·藝文志》班固自注裡所說的卷次、目次，有些與〈藝文

志〉本文不相符合，顏師古已說「由於時間久遠，無從詳知」了。像蕭何的《律令》、叔孫的《朝儀》、張霸的《尚書》、尹更始的《春秋》等，在《漢書》的紀傳中，都有明白的記載，而〈藝文志〉不著錄，這不是〈藝文志〉編纂時漏收，而是由於今傳〈藝文志〉已是殘缺不完。《舊唐書・經籍志》集部裡，沒有著錄韓愈、柳宗元、李翱、孫樵的文集，又沒有杜甫、李白、王維、白居易等人的詩集，這也不是編纂〈經籍志〉時有所遺漏，一定是今日所見〈經籍志〉已有殘缺。從事文獻整理者應該考索群書，補訂各史〈藝文志〉的疏漏。

# 藏書第九

　　孔子欲藏書周室，子路以謂周室之守藏史老聃，可以與謀❶；說雖出於《莊子》，然藏書之法，古有之矣。太史公抽石室金匱之書，成百三十篇，則謂「藏之名山，副在京師」❷。然則書之有藏，自古已然，不特佛老二家，有所謂道藏❸、佛藏❹已也。鄭樵以謂性命之書，往往出於道藏，小說之書，往往出於釋藏❺。夫儒書散失，至於學者已久失其傳，而反能得之二氏者，以二氏有藏，以為之永久也。夫道藏必於洞天❻，而佛藏必於叢剎❼；然則尼山❽、泗水❾之間，有謀禹穴❿藏書之舊典者，抑亦可以補中祕之所不逮歟？

## 【今註】

❶　孔子欲藏書周室……可以與謀：《莊子・天道》：「孔子西藏書於周室。子路謀曰：『由聞周之徵藏史有老聃者，免而歸居，夫子欲藏書，則試往因焉。』孔子曰：『善。』往見老聃，而老聃不許，於是繙十二經以說。」陸德明《經典釋文》：「十二經，說者云《詩》《書》《禮》《樂》《易》《春秋》六經，又加六緯，合為十二經也。一說云，《易》上下經，並十翼為十二，又一云《春秋》十二公經也。」

❷　藏之名山，副在京師：《史記》（卷一百三十）〈太史公自序〉：「罔羅天

下放失舊聞，王迹所興，原始察終，見盛觀衰，論考之行事，略推三代，錄秦漢，上記軒轅，下至于茲，著十二本紀；既科條之矣，並時異世，年差不明，作十表；禮樂損益，律曆改易，兵權山川，鬼神天人之際，承敝通變，作八書；二十八宿環北辰，三十輻共一轂，運行無窮，輔拂股肱之臣配焉，忠信行道，以奉主上，作三十世家。扶義俶儻，不令己失時，立功名於天下，作七十列傳，凡百三十篇，五十二萬六千五百字，為〈太史公書序〉，略以拾遺補藝，成一家之言，厥協六經異傳，整齊百家雜語，藏之名山，副在京師，俟後世聖人君子。」「副在京師」句，《索隱》云：「言正本藏之書府，副本留京師也。《穆天子傳》云：『天子北征，至於羣玉之山，河平無險，四徹中繩，先王所謂策府。』郭璞云：『古帝王藏策之府。』則此謂藏之名山，是也。」

❸ 道藏：彙集道家諸書之叢書，明有正統、萬曆二刻本，所收多為道家、道教、緯候之書，如《黃帝陰符經註》、《黃石公素書》、《胎息經註》、《周易參同契》、《玄元十子圖》等。

❹ 佛藏：彙集中譯佛教經典之叢書，或稱《藏經》、《大藏經》。分經、律、論三部分，今通行者為明代《嘉興藏》、清代《龍藏》、民國《普慧藏》、新編《中華大藏經》，

❺ 鄭樵以謂性命之書……往往出於釋藏：參見〈互著〉註❷❶。

❻ 洞天：道教語，指神仙所居名山勝境。《茅君內傳》：「大天之內，有地之洞天三十六所，乃真仙所居。」

❼ 叢剎：或稱「叢林」，指僧眾或僧俗合住，修道念佛之處所。剎，本指佛塔，唐以後稱寺曰剎。《祖庭事苑》：「譬如大樹叢叢，故僧聚處曰叢林。」

❽ 尼山：在山東曲阜縣東南六十里，連泗水鄒縣界。一名尼丘山。《史記·孔子世家》：「紇與顏氏，野合而生孔子。禱於尼丘，得孔子。魯襄公二十二年而孔子生，生而首上圩頂，故因名曰丘云，字仲尼，姓孔氏。」

❾ 泗水：出山東泗水縣陪尾山，四源並發，故名。《禹貢錐指》：「泗水自泗水縣歷曲阜、滋陽、濟寧、鄒縣、魚臺、滕縣、沛縣、徐州、邳州、宿遷、桃源至清河縣入淮，此禹跡也。」

❿ 禹穴：《史記·太史公自序》：「二十而南游江淮，上會稽，探禹穴。」《正義》引《括地志》云：「石簣山，一名玉笥山，又名宛委山，即會稽山

一峯也。」《水經注》云：「會稽山上有禹廟，昔大禹東巡，崩於會稽，因葬其地。山東有井，深不見底，即禹穴也。」《清一統志》云：「禹穴在會稽縣宛委山，禹藏書之所。」此喻指孔子家鄉藏書處。

## 【今譯】

　　孔子想把修撰的著作藏在周朝的藏書府，子路認為可以找周朝負責藏書的官員老聃商量。這個說法雖是出自《莊子》，可見藏書的方法，自古就有了。太史公選取藏在石室、金匱的圖書，撰成一百三十篇的著作，說正本要藏在古帝王的書府，副本則留在京師。可見自古就有藏書的專門處所了。不僅只有佛、道二家有《道藏》、《佛藏》而已。鄭樵認為談論性命之書，多半出自《道藏》，小說之書，多半出自《釋藏》。儒家著作多所散失，至於有些失傳已久的書，反而能從佛、道二家的著作中獲得，這是由於佛、道二家藏書之所，可以永久流傳。道家的藏書處所一定在神仙所居的名山勝地，而佛家的藏書處所一定在叢林寺院，因此，如果有人到孔子家鄉藏書處蒐求古籍，也許可以補宮中藏書之不足。

卷二

# 補校漢藝文志第十

　　鄭樵校讎諸論，於《漢志》尤所疎略，蓋樵不取班氏之學故也。然班、劉異同，樵亦未嘗深考，但譏班固續入揚雄一家，不分倫類而已❶。其劉氏遺法，樵固未嘗討論；而班氏得失，樵議亦未得其平允。夫劉《略》、班《志》，乃千古著錄之淵源，而樵著〈校讎〉之略，不免疎忽如是；蓋創始者難為功爾。今欲較正諸家著錄，當自劉《略》、班《志》為權輿❷也。

　　（上十之一）

　　鄭樵以蕭何律令，張蒼章程，劉《略》、班《志》不收，以為劉、班之過❸；此劉氏之過，非班氏之過也。劉向校書之時，自領〈六藝〉、〈諸子〉、〈詩賦〉三略，蓋出中祕之所藏也。至於〈兵法〉、〈術數〉、〈方技〉，皆分領於專官❹；則兵、術、技之三略，不盡出於中祕之藏，其書各存專官典守，是以劉氏無從而部錄之也。惟是申、韓家言，次於諸子❺，仲舒治獄，附於《春秋》❻；不知律令藏於理官，章程存於掌故❼，而當時不

責成於專官典守，校定篇次，是《七略》之遺憾也。班氏謹守劉《略》遺法，惟出劉氏之後者，間為補綴一二❽；其餘劉氏所不錄者，東京未必盡存，《藝文》佚而不載，何足病哉？

（上十之二）

《漢志》最重學術源流，似有得於太史敘傳❾，及莊周〈天下〉篇❿、荀卿〈非十子〉⓫之意。（韓嬰詩傳引荀卿〈非十子〉，並無譏子思、孟子之文。）此敘述著錄，所以有關於明道之要，而非後世僅計部目者之所及也。然立法創始，不免於疎，亦其勢耳。如《封禪羣祀》入禮經，《太史公書》入《春秋》⓬，較之後世別立儀注、正史專門者，為知本矣。詩賦篇帙繁多，不入《詩經》，而自為一略，則敘例尚少發明其故，亦一病也。諸子推本古人官守⓭，當矣。〈六藝〉各有專官⓮，而不與發明⓯，豈為博士⓰之業所誤耶？

（上十之三）

形而上者謂之道，形而下者謂之器⓱。善法具舉，（徒善徒法，皆一偏也⓲。）本末兼該，部次相從，有倫有脊⓳，使求書者可以即器而明道，會偏而得全，則任宏之校〈兵書〉，李柱國之校〈方技〉，庶幾近之。其他四略，未能稱是。故劉《略》、班《志》不免貽人以口實也⓴。夫〈兵書略〉中孫、吳諸書，與〈方技略〉中內外諸經㉑，

即〈諸子略〉中一家之言，所謂形而上之道也。〈兵書略〉中形勢、陰陽、技巧三條❷，與〈方技略〉中經方、房中、神仙三條❸，皆著法術名數，所謂形而下之器也。任、李二家，部次先後，體用分明，能使不知其學者，觀其部錄，亦可瞭然而窺其統要，此專官守書之明效也。充類求之，則後世之儀注，當附《禮》經為部次，《史記》當附《春秋》為部次；縱使篇帙繁多，別出門類，亦當申明敘例；俾承學之士，得考源流，庶幾無憾。而劉、班承用未精，後世著錄，又未嘗探索其意，此部錄之所以多舛也。

（上十之四）

或曰〈兵書〉〈方技〉之部次，既以專官而能精矣。〈術數〉亦領於專官，而謂不如彼二略，豈太史尹咸之學術，不逮任宏、李柱國耶？答曰：此為劉氏所誤也。〈術數〉一略，分統七條❷，則天文、曆譜、陰陽、五行、蓍龜、雜占、形法是也。以道器合一求之，則陰陽、蓍龜、雜占三條，當附《易經》為部次，曆譜當附《春秋》為部次，五行當附《尚書》為部次；縱使書部浩繁，或如詩賦浩繁離《詩經》而別自為略，亦當申明源委於敘錄之後也。乃劉氏既校六藝，不復謀之術數諸家，故尹咸無從溯源流也。至於天文、形法，則後世天文、地理之專門書也。自立門類，別分道法，大綱既立，細目標分，豈不整

齊而有當乎？

（上十之五）

天文則宣夜、周髀、渾天諸家，下逮安天之論，談天之說㉕，或正或奇，條而列之，辨明識職㉖，所謂道也。《漢志》所錄泰一、五殘星變之屬㉗，附條別次，所謂器也。地理則形家之言，專門立說，所謂道也。《漢志》所錄《山海經》之屬㉘，附條別次，所謂器也。以此二類，專門部勒㉙，自有經緯㉚，而尹咸概收術數之篇，則條理不審之咎也。（《山海經》與相人書為類㉛，《漢志》之授人口實處也。）

（上十之六）

地理形家之言，若主山川險易，關塞邊防，則與兵書形勢之條相出入㉜矣。若主陰陽虛旺，宅墓休咎，則與《尚書》五行相出入矣。部次門類，既不可缺，而著述源流，務要於全，則又重複、互注之條，不可不講者也。任宏〈兵書〉一略㉝，鄭樵稱其最優。今觀劉《略》重複之書，僅止十家㉞，皆出〈兵略〉，他部絕無其例。是則互注之法，劉氏且未能深究，僅因任宏而稍存其意耳。班氏不知而刪併之，可勝惜哉。

（上十之七）

後世法律之書甚多，不特蕭何所次律令而已也。就諸子中摭取申、韓議法家言，部於首條，所謂道也。其承用律令格式之屬，附條別次，所謂器也。後世故事之書甚

多，不特張蒼所次章程而已也。就諸子中掇取論治之書，若《呂氏春秋》，（《漢志》入於雜家，非也。其每月之令文，正是政令典章，後世會典會要之屬。）賈誼、董仲舒（治安之奏，天人之策，皆論治體。《漢志》入於儒家類矣。）諸家之言，部於首條，所謂道也。其相沿典章故事之屬，附條別次，所謂器也。例以義起❸❺，斟酌損益，惟用所宜；豈有讀著錄部次，而不能考索學術源流者乎？

（上十之八）

或曰：《漢志》失載律令章程，固無論矣。假令當日必載律令章程，就劉、班之《七略》類例，宜如何歸附歟？答曰：《太史公書》之附《春秋》，《封禪羣祀》之附《禮經》❸❻，其遺法也。律令自可附於法家之後，章程本當別立政治一門，《漢志》無其門類；然《高祖傳》十三篇，《孝文傳》十一篇❸❼，（班固自注，高祖與大臣述古語及詔策也。）皆屬故事❸❽之書，而劉、班次於諸子儒家，則章程亦必附於此矣。大抵《漢志》疏略，由於書類不全，勉強依附；至於虛論其理與實紀其蹟者，不使體用❸❾相資，則是《漢志》偶疏之處；（《禮經》《春秋》《兵書》《方技》便無此病。）而後世之言著錄者，不復知其微意矣。

（上十之九）

鄭樵議章程律令之不載《漢志》，以為劉、班之疏漏；然班氏不必遽❹❶見西京之全書，或可委過於劉《略》

也。若劉向《別錄》，劉歆《七略》，則班氏方據以為
〈藝文〉之要刪❹，豈得謂之不見其書耶？此乃後世目錄
之鼻祖，當時更無其門類，獨不可附於諸子名家之末乎？
名家之敘錄曰：「名不正，則言不順；言不順，則事不
成。」著錄之為道也，即於文章典籍之中，得其辨名正物
之意，此《七略》之所以長也。又云：「警者為之，則苟
鉤鈲析亂而已。❹」此又後世著錄，紛挐❹不一之弊也。
然則凡以名治之書，固有所以附矣。（後世目錄繁多，即可自為
門類。）

　　　　（上十之十）

**【今註】**

❶ 但譏班固續入揚雄一家，不分倫類而已：《通志·校讐略·編次不明論七篇
　之一》：「班固《藝文志》本於《七略》者也。《七略》雖疏而不濫，若班
　氏步步趨趨，不離《七略》，未見其失也。間有《七略》所無，而班氏雜出
　者，則躓矣。揚雄所作之書，劉氏蓋未收，而班氏始出。若之何以《太玄》
　《法言》《樂箴》三書，合為一總，謂之《揚雄所序》三十八篇，入於儒家
　類？按儒者，舊有五十二種，固新出一種，則揚雄之三書也。且《太玄》，
　《易》類也。《法言》，諸子也。《樂箴》，雜家也。奈何合而為一家？是
　知班固胸中，元無倫類。」

❷ 權輿：《爾雅·釋詁》：「初、哉、首、基、肇、祖、元、胎、俶、落、權
　輿，始也。」郭璞注：「《詩》曰：『胡不承權輿。』」邢昺疏：「權輿
　者，天地之始也。」

❸ 鄭樵以蕭何律令……以為劉、班之過：《通志·校讐略·亡書出於後世
　論》：「古之書籍，有不出於當時，而出於後代者。按蕭何《律令》，張蒼
　《章程》，漢之大典也。劉氏《七略》，班固《漢志》，全不收。按晉之故
　事，及漢章程也。有《漢朝駁議》三十卷，《漢名臣奏議》三十卷，並為章

程之書，至隋唐猶存，奈何闕於漢乎？刑統之書，本於蕭何《律令》，歷代增修，不失故典，豈可闕於當時乎？又況兵家一類，任宏所編，有韓信《軍法》三篇，《廣武》一篇，豈有韓信《軍法》猶在，而蕭何《律令》、張蒼《章程》則無之，此劉氏、班氏之過也。」

❹ 劉向校書之時，自領〈六藝〉、〈諸子〉、〈詩賦〉三略，……至於〈兵法〉、〈術數〉、〈方技〉皆分領於專官：《漢書・藝文志》：「成帝時，以書頗散亡，使謁者陳農求遺書於天下。詔光錄大夫劉向校經傳、諸子、詩賦，兵部校尉任宏校兵書，太史令尹咸校數術，侍醫李柱國校方技。」

❺ 申、韓家言，次於諸子：《漢書・藝文志》〈諸子略〉法家類：「《申子》六篇。」又「《韓子》五十五篇。」

❻ 仲舒治獄，附於《春秋》：《漢書・藝文志》〈六藝略〉春秋類：「《公羊董仲舒治獄》十六篇。」

❼ 律令藏於理官，章程存於掌故：《漢書・藝文志》：「法家者流，蓋出於理官。」《禮記・月令》注：「理，治獄官也。」《漢書・劉歆傳》：「至孝文皇帝始使掌故朝錯，從伏生受《尚書》。」注引李奇曰：「掌故，官名也。」

❽ 出劉氏之後者，間為補綴一二：如《漢書・藝文志》〈六藝略〉書類「凡書九家四百一十二篇」下班固自注云：「入劉向《稽疑》一篇。」師古曰：「此凡言入者，謂《七略》之外，班氏新入之也。」禮類「入《司馬法》一家。」小學類入揚雄《蒼頡訓纂》一篇、杜林《蒼頡訓纂》一篇。

❾ 太史敘傳：《史記・太史公自序》：「愍學者之不達其意而師悖，乃論六家之要旨，曰：《易大傳》：天下一致而百慮，同歸而殊途，夫陰陽、儒、墨、名、法、道德，此務為治者也。直所從言之異路，有省不省耳。嘗竊觀陰陽之術，大祥而眾忌諱，使人拘而多所畏，然其序四時之大順，不可失也。儒者博而寡要，勞而少功，是以其事難盡從。然其序君臣父子之禮，列夫婦長幼之別，不可易也。墨者儉而難遵，是以其事不可徧循。然其彊本節用，不可廢也。法家嚴而少恩，然其正君臣上下之分，不可改也。名家使人儉而善失真，然其正名實，不可不察也。道家使人精神專一，動合無形，贍足萬物。其為術也，因陰陽之大順，采儒墨之善，撮名法之要，與時遷移，應物變化，立俗施事，無所不宜。指約而易操，事少而功多。」

❿ 莊周〈天下〉篇：《莊子・天下篇》於總論道術之下，分敘各家學說。《莊

子·天下篇》將百家之學分為七派：一是鄒、魯之士。二是墨翟、禽滑釐、相里勤、苦獲、已齒、鄧陵子之屬。三是宋鈃、尹文。四是彭蒙、田駢、慎到。五是關尹、老聃。六是莊周。七是惠施、恒團、公孫龍。其敘墨翟、禽滑釐云：「不侈於後世，不靡於萬物，不暉於數度，以繩墨自矯，而救世之急，古之道術有在於是者，墨翟、禽滑釐聞其風而說之。」其敘宋鈃、尹文云：「不累於俗，不飾於物，不苟於人，不忮於眾。願天下之安寧，以活民命，人我之養，畢足而止，以此白心，古之道術有在於是者，宋妍、尹文聞其風而悅之。」

⓫ 荀卿〈非十子〉：《荀子·非十二子》，列它囂、魏牟、陳仲、史鰌、墨翟、宋鈃、慎到、田駢、惠施、鄧析、子思、孟軻十二家之說，著而非之。（韓嬰《詩傳》所引荀子〈非十子〉，無子思、孟子）如非陳仲、史鰌云：「忍情性，綦谿利，苟以分異人為高，不足以合大眾，名大分，然而其持之有故，其言之成理，足以欺惑愚眾，是陳仲、史鰌也。」

⓬ 《封禪群祀》入禮經，《太史公書》入《春秋》：《漢書·藝文志》六藝略禮類：「《古封禪羣祀》二十二篇。《封禪議對》十九篇。《漢封禪羣祀》三十六篇。」又《春秋》類：「《太史公》百三十篇。」

⓭ 諸子推本古人官守：如《漢書·藝文志》：「儒家者流，蓋出於司徒之官。」又：「道家者流，蓋出於史官。」又：「陰陽家者流，蓋出於羲和之官。」又：「法家者流，蓋出於理官。」又：「名家者流，蓋出於禮官。」又：「墨家者流，蓋出於清廟之官。」又：「從橫家者流，蓋出於行人之官。」又：「雜家者流，蓋出於議官。」又：「小說家者流，蓋出於稗官。」

⓮ 《六藝》各有專官：《文史通義·原道》（中）：「《易》之為書，所以開物成務，掌於〈春官〉太卜，則固有官守而列於掌故矣。《書》在外史，《詩》領大師，《禮》自宗伯，《樂》有司成，《春秋》各有國史。」

⓯ 不與發明：不能相互闡明、啟發。

⓰ 博士：博士於秦、漢時為一種官職，各司專門之學，或參與政事討論，或出外巡行視察地方事務。《漢書·百官公卿表》：「博士秦官，掌通古今，秩比六百石。」又〈儒林傳〉：「自武帝立《五經》博士，開弟子員，設科射策，勸以官祿，訖於元始，百有餘年，傳業者寖盛，支葉蕃滋，一經說至百餘萬言，大師眾至千餘人，蓋利祿之路然也。」

⓱ 形而下者謂之器：「《周易・繫辭（上）》：「形乃謂之器。」韓康伯注：「成形曰器。」

⓲ 徒善徒法，皆一偏也：《孟子・離婁上》：「徒善不足以為政，徒法不能以自行。」

⓳ 有倫有脊：《詩・小雅・正月》：「維號斯言，有倫有脊。」毛傳：「倫，道。脊，理也。」

⓴ 劉《略》、班《志》，不免貽人以口實：《尚書・仲虺之誥》：「予恐來世，以台為口實。」此指《七略》、《漢書・藝文志》為鄭樵所譏。《通志・校讎略・編書不明分類論》：「《七略》惟兵家一略，任宏所校，分權謀、形勢、陰陽、技巧為四種書。又有圖四十三卷，與書參焉。觀其類例，亦可知兵，況見其書乎！其次則尹咸校數術，李柱國校方技，亦有條理。惟劉向父子所校經傳諸詩賦，冗雜不明，盡採語言，不存圖譜。緣劉氏章句之儒，胸中元無倫類，班固不知其失，是以後世亡書多，學者不知流別。」

㉑ 〈兵書略〉中，孫、吳諸書，與〈方技略〉中內外諸經：《漢書・藝文志》〈兵書略〉兵權謀類，著錄《吳孫子兵法》八十二篇，《齊孫子》八十九篇，《吳起》四十八篇。〈方技略〉醫經類著錄《黃帝內經》十八卷，《外經》三十七卷，《扁鵲內經》九卷，《外經》十二卷，《白氏內經》三十八卷，《外經》三十六卷，《旁經》二十五卷。

㉒ 〈兵書略〉中，形勢、陰陽、技巧三條：《漢書・藝文志》〈兵書略〉著錄兵形勢十一家、九十二篇、圖十八卷；兵陰陽十六家、二百四十九篇；兵技巧十三家，百九十九篇。

㉓ 〈方技略〉中，經方、房中、神仙三條：《漢書・藝文志》〈方技略〉著錄經方十一家，二百七十四卷；房中八家，百八十六卷；神僊十家，二百五卷。

㉔ 〈術數〉一略，分統七條：《漢書・藝文志》〈數術略〉小敘：「故因舊書以序數術為六種。」此六種為：「天文類」二十一家，「曆譜類」十八家，「五行類」三十一家，「蓍龜類」十五家，「雜占類」十八家，「形法類」六家。此云「七條」，誤將「五行類」中之陰陽析為一類。

㉕ 天文則宣夜、周髀、渾天諸家，下逮安天之論，談天之說：《晉書・天文志》：「古言天者有三家，一曰蓋天，二曰宣夜，三曰渾天。漢靈帝時，蔡邕於朔方上書，言『宣夜之學，絕無師法。《周髀》術數具存，考驗天狀，

多所違失。惟渾天近得其情。』蔡邕所謂《周髀》者，即蓋天之說也。其所傳則周公受於殷商，其言天似蓋笠，地法似覆槃，天地各中高外下。宣夜之書，漢秘書郎郤萌記先師相傳云：『日月眾星，自然浮生虛空之中，無所根繫。』成帝咸康中，會稽虞喜因宣夜之說，作《安天論》。至於渾天理妙，學者多疑，張平子、陸公紀之徒，咸以為莫密於渾象者也。」《隋書·經籍志》：「《安天論》六卷，虞喜撰。」《史記·孟荀列傳》：「齊有三騶子，其前騶忌先孟子；其次騶衍，後孟子。騶奭者，亦採騶衍之術以紀文。騶衍之術，迂大而閎辯，奭也文具難施，故齊人頌曰：『談天衍，雕龍奭。』」《集解》引劉向《別錄》曰：「騶衍之所言，五德終始，天地廣大，書言天事，故曰談天。騶奭修衍之文飾，若雕鏤龍文，故曰雕龍。」

**㉖** 辨明識職：韓愈《昌黎先生文集》（卷三十四）〈南陽樊紹述墓誌銘〉：「既極乃通發紹述，文從字順各識職。」

**㉗** 《漢志》所錄泰一、五殘星變之屬：《漢書·藝文志》〈數術略〉天文類：「《泰壹雜子星》二十八卷。」王先謙：《補注》：「泰一，星名，即太一也，見〈天文志〉。雜子星者，蓋此書雜記諸星，以太一冠之，猶下雜變星，以五殘冠之也。」又：「《五殘雜變星》二十一卷。」師古曰：「五殘，星名也，見〈天文志〉。」

**㉘** 《漢志》所錄《山海經》之屬：《漢書·藝文志》〈方技略〉形法類：「《山海經》十三篇。」

**㉙** 部勒：組織規範、布置約束。《史記》：「陰以兵法部勒賓客及子弟。」

**㉚** 經緯：有秩序而整齊。

**㉛** 《山海經》與相人書為類：《漢書·藝文志》〈方技略〉形法類既著錄《山海經》十三篇，又著錄《相人》二十四卷。

**㉜** 出入：互相往來。

**㉝** 任宏《兵書》一略，鄭樵稱其最優：見本篇註㉔。

**㉞** 劉《略》重複之書，僅止十家：見本書〈互著〉第三。

**㉟** 例以義起：例，成規、法則。義，道理。

**㊱** 《封禪群祀》之附《禮經》：《漢書·藝文志》〈六藝略〉禮類：「《古封禪群祀》二十二篇。」又：「《封禪議對》十九篇。」又：「《漢封禪群祀》三十六篇。」

**㊲** 《孝文傳》十一篇：《漢書·藝文志》〈諸子略〉儒家類：「《孝文傳》十

一篇。」班固注：「文帝所稱及詔策。」

㊲ 故事：舊日之典章制度。

㊴ 體用：事務之本體及作用。

㊵ 遽：輕易。

㊶ 要刪：刪其浮冗，取其指要。

㊷ 謷者為之，則苟鈎鈲析亂而已：《漢書·藝文志》〈諸子略〉名家類小敘曰：「及謷者為之，則苟鈎鈲析亂而已。」注引晉灼曰：「謷，訐也。」師古曰：「謷音工釣反。」師古又曰：「鈲，破也，音普革反，又音普狄反。」

㊸ 紛挐：牽持雜亂。


## 【今譯】

　　鄭樵〈校讐略〉的各篇論說，對《漢書·藝文志》的評論有很多疏略，這是由於鄭樵不採用班固的學理。對班固、劉歆的異同，鄭樵也沒有深入研究，只有譏諷班固擅自增加揚雄的著作，足見班固不瞭解圖書的分類一條而已。劉歆所留存的編目方法，鄭樵並未討論，至於班固的得失，鄭樵的評論並不公允。劉歆的《七略》、班固的《漢書·藝文志》，是自古以來目錄的淵源，而鄭樵的〈校讐略〉，居然有如此嚴重的疏忽，這是由於創始者難有功效的道理。如果想要衡量改正各家的目錄，應該從劉歆的《七略》、班固的《漢書·藝文志》開始。

　　（以上十之一）

　　鄭樵認為蕭何《律令》、張蒼《章程》，《七略》、《漢書·藝文志》沒有收錄，是劉歆、班固的錯誤。其實，這是劉氏的錯誤，不是班氏的錯誤。劉向校讐圖書時，自己負責〈六藝〉、〈諸子〉、〈詩賦〉三個領域，這三種圖書都是宮中的藏書。至於〈兵法〉、〈術數〉、〈方技〉等範疇，都分別由專業的官員負責，可知〈兵法〉、〈術數〉、〈方技〉三略的書，不全是宮中祕藏的書，而是分別藏在各專業的官署，由專業官員典守，所以劉歆無法親自校讐分類。只是把申不害、韓非的書，放在諸

子類；董仲舒《治獄》，附在《春秋》類。劉歆不瞭解律令的圖書是藏在理官官署，章程的圖書放在掌故官官署，劉歆未將這些圖書交由負責的官員校定篇次，這是《七略》的缺失。班固謹守劉歆編纂《七略》的方法，只有一些劉歆以後才有的圖書，增補了數種；其它劉歆《七略》未收錄的，東漢未必還傳存，《漢書・藝文志》未能著錄這些書，怎能說是缺點呢？

（以上十之二）

《漢書・藝文志》最重視學術淵源與變遷，似乎受太史公敘傳，莊子〈天下篇〉及荀子〈非十（二）子〉的影響。（韓嬰《詩傳》引荀子〈非十子〉，並沒有譏子思、孟子的文字）。這說明編纂目錄，用來說明學術思想的重要，不是後代那些只用來統計圖書的目錄所能及的。但是一切的方法創始時不免疏失，這是難免的事。例如將《封禪群祀》歸入禮經類，《太史公書》歸入《春秋》類，比起後代目錄另立儀注、正史等類，更瞭解學術的本源。《詩賦》類的圖書繁夥，不入《詩經》類，而自成一略，敘例中沒能詳細說明原因，是其一項缺失。《諸子》的圖書，能推求古代掌管的官府，很合宜。《六藝》都有專門的官守，但卻不參與闡述研究，難道是受到博士傳授工作所耽擱嗎？

（以上十之三）

《周易・繫辭（上）》說：「形而上者謂之道，形而下者謂之器。」善心、善法都完備（只有善心，或只有善法，都是一部分而已。）始末原委都兼具，部次的排比，很有條理，使索求圖書者可以根據器瞭解道，會集部分而得到完整的知識，那麼任宏所校讐的〈兵書略〉，李柱國所校讐的〈方技略〉，大致接近這個標準。其他四略，未能合乎這個標準，所以劉歆《七略》、班固《漢書・藝文志》，就不免授人話柄了。〈兵書略〉中的孫子、吳起等人的著作與〈方技略〉裡的內經、外經等書，就是〈諸子略〉裡的一家之言。〈兵書略〉裡形勢、陰陽、技巧三類與〈方技略〉裡經方、房中、神仙三類，所著錄的都是法術名數，所謂形而下之器一類

的圖書。任宏、李柱國的〈兵書略〉、〈方技略〉，其中的分類和圖書排比的次序，本體與功用十分清楚，能夠使不懂兵書、方技的學者，看了其分類和排比次序，也能夠清楚瞭解其系統端要，這就是由專官負責圖書的明顯功效。今檢視各類，那麼後代的儀注，應該附在《禮》經類，《史記》應該附在《春秋》類。即使圖書數目太多，只好另立一類，也應當說明體制，讓讀者可以考究源流，也許可以沒有遺憾。劉歆《七略》、班固《漢書・藝文志》，未能精確承襲前人的資料，後人編纂目錄時，也未能探求其意旨，這是造成分類排比很多錯誤的原因。

（以上十之四）

有人說：〈兵書〉、〈方技〉二略圖書之分類排比，由專門官府掌理所以很精確。〈術數〉略的圖書也是由專官掌理，卻說不如〈兵書〉、〈方技〉二略，難道是太史尹咸的學術造詣，不及任宏、李柱國嗎？我說：這是劉歆的錯誤造成的。〈術數〉一略裡，其圖書分由天文、曆譜、陰陽、五行、蓍龜、雜占、形法七項統繫。從道器合一的標準來衡量，陰陽、蓍龜、雜占三項的圖書，應該附在《易經》類；曆譜一項的圖書，應該附在《春秋》類；五行一項的圖書，應該附在《尚書》類。即使圖書部數繁夥，或者像詩賦的著作太多，於是從《詩經》中離析出來自成一略，都應當在敘錄之後說明原委。可是劉氏在校畢六藝之後，未與數術諸家之校讎者計議，以致尹咸無從推尋源流。至於天文、形法等項的圖書，都是後代天文、地理方面的專門著作。樹立類別，區別異同，建立了大綱，也分別了細目，不就是一部整齊有規律得當的目錄嗎？

（以上十之五）

天文方面則有宣夜、周髀、渾天等，以至後代安天、談天等學說，有正面的，有特異的，將這些著作整理排比分辨說明其主要功效，這就是所謂道。《漢書・藝文志》所著錄的泰壹、五殘星變一類的著作，分別排比，這就是所謂器。地理屬於堪輿家之言，成立專門學說，這就是所謂道。《漢書・藝文志》所著錄的《山海經》等一類的著作，分別排比，這

就是所謂器。將此兩類的著作，單獨成立一類予以排比，各有其規範法則，但是尹咸卻得將它們收在數術類，造成條理不清楚的錯誤。（把《山海經》和《相人》書放在同類，成為別人詬病的缺失。）

（以上十之六）

地理形法類的著作，其內容重點如果是論述山川險易，關塞邊防的事，則與兵家形勢類的著作互通。如果重點是論述陰陽虛旺，宅墓的好壞，則與《尚書》類裡有關五行的著作互通。將圖書從事分類，既然是不可無的工作，而著作的學術源流，也要求其完整，因此重複、互著的方法，則不能不用。任宏所負責校讎的〈兵書〉略，鄭樵稱讚它在七略中最優。現在看劉歆的《七略》裡，重複著錄的書只有十種，這些書都在〈兵略〉裡，其他各略都沒有這些情形。所以互著的方法，劉氏都沒能瞭解其功能，只因任宏的關係才在《七略》裡留存了一部分。班固不瞭解這個道理，把所有互著重複的都刪去，十分可惜。

（以上十之七）

後代法律的著作很多，不是只有蕭何所整理次第的律令而已。就諸子中掇取申子、韓非子等議論法家著作，放在前面，這就是所謂道。尊奉律令所定的法規等著作，附在法家之下分別排比，這就是所謂器。後代記述典章制度的書很多，不是只有張蒼所整理次第的章程而已。就諸子中掇取論述治事的著作，像《呂氏春秋》（《漢書·藝文志》入於雜家類，不正確。它每月的令文，正是政令典章，與後代會典、會要同一類的著作。）賈誼、董仲舒（治安有關的奏議，天人有關的文字，都屬論治的著作，《漢書·藝文志》入於儒家類。）諸家之言，放在首條，這就是所謂道。那些由前代傳述下來與典章制度有關的著作，附於各條之後依次排比，這就是所謂器。成規、法則是根據道理產生的，那有閱讀目錄的分類，而無法得知學術源流的事呢？

（以上十之八）

也許有人說：「《漢書·藝文志》沒有著錄律令章程類的圖書，本來

可以不予討論。假設當時必需著錄律令章程類的圖書，根據劉歆、班固的《七略》類例，應該歸附在那一類呢？」我回答說：「《太史公書》附在《春秋》類，《封禪群祀》附在《禮經》類，是《七略》留下的法則。律令類的圖書自可附在法家類之後。章程類的著作，本來應該另立政治類，不過，《漢書・藝文志》沒設政治類，而《高祖傳》十三篇、《孝文傳》十一篇（班固自注說：《高祖傳》是高祖對大臣論述古代的言論及當時的詔策），這些都是屬於舊日典章制度的著作，而劉歆的《七略》及班固《漢書・藝文志》將它放在諸子儒家類，那末，章程一類的著作也一定附在諸子儒家類。大致《漢書・藝文志》的疏略，是由於圖書類別不完備造成的，只好勉強依附。至於那些不真實的理論和真實紀錄事物現象的著作，未能使它們的本體和作用相互資助，則是《漢書・藝文志》偶而疏漏的地方。（《禮經》、《春秋》、《兵書》、《方技》類，則沒有這些缺失。）而後代研究目錄學的人，不再瞭解這種精深奧妙的旨意了。」

（以上十之九）

鄭樵評論《漢書・藝文志》沒有收錄章程律令類的圖書，認為這是劉向、劉歆、班固的疏漏，不過，班固未必能輕易看到西漢全部的藏書，或許可以把過錯推給劉歆的《七略》。但是，劉向的《別錄》和劉歆的《七略》，是班固用來刪其浮冗，取其旨要做為撰寫《漢書・藝文志》的依據，能夠推說未曾見過西漢的藏書嗎？《漢書・藝文志》是後代目錄的始祖，當時沒另行為這些書設置類別，難道不能附在諸子名家類的最後嗎？名家類的〈敘錄〉說：「名義不正當，道理就講不通；道理講不通，事情就做不成。」著錄圖書的方法，在眾多文章典籍裡，得到它們辨別多義、論定事物的內涵，這是《七略》最重要的特色。名家類〈敘錄〉又說：「喜歡詆毀、攻訐的人利用名家理論，只是破敗析亂了名家之言而已。」這又是造成後代的目錄，每多牽持雜亂不一的缺失了。因此，凡是辨治名實的書，本來就有所歸附了。（後代目錄繁多，可自行分設門類。）

（以上十之十）

# 鄭樵誤校漢志第十一

　　鄭樵譏班固敘列儒家，混入《太玄》《法言》《樂》《箴》三書為一，總謂揚雄所敘三十八篇，謂其胸無倫類❶，是樵之論篤矣。至謂《太玄》當歸《易》類，《法言》當歸諸子，其說良是。然班固自注：「《太玄》十九，《法言》十三，《樂》四，《箴》二。」是《樂》與《箴》，本二書也；樵誤以為一書。又謂「《樂》《箴》當歸雜家」；是樵直未識其為何物，而強為之歸類矣。以此譏正班固，所謂楚失而齊亦未為得也❷。按《樂》四未詳。《箴》則《官箴》是也；在後人宜入職官，而《漢志》無其門類，則附官《禮》之後可矣。

　　（上十一之一）

　　鄭樵譏《漢志》以《司馬法》入《禮》經，以《太公》兵法入道家，疑謂非任宏、劉歆所收，班固妄竄入也。鄭樵深惡班固，故為是不近人情之論。凡意有不可者，不為推尋本末，有意增刪遷就❸，強坐班氏之過，此獄吏鍛鍊之法❹；亦如以《漢》志書為班彪、曹昭所終始，而〈古今人表〉則謂固所自為者惟此❺；蓋心不平

者，不可與論古也。按《司馬法》百五十五篇，今所存者，非故物矣。班固自注：「出之兵權謀中，而入於《禮》。」樵固無庸存疑似之說也。第班《志》敘錄，稱《軍禮司馬法》，鄭樵刪去「軍禮」二字，謂其入禮之非；不知《司馬法》乃周官職掌，如考工之記，本非官禮，亦以司空職掌，附著《周官》，此等敘錄，最為知本之學。班氏他處未能如是，而獨於此處能具別裁；樵顧深以為譏，此何說也？第班氏入於《禮》經，似也。其出於兵家，不復著錄，未盡善也。當用劉向互見之例，庶幾禮家不為空衍儀文，而兵家又見先王之制，乃兩全之道耳。《太公》二百三十七篇，亦與今本不同。班氏僅稱《太公》，並無兵法二字，而鄭樵又增益之，謂其入於道家之非；不觀班固自注：「尚父本有道者。」又於兵權謀下注云：「省《伊尹》《太公》諸家。」則劉氏《七略》，本屬兩載，而班固不過為之刪省重複而已。非故出於兵，而強收於道也。（注省者，劉氏本有，而班省去也。注出入者，劉錄於此，而班錄於彼也。如《司馬法》，劉氏不載於《禮》，而班氏入之。則於《禮》經之下注云，入《司馬法》。今道家不注入字，而兵家乃注省字，是劉《略》既載於道，又載於兵之明徵。非班擅改也。）且兵刑權術，皆本於道，先儒論之備矣。劉《略》重複互載，猶司馬遷〈老莊申韓列傳〉意也❻，發明學術源流之意。況二百三十七篇之書，今既不可得見，鄭樵何所見聞而增刪題目，以謂止有兵

法，更無關於道家之學術耶？

（上十一之二）

　　鄭樵譏《漢志》以《世本》、《戰國策》、《秦大臣奏事》、《漢著記》為《春秋》類❼，是鄭樵未嘗知《春秋》之家學也。《漢志》不立史部，以史家之言，皆得《春秋》之一體，故四書從而附入也。且如後世以紀傳一家，列之正史，而編年自為一類，附諸正史之後。今《太史公書》列於《春秋》，樵固不得而譏之矣。至於國別之書，後世如三國、十六國、九國、十國之類❽，自當分別部次，以清類例。《漢志》書部無多，附著《春秋》，最為知原本。又《國語》亦為國別之書，同隸《春秋》，樵未嘗譏正《國語》，而但譏《國策》，是則所謂知一十而不知二五者也❾。《漢著記》，則後世起居注之類，當時未有專部，附而次之，亦其宜也。《秦大臣奏事》，在後史當歸故事，而《漢志》亦無專門，附之《春秋》，稍失其旨。而《世本》則當入於曆譜，《漢志》既有曆譜專門，不當猶附《春秋》耳；然曆譜之源，本與《春秋》相出入者也。

（上十一之三）

　　以劉歆、任宏重複著錄之理推之《戰國策》一書，當與兵書之權謀條，諸子之縱橫家，重複互注，乃得盡其條理。《秦大臣奏事》，當與《漢高祖傳》、《孝文傳》❿

（注稱論述冊詔。）諸書，同入《尚書》部次；蓋君上詔誥，臣下章奏，皆《尚書》訓誥之遺；後世以之攙入集部者，非也。凡典章故事，皆當視❶此。

（上十一之四）

## 【今註】

❶ 總謂揚雄所敘三十八篇，謂其胸無倫類：參見〈補校漢藝文志〉第十註❶。

❷ 楚失而齊亦未得：此典故出自司馬相如〈上林賦〉：「亡是公听然而笑曰：楚則失矣，而齊亦未得也。」可參見司馬相如〈子虛賦〉。

❸ 遷就：捨此取彼，委曲求和。

❹ 獄吏鍛鍊之法：羅織罪名之方法。《漢書・路溫舒傳》：「上奏畏卻，則鍛鍊而周內之。」注引晉灼曰：「精熟周悉，致之法中也。」《後漢書・韋彪傳》：「鍛鍊之吏，持心近薄。」注：「鍛鍊，猶言成熟也。言深文之吏，入人之罪，猶工冶陶鑄鍛鍊，使之成熟也。」

❺ 亦如以《漢》志書……則謂固所自為者惟此：《通志・校讐略・編書不明分類論》：「史家本於孟堅。孟堅初無獨斷之學，惟依緣他人，以成門戶。紀志傳，則追司馬之蹤；律曆藝文，則躡劉氏之迹。惟〈地理志〉與〈古今人物表〉是其胸臆。地理一學，後代少有名家者，由班固修書之無功耳。〈古今人物表〉，又不足言也。」

❻ 司馬遷〈老莊申韓列傳〉意也：《史記・老莊申韓列傳》說明合傳之由：「申子卑卑，施於名實，韓子引繩墨，切事情，明是非，其極慘礉少恩；皆源於道德之意。」

❼ 鄭樵譏《漢志》以《世本》……為《春秋類》：《通志・校讐略・編次不明論》：「《漢志》以《世本》《戰國策》《秦大臣奏事》《漢著記》為《春秋》類，此何義也？」

❽ 三國、十六國、九國、十國之類：《新唐書・藝文志》雜史類：「員半千《三國春秋》二十卷。」《隋書・經籍志》史部霸史類：「《十六國春秋》一百卷，魏崔鴻撰。」按：十六國者：前涼、後涼、南涼、北涼、西涼、前趙、後趙、夏、成漢、前燕、後燕、南燕、北燕、前秦、後秦、西秦。《直

齋書錄解題》史部偽史類：「《九國志》五十一卷，右正言知制誥祈陽路振子發撰。九國者，謂吳、唐、二蜀、東南二漢、閩、楚、吳越，各為世家、列傳，凡四十九卷。末二卷為北楚，書高季興事，張唐英所補撰也。」又：「《十國紀年》四十卷，劉恕撰。十國者，即前九國之外，益以荊南，張唐英所謂北楚也。」

❾　知一十而不知二五：形容所見褊狹，未能瞭解全貌。《史記·越王句踐世家》：「且王之所求者，鬭晉楚也，晉楚不鬭，越兵不起，是知二五不知十也。」

❿　《漢高祖傳》、《孝文傳》：《漢書·藝文志》〈諸子略〉儒家類有《高祖傳》十一篇，班固自注：「高祖及大臣述古語及詔策也。」又《孝文傳》十一篇，班固自注：「文帝所稱及詔策。」

⓫　視：比照。

## 【今譯】

　　鄭樵非議班固條列儒家類時，混淆雜入了《太玄》、《法言》、《樂》、《箴》等書，將這三種書合為一種，總稱為《揚雄所敘三十八篇》，認為班固沒有條理的觀念，鄭樵的說法很確實。至於說《太玄》應歸屬《易》類，《法言》應歸屬諸子類，這種說法十分正確。但是班固自注說：「《太玄》十九篇，《法言》十三篇，《樂》四篇，《箴》二篇。」可見《樂》與《箴》，本來是兩種書，鄭樵誤以為是一種書。又說「《樂》、《箴》應該歸屬雜家類」，可見鄭樵不瞭解《樂》、《箴》的內容、性質，就勉強為它們歸類，用這些非議班固，這正如司馬相如〈上林賦〉所說的楚國的作為雖有缺失，但齊國的作為也沒有值得肯定之處。按：《樂》四篇，其內容如何，已不可得知。《箴》則是《官箴》，後世將這類書歸屬在職官類，不過，《漢書·藝文志》沒有職官類，那末就可附在官禮之後。

　　　　（以上十一之一）

　　鄭樵批評《漢書·藝文志》將《司馬法》放在《禮》類，將《太公》

兵法放在道家類，鄭樵懷疑這不是任宏、劉歆校書時所決定的，而是班固私自妄改竄入的。鄭樵十分厭惡班固，所以才說出這種不近人情的評論。凡是不合己意的，不去推究事情的道理，隨自己的意思增刪或捨此取彼，勉強求合己意，一定要歸諸班固的過失，這就如同管理監獄的官吏，羅織罪名的熟練技巧；又如有人以為《漢書》裡的所有志書，都是班彪和曹昭所完成的，班固自己所完成的，只有〈古今人表〉部分。所以內心不能平心論事的人，是不能和他們討論古書的。按：《司馬法》一百五十五篇，現在所傳存的，已不是原來的本子。班固自注說：「《司馬法》一書，本來在兵家權謀類，改入《禮》類。」鄭樵本來就不需從事這種是非難辨的說法。但是班固《漢書・藝文志》的敘錄裡，所稱的書名是《軍禮司馬法》，鄭樵擅自刪去「軍禮」二字，批評於在禮類的錯誤，鄭樵不瞭解《司馬法》是周代官制的職掌，就像〈考工記〉一樣，本來就不是官府的禮儀，〈考工記〉就是以司空職掌的內容，附著在《周官》一書中。班固所寫的敘錄，最能瞭解學術的根本。班固在其他地方沒有如此的表現，單獨在這個地方能做到別裁的方法，而鄭樵反而深切非議，這怎麼說呢？但是，班固把《司馬法》放在《禮》經類，應是對的。《司馬法》從兵家類裁出，兵家類不再著錄，這點不夠完善。應該用劉向互見的方法，也許可以禮家類所收都是些繁雜的儀式文字，而在兵家類又可以見到先王的制度，才是兩全的方法。《太公》二百三十七篇，也和今傳的本子不同。班固在《漢書・藝文志》裡，只稱《太公》，並沒有「兵法」二字，而鄭樵又增加「兵法」二字，並且評論班固把《太公》放在道家類的錯誤，鄭樵沒能注意到班固自注說：「尚父本是有道理的人。」班固又在兵權謀類下注說：「刪省《伊尹》、《太公》諸家。」可知劉歆的《七略》，《太公》原本互見於道家類和兵權謀類，班固則只是加以刪省，免得重複而已，並不是刻意從兵家類移入道家類。（班固注「省」的，表示劉歆《七略》本來有此書，而班固予以刪省。注「出」「入」的，則表示《七略》在此類，而班固移置他類。例如《司馬法》一書，劉歆《七略》原不載於

《禮》類，是班固移入的，班固則在《禮》類注說：「入《司馬法》。」
現在《太公》一書，在道家類沒有注「入」字，而在兵家類則注「省」
字，這就是劉歆《七略》中，《太公》一書記載於道家類，又同時著錄於
兵家類的明顯證明，並不是班固所擅改的。)況且兵家、刑法家、權謀
等，其思想都源自道家思想，先儒已經說得很多。劉歆《七略》中重複著
錄了《太公》一書，其用意和司馬遷《史記》中〈老莊申韓列傳〉多人合
傳的道理一樣（其用意在闡發說明學術的源流）。何況《太公》二百三十
七篇，今已不傳，鄭樵根據甚麼增刪書名，而說《太公》一書只與兵法有
關，而與道家學術毫無關係呢？

　　　　（以上十一之二）

　　鄭樵非議《漢書・藝文志》將《世本》、《戰國策》、《秦大臣奏
事》、《漢著記》等書歸屬《春秋》類，這是由於鄭樵未瞭解《春秋》的
學術流傳情形。《漢書・藝文志》不立史部，是認為史家的著作，具體製
內容都是得自《春秋》的一部分，所以將這四部書附在《春秋》類。這就
像後代將紀傳類的史書，列在正史類，而編年的史書自立一類，附在正史
類之後。現在把《太史公書》列在《春秋》類，鄭樵本來就不應批評。至
於國別的著作，例如三國、十六國、九國、十國等類的著作，自當另立類
別排比，使分類的原則更為明確。《漢書・藝文志》這一類的書不多，這
四部書附在《春秋》類，最能瞭解學術的本源。此外，《國語》一書也屬
國別的史書，同樣放在《春秋》類，鄭樵不當批評《國語》一書的歸屬，
祇批評《國策》一書的歸屬，這就是所謂知十而不知二五也是十了。《漢
著記》，在後代屬於起居注類，漢代尚無起居注這一類目，附在《春
秋》，還算適宜。《秦大臣奏議》，在後代史志應歸屬故事類，而《漢
書・藝文志》沒有故事類，附在《春秋》類，有些違背了該書的旨意。而
《世本》應當歸屬曆譜類，《漢書・藝文志》既然專設了曆譜類，就不當
附在《春秋》類了。不過，曆譜的圖書，開始時和《春秋》類交互密切。

　　　　（以上十一之三）

　　根據劉歆、任宏編輯目錄時，採用重複著錄的方法來推論，《戰國策》一書，應當與兵書類的權謀、諸子類的縱橫家，重複著錄，才能完全合乎他們編目的規則。《秦大臣奏事》一書，應當與《漢高祖傳》、《孝文傳》（班固注稱論述冊詔）等書，同歸《尚書》類，因為國君的詔誥和臣子的章奏，都是《尚書》所存留的體製，後代將它們放入集部，是錯誤的。凡是典章及古代制度類的著作，都應比照這個原理。

　　　　（以上十一之四）

# 焦竑❶誤校漢志第十二

　　自劉、班而後，藝文著錄，僅知甲乙部次，用備稽檢而已。鄭樵氏興，始為辨章學術，考竟源流，於是特著〈校讎〉之略：雖其說不能盡當，要為略見大意，為著錄家所不可廢矣。樵志以後，史家積習相沿，舛訛雜出；著錄之書，校樵以前其失更甚；此則無人繼起，為之申明家學之咎也。明焦竑撰《國史經籍志》❷，其書之得失，別具論次於後。特其〈糾繆〉一卷，譏正前代著錄之誤，雖其識力不逮鄭樵，而整齊有法，去汰裁甚，要亦有可節取者焉。其糾《漢志》一十三條，似亦不為無見；特竑未悉古今學術源流，不於離合異同之間，深求其故；而觀其所議，乃是僅求甲乙部次，苟無違越而已。此則可謂簿記守成法，而不可為校讎家議著作也。今即其所舉，各為推論，以進於古人之法度焉。

　　（上十二之一）

　　焦竑以《漢志》《周書》入《尚書》為非，因改入於雜史類。其意雖欲尊經，而實則不知古人類例。按劉向云：「周時誥誓號令，孔子所論百篇之餘」❸，則《周

・123・

書》即《尚書》也。劉氏《史通》述《尚書》家，則孔衍
《漢魏尚書》、王邵《隋書》，皆次《尚書》之部❹。蓋
類有相仍，學有所本；六藝本非虛器❺，典籍各有源流；
豈可尊麒麟而遂謂馬牛不隸走部，尊鳳凰而遂謂燕雀不隸
飛部耶？

（上十二之二）

焦竑以《漢志》《尚書》類中《議奏》四十二篇入
《尚書》為非，因改入於集部。按議奏之不當入集，已別
具論，此不復論矣。考《議奏》之下，班固自注謂「宣帝
時石渠論」也。韋昭謂石渠為閣名，於此論書。是則此處
之所謂議奏，乃是漢孝宣時，於石渠閣大集諸儒，討論經
旨同異，帝為稱制臨決之篇❻，而非廷臣章奏封事❼之屬
也。以其奏御之篇，故名奏議；其實與疏解講義之體相
類。劉、班附之《尚書》，宜矣。焦竑不察，而妄附於後
世之文集，何其不思之甚邪？（秦大臣奏事附於《春秋》，此為劉、
班之遺法也。）

（上十二之三）

焦竑以《漢志》《司馬法》入《禮》為非，因改入於
兵家。此未見班固自注，本隸兵家，經班固改易者也。說
已見前，不復置論。

（上十二之四）

竑以《漢志》《戰國策》入《春秋》為非，因改入於

縱橫家。此論得失參半，說已見前，不復置論。

（上十二之五）

焦竑以《漢志》《五經雜議》入《孝經》為非，因改入於經解。其說良允。然《漢志》無經解門類，入於諸子儒家，亦其倫也。

（上十二之六）

焦竑以《漢志》《爾雅》、《小爾雅》入《孝經》為非，因改入於小學。其說亦不可易。《漢志》於此一門，本無義理，殆後世流傳錯誤也。蓋《孝經》本與小學部次相連，或繕書者誤合之耳。《五經雜議》與《爾雅》之屬，皆緣經起義，類從互注，則益善矣。（經解、小學、儒家三類。）

（上十二之七）

焦竑以《漢志》《弟子職》入《孝經》為非，因歸還於《管子》。是不知古人裁篇別出之法，其說已見於前，不復置論。惟是弟子之職，必非管子所撰；或古人流傳成法，輯管子者，採入其書。前人著作，此類甚多。今以見於《管子》，而不復使其別見專門；則《小爾雅》亦已見於《孔叢子》❽，而焦氏不還《孔叢》，改歸小學，又何說耶？然《弟子職》篇，劉、班本意，附於《孝經》與附於小學，不可知矣。要其別出義類，重複互注，則二類皆有可通。至於〈六藝略〉中，《論語》、《孝經》小學三

門；不入六藝之本數；則標名六藝，而別種九類，乃是經
傳輕重之權衡也。

（上十二之八）

裁篇別出之法，《漢志》僅存見於此篇，及《孔子三
朝》篇之出《禮記》而已。充類❾而求，則欲明學術源
委，而使會通❿於大道，舍是莫由焉。且如敘天文之書，
當取《周官》保章⓫、《爾雅·釋天》⓬、鄒衍言天⓭、
《淮南》天象⓮諸篇，裁列天文部首，而後專門天文之
書，以次列為類焉。則求天文者，無遺憾矣。敘時令之
書，當取《大戴禮·夏小正》篇⓯、《小戴記·月令》篇
⓰、《周書·時訓解》⓱諸篇，裁列時令部首，而後專門
時令之書，以次列為類焉。敘地理之書，當取〈禹貢〉
⓲、〈職方〉⓳、《管子·地圓》⓴、《淮南·地形》㉑、
諸史地志諸篇，裁列地理部首，而後專門地理之書，以次
列為類焉。則後人求其學術源流，皆可無遺憾矣。《漢
志》存其意，而未能充其量，然賴有此微意焉。而焦氏乃
反糾之以為謬，必欲歸之《管子》而後已焉，甚矣校讐之
難也！

（上十二之九）

或曰：裁篇別出之法行，則一書之內，取裁甚多，紛
然割裂，恐其破碎支離而無當也。答曰：學貴專家，旨存
統要。顯著專篇，明標義類者，專門之要，學所必究，乃

掇取於全書之中焉。章而鈲之，句而氂之，牽率名義，紛然依附，則是類書纂輯之所為❷，而非著錄源流之所貴也。且如韓非之〈五蠹〉、〈說林〉，董子之〈玉杯〉、〈竹林〉，當時並以篇名見行於當世，今皆會萃於全書之中❷；則古人著書，或離或合，校讐編次，本無一定之規也。〈月令〉之於《呂氏春秋》，〈三年問〉、〈樂記〉、〈經解〉之於《荀子》❷，尤其顯焉者也。然則裁篇別出之法，何為而不可以著錄乎？

（上十二之十）

焦竑以《漢志》《晏子》入儒家為非，因改入於墨家。此用柳宗元之說❷，以為墨子之徒有齊人者為之，歸其書於墨家，非以晏子為墨者也。其說良是。部次羣書，所以貴有知言之學，否則徇於其名，而不考其實矣。〈檀弓〉名篇，非檀弓所著❷，《孟子》篇名有〈梁惠王〉，亦豈以梁惠王為儒者哉？

（上十二之十一）

焦竑以《漢志》〈高祖〉、〈孝文〉二傳入儒家為非，因改入於制詔。此說似矣。顧制詔與表章之類，當歸故事而附次於《尚書》；焦氏以之歸入集部，則全非也。

（上十二之十二）

焦竑以《漢志》《管子》入道家為非，因改入於法家。其說良允。又以《尉繚子》入雜家為非，因改入於兵

家；則鄭樵先有是說，竑更申之。按《漢志》《尉繚》本
在兵形勢家，書凡三十一篇；其雜家之《尉繚子》，書止
二十九篇，班固又不著重複併省，疑本非一書也㉗。

　　（上十二之十三）

　　焦竑以《漢志》《山海經》入形法家為非，因改入於
地理。其言似矣。然《漢志》無地理專門，以故類例無所
附耳。竊疑蕭何收秦圖籍㉘，西京未亡，劉歆自可訪之掌
故，乃亦缺而不載，得非疏歟？且班固創〈地理志〉，其
自注郡縣之下，或云秦作某地某名，即秦圖籍文也㉙。西
京奕世，及新莽之時，地名累有更易，見於志注㉚，當日
必有其書，而史逸之矣。至地理與形法家言，相為經緯，
說已見前，不復置論。

　　（上十二之十四）

　　焦竑以《漢志》陰陽、五行、著龜、雜占、形法凡五
出為非，因總入於五行。不知五行本之《尚書》㉛，而陰
陽、著龜本之於《周易》也㉜。凡術數之學，各有師承，
龜卜著筮，長短不同㉝；志並列之，已嫌其未析也。焦氏
不達，概部之以五行，豈有當哉？

　　（上十二之十五）

## 【今註】

❶　焦竑：《明史·文苑傳》：「焦竑字弱侯，江寧人。萬曆十七年殿試第一，
　　官翰林修撰。二十五年主應天鄉試，被劾，謫福寧州同知。歲餘，大計復鐫

秩，竑遂不出。竑博極羣書，自經史至稗官雜說，無不淹貫。善為古文，典正馴雅，卓然名家。集名《澹園》，竑所自號也。四十八年卒，年八十。」

❷ 《國史經籍志》：《四庫全書總目》史部目錄類存目：「《國史經籍志》六卷，明焦竑撰。……是書，首列制書類，凡御制及中宮著作、記注、時政、敕修諸書皆附焉。餘分經、史、子、集四部，末附〈糾謬〉一卷，則駁正《漢書》、《隋書》、《唐書》、《宋史》諸〈藝文志〉及《四庫書目》、《崇文總目》、鄭樵〈藝文略〉、馬端臨〈經籍考〉、晁公武《讀書志》諸家分門之誤。」

❸ 劉向云：「周時誥誓號令，孔子所論百篇之餘」：《漢書・藝文志・六藝略》《書》類：「《周書》七十一篇。」師古曰：「劉向云，周時誥誓號令也，蓋孔子所論百篇之餘也。」

❹ 劉氏《史通》……皆次《尚書》之部：「《史通・六家》《尚書》家：「自宗周既殞，《書》體遂廢，迄乎漢、魏，無能繼者。至晉廣陵相魯國孔衍，以為國史所以表言行，昭法式，至於人理常事，不足備列，乃刪漢、魏諸史，取其美詞典言足為龜鏡者，定以篇第，纂成一家，由是有《漢尚書》《後漢尚書》《魏尚書》，凡為二十六卷。至隋秘書監太原王劭，又錄開皇仁壽時事，編而次之，以類相從，各為其目，勒成《隋書》八十卷，尋其義例，皆準《尚書》。」

❺ 虛器：空虛之器物。《淮南子・謬稱》：「有義者不可欺以利，有勇者不可劫以懼，如飢渴者不可欺以虛器也。」

❻ 是則此處知所謂議奏……帝為稱制臨決之篇：《漢書・翟酺傳》：「孝宣論六經於石渠。」注：「宣帝詔諸儒講《五經》於殿中，兼平《公羊》《穀梁》同異，上親臨決焉。時更崇《穀梁》，故此言六經也。石渠，閣名。」又〈儒林傳〉：「施讎為博士，甘露中，與《五經》諸儒雜論同異於石渠閣。」注引《三輔故事》：「石渠閣在未央殿北，以藏秘書也。」稱制，皇帝頒發命令。《晉書・姚萇載記》：「萇乃從（尹）緯謀，以太元九年自稱大將軍、大單于、萬年秦王，大赦境內，年號白雀，稱制行事。」制，皇帝詔書。制書，制度之命令也。

❼ 封事：密封之奏議。《漢書・宣帝記》地節二年：「而今群臣得奏封事，以知下情。」也稱封章。

❽ 《小爾雅》亦已見於《孔叢子》：《孔叢子》第十一篇即《小爾雅》。全書

十三章：〈廣詁〉、〈廣言〉、〈廣訓〉、〈廣義〉、〈廣名〉、〈廣服〉、〈廣器〉、〈廣物〉、〈廣鳥〉、〈廣獸〉、〈廣度量衡〉（三章）。

❾ 充類：將各類事物，比照推論。

❿ 會通：會合變通。《易·繫辭上》：「聖人有以見天下之動，而觀其會通，以行其典禮。」

⓫ 《周官》保章：《周禮·春官》：「保章氏掌天星，以志星辰日月之變動，以觀天下之遷，辨其吉凶。」賈疏云：「此官掌日月變動與常不同，以見吉凶之事。」

⓬ 《爾雅·釋天》：〈釋天〉為《爾雅》第八篇，釋四時、祥、災、歲陽、歲名、月陽、月名、風雨、星名、祭名、講武、旌旂等名詞。

⓭ 鄒衍言天：《史記》（卷七十四）〈孟子荀卿列傳〉：「荀卿，趙人，年五十，始來游學於齊。騶衍之術，迂大而閎辯，奭也文具難施，淳于髡久與處，時有得善言，故齊人頌曰：談天衍，雕龍奭。」《集解》引劉向《別錄》曰：「騶衍之所言，五德終始，天地廣大，書言天事，故曰談天。騶奭修衍之文飾，若雕鏤龍文，故曰雕龍。」

⓮ 《淮南》天象：《淮南子·天文訓》第三，高誘注：「文者，象也。天先垂文象日月五星及彗孛，皆謂以譴告一人，故曰天文。」

⓯ 《大戴禮·夏小正》篇：見〈別裁〉第四註❻。

⓰ 《小戴記·月令》篇：《禮記·月令》，鄭《目錄》云：「名〈月令〉者，以其記十二月政之所行也。本《呂氏春秋》十二月紀之首章也，以禮家好事合鈔之。」

⓱ 《周書·時訓解》：〈時訓解〉為《逸周書》第五十二篇，《史通·六家》《尚書》家：「〈時訓〉之說，比〈月令〉多同；斯百王之正書，五經之別錄者也。」

⓲ 〈禹貢〉：為《尚書》〈虞夏書〉中一篇。屈翼鵬（萬里）先生《尚書集釋》云：「貢，《廣雅·釋言》：『獻也。』又同書〈釋詁〉（二）：『稅也。』本篇所記，為禹平治水土情形及制定賦稅、貢獻方物之事，故以〈禹貢〉名篇。」

⓳ 〈職方〉：〈職方解〉為《逸周書》第六十二篇，文與《周禮·夏官·職方氏》相類。

⓴ 《管子·地圓》：《管子》（卷十九）有〈地員〉篇，唐尹知章注：「地員

者，土地高下，水泉深淺，各有其位。」

❷ 《淮南・地形》：《淮南子》（卷四）〈墜形訓〉，高誘注：「紀東西南北，山川藪澤，地之所載萬物行兆所化育也。故曰地形，因以題篇。」

❷ 章而釖之，句而釐之……則是類書纂輯之所為：《四庫全書總目》子部類書小敘：「類事之書，兼收四部，而非經、非史、非子、非集，四部之內，乃無類可歸。……此體一興，而操觚者易於檢尋，註書者利於剽竊，轉輾稗販，實學頗荒。」清姚永概《慎宜軒文集》（卷一）〈書經義述聞讀書雜誌後〉云：「古人屬辭，意偶而辭不必偶，往往有一字而偶二三字者。王氏每以句法參差不齊為疑，據類書以改古本。不知類書多唐以後人作，其時排偶之文，務尚工整，故其援引，隨手更乙，使之比和。況古人引書，但取大義，文句之多寡，字體之同異，絕不計焉。從王氏之說，是反以今律古，失之遠矣。」

❷ 韓非之〈五蠹〉、〈說林〉，董子之〈玉杯〉、〈竹林〉……今皆薈萃於全書之中：《史記・韓非傳》：「觀往者得失之變，故作〈孤憤〉、〈五蠹〉、〈內外儲〉、〈說林〉、〈說難〉十餘萬言。人或傳其書至秦，秦王見〈孤憤〉、〈五蠹〉之書曰：『嗟乎！寡人得見此人，與之遊，死不恨矣。』」今〈五蠹〉在《韓非子》第四十九篇，〈說林〉在第二十三、二十四篇。《漢書・董仲舒傳》：「〈玉杯〉、〈蕃露〉、〈清明〉、〈竹林〉之屬，復數十篇十餘萬言，皆傳於後世。」今〈玉杯〉、〈清明〉、〈竹林〉，並《春秋繁露》中篇名。

❷ 〈月令〉之於《呂氏春秋》，〈三年間〉、〈樂記〉、〈經解〉之於《荀子》：《禮記》〈月令〉，孔穎達《疏》引鄭《目錄》云：「名曰〈月令〉者，以其記十二月政之所行也。本《呂氏春秋》〈十二月紀〉之首章也。以禮家好事抄合之，後人因題之名曰《禮記》。」《禮記・三年問》，與《荀子・禮論篇》後段之文，大致相同。〈樂記〉與《荀子・樂論》略同。〈經解〉自「繩墨誠陳，不可欺以曲直」起，與《荀子・禮論篇》中自「故繩墨誠陳矣，則不可欺以曲直」起略同。

❷ 柳宗元之說：《柳河東集》（卷四）〈辯《晏子春秋》〉：「吾疑其墨子之徒有齊人者為之。墨好儉，晏子以儉名於世，故墨子之徒，尊著其事，以增高為己術者。」

❷ 〈檀弓〉名篇，非檀弓所著：《禮記・檀弓（上）》，陸德明《經典釋

文》：「檀弓，魯人。檀，大丹反，姓也。弓，名，以其善於禮，故以名篇。」

❷❼ 《漢志》《尉繚》，本在兵形勢家……疑本非一書也：《四庫全書總目》子部兵家類：「《尉繚子》五卷，周尉繚撰。其人當六國時，不知其本末。或曰魏人，以〈天官篇〉有梁惠王問知之。或又曰齊人，鬼谷子之弟子。劉向《別錄》又云：繚為南君學，未詳孰是也。《漢志》雜家有《尉繚子》二十九篇，《隋志》作五卷，《唐志》作六卷，亦並入於雜家，鄭樵譏其見名而不見書，馬端臨亦以為然。然《漢志》兵形勢家內實別有《尉繚子》三十一篇。故胡應麟謂兵家之尉繚，即今所傳，而雜家之尉繚，並非此書，今雜家亡，而兵家獨傳。鄭以為孟堅之誤者，非也。特今書止二十四篇，與所謂三十一篇者，數不相合，則後來已有所亡佚，非完本矣。」

❷❽ 蕭何收秦圖籍：《史記》（卷五十三）〈蕭相國世家〉：「蕭相國何者，沛豐人也。……沛公至咸陽，諸將皆爭走金帛財務之府，分之。何獨先人收秦丞相御史律令圖書，藏之。沛公為漢王，以何為丞相。項王與諸侯屠燒咸陽而去。漢王所以具知天下阨塞戶口多少彊弱之處，民所疾苦者，以何具得秦圖書也。」

❷❾ 班固創〈地理志〉，其自注郡縣之天下，或云秦作某地某名，即秦圖籍文也：〈地理志〉在《漢書》卷二十八。如「沛郡」下自注云：「故秦泗水郡，高帝更名，莽曰吾符，屬豫州。」「五原郡」下自注云：「秦九原郡，武帝元朔二年更名。」

❸❿ 西京奕世，及新莽之時，地名累有更易，見於志注：如「潁川郡」下自注云：「秦置，高帝五年為韓國，六年復故。莽曰左隊，陽翟有工官，屬豫州。」「九江郡」下自注云：「秦置，高帝四年更名為淮南國，武帝元狩元年復故。莽曰延平，屬揚州。」

❸❶ 五行本之《尚書》：《漢書‧藝文志》數術略五行類小敘：「五行者，五常之形氣也。《書》云：『初一曰五行，次二曰羞用五事。』言進用五事，以順五行也。貌、言、視、聽、思，心失而五行之序亂，五星之變作，皆出於律曆之數，而分為一者也。其法亦起五德終始，推其極則無不至，而小數家因此以為吉凶而行於世，浸以相亂。」

❸❷ 陰陽、蓍龜本之於《周易》：《漢書‧藝文志》數術略蓍龜類小敘：「蓍龜者，聖人之所用也。《書》曰：『女則有大疑，謀及小筮。』《易》曰：

『定天下之吉凶，成天下之亹亹者，莫善於蓍龜。是故君子將有為也，將有行也，問焉而以言，其受命也，如嚮。無有遠近幽深，遂知來物。非天下之至精，其孰能與於此？』及至衰世，解於齊戒而婁煩小筮，神明不應，故筮瀆不告，易以為忌，龜厭不告，詩以為刺。」

❸❸ 龜卜蓍筮，長短不同：《左傳》僖公四年：「初，晉憲公欲以驪姬為夫人，卜之不吉，筮之吉。公曰：『從筮。』卜人曰：『筮短龜長，不如從長。』」「杜預注：「物生而後有象，象而後有滋，滋而後有數，龜象，筮數，故象長數短。」

**【今譯】**

從劉歆、班固以後，藝文志著錄圖書，只知分類編纂，以供稽考檢索而已。到了鄭樵，才從事辨明學術內容，稽考洞察學術源流，於是特地撰述〈校讎略〉，所論雖不全然適當，大致能說明主要內涵，是目錄家不能不參考的。鄭樵《通志》以後，史家沿襲積習，錯誤很多，圖書目錄，比鄭樵以前的目錄，錯誤更嚴重，這是由於後代無人說明學術源流所造成的後果。明代焦竑撰《國史經籍志》，這本書的得失，後面另有詳細的討論。其中〈糾繆〉一卷，改正前代目錄的錯誤，見識雖不及鄭樵，但是所論有一定的水準，去除不適當的部分，大致是值得參考取資的。其中改正《漢書・藝文志》之誤共十三條，有些很好的見解，只是焦竑於古今學術的源流不盡瞭解，不能探求類目淆雜異同的緣故，他所討論的，只限於類目的歸屬，有無錯誤而已。這只能說是提出編輯目錄的基本方法，談不上是校讎家的評論。現在根據他所提出的問題，加以討論，進而探討古人的法則。

（以上十二之一）

焦竑認為《漢書・藝文志》把《周書》放在《尚書》類是錯誤的，因此把它改入雜史類。他的用意雖是在尊崇經書，實際上是不瞭解古人分類的道理。按：劉向說：「周代的誥誓號令，是孔子百篇《尚書》的末流。」這樣說來，《周書》就是《尚書》了。劉知幾《史通》一書在敘說

《尚書》家時，孔衍《漢魏尚書》、王劭《隋書》，都放在《尚書》類。
因為每一類別都有相因襲，各種學派都有根據，六經本來就不是空洞的，
典籍都有源流，怎麼可以為了尊崇麒麟就說馬牛不是獸類，為了尊崇鳳凰
就說燕雀不是鳥類呢？

（以上十二之二）

焦竑認為《漢書·藝文志》《尚書》類裡的四十二篇《議奏》放在
《尚書》類是錯誤的，所以改入《集部》。按：奏議不應入集部，我已另
有詳細的論述，這裡不再談論。在《議奏》之下，班固自注說：「這是指
漢宣帝時在石渠閣的言論。」韋昭說石渠是閣名，在這裡討論學術。因此
這裡所說的議奏，是指漢宣帝時，在石渠閣召集經學家，討論經學思想的
同異，皇帝頒發命令決定的文章，不是臣子在朝廷所進的議論。由於是進
給皇帝的文章，所以稱為奏議，其實和注釋疏通文義的體裁類似。劉歆、
班固把它附在《尚書》，是適當的。焦竑未能注意到這些，而亂附在後代
的文集，思慮怎會如此不週到呢？（秦代大臣的奏事附在《春秋》，這是
劉歆、班固遺留的方法。）

（以上十二之三）

焦竑認為《漢書·藝文志》將《司馬法》列入《禮》類是錯誤的，因
此改入兵家類。這是由於看到班固的自注，《司馬法》原本在兵家類，經
班固改動的。這一點我在前面已有談論，這裡不再評論。

（以上十二之四）

焦竑認為《漢書·藝文志》將《戰國策》列入《春秋》類是錯誤的，
因此改入縱橫家類。這種說法有得有失，我在前面已有談論，這裡不再評
論。

（以上十二之五）

焦竑認為《漢書·藝文志》將《五經雜議》列入《孝經》類是錯誤
的，因此改入經解類，這種說法很得當。但是《漢書·藝文志》沒有經解
類，放在諸子儒家，是合理的歸類。

（以上十二之六）

　　焦竑認為《漢書·藝文志》將《爾雅》、《小爾雅》列入《孝經類》是錯誤的，因此改入小學類，這種說法也是正確的。《漢志》的小學類，本來就沒有條理，大概是後代流傳過程中所造成的錯誤。《孝經》本來就與小學類相連，可能是後人鈔寫時誤合在一起。《五經雜議》與《爾雅》等這類著述，都是為了解釋經義，如能採用互注的方法，那就更佳了。（經解、小學、儒家三類）。

　　　（以上十二之七）

　　焦竑認為《漢書·藝文志》將《弟子職》列入《孝經》類是錯誤的，因此歸還在《管子》中，這是不懂得古人裁篇別出的方法，前面已經說過，這裡不再討論。《弟子職》，並非管子所撰，可能是古代流傳的書，編輯《管子》的人，將它採入，古代這類的著作很多。現在因為它已經見於《管子》一書，就不讓它再出現在其它性質的門類，那麼《小爾雅》也已見於《孔叢子》中，而焦竑不把它歸還在《孔叢子》，而改歸小學類，又怎麼說呢？但是《弟子職》篇，劉歆、班固的本意，究竟是附在《孝經》類或附於小學類，不可得知。總之，如能另立不同的義類，一書重複出現在兩類，那麼這兩類必有可通之處。至於《漢書·藝文志》的〈六藝略〉中，《論語》、《孝經》、小學三門，不入六藝之中，名稱叫六藝，實際上有九類，這是由於衡量經與傳輕重的結果。

　　　（以上十二之八）

　　裁篇別出的方法，在《漢書·藝文志》裡只見到《弟子職》一篇及《孔子三朝》篇從《禮記》裁出而已。將各類圖書比較推求，想要明瞭學術發展的始末，在學術大道中求得會合變通的道理，除此別無其他途徑。又如討論天文的著作，應取《周官》保章、《爾雅·釋天》、鄒衍言天、《淮南子》論天象等篇，裁出列在天文類的前面，然後將天文類的專門著作，排比編次為一個類別。考求天文類圖書者，就不會有所不滿足了。敘時令的著作，應該取《大戴禮·夏小正》篇、《小戴記·月令篇》、《周

書‧時訓解〉等篇，裁出列在時令類的前面，然後將有關時令的專門著作，排比為一個類別。敘述地理的著作，應該取〈禹貢〉、〈職方〉、《管子‧地圓》、《淮南子‧地形》及各史書的地志等篇，裁出列在地理類的前面，然後將地理類的專門著作，編次為一個類別。後人考求地理類學術源流者，就不會有所遺憾了。《漢書‧藝文志》已有這種想法，但是取材不夠充實，可以根據我這個想法加以改進。而焦竑反而以為錯誤而加以糾正，一定要把《弟子職》放在《管子》，可見校讐是多麼困難！

（以上十二之九）

有人說：裁篇別出的方法施行後，那麼一本書之中，被裁出很多，割裂雜亂，恐怕支離破碎，很不適當。答曰：學術貴乎專精，思想要完整精要。明顯的專門論著，並明白的標著類別，而且是專門學科的重要著作，是從事學術研究必需探究的，就必須從全書中裁取。如果只是離析篇章，整正文句，牽就名稱，雜亂依附，這是編纂類書的方法，不是說明學術源流的圖書目錄所重視的。而且像韓非子的〈五蠹〉、〈說林〉，董仲舒的〈玉杯〉、〈竹林〉，最初是以篇名流傳，現在則收在全書中，成為全書的一篇。可見古人著書，或分析，或合編，編輯校讐，本來並沒有一定的規範。《呂氏春秋》的〈月令〉，《荀子》的〈三年問〉、〈樂記〉、〈經解〉，是最明顯的例子。可見裁篇別出的方法，怎麼不可著錄呢？

（以上十二之十）

焦竑認為《漢書‧藝文志》將《晏子》置於儒家類是錯誤的，因此改入墨家類。這是採用柳宗元的說法，柳宗元有墨子之徒有齊人者的說法。把《晏子》歸在墨家類，並不是以為晏子是墨家，這種說法是對的。為圖書分類，須重視其言論思想，否則就容易曲從其名，而不察考其內容了。〈檀弓〉以檀弓這個人為篇名，卻不是檀弓寫的；《孟子》書中有〈梁惠王〉篇，難道就可以說梁惠王是儒家嗎？

（以上十二之十一）

焦竑認為《漢書‧藝文志》將〈高祖〉、〈孝文〉兩篇傳記放在儒家

類是錯誤的，因此改入制詔類。這種說法似乎對了。但是制誥與表章之類，應當歸在故事類，排在《尚書》之後，焦竑把它歸在集部，全都錯了。

（以上十二之十二）

焦竑認為《漢書·藝文志》將《管子》歸在道家類是錯誤的，因此改入法家類，這種說法很適當。又認為《尉繚子》歸在雜家類是錯誤的，因此改入兵家類，鄭樵已經有這種說法，焦竑再次申論。《漢書·藝文志》所載《尉繚》，本來是在兵家類的形勢家，此書共三十一篇，雜家類的《尉繚子》，只有二十九篇，班固又沒有說明是重複及併省的情形，我懷疑這兩者不是同一本書。

（以上十二之十三）

焦竑認為《漢書·藝文志》將《山海經》放入形法家是錯誤的，因而改入地理類，這種說法似乎是對的。但是《漢書·藝文志》沒有地理類的專門著作，因此無適當的類別可歸。我以為蕭何收秦圖籍時，西漢還在，劉歆應可訪求舊的典章制度，居然仍缺而不載，難道不是疏漏嗎？而且班固的《漢書》創設〈地理志〉，在郡縣之下，注云秦時作某地某名，這些就是圖籍的文字。西漢歷代及莽新的時候，地名常有更改，都見於〈地理志〉的注釋裡，可見當時必有地理的專門著作，史官亡佚了。至於地理與形法家的說法，可互相參證，前面已說過，不再談論。

（以上十二之十四）

焦竑認為《漢書·藝文志》中的數術類，陰陽、五行、蓍龜、雜占、形法之類的書紛然雜出為不妥當，因此全部入於五行類。卻不知五行之說由《尚書》而來，而陰陽、蓍龜類的著作是源自《周易》。凡數術類的書，各有師承，龜卜蓍筮，各有優劣，《漢書·藝文志》將它們放在一起，已嫌它分析不夠細密，焦氏不瞭解這個道理，全部彙為五行類，怎會適當呢？

（以上十二之十五）

卷三

# 漢志六藝第十三

　　六經之名，起於後世，然而亦有所本也。荀子曰：
「夫學始乎誦經，終乎讀禮。」❶莊子曰：「丘治
《詩》、《書》、《禮》、《樂》、《易》、《春秋》六
經。」❷荀、莊皆孔氏再傳門人，（二子皆子夏氏門人，去聖未
遠。）其書明著六經之目，則《經解》之出於《禮記》，不
得遂謂勦說於荀卿也。孔子曰：「述而不作。」又曰：
「蓋有不知而作之者，我無是也。」❸六經之文，皆周公
之舊典❹，以其出於官守，而皆為憲章，故述之而無所用
作。以其官守失傳，而師儒習業，故尊奉而稱經。聖人之
徒，豈有私意標目，強配經名，以炫後人之耳目哉？故經
之有六，著於《禮記》，標於《莊子》，損為五而不可，
增為七而不能，所以為常道也。至於《論語》、《孝
經》、《爾雅》，則非六經之本體也；學者崇聖人之緒
餘，而尊以經名，其實皆傳體也。（非周公舊典，官司典常。）
可以與六經相表裏，而不可以與六經為並列也。蓋官司典
常為經，而師儒講習為傳，其體判然有別；非謂聖人之

書，有優有劣也。是以劉歆《七略》，班固〈藝文〉，敘列六藝之名，實為九種。蓋經為主，而傳為附，不易之理也。後世著錄之法，無復規矩準繩，或稱七經，或稱九經，或稱十三經❺，紛紛不一。若紀甲乙部次，固無傷也；乃標題命義，自為著作，而亦徇❻流俗稱謂，可謂不知本矣。（計書幾部為幾經可也。劉敞《七經小傳》❼，黃敏《九經餘義》❽，本非計部之數，而不依六藝之名，不知本也。）

（上十三之一）

《孝經》本以經名者也，樂部有傳無經者也，然《樂記》自列經科，而《孝經》止依傳例，則劉、班之特識也。蓋樂經亡而其記猶存，則樂之位次，固在經部，非若《孝經》之出於聖門自著也❾。古者諸侯大夫失其配，則貴妾攝主而行事❿，子婦居嫡，固非攝主之名也。然而溯昭穆⓫者，不能躋⓬婦於舅妾之列，亦其分有當然也。然則六藝之名，實為《七略》之綱領，學者不可不知其義也。

（上十三之二）

讀〈六藝略〉者，必參觀於〈儒林列傳〉；猶之讀〈諸子略〉，必參觀於〈孟荀〉、〈管晏〉、〈老莊申韓列傳〉也。（〈詩賦略〉之鄒陽、枚乘，相如、揚雄等傳，〈兵書略〉之孫吳、穰苴等傳，〈術數略〉之龜筴、日者等傳，〈方技略〉之扁鵲公等傳，無不皆然。）孟子曰：「誦其詩，讀其書，不知其人可乎？」⓭

〈藝文〉雖始於班固，而司馬遷之列傳，實討論之。觀其敘述，戰國、秦、漢之間，著書諸人之列傳，未嘗不於學術淵源，文詞流別，反復而論次焉。劉向、劉歆，蓋知其意矣。故其校書諸敘論，既審定其篇次，又推論其生平；以書而言，謂之敘錄可也；以人而言，謂之列傳可也。史家存其部目於〈藝文〉，載其行事於列傳，所以為詳略互見之例也。是以〈諸子〉、〈詩賦〉、〈兵書〉諸略，凡遇史有列傳者，必注「有列傳」字於其下，所以使人參互而觀也。〈藝文〉據籍而紀，其於現書部目之外，不能越界而書，固其勢也。古人師授淵源，口耳傳習，不著竹帛者，實為後代羣籍所由起。蓋參觀於列傳，而後知其深微也。且如田何受《易》於王同、周王孫、丁寬三人❶，〈藝文〉既載三家《易》傳矣❶。其云「商瞿受《易》於孔子，五傳而至田何，漢之《易》家，蓋自田何始。何而上未嘗有書。」❶然則所謂五傳之際，豈無口耳受授之學乎？是〈藝文〉《易》家之宗祖也。不觀〈儒林〉之傳，何由知三家《易》傳，其先固有所受乎？費、高二家之《易》，《漢志》不著於錄，後人以為不立學官故也❶。然孔氏《古文尚書》、毛氏《詩傳》、左氏《春秋》，皆不列於學官，《漢志》未嘗不並著也。不觀〈儒林〉之傳，何由知二家並無章句，直以口授弟子，猶夫田何以上之傳授也。按〈列傳〉云：「費直以〈彖〉、〈象〉、

〈繫辭〉、〈文言〉十篇，解說上下經。」此不為章句之明徵也。晁氏考定古《易》，則以〈彖〉、〈象〉、〈文言〉雜入卦中，自費直始，因罪費直之變古❽。不觀〈藝文〉後序，以謂劉向校施、孟、梁丘諸家經文，惟費氏《易》與古文同。是費直本無變亂古經之事也。由是推之，則古學淵源，師儒傳授，承學流別，皆可考矣。〈藝文〉一志，實為學術之宗，明道之要❾，而列傳之與為表裏發明，此則用史翼經之明驗也。而後人著錄，乃用之為甲乙計數而已矣，則校讐失職之故也。

（上十三之三）

《易》部《古五子》注云：「自甲子至壬子，說《易》陰陽。」其書當互見於術數略之陰陽類。《災異孟氏京房》，當互見於術數略之雜占，或五行類。

（上十三之四）

《書》部劉向、許商二家，各有《五行傳記》，當互見於五行類。夫《書》非專為五行也，五行專家，則本之於《書》也；故必互見，乃得原委，猶《司馬法》入《周官》之微意也❿。

（上十三之五）

《詩》部韓嬰《詩外傳》，其文雜記春秋時事，與《詩》意相去甚遠㉑，蓋為比興六義，博其趣也。當互見於《春秋》類，與虞卿、鐸椒之書相比次可也㉒。孟子

曰：「《詩》亡，然後《春秋》作。」❷❸《春秋》與
《詩》相表裏，其旨可自得於韓氏之《外傳》。史家學
《春秋》者，必深於《詩》，若司馬遷百三十篇是也❷❹。
（屈賈、孟荀諸傳尤近。）《詩》部又當互通於樂。

（上十三之六）

《禮》部《中庸說》，當互見〈諸子略〉之儒家類。
諸記本非一家之言，可用裁篇別出之法，而文不盡傳，今
存大小戴二家之記❷❺，亦文繁不可悉舉也。大約取劉向所
定，分屬制度者，可歸故事，而附《尚書》之部；分屬通
論者，可歸儒家，而入諸子之部。總持大體❷❻，不為鉤鈲
割裂❷❼，則互見之書，各有攸當矣。

（上十三之七）

《樂》部《雅樂歌詩》四篇，當互見於《詩》部，及
〈詩賦略〉之雜歌詩。

（上十三之八）

《春秋》部之《董仲舒治獄》，當互見於法家，與律
令之書，同部分門。說已見前，不復置論。

（上十三之九）

《論語》部之《孔子三朝》七篇，今《大戴記》有其
一篇。考劉向《別錄》，七篇具出《大戴》之記，而劉、
班未著所出，遂使裁篇與互注之意，俱不可以蹤蹟焉，惜
哉！

（上十三之十）

　　《孝經》部《古今字》與《小爾雅》為一類。按《爾雅》，訓詁類也，主於義理❷。《古今字》❷，篆隸類也，主於形體。則《古今字》必當依《史籀》❸、《蒼頡》❸諸篇為類，而不當與《爾雅》為類矣。其二書不當入於《孝經》，已別具論次，不復置議焉。

　　（上十三之十一）

　　《樂》部舊有淮南劉向等《琴頌》七篇，班固以為重而刪之❸。今考之〈詩賦略〉而不見，豈志文之亡逸邪？《春秋》部注「省《太史公》四篇。」❸其篇名既不可知，按《太史公》百三十篇，本隸《春秋》之部，豈同歸一略之中，猶有重複著錄，及裁篇別出之例邪？

　　（上十三之十二）

**【今註】**

❶　荀子曰：「夫學始乎誦經，終乎讀禮。」：《荀子·勸學》：「學惡乎始？惡乎終？」曰：「其數則始乎誦經，終乎讀禮。」唐楊倞注：「數，術也。經謂《詩》《書》，禮謂典禮之屬也。」

❷　莊子曰：「丘治《詩》《書》《禮》《樂》《易》《春秋》六經。」：此句出自《莊子》外篇〈天運〉第十四。

❸　孔子曰：「述而不作。」又曰：「蓋有不知而作之者，我無是也。」：並出自《論語》〈述而〉篇。

❹　周公之舊典：見〈原道〉第一註❿。

❺　七經、九經、十三經：六經加《論語》為七經。東漢以後，則加《孝經》，而去《樂》。皮錫瑞《經學歷史》：「唐分三《禮》、三《傳》，合《易》、《詩》、《書》為九經。宋又增《論語》、《孝經》、《孟子》、《爾雅》為十三經。」

❻ 徇：順從。

❼ 劉敞《七經小傳》：晁公武《郡齋讀書志》經部〈經解類〉：「《七經小傳》五卷，右皇朝劉敞原父撰。其所謂七經者，《毛詩》、《尚書》、《公羊》、《周禮》、《儀禮》、《禮記》、《論語》也。元祐史官謂：『慶曆前學者尚文辭，多守章句注疏之學，至敞使異諸儒之說，後王安石修《經義》蓋本於敞。』公武觀原父說『伊尹相湯伐桀，升自陑』之類，《經義》多勦取之，史官之言，良不誣也。」

❽ 黃敏《九經餘義》：《通志・藝文略》經部經解類：「《九經餘義》一百卷，宋朝處士黃敏。」

❾ 《孝經》之出於聖門自著：《郡齋讀書志》孝經類：「《唐明皇注孝經》一卷。右漢初顏芝之子貞獻於朝，千八百七十二字，唐玄宗注。……何休稱：『子曰：「吾志在《春秋》，行在《孝經》。」』信斯言也。則《孝經》乃孔子自著者也。今其首章云：『仲尼居，曾子侍。』則非孔子所著明矣。詳其文義，當是曾子弟子所為書也。柳宗元謂：『《論語》載弟子必以字，獨曾參不然，蓋曾氏之徒樂正子春、子思與為之耳。』余於《孝經》亦云。」

❿ 古者諸侯大夫失其配，則貴妾攝主而行事：攝，代理。《左傳・隱公第一》：「傳。惠公之元妃孟子。孟子卒，繼室以聲子，生隱公。」杜注：「聲，謚也。蓋孟子之姪娣也。諸侯始娶，則同姓之國以姪娣媵。元妃死，則次妃攝治內事，猶不得稱夫人，故謂之繼室。」孔穎達：《正義》曰：「媵，送也。言妾送適行，故夫人姪娣亦稱媵也。經傳之說，諸侯惟有繼室之文，無重娶之禮，故知元妃死，則次妃攝治內事。次妃，謂姪娣與媵諸妾之最貴者。」

⓫ 昭穆：左昭右穆，指家族輩分宗法制度。

⓬ 躋：升高。

⓭ 孟子曰：「誦其詩，讀其書，不知其人可乎？」：出自《孟子・萬章（下）》。

⓮ 田何受《易》於王同、周王孫、丁寬三人：《漢書・儒林傳》：「漢興，田何以齊田徙杜陵，號杜田生，授東武王同子中、雒陽周王孫、丁寬、齊服生，皆著《易》傳數篇。」師古曰：「田生授王同、周王孫、丁寬、服生四人，而四人皆著《易》傳也。」

⓯ 〈藝文〉既載三家《易》傳：《漢書・藝文志・六藝略》《易》類：「《易

傳周氏》二篇。」班固自注：「字王孫也。」又「《王氏》二篇。」班固自注：「名同。」又「《丁氏》八篇。」班固自注：「名寬，字子襄，梁人也。」

❶❻ 其云「商瞿受《易》於孔子，五傳而至田何，漢之《易》家，蓋自田何始，何而上未嘗有書」：宋王應麟《漢藝文志考證》（卷一）〈易傳周氏三篇、服氏二篇、楊氏二篇、王氏二篇〉條云：「〈儒林傳〉：田何授王同「周王孫、丁寬、服生，皆著《易傳》數篇。同授楊何，太史公受《易》於楊何。晁氏曰：『商瞿受《易》孔子，五傳而至田何。漢之《易》家，蓋自田何始。何之上未嘗有書。管輅謂《易》安可注者，其得先儒之心歟？《易》家著書自王同始，學官自楊何始。』」按：晁氏所言，今不見於《郡齋讀書志》。

❶❼ 費高二家之《易》……不立學官故也：《漢書・藝文志》〈六藝略〉易類小敘：「及秦燔書，《易》為卜筮之事，傳者不絕。漢興，田和（錢大昭曰：和當作何）傳之。訖於宣元，有施、孟、梁、丘、京氏列於學官。而民間有費、高二家之說。劉向以中古文《易經》校施、孟、梁、丘《經》，唯費氏《經》與古文同。」《漢書・儒林傳》：「費直，字長翁，東萊人也，治《易》為郎，至單父令，長於卦筮，亡章句，徒以〈彖〉〈象〉〈繫辭〉十篇、〈文言〉，解說上下經。瑯邪王璜平中能傳之。璜又傳古文《尚書》。」又：「高相，沛人也，治《易》，與費公同時。其學亦亡章句，專說陰陽災異，自言出於丁將軍，傳至相。相授子康及蘭陵母將永。康以明《易》為郎，永至豫章都尉。及王莽居攝，東郡太守翟誼謀舉兵誅莽，事未發，康候知東郡有兵，私語門人，門人上書言之。後數月，翟誼兵起，莽召問，對受師高康。莽惡之，以為惑眾，斬康。繇是《易》有高氏學。高、費皆未嘗立於學官。」

❶❽ 晁氏考定古《易》……因罪費直之變古：晁公武《郡齋讀書志》（卷一）易類：「《徂徠先生周易》五卷。右皇朝石介守道撰。景迂云：『《易》古文十二篇，先儒謂費直專以〈彖〉、〈象〉、〈文言〉參解《易》爻，以〈彖〉、〈象〉、〈文言〉雜入卦中者，自費直始。孔穎達云：「王輔嗣又分爻之〈象辭〉，各附當爻。」則費氏初變古制時，猶若今〈乾〉卦、〈彖〉、〈象〉繫卦之末歟？古經始變於費氏，卒大亂於王弼，惜哉！今學者曾不之知也。石守道亦曰：「孔子作〈彖〉、〈象〉於六爻之前，〈小

象〉繫逐爻之下，惟〈乾〉悉屬之於後者，讓也。」嗚呼，他人尚何責哉！』乃家本不見此文，豈介後覺其誤而改之歟？」

❶⓳ 學術之宗，明道之要：宗，本源。要，綱要。

❷⓴ 《司馬法》入《周官》之微意：《漢書・藝文志》〈六藝略〉禮類：「《軍禮司馬法》百五十五篇。」又〈兵書略〉「凡兵書五十三家，七百九十篇，圖四十三卷」下，班氏注云：「省十家二百七十一篇，重入《蠚鞥》一家二十五篇，出《司馬法》百五十五篇，入《禮》也。」

㉑ 《詩》部韓嬰《詩外傳》，……與《詩》意相去甚遠：陳振孫《直齋書錄解題》（卷二）〈詩類〉：「《韓詩外傳》十卷，漢常山太傅燕韓嬰撰。按〈藝文志〉有《韓故》三十六卷，《內傳》四卷，《外傳》六卷，《韓說》四十一卷，今皆亡，所存惟《外傳》，而卷多於舊，蓋多記雜記，不專解《詩》，果當時本書否也？」《四庫全書簡明目錄》卷二〈經部・詩類〉：「《韓詩外傳》十卷，漢韓嬰撰。」其書雜引古事古語，證以《詩》辭，與經義不相比附，所述多與周秦諸子相出入。班固稱三家之《詩》，或取《春秋》，採雜說，咸非其本意，或指此類歟？」

㉒ 當互見於《春秋》類，與虞卿、鐸椒之書相比次可也：《漢書・藝文志》〈六藝略〉春秋類：「《鐸氏微》三篇。」班固自注：「楚太傅鐸椒也。」又：「《虞氏微傳》二篇。」班氏自注：「趙相虞卿。」宋王應麟《漢書藝文志考證》（卷三）：「《鐸氏微》三篇。太史公云：鐸椒為楚威王傅，為王不能盡觀《春秋》，采取成敗卒四十章為《鐸氏微》。劉向《別錄》云：『左丘明授曾申，申授吳起，起授其子期，期授楚人鐸椒，鐸椒作《抄撮》八卷，授虞卿。』又《虞氏微傳》二篇。劉向《別錄》云：『虞卿作《抄撮》九卷授荀卿，荀卿授張蒼。』」

㉓ 孟子曰：「《詩》亡，然後《春秋》作。」：出自《孟子・離婁（下）》。朱注：「《詩》亡，謂〈黍離〉降為〈國風〉而〈雅〉亡也。《春秋》，魯史記之名，孔子因而筆削之。」

㉔ 史家學《春秋》者，必深於《詩》，若司馬遷百三十篇是也：劉熙載《文概》：「《太史公》文兼括六藝百家之旨，第論其惻怛之情，抑揚之致，則得於《詩三百篇》及《離騷》居多。」

㉕ 今存大小戴二家之記：《隋書・經籍志》經部禮類小敘：「漢初，河間獻王又得仲尼弟子及後學者所記一百三十一篇，獻之，時無傳者。至劉向考校

經籍，檢得一百三十篇，向因第而敘之，又得《明堂陰陽記》三十三篇、《孔子三朝記》七篇，《王氏史氏記》二十一篇，《樂記》二十三篇，凡五種，合二百十四篇。戴德刪其煩重，合而記之，為八十五篇，謂之《大戴記》。而戴聖又刪《大戴》之書，為四十六篇，謂之《小戴記》。漢末，馬融遂傳《小戴》之學。融又足〈月令〉一篇、〈明堂位〉一篇、〈樂記〉一篇，合四十九篇。而鄭玄受業於融，又為之註。」《直齋書錄解題》（卷二）〈禮類〉：「《大戴禮》十三卷，漢信都王太傅梁戴德延君、九江太守聖次君皆受《禮》於后蒼，所謂《大》、《小戴禮》者也。漢初以來，迄於劉向校定中書，諸家所記，殆數百篇。戴德刪其煩重，為八十五篇。聖又刪為四十九篇。相傳如此。今小戴四十九篇行於世，而大戴之書所存止此。自《隋》、《唐志》所載卷數，皆與今同。而篇第乃自三十九而下止於八十一，其前缺三十八篇，末缺四篇，所存當四十三，而於中又缺四篇，第七十二復出一篇，實存四十篇。意其缺者，即聖所刪耶？然〈哀公問〉、〈投壺〉二篇與今《禮記》文不異，他亦間有同者。〈保傅傳〉世言《賈誼書》所從出也。今考〈禮詧篇〉湯武、秦定取舍一則，盡出誼疏中，反若取誼語勦入其中者。〈公符篇〉全錄漢昭帝冠辭。則此書殆後人好事者采獲諸書為之，故駁雜不經，決非戴德本書也。題九江太守，乃戴聖所歷官，尤非是。」又：「《禮記》二十卷，所謂《小戴禮》也，凡四十九篇。漢儒輯錄前記，固非一家之言，大抵駁而不純，獨〈大學〉、〈中庸〉為孔氏之正傳，然非專為《禮》作也。唐魏徵嘗以《小戴禮》綜彙不倫，更作《類禮》二十篇，蓋有以也。」

㉖　大體：要點、大要。

㉗　鉤鈲割裂：謂破碎析裂。

㉘　《爾雅》，訓詁類也，主於義理：《爾雅》十九篇，多釋字義及名物，而此云主於義理者，以所釋多與經義有關。

㉙　《古今字》：《漢書・藝文志》〈六藝略〉孝經類：「《古今字》一卷。」王先謙《補注》云：「〈儒林傳〉：孔安國以今文字讀古文《尚書》。《論衡》云：壁中古文《論語》，後更隸寫以傳誦。此蓋列具古今，以便誦覽。」

㉚　《史籀》：《漢書・藝文志》〈六藝略〉小學類：「《史籀》十五篇。」班固注：「周宣王太史作大篆十五篇，建武時亡六篇矣。」

❸❶ 《蒼頡》：《漢書·藝文志》〈六藝略〉小學類：「《蒼頡》一篇。」班固
　　注：「上七章，秦丞相李斯作；〈爰歷〉六章，車府令趙高作；〈博學〉七
　　章，太史令胡母敬作。」

❸❷ 《樂》部舊有淮南、劉向等《琴頌》七篇，班固以為重而刪之：《漢書·藝
　　文志》〈六藝略〉樂類：「凡樂六家，百六十五篇。」班固注：「出淮南、
　　劉向等《琴頌》七篇。」

❸❸ 《春秋》部注「省《太史公》四篇」：《漢書·藝文志》〈六藝略〉春秋
　　類：「凡春秋二十三家，九百四十八篇。」班固自注：「省《太史公》四
　　篇。」

## 【今譯】

　　六經的名稱，起於後代，但是也有根據。《荀子》說：「學習的過程
從誦讀經書開始，最後是讀《禮》。」《莊子》說：「孔丘整理《詩》、
《書》、《禮》、《樂》、《易》、《春秋》六經。」荀子、莊子都是孔
子的再傳學生（二人都是子夏的學生，離聖人不遠。）他們的書都著錄了
六經的名稱，那麼〈經解〉篇出於《禮記》，不得就說它是取自荀子。孔
子說：「我僅傳述先哲的說法，而不創作新義。」又說：「有些人不知文
義，也居然穿鑿妄作篇籍，我不會如此。」六經的文字，都是周公時就已
有的文獻，由於六藝都是由朝廷負責典藏傳授，而且都是典章制度，所以
衹要傳述而不需創作。由於官府不再傳授，於是向經學家學習，於是尊稱
這些典章制度為「經」。孔子的學生，那裡會以自己的想法隨便標舉名
目，勉強配上經的名稱，以炫惑後人呢？所以經有六種，分別見於《禮
記》、《莊子》，減為五經或增為七經都不適當，所以六經成為不變的學
說。至於《論語》、《孝經》、《爾雅》，並不是六經的本身，知識分子
崇敬聖人未盡的思想，而稱它們為經，其實都是屬於說解的體制。（不是
周公時就有的文獻，官府所掌管的典籍）。它們可以與六經相互相成，但
不可以和六經並列。這是由於官府所主掌講授的是經，經學家所講授傳習
的是傳，兩者的體制明顯的不同，不表示聖人的著作，有優劣的分別。因

此，劉歆的《七略》，班固的《漢書·藝文志》，所列舉的六藝名稱，實際上有九種。經為主體，傳是附屬，是不變的道理。後代著錄的方法，不再有一定的標準，有的稱七經，有的稱九經，有的稱十三經，紛亂不一。若只是為了編目，則是沒關係；但是如果以這些名稱為書名從事撰述，這是順從通俗的名稱，可以說是不瞭解學術的主體了。（目錄上統計圖書幾部經書幾種是可以的。劉敞的《七經小傳》、黃敏的《九經餘義》，並非目錄，而不依據六藝的名稱，就是不瞭解學術的主體了）。

（以上十三之一）

《孝經》原本就以經為名，樂部只有傳而沒有經，但是〈樂記〉放在經的等級，而《孝經》只放在傳的等級，這是劉歆、班固特殊的見識。這是由於樂經亡佚而記還存在，樂的位置，本來就在經部，不像《孝經》是出於孔子的弟子和再傳弟子所著。古代的諸侯、大夫如果元配去世，則由地位最高的妾暫時代理主人行事，媳婦雖居正統的地位，也不能暫時代理主人。所以推源宗法制度者，不能把媳婦的地位提升到和舅妾一樣，可知其間有必然的分別。那末六藝的名稱，實在是《七略》的大綱和要領，讀書人不可不知其道理。

（以上十三之二）

讀〈六藝略〉的人，一定要參讀〈儒林列傳〉，就如讀〈諸子略〉時，必需參讀〈孟荀〉、〈管晏〉、〈老莊申韓列傳〉等篇的道理是一樣的。（讀〈詩賦略〉，要參讀鄒陽、枚乘、相如、揚雄等人的傳；讀〈兵書略〉，要參讀孫吳、穰苴等人的傳；讀〈術數略〉，要參讀龜策、日者等列傳；讀〈方技略〉，要參讀扁鵲、倉公等人的傳，都是同樣的道理。）孟子說：「歌詠一個人的詩，閱讀一個人的著作，怎麼可以不瞭解這個人的生平事蹟呢？」〈藝文志〉雖是始自班固，實際上司馬遷《史記》中的列傳，已經有所討論。我們看司馬遷在《史記》裡關於戰國、秦、漢間人物的列傳，對於他們的學術淵源、文章的淵源流派，都一再的論述。劉向、劉歆，都瞭解這個道理。所以他們在整理圖書時所寫的敘

論，除了審定每一書的篇目、目次，又推論作者的生平事蹟，從圖書的角度來說，這些敘論可以稱之為「敘錄」；從人物的角度來說，則可以稱之為「列傳」。史家把圖書的類別目錄放在〈藝文〉，把撰人的生平事蹟放在〈列傳〉，這是詳略互見的體例。所以在〈諸子〉、〈詩賦〉、〈兵書〉等略，如果作者在史書有列傳的，一定會註明「有列傳」三字於各書下，用以讓讀者可以互相參讀。〈藝文〉根據圖書編纂而成，除圖書分類及目次外，不能涉及圖書以外的事，這是它的基本體例。古代學者的學術淵源，都是靠口耳傳授，不寫在竹簡、帛布上，而這些口耳傳授的內容，實際上就是後代群書的來源。所以參讀列傳，才可以瞭解每一書精深的所在。又如田何學《易》於王同、周王孫、丁寬三人，〈藝文〉已著錄了這三家《易》學的著作，又說：「孔子將《易》傳授給商瞿，經過五代傳授到了田何，漢代的《易》學家，從田何開始。田何以前不當有《易》學的著作。」那末在五代傳授的過程中，難道沒有口耳傳授的學說嗎？其實，這些口耳傳授之學，正是〈藝文〉所載《易》家的宗祖。不讀〈儒林傳〉，怎能知道三家《易》學，在他們之前已有《易》學淵源呢？費、高二人的《易》書，《漢書‧藝文志》沒有著錄，後人認為這是由於沒有立於學官的原故。不過，孔氏的《古文尚書》、毛公的《詩傳》、左氏的《春秋》，也都沒立於學官，《漢書‧藝文志》卻都予以著錄。如果不讀〈儒林傳〉，就無從知道原來費直、高相二家都沒有《易》學的著作，只用口授的方式傳授學生，就和田何以前的學者傳授的方式一樣。按：〈列傳〉說：「費直用〈象〉、〈象〉、〈繫辭〉、〈文言〉等十篇，解說上下經。」這可以作為費氏沒有《易》學說解方面著作的證明。宋代的晁公武考論古代的《易》學，以為將〈象〉、〈象〉、〈文言〉這三篇文字雜入卦裡，始於費直，因此怪罪費氏改變古代《易》書的體制。不過試看〈藝文〉的後序，則說劉向校讐施讐，孟喜、梁丘賀等各家《易經》經文時，他們的文字都有殘缺，惟有費氏的《易經》與古本完全相同。可見費直本來就沒有變亂古經的事。從這些情形推想，那末古代的學術源流，經

師的傳授，學術傳承的源流派別，都可以考知了。《漢書・藝文志》，實在是學術的本源，瞭解事理的綱要，而〈列傳〉與〈藝文志〉裡外互補，這是用史傳輔助經義的明證。後人編纂目錄，只是用來說明分類和部數而已，這是從事校讐者沒有盡到責任的緣故。

（以上十三之三）

《易》部《古五子》一書下注云：「從甲子到壬子，說解《易》的陰陽。」這部書應同時著錄於術數略的陰陽類。《災異孟氏京房》一書，也應同時著錄於術數略的雜占類或五行類。

（以上十三之四）

《書》部劉向、許商兩人，各自著有《五行傳記》，應該同時著錄於五行類。《書》並非全部與五行有關，擅長五行的學者，其學識都根據《尚書》，所以兩類都要著錄，才能得到這類學術的本末，就像《司馬法》一書歸入《周官》的精妙道理一樣。

（以上十三之五）

《詩》部裡韓嬰的《詩外傳》，內容是雜記春秋時的事情，與詩意相去很遠，主要是比興的寫作方法，以博取詩的旨趣。應該也著錄於《春秋》類，和虞卿、鐸椒二人的著作放在一起。孟子說：「《詩經》亡佚後，才有《春秋》。」《春秋》與《詩經》關係密切，相輔相成，可以從《韓詩外傳》得到這個道理。研治《春秋》的史學家，一定對《詩》有深入的研究，像司馬遷的《史記》就是如此。（屈賈、孟荀等篇列傳最是如此）。《詩》部又應和樂部互通。

（以上十三之六）

《禮》部的《中庸說》，也應著錄於《諸子略》的儒家類。二戴記的文章本來不是一個學派的作品，可以用單篇裁出的方法。不過，有些文章已亡佚不傳，而二戴記裡現存的文章，也多得無法一一列舉。大致取劉向所編定的，將屬於制度的，可歸於故事類，而附於《尚書》部；屬於通論的，可歸於儒家類，而入於諸子部。把握要點，不致離析破碎，那麼互著

的書，都將得到適當的歸屬。

（以上十三之七）

《樂》部的《雅樂歌詩》四篇，應同時著錄於《詩》部及《詩賦略》
的雜歌詩。

（以上十三之八）

《春秋》部的《董仲舒治獄》，應同時著錄於法家類，與律令的圖
書，同部分類。這種道理前面已說過，不再論述。

（以上十三之九）

《論語》部的《孔子三朝》七篇，今本《大戴記》載錄其中一篇。檢
視劉向《別錄》，這七篇原本都出自《大戴記》，而劉歆、班固未著明出
處，遂使別裁與互注的用意，都見不著其痕跡了，十分可惜。

（以上十三之十）

《孝經部》裡的《古今字》與《小爾雅》二書屬於同一類。按：《爾
雅》，屬於訓詁類，偏重於文字的意義。《古今字》，屬於記載篆字、隸
書等文字，偏重於文字的形體。所以《古今字》應該與《史籀》、《蒼
頡》等書為一類，不應與《爾雅》為一類。這兩部書不應入《孝經》部，
已另有討論，這裡不再討論。

（以上十三之十一）

劉歆《七略》的《樂》部本來有淮南、劉向等所撰的《琴頌》七篇，
班固撰〈藝文志〉時認為重複，將它們刪去。現在檢視〈詩賦略〉也不見
《琴頌》七篇，難道是〈藝文志〉的內容有所亡佚不全嗎？《春秋》部注
云：「省去《太史公》四篇。」這四篇篇名已不可考知。按：《太史公》
一百三十篇，原本隸屬《春秋》部，難道在同一略中，還有重複著錄及別
裁的情形嗎？

（以上十三之十二）

# 漢志諸子第十四

　　儒家部《周史六弢》六篇，兵家之書也❶。劉恕以謂「《漢志》列於儒家，恐非兵書。」❷今亦不可考矣。觀班固自注：「或曰孔子問焉。」則固先已有所不安，而附著其說，以見劉部次於儒家之義耳。雖然，書當求其名實❸，不以人名分部次也。《太公》之書❹有武王問，不得因武王而出其書於兵家也。（《漢志》歸道家。劉氏《七略》，道家兵家互收。）《內經》之篇❺有黃帝問，不得因黃帝而出其書於方技也。假使《六弢》果有夫子之問，問在兵書，安得遂歸儒家部次邪？

　　　　（上十四之一）

　　儒家部有《周政》六篇，《周法》九篇，其書不傳。班固注《周政》云：「周時法度政教。」注《周法》云：「法天地，立百官。」則二書蓋官《禮》之遺也。附之《禮》經之下為宜，入於儒家非也。大抵《漢志》不立史部，凡遇職官、故事、章程、法度之書，不入六藝部次，則歸儒雜二家；故二家之書，類附率多牽混，惜不能盡見其書，校正之也。夫儒之職業❻，誦法先王之道，以待後

之學者❼。因以所得，自成一家之言，孟荀諸子是也。若職官故事章程法度，則當世之實蹟，非一家之立言，附於儒家，其義安取？故《高祖》、《孝文》諸篇之入儒，前人議其非❽，是也。

（上十四之二）

儒家《虞氏春秋》十五篇，司馬遷〈十二諸侯年表序〉作八篇；或初止八篇，而劉向校書，為之分析篇次，未可知也。然其書以《春秋》標題，而撰著之文，則又上采春秋，下觀近世，而定著為書，抑亦《春秋》之支別也。法當附著《春秋》，而互見於諸子。班《志》又僅著於儒家，惜其未習❾於史遷之敘例爾。

（上十四之三）

司馬遷之敘❿載籍也，疎而理；班固之志《藝文》也，密而舛。蓋遷能溯源，固惟辨蹟故也。遷於〈十二諸侯表敘〉，既推《春秋》為主，則左丘、鐸椒、虞卿、呂不韋諸家，以次論其體例，則《春秋》之支系也。至於孟、荀、公孫固、韓非諸書，命意各殊，與《春秋》之部，不相附麗⓫；然論辨紀述，多及春秋時事，則約略紀之，蓋《春秋》之旁證也。張蒼曆譜五德，董仲舒推《春秋》義，乃《春秋》之流別，故終篇推衍及之。則觀斯表者，求《春秋》之折衷⓬，無遺憾矣。至於著書之人，學有專長，所著之書，義非一概，則自有專篇列傳，別為表

明；亦猶劉向、任宏於校讎部次，重複為之互注例也。班氏拘拘於法度❸之內，此其所以類例難精而動多掣肘❹歟？

（上十四之四）

《賈誼》五十八篇，收於儒家，似矣；然與法家當互見也。考〈賈誼傳〉，初以通諸家書，召為博士，又出河南守吳公門下。吳公嘗學事李斯，以治行第一，召為廷尉，乃薦賈誼。誼所上書，稱說改正朔，易服色制度，定官興禮樂，草具儀法。文帝謙讓未遑。然諸法令所更定，及列侯就國，其說皆自誼發之❺。又司馬遷曰：「賈生、晁錯明申商。」❻今其書尚可考見；宗旨雖出於儒，而作用實本於法也。《漢志》敘錄云：「法家者流，出於理官。」蓋法制禁令，《周官》之刑典也。「名家者流，出於禮官」❼。蓋名物度數，《周官》之禮典也。古者刑法禮制，相為損益，故禮儀三百，威儀三千；而五刑之屬三千❽，條繁文密，其數適相等也。是故聖王教民以禮，而禁之以刑。出於禮者，即入於刑，勢無中立。故民日遷善，而不知所以自致也❾。儒家者流，總約刑禮，而折衷於道，蓋懼斯民泥❿於刑禮之蹟，而忘其性所固有也。孟子曰：「徒善不足以為政，徒法不能以自行。」⓬夫法則禮刑條目，有節度⓭者皆是也。善則欽明文思，允恭克讓⓮，無形體者皆是也。程子曰：「有〈關雎〉、〈麟趾〉

之心，而後可以行周官之法度。」❷所謂〈關雎〉、〈麟趾〉，仁義是也。所謂周官法度，刑禮之屬皆是也。然則儒與名、法，其原皆出於一；非若異端釋老，屏去民彝物則❷，而自為一端者比也。商鞅、韓非之法❷，未嘗不本聖人之法，而所以制而用者非也。鄧析、公孫龍之名❷，不得自外於聖人之名，而所以持而辨者非也。儒分為八，墨分為三❷，則儒亦有不合聖人之道者矣。此其所以著錄之書，貴知原委，而又當善條其流別也。賈生之言王道，深識本原，推論三代，其為儒效❷，不待言矣。然其立法創制，條列禁令，則是法家之實。其書互見法家，正以明其體用所備；儒固未足為榮，名、法亦不足為隱諱也。後世不知家學流別之義，相率而爭於無益之空名；其有列於儒家者，不勝其榮，而次以名法者，不勝其辱；豈知同出聖人之道，而品第高下，又各有其得失；但求名實相副，為得其宜；不必有所選擇，而後其學始為貴也。《漢志》始別九流❸，而儒雜二家，已多淆亂。後世著錄之人，更無別出心裁，紛然以儒、雜二家為蛇龍之菹焉❸。凡於諸家著述，不能遽定意指之所歸，愛之則附於儒，輕之則推於雜；夫儒、雜分家之本旨，豈如是耶？

　　（上十四之五）

　　《董仲舒》百二十三篇，部於儒家，是矣。然仲舒所著，皆明經術之意❸。至於說《春秋》事，得失間舉，所

謂〈玉杯〉、〈繁露〉、〈清明〉、〈竹林〉之屬，則當互見《春秋》部次者也。

（上十四之六）

桓寬《鹽鐵論》六十篇，部於儒家，此亦良允。第鹽鐵之議，乃孝昭之時政，其事見〈食貨志〉❸❸。桓寬撰輯一時所謂文學賢良對議❸❹，乃具當代之舊事，不盡為儒門見風節也。法當互見於故事；而《漢志》無故事之專門，亦可附於《尚書》之後也。

（上十四之七）

《劉向所敘》六十七篇，部於儒家，則《世說》、《新序》、《說苑》、《列女傳頌圖》四種書也。此劉歆《七略》所收，全無倫類。班固從而效之，因有揚雄所敘三十八篇，不分《太玄》、《法言》、《樂》、《箴》四種之弊也。鄭樵譏班固之混收揚雄一家為無倫類，而謂班氏不能學《七略》之徵；不知班氏固效劉歆也。乃於劉歆之創為者，則故縱之；班固之因仍者，則酷斷之，甚矣，人心不可有偏惡也。按《說苑》、《新序》，雜舉春秋時事❸❺，當互見於《春秋》之篇。《世說》今不可詳，本傳所謂「〈疾讒〉、〈摘要〉、〈救危〉及〈世頌〉諸篇，依歸古事，悼己及同類也」❸❻。似亦可以互見《春秋》矣。惟《列女傳》，本採《詩》《書》所載婦德可垂法戒之事，以之諷諫宮闈❸❼，則是史家傳記之書；而《漢志》

未有傳記專門，亦當附次《春秋》之後可矣。至其引風綴雅，託興六義❸，又與《韓詩外傳》❸相為出入，則互注於《詩經》部次，庶幾相合；總非諸子儒家書也。

（上十四之八）

道家部《老子鄰氏經傳》四篇，《傳氏經說》三十七篇，《徐氏經說》六篇❹。按《老子》本書，今傳道德上下二篇，共八十一章；《漢志》不載本書篇次，則劉、班之疏也。凡書有傳註解義諸家，離析篇次，則著錄者，必以本書篇章原數，登於首條；使讀之者可以考其原委，如《漢志》六藝各略之諸經篇目，是其義矣。

（上十四之九）

或疑伊尹、太公❹皆古聖賢，何以遂為道家所宗，以是疑為後人假託❷。其說亦自合理。惟是古人著書，援引稱說，不拘於方。道家源委，《莊子·天下》篇所敘述者，略可見矣❸。是則伊尹、太公，莊老之徒未必引以為祖。意其著書稱述，以及假說問對，偶及其人，而後人不辨，則以為其人自著。及察其不類，又以為後人依託。今其書不存，殆亦難以考正也。且如儒家之《魏文侯》、《平原君》❹，未必非儒者之徒，篇名偶用其人，如《孟子》之有〈梁惠王〉、〈滕文公〉之類耳。不然，則劉、班篇次雖疏，何至以戰國諸侯公子稱為儒家之書歟？

（上十四之十）

　　陰陽二十一家，與兵書陰陽十六家，同名異術，偏全
❹各有所主；敘例發明其同異之故，抑亦可矣；今乃缺而
不詳，失之疏耳。第〈諸子〉陰陽之本敘，以謂出於羲和
❹之官；數術七種之總敘，又云「皆明堂羲和史卜之職
也」❹。今觀陰陽部次所敘列，本與數術中之天文五行不
相入。是則劉、班敘例之不明，不免後學之疑惑矣。蓋
〈諸子略〉中陰陽家，乃鄒衍談天、鄒奭雕龍❹之類，空
論其理，而不徵其數❹者也。〈數術略〉之天文曆譜諸
家，乃泰一、五殘、日月星氣，以及黃帝、顓頊日月宿曆
之類❺，顯徵度數，而不衍❺空文者也。其分門別類，固
無可議。惟於敘例，亦似鮮所發明爾。然道器合一，理數
同符。劉向父子校讎諸子，而不以陰陽諸篇付之太史尹
咸，以為七種之綱領❺，固已失矣。敘例皆引羲和為官
守，是又不精之咎也。莊周〈天下〉之篇，敘列古今學
術，其於諸家流別，皆折衷於道要❺。首章稱述六藝，則
云「《易》以道陰陽」，是《易》為陰陽諸書之宗主也。
使劉、班著略，於諸子陰陽之下，著云源出於《易》；於
《易》部之下，著云古者掌於太卜；則官守師承之離合，
不可因是而考其得失歟？至於羲和之官，則當特著於天文
曆譜之下，而不可兼引於諸子陰陽之敘也。劉氏父子精於
曆數❺，而校書猶失其次第；又況後世著錄，大率偏於文
史之儒乎？

（上十四之十一）

或曰：奭、衍之談天雕龍，大道之破碎也。今曰其源出於大《易》，豈不荒[55]經而蔑古乎？答曰：此流別之義也。官司失其典守，則私門之書，推原古人憲典[56]，以定其離合；師儒失其傳授，則遊談[57]之書，推原前聖經傳，以折其是非。其官無典守，而師無傳習者，則是不根之妄言，屏而絕之，不得通於著錄焉。其有幸而獲傳者，附於本類之下，而明著其違悖焉。是則著錄之義，固所以明大道而治百家也。何為荒經蔑古乎？

（上十四之十二）

今為陰陽家作敘例，當云陰陽家者流，其原蓋出於《易》。《易》大傳曰：「一陰一陽之謂道。」又曰：「易有太極，是生兩儀。」此天地陰陽之所由著也。星曆司於保章[58]，卜筮存乎官守[59]。聖人因事而明道，於是為之演《易》而繫詞[60]。後世官司失守，而聖教不得其傳，則有談天、雕龍之說，破碎支離，去道愈遠，是其弊也。其書傳者有某甲乙，得失如何，則陰陽之原委明矣。今存敘例，乃云「敬順昊天，歷象日月星辰，敬授人時」。此乃數術曆譜之敘例，於衍、奭諸家何涉歟？

（上十四之十三）

陰陽家《公檮生終始》十四篇，在《鄒子終始》五十六篇之前，而班固注云：「公檮傳鄒奭《始終》書。」豈

可使創書之人，居傳書之人後乎？又《鄒子終始》五十六篇之下注云：「鄒衍所說。」而公檮下注：「鄒奭《始終》。」名既互異，而以終始為始終，亦必有錯訛也❻❶。又《閭丘子》十三篇，《將鉅子》五篇，班固俱注云「在南公前」。而其書俱列《南公》三十一篇之後，亦似不可解也。（觀「終始五德之運」，則以為始終誤也。）

　　　（上十四之十四）

　　《五曹官制》五篇，列陰陽家，其書今不可考。然觀班固注云：「漢制，似賈誼所條。」按〈誼傳〉：「誼以為當改正朔，易服色，定制度，定官名，興禮樂，草具其儀法，色尚黃，數用五，為官名。」此其所以為五曹官制歟？如此則當入於官《禮》。今附入陰陽家言，豈有當耶？大約此類，皆因終始五德之意，故附於陰陽❻❷。然則《周官》六典，取象天地四時，亦可入於曆譜家矣。

　　　（上十四之十五）

　　于長《天下忠臣》九篇，入陰陽家，前人已有識其非者❻❸。或曰：其書今已不傳，無由知其義例。然劉向《別錄》云：「傳天下忠臣。」則其書亦可以想見矣。縱使其中參入陰陽家言，亦宜別出互見，而使觀者得明其類例，何劉、班之無所區別耶？蓋《七略》未立史部，而傳記一門之撰著，惟有劉向《列女》與此二書耳。附於《春秋》而別為之說，猶愈於攙入陰陽家言也。

（上十四之十六）

法家《申子》六篇，其書今失傳矣❻。按劉向《別錄》：「申子學號刑名，以名責實，尊君卑臣，崇上抑下。」荀卿子曰：「申子蔽於勢而不知智。」❻韓非子曰：「申不害徒術而無法。」❻是則申子為名家者流，而《漢志》部於法家，失其旨矣。

（上十四之十七）

《商君》〈開塞〉、〈耕戰〉諸篇，可互見於兵書之權謀條。《韓非》〈解老〉、〈喻老〉諸篇，可互見於道家之《老子》經。其裁篇別出之說，已見於前，不復置論。

（上十四之十八）

名家之言，當敍於法家之前，而今列於後，失事理之倫敍矣。蓋名家論其理，而法家又詳於事也。雖曰二家各有所本，其中亦有相通之原委也。

（上十四之十九）

名家之言，分為三科：一曰命物之名，方圓黑白是也。二曰毀譽之名，善惡貴賤是也。三曰況謂之名，賢愚愛憎是也。尹文之言云爾❻。然而命物之名，其體也。毀譽況謂之名，其用也。名家言治道，大率綜核毀譽，整齊況謂，所謂循名責實之義爾。命物之名，其源實本於《爾雅》❻。後世經解家言，辨名正物，蓋亦名家之支別也。

由此溯之，名之得失可辨矣。凡曲學支言❻⑨，淫辭邪說，其初莫不有所本。著錄之家，見其體分用異，而離析其部次，甚且拒絕而不使相通；則流遠而源不可尋，雖欲不泛濫而橫溢也，不可得矣。孟子曰：「詖辭知其所蔽，淫辭知其所陷，邪辭知其所離，遁辭知其所窮。」❼⓪夫謂之知其所者，從大道而溯其遠近離合之故也。不曰淫詖邪遁之絕其途，而曰淫詖邪遁之知其所者，蓋百家之言，亦大道之散著也。奉經典而臨治之，則收百家之用；忘本源而鏖析之，則失道體之全。

（上十四之二十）

墨家《隨巢子》六篇，《胡非子》三篇，班固俱注「墨翟弟子」，而敘書在《墨子》之前。《我子》一篇，劉向《別錄》云「為墨子之學」，其時更在後矣，敘書在隨巢前，此理之不可解者，或當日必有錯誤也。

（上十四之二十一）

道家祖老子，而先有《伊尹》❼①、《太公》❼②、《鬻子》❼③、《管子》❼④之書；墨家祖墨翟，而先有《伊佚》❼⑤、《田俅子》❼⑥之書，此豈著錄諸家窮源之論耶？今按《管子》當入法家，著錄部次之未審也。至於《伊尹》、《太公》、《鬻子》乃道家者流稱述古人，因以其人命書，非必盡出偽託，亦非以伊尹、太公之人為道家也。《尹佚》之於墨家，意其亦若是焉而已。然則鄭樵所云

「看名不看書」，誠有難於編次者矣。否則班、劉著錄，豈竟全無區別耶？第《七略》於道家，敘黃帝諸書於老萊、鶡冠諸子之後，為其後人依託，不以所託之人敘時代也。而《伊尹》、《尹佚》諸書，顧冠道墨之首，豈誠以謂本所自著耶？其書今既不傳，附以存疑之說可矣。

（上十四之二十二）

六藝之書與儒家之言，固當參觀於〈儒林列傳〉；道家、名家、墨家之書，則列傳而外，又當參觀於莊周〈天下〉之篇也。蓋司馬遷敘傳所推六藝宗旨，尚未究其流別❼❼。而莊周〈天下〉一篇，實為諸家學術之權衡❼❽；著錄諸家宜取法也。觀其首章列敘舊法世傳之史，與《詩》《書》六藝之文❼❾，則後世經史之大原也。其後敘及墨翟、禽滑釐之學，則墨支、（墨翟弟子。）墨別、（相里勤以下諸人。）墨言、（禹湮洪水以下是也。）墨經，（苦獲、己齒、鄧陵子之屬，皆誦墨經是也。）具有經緯條貫❽⓿；較之劉、班著錄，源委尤為秩然，不啻〈儒林列傳〉之於《六藝略》也。宋鈃、尹文、田駢、慎到、老聃以至惠施、公孫龍之屬，皆諸子略中，道家名家所互見。然則古人著書，苟欲推明大道，未有不辨諸家學術源流；著錄雖始於劉、班，而義法實本於前古也。

（上十四之二十三）

縱橫者，詞說之總名也。蘇秦合六國為縱，張儀為秦

散六國為橫，同術而異用，所以為戰國事也。既無戰國，則無縱橫矣。而其學具存，則以兵法權謀所參互，而抵掌談說❸所取資也。是以蘇、張諸家，可互見於兵書；（《七略》以蘇秦、蒯通入兵書。）而鄒陽、嚴、徐諸家❷，又為後世詞命之祖也。

（上十四之二十四）

蒯通之書，自號《雋永》❸，今著錄止稱《蒯子》❹；且傳云「自序其說八十一首」，而著錄僅稱五篇；不為注語以別白之，則劉、班之疎也。

（上十四之二十五）

積句成章，積章成篇；擬之於樂，則篇為大成❺，而章為一闋也。《漢志》計書，多以篇名，間有計及章數者，小學敍例之稱《倉頡》諸書也。至於敍次目錄，而以章計者，惟儒家《公孫固》一篇，注「十八章」，《羊子》四篇，注「百章」而已。其如何詳略，恐劉、班當日，亦未有深意也。至於以首計者，獨見蒯通之傳，不知首之為章計與？為篇計與？志存五篇之數，而不詳其所由，此傳志之所以當互考也。

（上十四之二十六）

雜家《子晚子》三十五篇，注云：「好議兵，似《司馬法》。」何以不入兵家耶？《尉繚子》之當入兵家，已為鄭樵糾正，不復置論。

（上十四之二十七）

《尸子》二十篇，書既不傳，既云「商鞅師之」❽，恐亦法家之言矣。如云《尸子》非為法者，則商鞅師其何術，亦當辨而著之；今不置一說，部次雜家，恐有誤也。

（上十四之二十八）

《呂氏春秋》❼，亦《春秋》家言而兼存典章者也。當互見於《春秋》《尚書》，而猥次於雜家，亦錯誤也。古者《春秋》家言，體例未有一定；自孔子有知我罪我之說❽，而諸家著書，往往以《春秋》為獨見心裁❽之總名。然而左氏而外，鐸椒、虞卿、呂不韋之書，雖非依經為文，而宗仰❾獲麟之意，觀司馬遷敘〈十二諸侯年表〉而後曉然也❾。呂氏之書，蓋司馬遷之所取法也❾。十二本紀，倣其十二月紀；八書，倣其八覽；七十列傳，倣其六論；則亦微有所以折衷❾之也。四時錯舉，名曰春秋，則呂氏猶較虞卿《晏子春秋》為合度❾也。劉知幾譏其本非史書，而冒稱《春秋》，失其旨矣。（其合於章程，已具論次，不復置論。）

（上十四之二十九）

《淮南內》二十一篇，本名為《鴻烈解》，而止稱淮南❾，則不知為地名與？人名書名與？此著錄之苟簡也。其書則當互見於道家，志僅列於雜家非也。（外篇不傳，不復置論。）

（上十四之三十）

道家《黃帝銘》❾六篇，與雜家《荊軻論》❾五篇，其書今既不可見矣；考《皇覽》〈黃帝金人器銘〉，及《皇王大紀》所謂〈輿几之箴〉，〈巾几之銘〉❾，則六篇之旨，可想見也。《荊軻論》下注「司馬相如等論之」，而《文心雕龍》則云「相如屬詞，始讚荊軻」。是五篇之旨，大抵史讚之類也。銘箴頌讚有韻之文，例當互見於詩賦，與詩賦門之《孝景皇帝頌》❾同類編次者也。（《孔甲盤盂》❿二十六篇，亦是其類。）

（上十四之三十一）

農家託始神農❿，遺教緒言❿，或有得其一二，未可知也。《書》之〈無逸〉❿，《詩》之〈豳風〉❿，《大戴記》之〈夏小正〉❿，《小戴記》之〈月令〉❿，《爾雅》之〈釋草〉❿，《管子》之〈牧民〉篇❿，《呂氏春秋》〈任地〉❿諸篇，俱當用裁篇別出之法，冠於農家之首者也。（神農、野老之書，既難憑信，故經言不得不詳。）

（上十四之三十二）

小說家之《周考》七十六篇，《青史子》五十七篇，其書雖不可知，然班固注《周考》，云「考周事也」。注《青史子》，云「古史官紀事也」。則其書非《尚書》所部，即《春秋》所次矣。觀《大戴禮·保傅》篇，引青史氏之記❿，則其書亦不儕於小說也。

（上十四之三十三）

## 【今註】

❶ 儒家部《周史六弢》六篇，兵家之書也：《漢書·藝文志》〈諸子略〉儒家類：「《周史六弢》六篇。」班固自注：「惠襄之間，或曰顯王時，或曰孔子問焉。」師古曰：「即今之《六韜》也。蓋言取天下及軍旅之事。弢字與韜同也。」

❷ 劉恕以謂《漢志》列於儒家，恐非兵書：「《宋史·文苑傳》：「劉恕字道源，筠州人，未冠舉進士，賜第，調鉅鹿主簿和縣令。篤好史學，自太史公所記，至周顯德末，紀傳之外，至私記雜說，無所不覽，上下數千載間，鉅微之事，如指諸掌。司馬光編《資治通鑑》，召為局僚，遇史事紛錯難治者，輒以諉恕。恕於魏晉以後事，攷證差謬，最為精詳。官至秘書丞，卒，年四十七。著有《五代十國紀年》、《通鑑外紀》。」劉恕《通鑑外紀》：「志在儒家，非兵書也。」（王應麟《漢書藝文志攷證》引）

❸ 名實：名稱、實質。

❹ 《太公》之書：《漢書·藝文志》〈諸子略〉道家類：「《太公》二百三十七篇」，班固自注：「呂望為周師尚父，本有道者。或有近世又以為太公術者所增加也。」

❺ 《內經》之篇：《漢書·藝文志》〈方技略〉醫經類：「《黃帝內經》十八卷。」姚際恒《古今偽書考》：「《漢志》有《黃帝內經》十八卷。《隋志》始有《黃帝素問》九卷，唐王砅為之注，以《素問》九卷、《靈樞》九卷，當《內經》十八卷，實附會也。」

❻ 職業：職，主也。業，傳習之學術。

❼ 誦法先王之道，以待後之學者：《孟子·滕文公（下）》：「入則孝，出則悌，守先王之道，以待後之學者。」

❽ 《高祖》《孝文》諸篇之入儒，前人議其非：《漢書·藝文志》，〈諸子略〉儒家類：「《高祖傳》十三篇。」班固注：「高祖與大臣述古語及詔策也。」又：「《孝文傳》十一篇。」班固注：「文帝所稱及詔策。」明焦竑《國史經籍志·糾謬》：「《漢藝文志》，《高祖傳》、《孝文傳》入儒，非，改制詔。」

❾ 習：通曉。

❿ 敘：排定，次列。

⓫ 附麗：附，依也。麗，著也。

⓬ 折衷：調節求其適中。

⓭ 法度：規範、制度。

⓮ 掣肘：阻礙他人行事。《呂氏春秋·審應覽·具備》：「宓子賤治亶父，恐魯君之聽讒人而令己不得行其術也，將辭而行，請近吏二人於魯君，與之俱，至於亶父，邑吏皆朝，宓子賤令吏二人書。吏方將書，宓子賤從旁時掣搖其肘，吏書之不善，則宓子賤為之怒，吏甚患之，辭而請歸。宓子賤曰：『子之書甚不善，子勉歸矣。』」二吏歸，報於君。曰『宓子不得為書。』君曰：『何故？』吏對曰：『宓子使臣書，而時掣搖臣之肘，書惡而有甚怒，吏皆笑宓子，此臣所以辭而去也。』魯君太息而歎曰：『宓子以此諫寡人之不肖也。寡人之亂子而令宓子不得行其術，必數有之矣。微二人，寡人幾過。』」

⓯ 及列侯就國，其說皆自誼發之：《史記·賈生列傳》：「賈生名誼，雒陽人也。年十八，以能誦詩屬書，聞於郡中。吳廷尉為河南守，聞其秀才，召置門下，甚幸愛。孝文皇帝初立，聞河南守吳公治平為天下第一，故與李斯同邑，而常學事焉，乃徵為廷尉。廷尉乃言賈生年少，頗通諸子百家之書。文帝召以為博士。是時賈生年二十餘，最為少。每詔令議下，諸老先生不能言，賈生盡為之對，人人各如其意所出，諸生於是乃以為能不及也。文帝說之，超遷一歲中至太中大夫。賈生以為漢興至孝文二十餘年，天下和洽，而固當改正朔，易服色，法制度，定官名，興禮樂，迺草具其事儀法，色尚黃，數用五，為官名，悉更秦之法。文帝初即位，謙讓未遑也。諸律令所更定，及列侯悉就國，其說皆自賈生發之。」

⓰ 賈生、晁錯明申商：賈生，見註⓯。《史記·鼂錯傳》：「錯，潁川人也，學申商刑名於軹張恢先所。」

⓱ 名家者流，出於禮官：《漢書·藝文志》〈諸子略〉名家類小敘：「名家者流，蓋出於禮官。古者名位不同，禮亦異數，孔子曰：『必也正名乎，名不正，則言不順，言不順，則事不成。』」

⓲ 禮儀三百，威儀三千，而五刑之屬三千：《禮記·中庸》：「禮儀三百，威儀三千。」《尚書·呂刑》：「墨罰之屬千，劓罰之屬千，剕罰之屬五百，

宮罰之屬三百，大辟之罰其屬二百，五刑之屬三千。」

⑲ 民日遷善，而不知所以自致也：《孟子·盡心上》：「民日遷善而不知為之者。」

⑳ 泥：固執不知變通。

㉑ 「孟子曰」句：見《孟子·離婁上》。

㉒ 節度：規則。

㉓ 欽明文思，允恭克讓：《尚書·堯典》：「放勳，欽明文思，安安，允恭克讓，光被四表。」孔傳：「欽，敬也，言堯放上世之功化，而以敬明文思之四德，安天下之當安者。允，信；克，能；光，充。既有四德，又信恭能讓，故其名聞充溢四外。」

㉔ 「程子曰」句：程顥（1032－1085），字伯淳，河南人，珦子。舉進士，調鄠縣主簿，熙寧初，為御史裏行，神宗數召見，顥前後進說，大約以正心窒慾、求實、育才為言，務以誠意感悟主上。後與王安石議新法不合，出簽書鎮寧軍判官，知扶溝縣。哲宗立，召為宗正丞，未赴而卒，年五十四。顥資性過人，而充養有道，和粹之氣，盎其面背，門人交游相從數十年，未嘗見其忿厲之容，得不傳之學於遺經，以興起斯文為己任。辨異端，闢邪說，使聖人之道，煥然復明於世，孟子之後，一人而已。文彥博孚眾論，題其墓曰明道先生。後人集其遺文語錄，名《程子遺書》。嘉定十三年賜諡曰純。淳祐元年封河南伯，從祀孔子廟庭。事蹟具《宋史》（卷四二七）。《二程外書》卷十二：「明道云：必有〈關雎〉〈麟趾〉之意，而後可以行周公法度。」

㉕ 民彝物則：《詩·大雅·烝民》：「天生烝民，有物有則，民之秉彝，好是懿德。」傳：「烝，眾；物，事；則，法；彝，常；懿，美也。」鄭箋：「秉，執也。天之生眾民，其性有物象，謂五行仁義禮智信也。其情有所法，謂喜怒哀樂好惡也。然而民所執持有常道，莫不好有美德之人。」

㉖ 商鞅、韓非之法：《漢書·藝文志》〈諸子略〉法家類：「《商君》二十九篇。」班固注：「名鞅，姬姓，衛後也。相秦孝公，有列傳。」又：「《韓子》五十五篇。」班固注：「名非，韓諸公子，使秦，李斯害而殺之。」

㉗ 鄧析、公孫龍之名：《漢書·藝文志》〈諸子略〉名家類：「《鄧析》二篇。」班固注：「鄭人，與子產並時。」又：「《公孫龍子》十四篇。」班固注：「趙人。」

❷❽ 儒分為八，墨分為三：《韓非子‧顯學》：「世之顯學，儒墨也。儒之所至，孔丘也。墨之所至，墨翟也。自孔子之死也，有子張之儒，有子思之儒，有顏氏之儒，有孟氏之儒，有漆雕氏之儒，有仲良氏之儒，有孫氏之儒，有樂正氏之儒。自墨子之死也，有相里氏之墨，有相夫氏之墨，有鄧陵氏之墨。故孔墨之後，儒分為八，墨離為三，取舍相反不同。」

❷❾ 儒效：儒者之作用，亦指儒學之功效。《荀子》有〈儒效篇〉，楊倞注：「效，功也。」宋李覯《直講李先生文集》（卷二十三）〈袁州學記〉：「大懼人材放失，儒效闊疏。」

❸⓿ 《漢志》始別九流：《漢書‧藝文志》〈諸子略〉除小說家外，儒、道、陰陽、法、名、墨、縱橫、雜、農為九流。晉范甯〈春秋穀梁傳序〉：「蓋九流分而微言隱。」唐楊士勛《疏》：「《漢書‧藝文志》云：孔子既沒，諸弟子各編成一家之言，凡為九：一曰儒家流，凡五十二家，八百三十六篇。……二曰道家流，凡三十七家，九百九十三篇。……三曰陰陽家流，凡三十一家，三百六十九篇。……四曰法家流，凡十家，二百一十七篇。……五曰名家流，凡七家，三十六篇。……六曰墨家流，凡六家，八十六篇。……七曰縱橫家流，凡十二家，百七篇。……八曰雜家流，凡二十家，四百三篇。……九曰農家流，凡九家，百一十四篇。……此九家之術，皆起於王道既微，諸侯力政，各引一端，崇其所善，以此馳說，取合於諸侯。」

❸❶ 蛇龍之菹：《孟子‧滕文公下》：「驅蛇龍而放之菹。」趙岐注：「澤生草曰菹。」

❸❷ 仲舒所著，皆明經術之意：《漢書‧藝文志》〈諸子略〉儒家類：「《董仲舒》百二十三篇。」王先謙《補注》：「《隋》、《唐志》《春秋繁露》十七卷。案：本傳：仲舒所著，皆明經術之意。」

❸❸ 第鹽鐵之議，乃孝昭之時政，其事見〈食貨志〉：《漢書‧食貨志》：「昭帝即位六年，詔郡國舉賢良文學之士，問以民所疾苦，教化之要。皆對願罷鹽鐵酒榷均輸官，毋與天下爭利，示以節儉，然後教化可興。（桑）弘羊難以此國家大業，所以制四夷，安邊足用之本，不可廢也。」

❸❹ 桓寬撰輯一時所謂文學賢良對議：陳振孫《直齋書錄解題》（卷九）儒家類：「《鹽鐵論》十卷。漢廬江太守丞汝南桓寬（次公）撰。本始元年，召問賢良、文學，對願罷鹽鐵、榷酤、均輸，與御史大夫弘羊相詰難，於是止罷榷酤，而鹽鐵卒不變。故〈昭紀贊〉曰：『議鹽鐵而罷榷酤』也。及宣帝

時，寬推衍增廣著數萬言，凡六十篇，其末曰〈雜論〉。」

❸ 《說苑》、《新序》，雜舉春秋時事：《漢書・劉向傳》：「采傳記行事，
著《新序》、《說苑》五十篇，奏之。」《四庫全書總目》（卷九十一）子
部儒家類：「《新序》十卷，漢劉向撰。……《漢書・藝文志》獨向所序六
十七篇，《新序》、《說苑》、《世說》、《烈女傳頌圖》也。……《崇文
總目》云：『所載皆戰國、秦、漢間事。』以今考之，春秋時事尤多，漢事
不過數條。大抵採百家傳記，以類相從，故頗與《春秋》內外傳、《戰國
策》、《太史公書》互相出入。……推明古訓，以衷於道德仁義，在諸子
中，猶不失為儒者之言也。」又：「《說苑》二十卷，漢劉向撰。……其書
皆錄遺文佚事，足為法戒之資者。其例略如《韓詩外傳》。……古籍散佚，
多賴此以存。如《漢志》《河間獻王》八篇，《隋志》已不著錄，而此書所
載四條，尚足見其議論醇正，不愧儒宗。其他亦多可採擇，雖閒有傳聞異
詞，固不以微瑕累全璧矣。」

❸ 《世說》今不可詳，本傳所謂……悼己及同類也：漢元帝時，中書宦官弘
恭、石顯弄權，太傅蕭望之坐使子上書自冤前事自殺；少傅周堪疾瘖，不能
言而卒；堪弟子張猛謂石顯誣譖，令自殺於公車。《漢書・楚元王傳》云：
「更生傷之，乃著〈疾讒〉、〈摘要〉、〈救危〉及〈世頌〉凡八篇，依興
古事，悼己及同類也，遂廢十餘年。」

❸ 惟《列女傳》，本採《詩》、《書》……以之諷諫宮闈：《直齋書錄解題》
（卷七）傳記類：「《古列女傳》九卷，漢護都水使者光祿大夫劉向（子
政）撰。成帝時，趙氏姊弟起微賤，踰禮制。向以為王教由內及外，故採取
《詩》、《書》所載賢妃貞婦，興國顯家可法則及嬖孽亂亡者，序次為八
篇，以戒天子。其七篇，篇十五人，為一百五人。第八篇為頌義。」

❸ 六義：《詩大序》：「《詩》有六義焉：一曰風，二曰賦，三曰比，四曰
興，五曰雅，六曰頌。」

❸ 《韓詩外傳》：晁公武《郡齋讀書志》（卷二）詩類：「《韓詩外傳》十
卷，右漢韓嬰撰。嬰，燕人。其書《漢志》本十篇，《內傳》四，《外傳》
六。隋止存〈外傳〉，析十篇。其及經蓋寡，而遺說往往見於他書，如『逶
迤』、『郁夷』之類，其義與《毛詩》不同。此書獨《外傳》，雖非解經之
深者，然文辭清婉，有先秦風。」

❹ 道家部《老子鄰氏經傳》……《徐氏經說》六篇：《漢書・藝文志》〈諸子

略〉道家類：「《老子鄰氏經傳》四篇。」班固自注：「姓李名耳，鄰氏傳其學。」又「《老子傅氏經說》二十七篇。」自注：「述老子學。」又：「《老子徐氏經說》六篇。」自注：「字少季，臨淮人，傳《老子》。」

❹ 伊尹、太公：《漢書・藝文志》〈諸子略〉道家類：「《伊尹》五十一篇。」班固注：「湯相。」太公，見本篇註❹。

❹ 疑為後人假託：宋王應麟《漢書藝文志考證》（卷六）著錄《伊尹》五十一篇，王氏云：「《說苑・臣術》篇，《呂氏春秋》接引伊尹對湯問。愚謂孟子稱伊尹曰：『天之生此民也，使民先知覺後知，使先覺覺後覺也。予，天民之先覺者也。予將以斯道覺斯民也，非予覺知而誰也？』伊尹所謂道，豈老氏所謂道乎？《志》兵書權謀，省《伊尹》、《太公》而入道家，蓋戰國權謀之士，著書而託之伊尹也。」

❹ 道家源委，《莊子・天下篇》所敘述者，略可見矣：《莊子・天下》：「以本為精，以物為粗，以有積為不足，澹然獨與神明居。古之道術有在於是者，關尹、老聃，聞其風而悅之。建之以常無有，主之以太一，以濡弱謙下為表，以空虛不毀萬物為實。關尹曰：『在己无居，形物自著。』其動若水，其靜若鏡，其應若響。芴乎若亡，寂乎若清。同焉者和，得焉者失。未嘗先人，而常隨人。老聃曰：『知其雄，守其雌，為天下谿。知其白，守其辱，為天下谷。』人皆取先，己獨取後，曰：『受天下之垢。』人皆取實，己獨取虛。无藏也故有餘，巋然而有餘。其行身也，徐而不費。无為也，而笑巧。人皆求福，己獨曲全。曰，『苟免於咎。』以深為根，以約為紀。曰：『堅則毀矣，銳則挫矣。』常寬容於物，不削於人，可謂至極。關尹、老聃乎！古之博大真人哉！」

❹ 儒家之《魏文侯》、《平原君》：《漢書・藝文志》〈諸子略〉儒家類：「《魏文侯》六篇。」又：「《平原君》七篇。」班固注：「朱建也。」

❹ 偏全：重點。

❹ 羲和：羲氏、和氏，唐虞時掌天地四時之官。《尚書・堯典》：「乃命羲和，欽若昊天，曆象日月星辰，敬授人時。」孔氏《傳》：「羲氏、和氏，世掌天地四時之官。」

❹ 數術七種之總敘，又云「皆明堂羲和史卜之職也」：《漢書・藝文志》〈數術略〉小敘：「數術者，皆明堂羲和和史卜之職也。史官之廢久矣。其書既不能具，雖有其書而無其人。《易》曰：『苟非其人，道不虛行。』春秋

時，魯有梓慎，鄭有裨竈，晉有卜偃，宋有子韋。六國時，楚有甘公，魏有
石申夫，漢有唐都，庶得麤觕。蓋有因而成易，無因而成難，故因舊書以序
數術為六種。」

❹ 鄒衍談天、鄒奭雕龍：《漢書・藝文志》〈諸子略〉陰陽家類：「《鄒子》
四十九篇。」班固自注：「名衍，齊人，為燕昭王師，居稷下，號談天
衍。」又：「《鄒子終始》五十六篇。」師古曰：「亦鄒衍所說。」又：
「《鄒奭子》十二篇。」班固自注：「齊人，號曰雕龍奭。」參見〈焦竑誤
校漢志〉註⓭。

❹ 不徵其數：徵，證驗。數，方法。

❺ 〈數術略〉之天文曆譜諸家……日月宿曆之類：《漢書・藝文志》〈數術
略〉天文類：「《泰壹雜子星》二十八卷。」王先謙《補注》：「泰壹，星
名，即太一也，見〈天文志〉。雜子星者，蓋此書雜記諸星，以太一冠之，
猶下雜變星，以五殘冠之也。」又：「《五殘雜變星》二十一卷。」師古
曰：「五殘，星名也，見〈天文志〉。」又：「《常從日月星氣》二十一
卷。」師古曰：「常從，人姓名也，老子師之。」曆譜類：「《黃帝五家
曆》三十三卷。」《索隱》：「五家，案：謂五紀，歲、月、日、月、星、
辰、曆、數，各有一家，顓學習之，故曰五家也。」又：「《顓頊曆》二十
一卷。」又：「《顓頊五星》十四卷。《日月宿曆》十三卷。」

❺ 衍：多餘。

❺ 綱領：重要部分。

❺ 道要：學術要點。

❺ 劉氏父子精於曆數：《漢書・律曆志》：「至孝成世，劉向總六曆，列是
非，作《五紀論》。向子歆究其微眇，作《三統曆》及《譜》，以說《春
秋》，推法密要，故述焉。」

❺ 荒：虛妄、誇大。

❺ 推原古人憲典：推原，推求根源、原理。憲典，足以法式之典籍。

❺ 遊談：談天說地。此指《鄒子》、《鄒奭子》等。參見本篇註❹。

❺ 星曆司於保章：《周禮・春官》：「保章氏掌天星，以志星辰日月之變動，
以觀天下之遷，辨其吉凶。」

❺ 卜筮存乎官守：《周禮・春官》：「太卜掌三《易》之法，一曰《連山》，
二曰《歸藏》，三曰《周易》，其經卦皆八，其別皆六十有四。」

❻ 聖人因事而明道，於是為之演《易》而繫辭：《史記・孔子世家》：「孔子晚而喜《易》，序〈彖〉、〈繫〉、〈象〉、〈說卦〉、〈文言〉。」張守節《正義》：「夫子作十翼，謂上〈彖〉、下〈彖〉、上〈象〉、下〈象〉、上〈繫〉、下〈繫〉、〈文言〉、〈序卦〉、〈說卦〉、〈雜卦〉也。」《隋書・經籍志》：「昔宓羲始畫八卦，以通神明之德，以類萬物之情，並因而重之，為六十四卦。及乎三代，實為三《易》，夏曰《連山》，殷曰《歸藏》，文王作卦辭，謂之《周易》。周公作〈爻辭〉，孔子為〈彖〉、〈象〉、〈繫辭〉、〈文言〉、〈序卦〉、〈說卦〉、〈雜卦〉而子夏為之傳。」

❻ 名既互異，而以終始為始終，亦必有錯訛也：《漢書・藝文志》〈諸子略〉陰陽家：「《公檮生終始》十四篇。」王先謙《補注》引錢大昭曰：「案下有《鄒子終始》五十六篇，則此注始終，當作終始矣。奭字亦誤，作《終始》者鄒衍，非鄒奭也。別有《鄒奭子》十二篇，非《終始》書。」

❻ 皆因終始五德之意，故附於陰陽：清姚振宗《漢書藝文志條理》：「按《漢書・魏相傳》：『相數條漢興以來，國家便宜行事，及賢臣賈誼、鼂錯、董仲舒等所言奏，請施行之。又數采《易》陰陽及〈明堂〉、〈月令〉奏之曰：《易》曰：『天地以順動，故日月不過，四時不忒。聖以順動，故刑罰清而民服。』天地變化，必繇陰陽。陰陽之分，以日為紀。日冬夏至，則八風之序立，萬物之性成，各有常職，不得相干。東方之神太昊，乘震執規，司春。南方之神炎帝，乘離執衡，司夏。西方之神少昊，乘兌執矩，司秋。北方之神顓頊，乘坎執權，司冬。中央之神黃帝，乘坤艮執繩，司下土。茲五帝所司，各有時也。東方之卦，不可以治西方。南方之卦，不可以治北方。春興兌治則饑，秋興震治則華。明王謹于尊天，慎于養人，故立羲和之官，以乘四時，節授民事。臣愚以為陰陽者，王事之本，羣生之命，自古聖賢未有不繇者也。』此五曹官制，本陰陽五行以為言，而羲和官守所有事，故《七略》入之此門。」

❻ 前人已有議其非者：《漢書・藝文志》〈諸子略〉陰陽類：「于長《天下忠臣》九篇。」王先謙《補注》：「陶憲曾曰：『長書今不傳，其列陰陽家，自別有意怡，後人不見其書，無從臆測。王應麟《困學紀聞》乃以此詆劉歆抑忠臣，過矣。』」

❻ 法家《申子》六篇，其書今失傳矣：《隋書・經籍志》子部法家類：「《商

君書》五卷。」注云：「秦相商鞅撰。梁有《申子》三卷，韓相申不害撰，亡。」兩《唐志》著錄，宋以後則不見著錄。今有馬國翰、嚴可均等輯本。

㊺ 「荀卿子曰」句：見《荀子·解蔽篇》。

㊻ 「韓非子曰」句：見《韓非子·定法篇》。

㊼ 「名家之言，分為三科……尹文之言云爾」句：見《尹文子·大道（上）》。

㊽ 命物之名，其源實本於《爾雅》：陳振孫《直齋書錄解題》小學類：「《爾雅》三卷，晉弘農太守河東郭璞景純注。按《漢志·爾雅》二十篇，今書惟十九篇。《志》初不著撰人名氏，璞《序》亦但稱興於中古，隆於漢世而已。至陸氏《釋文》始謂〈釋詁〉為周公所作。其說蓋本於魏張揖所上〈廣雅表〉，言周公制理以道天下，著《爾雅》一篇，以釋其義。今俗所傳三卷，或言仲尼所增，或言子夏所益，或言叔孫通所補，或言沛郡梁文所考，皆解家所說，先師傳疑，莫能明也。」郭璞《爾雅注·序》：「夫《爾雅》者，所以通詁訓之指歸，敘詩人之興詠，總絕代之離詞，辨同實而殊號者也。誠九流之津涉，六藝之鈐鍵，學覽者之潭奧，摛翰者之華苑也。若乃可以博物而不惑，多釋於鳥獸草木之名者，莫近於《爾雅》。」

㊾ 曲學支言：曲學，鄉曲淺漏之學。支言，非主流之學說。

㊿ 「孟子曰：……遁辭知其所窮」句：見《孟子·公孫丑（上）》。

㉑ 《伊尹》：見本篇註㊶。

㉒ 《太公》：見本篇註❹。

㉓ 《鬻子》：《漢書·藝文志》〈諸子略〉道家類：「《鬻子》二十二篇。」班固注：「名熊，為周師，自文王以下問焉，周封為楚祖。」

㉔ 《管子》：《漢書·藝文志》〈諸子略〉道家類：《管子》八十六篇。」班固注：「名夷吾，相齊桓公，九合諸侯，不以兵車也，有列傳。」

㉕ 《伊佚》：《漢書·藝文志》〈諸子略〉墨家類：「《伊佚》二篇。」班固自注：「周臣，在成康時也。」

㉖ 《田俅子》：《漢書·藝文志》〈諸子略〉墨家類：「《田俅子》三篇。」班氏自注：「先韓子。」

㉗ 司馬遷敘傳所推六藝宗旨，尚未究其流別：《史記·太史公自序》：「《禮》以節人，《樂》以發和，《書》以道事，《詩》以達意，《意》以道化，《春秋》以道義。」

❼❽ 權衡：稱量物體輕重之具。權，稱錘；衡，稱杆。

❼❾ 觀其首章列敘舊法世傳之史，與《詩》、《書》六藝之文：《莊子·天下篇》：「古之人其備乎！配神明，醇天地，育萬物，和天下，澤及百姓，明於本數，係於末度，六通四辟，小大精粗，其運無乎不在。其明而在數度者，舊法世傳之史，尚多有之。其在《詩》《書》《禮》《樂》者，鄒魯之士、搢紳先生多能明之。《詩》以道志，《書》以道事，《禮》以道行，《易》以道陰陽，《春秋》以道名分。其數散於天下而設於中國者，百家之學，時或稱而道之。」

❽⓿ 其後敘及墨翟、禽滑釐之學……具有經緯條貫：《莊子·天下篇》敘墨家之學，云：「不侈於後世，不靡於萬物，不暉於數度，以繩墨自矯，而備世之急，古之道術，有在於是者，墨翟、禽滑釐，聞其風而說之。為之大過，己之大循。作為〈非樂〉，命之曰〈節用〉。生不歌，死无服。墨子汜愛兼利而非鬥，其道不怒。又好學而博不異，不與先王同。毀古之禮樂，黃帝有咸池，堯有大章，舜有大韶，禹有大夏，湯有大濩，文王有辟雍之樂，武王周公作武。古之喪禮，貴賤有儀，上下有等，天子棺槨七重，諸侯五重，大夫三重，士再重。今墨子獨生不歌，死不服，桐棺三寸而无槨，以為法式，以此教人，恐不愛人，以此自行，固不愛己。未敗墨子道，雖然，歌而非歌，哭而非哭，樂而非樂，是果類乎。其生也勤，其死也薄，其道大觳，使人憂，使人悲，其行難為也，恐其不可以為聖人之道。反天下之心，天下不堪，墨子雖獨能任，奈天下何，離於天下，其去王也遠矣。……使後世之墨者，多以裘褐為衣，以跂蹻為服，日夜不休，以自苦為極，曰：不能如此，非禹之道也，不足為墨。相里勤之弟子，五侯之徒，南方之墨者，苦獲、巳齒、鄧陵子之屬，俱誦《墨經》，而倍譎不同，相謂別墨。以堅白同異之辯相訾，以觭偶不仵之辭相應。以巨子為聖人，皆願為之尸，冀得為其後世；至今不決。墨翟、禽滑釐之意則是，其行則非也。將使後世之墨者必自苦，以腓无胈，脛无毛，相進而已矣。亂之上也，治之下也。雖然，墨子真天下之好也！將求之不得也，雖枯槁不舍也，才士也夫！」

❽❶ 抵掌談說：抵掌，擊掌，喻交談歡暢。《戰國策·秦策》：「（蘇秦）見說趙王於華屋之下，抵掌而談，趙王大悅。」

❽❷ 鄒陽、嚴、徐諸家：《漢書·藝文志》〈諸子略〉從橫家類：「《鄒陽》七篇。」又：「《莊安》二篇。」又：「《徐樂》一篇。」按：莊安，以避漢

明帝劉莊諱，改為嚴安。鄒陽，齊人，事蹟具《漢書》（卷五十一）〈賈鄒
枚路傳〉。嚴安（莊安），臨菑人；徐樂，燕郡無終人，事蹟並見《漢書》
（卷六十四）〈嚴朱吾丘主父徐嚴終王賈傳〉。

❽ 蒯通之書，自號《雋永》：《漢書·蒯通傳》：「通論戰國時說士權變，亦
自序其說，凡八十一首，號曰《雋永》。」

❽ 今著錄止稱《蒯子》：《漢書·藝文志》〈諸子略〉從橫家類：「《蒯子》
五篇。」班固注：「名通。」

❽ 大成：古樂一變為一成，至九成而畢。《文心雕龍·章句》：「積句而成
章，積章而成篇。」歌一首為一闋。

❽ 既云「商鞅師之」：《漢書·藝文志》〈諸子略〉雜家類：「《尸子》二十
篇。」班固自注：「名佼，魯人，秦相商君師之。鞅死，佼逃入蜀。」

❽ 《呂氏春秋》：《漢書·藝文志》〈諸子略〉雜家類：「《呂氏春秋》二十
六篇。」班固自注：「秦相呂不韋輯智略士作。」

❽ 自孔子有知我罪我之說：《孟子·滕文公（下）》：「世衰道微，邪說暴行
有作，臣弒其君者有之，子弒其父者有之。孔子懼，作《春秋》。《春
秋》，天子之事也。是故孔子曰：『知我者，其惟《春秋》乎！罪我者，其
惟《春秋》乎！』」

❽ 心裁：心中之設計，籌畫，多指作品之構思。劉勰《文心雕龍·原道》：
「玄聖創典，素王述訓，莫不原道心裁文章，研神理而設教。」

❾ 宗仰：尊崇、敬仰。

❾ 觀司馬遷敍〈十二諸侯年表〉，而後曉然也：《史記·十二諸侯年表·
序》：「是以孔子明王道，干七十餘君莫能用，故西觀周室，論史記舊聞，
興於魯而次《春秋》。上記隱，下至哀之獲麟，約其辭文，去其煩重，以制
義法，王道備，人事浹。七十子之徒，口受其傳指，為有所刺譏褒諱挹損之
文辭，不可以書見也。魯君子左丘明，懼弟子人人異端，各安其意，失其
真，固因孔子史記，具論其語，成《左氏春秋》。鐸椒為楚威王傅，為王不
能盡觀《春秋》，采取成敗，卒四十章，為《鐸氏微》。趙孝成王時，其相
虞卿，上采《春秋》，下觀近世，亦著八篇，為《虞氏春秋》。呂不韋者，
秦莊襄王相，亦上觀尚古，刪拾《春秋》，集六國時事，以為八覽六論十二
紀，為《呂氏春秋》。及如荀卿、孟子、公孫固、韓非之徒，各往往捃摭
《春秋》之文以文著書，不可勝紀。漢相張蒼，歷譜五德。上大夫董仲舒推

《春秋》義，頗著文焉。」

❷ 呂氏之書，蓋司馬遷之所取法也：《文心雕龍·史傳》：「子長繼志，甄序帝勣，比堯稱典，則位雜中賢；法孔題經，則文非元聖，故取式《呂覽》，通號曰紀。紀綱之號，亦宏稱也。故本紀以述皇王，列傳以總侯伯，八書以鋪政體，十表以譜年爵，雖殊古式，而得事序焉爾。」

❸ 折衷：調節過與不及，使其適中。

❹ 合度：合宜，合於法度。

❺ 《淮南內》二十一篇，本名為《鴻烈解》，而止稱淮南：《漢書·藝文志》〈諸子略〉雜家類：「《淮南內》二十一篇。」班固注：「王安。」高誘〈序〉：「初，安為辨達，善屬文，皇帝為從父，數上書召見，孝文皇帝甚重之，詔使為〈離騷賦〉。自旦受詔，日早食已，上愛而秘之，天下方術之士多往歸焉。於是遂與蘇飛、李尚、左吳、田由、雷被、毛被、伍被、晉昌等八人，及諸儒大山、小山之徒，共講論道德，總統仁義，而著此書。其旨近《老子》，淡泊無為，蹈虛守靜。出入經道，言其大也，則燾天載地；說其細也，則淪於無垠。及古今治亂，存亡禍福，世間詭異瑰奇之事，其義也著，其文也富，物事之類，無所不載，然其大較，歸之於道，號曰《鴻烈》。鴻，大也。烈，明也。以為大明道之言也。故夫學者，不論《淮南》，則不知大道之深也。是以先賢通儒述作之士，莫不援采以驗經傳。以父諱長，故其所著諸長字皆曰脩。光祿大夫劉向校定撰具，名之《淮南》。又有十九篇者，謂之《淮南外篇》。」

❻ 《黃帝銘》：《漢書·藝文志》〈諸子略〉道家類：「《黃帝銘》六篇。」王先謙《補注》：「王應麟曰：《皇覽》記武王問尚父曰：『五帝之誡，可得聞歟？』尚父曰：『黃帝之誡，吾之居民上也，搖搖恐夕不至朝。』故為金人，三封其口，曰：古之慎言。〈金人銘〉蓋六篇之一也。沈欽韓曰：蔡邕《銘論》曰：『黃帝有巾几之法。』」

❼ 《荊軻論》：《漢書·藝文志》〈諸子略〉雜家類：「《荊軻論》五篇。」班固自注：「軻為燕刺秦王，不成而死，司馬相如等論之。」《文心雕龍·頌讚》：「至相如屬筆，始讚荊軻。」黃叔琳注：「《文章緣起》：『司馬相如〈荊軻讚〉』，世已不傳。厥後班孟堅漢史，已論為讚，至宋范曄更以韻語。」

❽ 《皇王大紀》所謂……巾几之銘：《皇王大紀》曰：「黃帝作《輿几之

箴》，以警晏安。作〈巾几之銘〉，以戒逸欲。」

❾❾ 《孝景皇帝頌》：《漢書·藝文志》〈詩賦略〉賦類：「李思《孝景皇帝頌》十五篇。」

❿❿ 《孔甲盤盂》：《漢書·藝文志》〈諸子略〉雜家類：「《孔甲盤盂》二十六篇。」班固自注：「黃帝之史，或曰，夏帝孔甲，似皆非。」

❶❶ 《神農》：《漢書·藝文志》〈諸子略〉農家類：「《神農》二十篇。」班固注云：「六國時，諸子疾時怠於農業，道耕農事，託之神農。」

❶❷ 遺教緒言：留下之教誨，未盡之言論。

❶❸ 《書》之〈無逸〉：〈無逸〉在〈周書〉第十七。孔《傳》：「中人之性好逸豫，故戒之以無逸。」

❶❹ 《詩》之〈豳風〉：〈豳風〉之首篇為〈七月〉之詩。此詩記豳地之農民生活。孔穎達於首章《疏》云：「先公教民周備，民奉上命，於七月之中，有西流者，是火之星也，知是將寒之漸。至九月之中，云可以相授以冬衣矣。若不授冬衣，則一之日有觱發之寒風，二之日有栗烈之寒氣。此二日者，大寒之時，人之貴者無衣，賤者無褐，何以終其歲乎？故至八月則當績也。又豳人從君之教，三之日於是始修耒耜，四之日悉皆舉足而耕。其時我耕者之婦子，奉饋食，餉彼南畝之中耕作者。田畯來至，見其勤於農事則歡喜也。」

❶❺ 《大戴記》之〈夏小正〉：陳振孫《直齋書錄解題》史部時令類：「《夏小正傳》四卷，漢戴德傳，給事中山陰傅崧卿注。此書本在《大戴禮》，鄭康成注〈禮運〉『夏時』曰：『夏四時之書也，其存者有〈小正〉。』後人於《大戴禮》鈔出別行。崧卿以正文與傳相雜，倣《左氏經傳》，列正文其前，而附以《傳》，且為之注。」

❶❻ 《小戴記》之〈月令〉：〈月令〉在《禮記》第六。鄭玄《目錄》：「名〈月令〉者，以其記十二月政之所行也。本《呂氏春秋》〈十二月紀〉之首章也，以禮家好事抄合之。」

❶❼ 《爾雅》之〈釋草〉：〈釋草〉在《爾雅》第十二。宋邢昺《疏》：「此篇釋百卉之名見於經傳者。」

❶❽ 《管子》之〈牧民〉篇：〈牧民〉在《管子》第一。宋黃震《黃氏日抄》曰：「〈牧民〉篇最簡明。其要曰：『倉廩實則知禮節，衣食足則知榮辱。禮義廉恥，國之曰維，四維不張，國乃滅亡。』此《管子》正經之綱。」

⓽ 　《呂氏春秋》〈任地〉：《呂氏春秋・士容論》第六，四曰〈任地〉。論耕
　　稼之法。

⓾ 　《大戴禮・保傅》篇，引青史氏之記：〈保傅〉在《大戴禮記》第四十八。
　　《大戴禮記・保傅》：「《青史氏》之記曰，古者胎教，王后腹之，七月而
　　就宴室。太史持銅而御戶左，太宰持升而御戶右。比及三月者，王后所求聲
　　音，非禮樂，則太師縕瑟而稱不習。所求滋味者，非正味，則太宰倚升而言
　　曰，不敢以待王太子。太子生而泣，太師吹銅曰，聲中某律。太宰曰，滋味
　　上某。然后卜名。上無取於天，下無取於墬，中無取於名山通谷，無拂於鄉
　　俗，是故君子名難知而易諱也。」

## 【今譯】

　　儒家部的《周史六弢》六篇，是兵法的著作。劉恕說：「《漢書・藝
文志》列於儒家，大概不是兵法的著作。」現在已無法得知。看班固自
注：「有人說是孔子問太史關於兵戰之事。」可見班固已認為有所不妥，
所以把他的看法說出，用以說明劉歆將它放在儒家的道理。雖是如此，每
書應該考求其名稱、實質，不要用人名做為分類的根據。《太公》裡有武
王問事理的記載，不能因為與武王有關而認為《太公》出於兵家。（《漢
書・藝文志》將《太公》置於道家類。劉歆的《七略》，則道家類、兵家
類互著。）《內經》一書裡有黃帝問事理的記載，不能因此就認為《內
經》出於方技。假使《六弢》書中真有孔子問太史之事，所問與兵書有
關，怎麼可以將它歸屬在儒家部呢？

　　　　（以上十四之一）

　　儒家部有《周政》六篇和《周法》九篇，這兩書今已亡佚。班固在
《周政》下注云：「仿效天地的法則，設立各種官職。」可知這兩部書是
古代記載官制禮書所存留的一部分，所以將它們附在《禮》經下較適當，
放在儒家就錯了。一般來說《漢書・藝文志》不立史部，所有職官、故
事、章程、法度之類的著作，不是歸屬六藝部類，就是歸屬儒家和雜家。
所以這兩部書，歸屬大多混亂牽強，可惜不能見到這些書，加以改正。儒

者主要的事務，就是述說效法先王的思想，期待後來的學者實踐。因此將其心得，自成一有系統的學說，孟子、荀子等人就是如此。至於像職官、故事、章程、法度，都是當代的實際情形，不是一個學派的學說，將它們附在儒家，其道理是什麼？所以把《高祖傳》、《孝文傳》二書放在儒家，前人認為不正確，是有道理的。

（以上十四之二）

儒家類《虞氏春秋》十五篇，但是司馬遷在〈十二諸侯年表序〉裡則作八篇。可能最早只有八篇，劉向校書時，分析為十五篇，是否如此，不能確定。此書以《春秋》為書名，內容則是上採春秋時事，下則採近代之事，編為一書，也是《春秋》的一個流派。照理應該放在《春秋》類，同時著錄於諸子類。班固《漢書·藝文志》又只著錄於儒家，可惜未通曉司馬遷寫作的體例。

（以上十四之三）

司馬遷敘次圖書，暢達而有條理；班固編纂〈藝文志〉，完備而有差錯。因為司馬遷能推求學術淵源，班固只能考辨事蹟。司馬遷在〈十二諸侯年表敘〉裡，既然選擇、推崇《春秋》為主，那麼左丘、鐸椒、虞卿、呂不韋等學者，一一論其體例，都是《春秋》的分支體系。至於孟子、荀況、公孫固、韓非等人的著作，內容意涵各不相同，與《春秋》部不相依附，但是論述記載的，很多是春秋時代的事情，經過約略整理，這些著作都可以做為《春秋》的間接證據。張蒼編列五德，撰成《終始五德》，董仲舒推求《春秋》的旨意，撰成《春秋繁露》，都是《春秋》的源流派別，所以全書都涉及《春秋》。因此閱讀〈十二諸侯年表〉者，推求《春秋》所載史事得其適中，就不會有所愧疚、惋惜了。至於那些作者，所學各有專長，他們的著作，內容也不一致，這些區別，另有列傳，加以說明，就像劉向、任宏於校讎古籍分類時，有些書在不同的類別重複著錄的道理是一樣的。班固受到一些規範制度的拘限，這大概是造成其分類難以精確而每每受到限制、妨礙的原因吧？

（以上十四之四）

《賈誼》五十八篇，歸屬儒家類，大致是對的，但是也應在法家著錄。檢視〈賈誼傳〉，開始時，由於精曉各學派的書，漢文帝召他為博士，又派到河南太守吳公家當門客。吳公曾跟著李斯學做事，由於治事道德都得第一，召為廷尉，於是推薦賈誼給文帝。賈誼呈給文帝的報告裡，談到改頒曆法，改變衣服的顏色和制度，制定官制和振興禮樂，擬訂完整的禮儀制度。當時文帝剛即位，非常謙虛禮讓，忙碌得沒有閒暇。不過各種法令的更改制定，及各諸侯啟程到各自的封地，都是賈誼所提出的建議。又司馬遷說：「賈誼、晁錯通曉申不害、商鞅的學說。」現在賈誼的著作還可以見到，其思想雖是源自儒家，而其治世效果的理論實際上是根據法家。《漢書·藝文志》敘錄云：「法家這個學派，源出自法官。」法制禁令，是《周官》中刑法的制度。「名家這個學派，源出自禮官。」名物制度，是《周官》中禮儀的制度。古代刑法和禮制，兩者互補短長，所以禮儀制度有三百種，禮儀的細則有三千種，墨刑、劓刑、荆刑、宮刑、大辟等五種刑法的法制有三千種，條文繁多細密，兩者的數目剛好相等。因此聖人、先王用禮教導人民，用刑法禁制人民犯法。超出了禮制，就犯了刑法，不可能有中間灰色地帶。所以人民漸漸變成良善，而不自覺變成良善的道理。儒家的學者，彙集所有的刑法禮制，加以調整使其合乎事理，因為唯恐人民固執於刑法禮制的規範，不知變通，不致失去了人類固有的本性。孟子說：「只有善心而不去施行，就不能有仁政；只有法規而無仁心推動，法規也不能單獨施行。」所謂法，就是那些禮制、刑法的條目，只要有規則的都是法。所謂善，就是能敬明功業道德，能謙恭禮讓，無形狀體貌的都是善。程子說：「能有〈關雎〉詩中所表達的美德及〈麟趾〉詩中所表達的仁慈，才可以施行《周官》中的法規制度。」所謂〈關雎〉〈麟趾〉，就是仁義。所謂《周官》的法規制度，就是指刑法禮制。這樣說來，儒家與刑名家，學術淵源是一樣的，不像那些與正統思想不同的釋家、道家，摒去了人民的常道和事物的法則，而自為一個體系者，它

們是不能相提並論的。商鞅、韓非的法則思想，沒有一個不是根據聖人的法則，後來制定法規和施行法規的人卻錯了。鄧析、公孫龍所析辨的名稱，也不能自行超出聖人所定的名稱，而那些持守名物從事詭辯的人都錯了。儒家分為八個支派，墨家分為三個支派，所以儒家也有不符合聖人思想的。這就是為什麼對所著錄的圖書，要知道其始末，又要分辨其派別的原因。賈誼論說王道，能深切瞭解其根源，推論夏、商、周三代的情形，這就是儒者的作用、功效，不必說就可知道。但是他也訂立法令、創設制度，制定很多禁令，實際上他也是個法家。他的書同時著錄於儒家類和法家類，正可以表明其著作所具備的體制和功用，歸屬在儒家類，本來就不表示榮譽，歸屬在法家，也沒有值得隱瞞的。後代不瞭解學術源流分別的道理，彼此不斷為沒有意義的空名爭論。被放在儒家的，覺得無比的榮譽；被放在名家、法家的，覺得無比的委屈。那些知道各個學派都是源自聖人的思想，等級的高下，又各有其得失，只要推求名稱和內容相符合，最為重要，不必刻意揀擇，能如此，其學術才能崇高。《漢書·藝文志》才把學術方分成九個流派，其中儒家和雜家，混淆的現象很多。後代編纂目錄者，沒能創造新的巧思，都以為儒家、雜家兩類是龍蛇雜處的水澤。各類著作，只要是不能確定類別的，如果喜愛它，就歸屬於儒家；如果覺得它不重要，就把它放在雜家。儒家、雜家有所區別的本意，難道是這樣嗎？

（以上十四之五）

《董仲舒》一百二十三篇，放在儒家類，是對的。董仲舒的著作，都在申明經學的內容、意旨。至於述說《春秋》的內容、有關得失的評論都有，像〈玉杯〉、〈繁露〉、〈清明〉、〈竹林〉等著作，則應同時著錄於《春秋》類。

（以上十四之六）

桓寬《鹽鐵論》六十篇，放在儒家類，也很適當。只是議論鹽鐵的事，是漢昭帝時的政事，這些經過見於〈食貨志〉。桓寬把當時文學賢良

的議論輯為一書，只是詳細保留當時的制度，不完全是為了表現經學家的風骨節操。依理應該也著錄於故事類，但是《漢書‧藝文志》沒有故事類，所以可附見於《尚書》類之後。

（以上十四之七）

《劉向所敘》六十七篇，放在儒家類。六十七篇，包括《世說》、《新序》、《說苑》、《列女傳頌圖》四種書。劉歆《七略》收這部書，毫無條理。班固效法劉歆，因此也著錄了《揚雄所敘》三十八篇，這是由於未能分辨《太玄》、《法言》、《樂》、《箴》四書之差異所造成的缺失。鄭樵譏刺班固誤把揚雄的著作全部放在同一類是沒有條理的，於是說這就是班固沒有效法《七略》的證明，卻不知道班固本來就是效法《七略》的。鄭樵對劉歆所造成的錯誤，則故意放過不論；如果班固因襲劉歆的錯誤，就嚴加評斷，太過份了，人心不能有所偏頗。按：《說苑》、《新序》兩書的內容，記載春秋時的各種事，應該在《春秋》類同時著錄。《世說》的內容，今日已無從知道，根據劉向傳所說：「〈疾讒〉、〈摘要〉、〈救危〉及〈世頌〉等篇，寄託古事，為自己及同類感傷。」這樣看來，《世說》也可以同時著錄於《春秋》類。只有《列女傳》一書，是採擇《詩經》、《尚書》所載可以做為後人效法、警戒的婦女美德，用來委婉勸告宮中的后妃，應屬史家傳記類的著作，而《漢書‧藝文志》沒有傳記類，也可以同時著錄於《春秋》類之後。至於其書多引國風和大小雅的詩句，用以寄託、提倡六義，與《韓詩外傳》相乎呼應，因此也可以同時著錄於《詩經》類，也許比較適合。《列女傳》絕不是諸子儒家類的著作。

（以上十四之八）

道家部有《老子鄰氏經傳》四篇、《傅氏經說》三十七篇、《徐氏經說》六篇。按：《老子》本書，今傳的本子是道德上下兩篇，共八十一章，但是《漢書‧藝文志》沒著錄本書的篇次，這是劉歆、班固的疏忽。一部書如果有好幾家注釋、說解，於原書的篇次重加分析更易，那末編纂

目錄者，一定要將原書的篇卷數，登錄於首條，俾讀者可以得知每一書篇卷變易的始末，像《漢書‧藝文志》六藝各略著錄各經，一定先著錄各經原書的篇卷數，就是這個道理。

（以上十四之九）

有人懷疑伊尹、太公都是古代聖賢，為何成為道家所尊崇的對象，因此懷疑《伊尹》、《太公》是後人依託之作。這種懷疑，也算合理。只是古人著作，引用各家學說，並不限於某一方面。道家學術的源流、發展，《莊子‧天下篇》的敘述，大致很清楚。因此，伊尹和太公，莊子、老子的門徒並不把他們看成道家的創始者。我認為《伊尹》、《太公》兩書在寫作時，其中引用他人說法及問答之語，偶而涉及伊尹、太公，後人沒能辨明，就認為是伊尹、太公兩人所寫。等到發覺不像他們的作品，又認為是後人所偽造的。現今這兩書已不傳，已經難以考正了。又如儒家的《魏文侯》、《平原君》二書，他們二人未必是儒家，只是篇名用他們的名稱，就像《孟子》書中有〈梁惠王〉、〈滕文公〉等篇目的道理是一樣的。如果不是這樣，劉歆、班固即使疏忽，也不至於把戰國諸侯公子稱為儒家的著作吧。

（以上十四之十）

陰陽二十一家和兵書陰陽十六家，名稱都叫陰陽，但道術不同，各有其重點，如果能在敘例裡說明兩者的差別，勉強還可以，可是沒有這些說明，這是《漢志》的疏失。但是在《諸子》類陰陽家的本敘中，說明陰陽家出自羲和之官；在數術七種的總敘中，又說「都是明堂、羲和、史卜所主持的工作。」現在檢視陰陽家所列舉的圖書，與術數中天文類、五行類所列舉的圖書不相適合。這是由於劉歆、班固在敘例中沒能清楚說明，後代學者難免產生疑惑。〈諸子略〉中的陰陽家，著錄的是鄒衍談論天、鄒奭雕龍之類的著作，都只是空談道理而不證驗方法、證據的學術。〈數術略〉中的天文家、曆譜家，著錄的是泰壹、五殘、日月星氣，以及黃帝、顓頊日月宿曆之類的著作，從事明確的驗證、測量其度數，而不致推演出

空洞的學說。這種分類，沒有可以評論的錯失。只是在敘例方面，似乎少有創新的見解而已。但是，事理、才幹是合一的，道理、方法是相合的。劉向、劉歆校讎諸子，未能將陰陽類的各書交給太史尹咸校讎，使其成為《七略》的重要部分，是一種錯誤。敘例中談到羲氏、和氏是掌管陰陽家的官府，這又是不精通造成的錯誤。莊子〈天下篇〉裡，論述古今學術時，談到各家的源流派別時，都盡量使其符合於其學術要點。第一章論述六藝，就說「《易》用來說明陰陽」，因此，《易》是陰陽類各書的淵源。假使劉歆、班固在編纂目錄時，能在諸子類陰陽家下面，說明淵源於《易》；同時在《易》下面，說明古代由太卜所掌，那末這些圖書官守和師承的分合情形，不就可以根據這些文獻瞭解其得失嗎？至於羲氏、和氏，則應當只在天文、曆譜兩家之下著明，而不可以同時在諸子類陰陽家的敘裡著明。劉向、劉歆父子對曆譜、數術有經邃的研究，居然在校書時在排比圖書的次序時有疏失，何況後代從事編纂目錄的人，大多是偏重文史的學者呢？

（以上十四之十一）

有人說：鄒奭、鄒衍那些談天雕龍的著作，使至高的學術思想變成破碎不堪。如今則說它們淵源於至高無上的《易》，那豈不是過於虛妄又誣蔑古人嗎？我回答說：這是學術淵源派別的道理。有些書不再由官府典守，於是部分個別的著作，推求古人典籍的原理，用心推定其思想學說分合的情形；有些書不再由專家學者傳授，於是部分雜談的著作，推求前賢經典的各種說解，以論斷其是非。至於那些不是官府所典守，也沒有學者專家所傳授的著作，都是些沒有根據的胡言亂語，則予以摒棄，不加以著錄。至於僥倖而得以流傳的，則附在各類下，並說明其錯失。所以編纂目錄的功用，是在說明至高的學術，用以研治各家的學術，怎麼會是虛妄又誣蔑古人呢？

（以上十四之十二）

現在為陰陽家撰寫敘例，應當說：「陰陽家這個流派，其淵源出自

《易》。」《易》大傳說：「一陰一陽合起來就是道。」又說：「《易》有太極，於是產生陰陽。」這就是天地陰陽之所由產生。星曆的考訂工作由保章氏負責，卜筮的方法保存於官府。聖人根據事物而瞭解陰陽的道理，於是推演為《易》並且作了卦辭。後代官府不能守其書，聖人的思想不得傳授，於是產生談天、雕龍的學說，析離不全，離聖人的思想越來越遠，這是陰陽家的缺點。他們的著作傳授了那幾家，得失如何，都有說明，就可據以瞭解陰陽家的源流本末了。現存的敘例，卻說「敬順上天，推算日月星辰，恭謹傳授人們時令的事。」其實，這應該屬於數術、曆譜類的敘例，與鄒衍、鄒奭等陰陽家又有甚麼關係呢？

（以上十四之十三）

陰陽家的《公檮生終始》十四篇，著錄在《鄒子終始》五十六篇前面，班固注解說：「公檮傳承鄒奭的《始終》一書。」怎麼可以把一書的創作者，放在傳承者之後呢？又如在《鄒子終始》五十六篇之下注釋說：「鄒衍所說。」而公檮下注說：「鄒奭《始終》。」鄒衍、鄒奭名字不同，又將《終始》改作《始終》，期間一定有錯誤。又《閭秋子》十三篇，《將鉅子》五篇，班固的注解都說「在南公前」。而這兩書都放在《南公》三十一篇之後，也似乎無法解釋。（看〈終始五德之運〉一文，認為《始終》是錯誤的）。

（以上十四之十四）

《五曹官制》五篇，放在陰陽家，這部書的內容現在已無從瞭解。不過看看班固的注釋說：「漢代的制度，好像賈誼所編纂。」按〈賈誼傳〉說：「賈誼認為應該更改曆法，改變服飾的顏色，制定制度，頒定官名，振興禮樂，擬定其禮儀的法度，顏色尊崇黃色，數目以五為常用字，制定官名。」這樣說來，就應該放在官制的《禮》類。現在附入於陰陽家，難道適當嗎？大致這些情形，都由於五德運行的思想，所以附在陰陽。如果是這樣的話，那麼《周官》中的六典，取天、地、春、夏、秋、冬的狀態，也可以放在曆譜家了。

　　（以上十四之十五）

　　于長《天下忠臣》九篇，放在陰陽家，前人已評論其錯失。有人說：這本書現在已亡佚，無從得知其內容。不過劉向《別錄》說：「為天下忠臣立傳。」因此此書內容大致可以想像得到。即使其書參入陰陽家的思想，也應採取兩類互著的方法，使讀者可以瞭解其分類的法則，劉歆、班固為何不做這種區別呢？這是由於《七略》未立史部，而傳記這一類的著作，只有劉向的《列女》與此書兩部而已。如果把它附在《春秋》類，另加說明，比放入陰陽家為佳。

　　（以上十四之十六）

　　法家《申子》六篇，這部書現在已亡佚了。按：劉向《別錄》說：「申子的學術宣揚刑名，要名實相符，尊君卑臣，崇上抑下。」荀子說：「申子為權勢所蒙蔽，而不知材智的重要。」韓非子說：「申不害只有統治之術而無法律。」因此，申子是名家的一個派別，而《漢書·藝文志》放在法家，違背了其旨意。

　　（以上十四之十七）

　　《商君書》裡的〈開塞〉、〈耕戰〉等篇，可同時著錄於兵書類的權謀條。《韓非子》的〈解老〉、〈喻老〉等篇，可同時著錄於道家的《老子》經。這種將部分篇章裁出另行著錄於其他部類的說法，前面已說過，這裡不再論說。

　　（以上十四之十八）

　　名家類的著作，應當排比在法家類之前，如今卻放在法家類後面，不合乎事理的次序。這是由於名家在於討論原理，而法家則在分析事實。二家雖各有其淵源，但是也有相通的地方。

　　（以上十四之十九）

　　名家的著作，分為三類：一是為事物命名，例如方圓黑白等。二是非議與稱讚的名稱，例如善惡貴賤等。三是比擬的名稱，例如賢愚愛憎等。這是周代尹文所說的。但是，為事物命名，是本體；非議、稱讚、比擬的

名稱，是作用。名家論治事的方法，大致檢視整體的評論，比擬的名稱要一致，這是依循名位要求與實際相符的道理。事物的命名，最早實際上都根據《爾雅》。後代說解經典的學者，分辨考正名物，也可以說是名家的支流了。從這裡往前推溯，名家的得失就可以瞭解了。所有鄉曲淺漏的學術，不是主流的學說，浮誇不實的言論，不正確的學說，最早也都有根據。目錄學家，看到它們的本體析離、作用不同，於是將其著作分析在不同的類別，又不用互著的方法，無法使它們相同，於是時代一久，尋不到源頭，即使不想使它們泛濫無所歸宿，也不可能了。孟子說：「聽到偏頗的言論，要知道他所蒙蔽的事物；聽到浮誇不實的言論，要知道他所陷害的人；聽到不正的言論，要知道他所要離間的對象；聽到支吾搪塞的言詞，要知道他理屈說不出話的原因所在。」所謂要探索其背後的原因，就是要從至高無上的道理推溯其遠近析合的原故。不說斷絕淫辭、詖辭、邪解、遁辭之產生，而說要探索其背後的原因，這是因為各種學派的學說，都是大道分散的一支。依照經典加以研究，則能獲得各家學說的功效；捨棄學術的根源而予以離析，則失去學術的完整性。

（以上十四之二十）

墨家的《隨巢子》六篇、《胡非子》三篇，班固都注釋說「墨翟弟子」，而排比次序都在《墨子》前面。《我子》一篇，劉向《別錄》說「為墨子之學」，其時代更在後面，而次序在《隨巢子》前面，這些道理無法瞭解，當日編纂時可能有錯誤。

（以上十四之二十一）

道家以老子為創始人，而在他之前已著錄了《伊尹》、《太公》、《鬻子》、《管子》等書。墨家以墨翟為創始人，而在他之前已著錄了《伊佚》、《田俅子》等書，這難道是目錄家探討學術淵源的理論嗎？今按：《管子》應入法家，這是分類時沒有注意到的。至於《伊尹》、《太公》、《鬻子》等書，是一些道家學者稱述古人的著作，就用所稱述的古人為書名，並不是全篇為偽書，也不是認為伊尹、太公等人是道家。墨家

的《伊佚》，其情形也是一樣的。那麼鄭樵批評目錄家著錄圖書時有時「只看書名，不看書的內容」，實在是對目錄家的責備。不然，班固、劉歆編輯目錄時，對所著錄的書，難道全無區別嗎？但是《七略》的道家，把黃帝所撰的各書放在老萊、鶡冠子各家後面，這是由於黃帝的著作，是後人依託的偽書，不用所依託對象的時代先後排比次序。而《伊尹》、《尹佚》等書，反而放在道家、墨家的最前面，難道認為這是自著的作品嗎？這些書現在已亡佚不傳，姑且把懷疑附載於此。

（以上十四之二十二）

研讀六經的著作與儒家的著作，本來就應參看《漢書·儒林列傳》。研讀道家、名家、墨家的著作，則除列傳以外，又應參看《莊子》的〈天下篇〉。司馬遷在《史記》的敘傳中尋究六藝宗旨時，還沒能討論它們的源流派別。而莊子的〈天下篇〉，實在是比較各家學術的重要依據，目錄學者都應參考的。〈天下篇〉在第一章裡列舉古代相傳的重要史書及《詩經》、《尚書》等六藝之書，這些是後代經史的重要根源。接著談到墨翟、禽滑釐的學術，有所謂墨支（指墨翟弟子）、墨別（指相里勤以下諸人）、墨言（指「昔禹之湮洪水」以下所涉人事）、墨經（指若獲、已齒、鄧陵子等人，都是述說墨經的）等，具有頭緒條理，比起劉歆《七略》、班固《漢書·藝文志》，源流始末更有次序，如同〈儒林列傳〉與〈六藝略〉的互補關係。宋鈃、尹文、田駢、慎到、關尹、老聃以至惠施、公孫龍等人的著作，在〈諸子略〉中的道家、名家，都有著錄。可見古人著書，如果要推求闡明至高的學術，都要先辨明各學派的學術源流。編纂目錄工作雖創始於劉歆、班固，而推求內容、條理的方法，實際上是根源於前人。

（以上十四之二十三）

縱橫一詞，是遊說的總名。蘇秦連合六國稱為縱，張儀為秦國離散六國稱為橫，相同的學問，但作用不同，用來處理戰國的事情。如果沒有戰國時代，就沒有縱橫家了。他們的學說都還傳存，不過參入了部分兵法、

權謀的著作，成為歡暢交談時的材料。所以蘇秦、張儀等人的著作，可以同時著錄於兵家類（《七略》將蘇秦、蒯通的著作放在兵家類），而鄒陽、嚴安（莊安）、徐樂等人的著作，又成為後代論對語詞的始祖了。

（以上十四之二十四）

蒯通的著作，自己稱之為《雋永》，現在《漢書·藝文志》所著錄的止稱《蒯子》，而且本傳說：「自序上說他的作品有八十一篇」，而《漢志》所著錄的只稱五篇，沒有注釋加以說明，這是劉歆、班固的疏忽。

（以上十四之二十五）

堆積很多句子成為一章，堆積很多章就成為一篇，模仿音樂的說法，那麼篇相當於古樂的大成，而章相當於一首歌。《漢書·藝文志》核算圖書，大部分以篇為單位，偶而有用章為單位的，小學類的敘例裡所舉《倉頡》等書就屬如此。至於說明一書的目錄，而用章為核算單位的，只有儒家《公孫固》一篇，注釋說「十八章」；《羊子》四篇，注釋說「百章」兩書而已。每一書的詳略標準如何訂定，劉歆和班固在當時大概也沒有特別的寓意。至於用首為核算單位的，只有見於蒯通的本傳。蒯通本傳裡說他的作品八十一首，這個首字，是相當於章呢？或相當於篇呢？不甚瞭解。《漢書·藝文志》著錄的《蒯子》作五篇，但未能說明其根據為何。這說明列傳和藝文志應互相參考。

（以上十四之二十六）

雜家《子晚子》三十五篇，注釋說：「喜歡評論戰爭，與《司馬法》類似。」為什麼不放在兵家呢？《尉繚子》應放在兵家，鄭樵已加以改正，這裡不再討論。

（以上十四之二十七）

《尸子》二十篇，已經亡佚，既然說「商鞅所效法」，大概是法家的著作。如果說《尸子》不是法家，那末商鞅效法學習他的那一種學問，也應當加以考述，如今不予任何說明，將其放在雜家，可能有誤。

（以上十四之二十八）

《呂氏春秋》，也是屬於《春秋》類而同時存留典章制度的著作。應當同時著錄於《春秋》、《尚書》兩類，如今卻隨便放在雜家，也是錯誤的。古代《春秋》類的著作，沒有一致的體例，自從孔子有「知我者，其惟《春秋》乎！罪我者，其惟《春秋》乎！」的說法以後，學者們從事著述，每每將《春秋》當作可以表現獨特見解的總名。然而左氏以外，鐸椒、虞卿、呂不韋等人的著作，雖然不是依據經文寫作，但是尊崇敬仰孔子作《春秋》止於魯哀公十四年西狩獲麟的用意，只要看司馬遷〈十二諸侯年表〉，就可以瞭解。呂不韋的《呂氏春秋》，是司馬遷所效法的。十二本紀，模仿其十二月紀；八書，模仿其八覽；七十列傳，模仿其六論，只是其中略作修正調節，求其適當。春夏秋冬四時間雜列舉，取名春秋，那末《呂氏春秋》比虞卿《晏子春秋》為合宜。劉知幾在《史通》裡批評它不是史書，卻冒稱《春秋》，沒能瞭解其旨意。（此書合乎規章法則部分，已有詳細的討論，此不再論述）。

　　　　（以上十四之二十九）

《淮南內》二十一篇，原本的名稱是《鴻烈解》，而後來止稱《淮南》，如此，不知道它是地名呢？還是人名或書名呢？這是著錄時過於草率簡略。此書應同時著錄於道家，《漢書·藝文志》只著錄於雜家，是不正確的。（《外篇》已亡佚，此處不再討論）。

　　　　（以上十四之三十）

道家的《黃帝銘》六篇與雜家的《荊軻論》五篇，現在都已看不到了。檢閱《皇覽》裡的〈黃帝金人器銘〉及《皇王大紀》裡的所謂〈輿几之箴〉、〈巾几之銘〉，則《黃帝銘》的內容旨意，大致可以想見。《荊軻論》下注釋說：「司馬相如等論之」，而《文心雕龍》則說：「相如撰寫文章，才稱揚荊軻的義舉。」可知這五篇的內容，大致是史讚一類的文章。銘、箴、頌、讚都是有韻的文章，習慣上應同時在詩賦類著錄，與詩賦類的《孝景皇帝頌》放在一起。（《孔甲盤盂》二十六篇，也是這一類）。

（以上十四之三十一）

　　農家類依託神農為創始者，古代留下的教誨、言論，可能有一部分，不完全確知。《尚書》的〈無逸〉，《詩經》的〈豳風〉，《大戴記》的〈夏小正〉，《小戴記》的〈月令〉，《爾雅》的〈釋草〉，《管子》的〈牧民〉，《呂氏春秋》的〈任地〉等篇，都應當用別裁互著的方法，將這些篇章放在農家類的前面。（《神農》、《野老》等書，既然難以相信，所以內容不能得知）。

（以上十四之三十二）

　　小說家的《周考》七十六篇，《青史子》五十七篇，內容雖不能得知，不過，班固在《周考》下注釋說：「考述周朝的事。」在《青史子》下說：「古代史官記載史事。」這樣看來，這兩書如果屬於《尚書》類的系統，就應放在《春秋》類。看《大戴禮・保傅》篇，引用青史氏的文章，則此書不應與小說同類。

（以上十四之三十三）

# 漢志詩賦第十五

　　《漢志》分藝文為六略，每略又各別為數種，每種始敍列為諸家；猶如《太玄》之經，方州部家❶；大綱細目，互相維繫，法至善也。每略各有總敍。論辨流別，義至詳也。惟〈詩賦〉一略，區為五種，而每種之後，更無敍論，不知劉、班之所遺邪？抑流傳之脫簡邪？今觀《屈原賦》二十五篇以下，共二十家為一種；《陸賈賦》三篇以下，共二十一家為一種；《孫卿賦》十篇以下，共二十五家為一種；名類相同，而區種有別，當日必有其義例❷。今諸家之賦，十逸八九，而敍論之說，闕焉無聞，非著錄之遺憾與？若雜賦與雜歌詩二種，則署名既異，觀者猶可辨別；第不如五略之有敍錄，更得詳其源委耳。

　　（上十五之一）

　　古之賦家者流，原本詩騷❸，出入戰國諸子。假設問對，莊列寓言❹之遺也。恢廓聲勢，蘇張縱橫之體也❺。排比諧隱❻，韓非〈儲說〉之屬也。徵材聚事，《呂覽》類輯之義也。雖其文逐聲韻，旨存比興❼，而深探本原，實能自成一子之學；與夫專門之書，初無差別。故其敍列

諸家之所撰述，多或數十，少僅一篇，列於文林❽，義不多讓，為此志也。然則三種之賦，亦如諸子之各別為家，而當時不能盡歸一例者耳。豈若後世詩賦之家，裒然成集，使人無從辨別者哉？

（上十五之二）

賦者古詩之流❾，劉勰所謂「六義附庸，蔚成大國」❿者是也。義當列詩於前，而敘賦於後，乃得文章承變之次第。劉、班顧以賦居詩前，則標略之稱詩賦，豈非顛倒與？每怪蕭梁《文選》，賦冠詩前，絕無義理，而後人競效法之，為不可解。今知劉、班著錄，已啟之矣。又詩賦本《詩經》支系，說已見前，不復置議。

（上十五之三）

詩賦前三種之分家，不可考矣，其與後二種之別類，甚曉然也。三種之賦，人自為篇，後世別集之體也。雜賦一種，不列專名，而類敘為篇，後世總集之體也。歌詩一種，則詩之與賦，固當分體者也。就其例而論之，則第一種之《淮南王羣臣賦》四十四篇，及第三種之《秦時雜賦》九篇，當隸雜賦條下，而猥廁⓫專門之家，何所取耶？揆其所以附麗⓬之故，則以《淮南王賦》列第一種，而以羣臣之作附於其下，所謂以人次也。《秦時雜賦》列於《荀卿賦》後，（志作孫卿。）《孝景皇帝頌》前，所謂以時次也。夫著錄之例，先明家學，同列一家之中，或從人

次，或從時次可也，豈有類例不通，源流迥異，概以意為
出入者哉？

（上十五之四）

《上所自造賦》二篇，顏師古注「武帝所作」。按劉
向為成帝時人❸，其去孝武之世遠矣。武帝著作，當稱孝
武皇帝，乃使後人得以考定。今曰「上所自造」，何其標
目之不明與？臣工稱當代之君，則曰上也。否則摘文紀
事，上文已署某宗某帝，承上文而言之，亦可稱為上也。
竊意上所自造四字，必武帝時人標目，劉向從而著之，不
與審定稱謂，則談《七略》者，疑為成帝賦矣。班氏錄以
入志，則上又從班固所稱，若無師古之注，則讀志者，又
疑後漢肅宗❹所作賦矣。

（上十五之五）

《荀卿賦》十篇，居第三種之首，當日必有取義也。
按荀卿之書，有〈賦篇〉列於三十二篇之內，不知所謂賦
十篇者，取其〈賦篇〉與否，曾用裁篇別出之法與否；著
錄不為明析，亦其疏也。

（上十五之六）

《孝景皇帝頌》十五篇，次於第三種賦內，其旨不可
強為之解矣。按六藝流別，賦為最廣，比興之義，皆冒賦
名。風詩無徵，存於謠諺，則雅頌之體，實與賦類同源異
流者也。縱使篇第傳流，多寡不敵，有如漢代而後，濟水

入河，不復別出❶；亦當敘入詩歌總部之後，別而次之，或與銘箴贊誄通為部錄，抑亦可矣。何至雜入賦篇，漫無區別邪？

（上十五之七）

《成相雜辭》十一篇，《隱書》十八篇，次於雜賦之後，未為得也。按楊倞注《荀子·成相》❶：「蓋亦賦之流也。」朱子以為「雜陳古今治亂興亡之效，託之風詩以諷時君」❶。命曰雜辭，非竟賦也。《隱書》注引劉向《別錄》，謂「疑其言以相問對，通以思慮，可以無不喻。」是則二書之體，乃是戰國諸子流別，後代連珠❶韻語之濫觴❶也。法當隸於諸子雜家，互見其名，為說而附於歌詩之後可也。

（上十五之八）

《漢志》詳賦而略詩❷，豈其時尚使然與？帝王之作，有高祖〈大風〉、〈鴻鵠〉之篇，而無武帝〈瓠子〉、〈秋風〉之什，（或云：〈秋風〉即在《上所自造賦》內。）臣工之作，有《黃門倡車忠等歌詩》，而無蘇李河梁之篇❷。（或云：雜家有主名詩十篇，或有蘇李之作。然漢廷主名詩，豈止十篇而已乎？）

（上十五之九）

詩歌一門，雜亂無敘，如《吳楚汝南歌詩》、《燕代謳》、《齊鄭歌詩》之類，風之屬也。《出行巡狩及游歌

詩》與《漢興以來兵所誅滅歌詩》，雅之屬也。《宗廟歌詩》、《諸神歌詩》、《送靈頌歌詩頌》，頌之屬也。不為詮次㉒類別，六義之遺法，蕩然不可為蹤蹟矣。

（上十五之十）

【今註】

❶　《太玄》之經，方州部家：《直齋書錄解題》子部儒家類：「《太玄經》十卷，揚雄撰，五業主事章陵宋衷（仲子）解詁，吳鬱琳太守陳續（公紀）釋文，晉尚書范望（叔明）解贊。按《漢志》，揚雄所敘三十八篇，《太玄》十九。本傳，三方、九州、二十七部，八十一家、二百四十三表、七百二十九贊，分為三卷。有首、衝、錯、測、攡、瑩、數、文、捃、圖、告十一篇，皆以解剝《玄》體，蓋與本經三卷，共為十四。今《志》云十九，未詳。初，宋、陸二家各依舊本解釋，范望折中長短，或加新意，既成此注，乃以〈玄首〉一篇，加經贊之上，〈玄測〉一篇，附〈贊〉之下，為九篇，列為四卷。」

❷　義例：道理，體例。

❸　古之賦家者流，原本詩騷：《文心雕龍・詮賦》：「賦也者，受命於詩人，拓宇於《楚辭》也。」

❹　寓言：有所寄託或比喻之言。《莊子・寓言》：「寓言十九，重言十七。」《釋文》：「寓，寄也。以人不信己，故託之他人，十言而九見信也。」

❺　蘇張縱橫之體：蘇，蘇秦；張，張儀。《漢書・藝文志》〈諸子略〉從橫家有《蘇子》三十一篇，《張子》十篇。

❻　排比諧隱：排比，指依次排比之句法結構，即賦體比事偶辭之法。諧隱，隱藏詼諧文意之語句。《文心雕龍・詮賦》：「荀結隱語，事數自環。」又〈諧隱〉：「義欲婉而正，辭欲隱而顯。」

❼　比興：《詩經》六義：一曰風，二曰賦，三曰比，四曰興，五曰雅，六曰頌。比，指指物譬喻。興，指先言他物，以引起所詠之詞。

❽　文林：文士之林，指眾多文人。

❾　賦者古詩之流：流，分支，流派。班固〈兩都賦序〉：「或曰：賦者，古詩

・201・

之流也。昔成康沒而頌聲寢，王澤竭而詩不作。大漢初定，日不暇給，至於
武宣之世，乃崇禮官，考文章，內設金馬石渠之署，外興樂府協律之事，以
興廢繼絕，是以眾庶說豫，福應尤盛，〈白麟〉〈赤鴈〉〈芝房〉〈寶鼎〉
之歌，薦於郊廟，神雀、五鳳、甘露、黃龍之端，以為年紀，故言語侍從之
臣，若司馬相如、虞丘壽王、東方朔、枚皋、王褒、劉向之屬，朝夕論思，
日月獻納，而公卿大臣，御史大夫倪寬、太常孔臧、大中大夫董仲舒、太子
太傅蕭望之等，時時間作，或以抒下情而通諷諭，或以宣上德而盡忠孝，雍
容揄揚，著於後嗣，抑國家之遺美，亦雅頌之亞也。」

❿ 劉勰所謂「六義附庸，蔚成大國」：《文心雕龍·詮賦》：「賦也者，受命
於詩人，而拓宇於《楚辭》也。於是荀況〈禮智〉、宋玉〈風釣〉、爰錫名
號，與《詩》畫境，六義附庸，蔚成大國。」

⓫ 猥廁：猥，苟且，不嚴謹。廁，置也。

⓬ 附麗：依附。

⓭ 劉向為成帝時人：《漢書》本傳：「向年七十二卒，卒後十三歲而王氏代
漢。」清梅毓《劉更生年表》（《積學齋叢書》本）、錢穆《劉向歆父子年
譜》，考定劉向生於昭帝元鳳二年壬寅（西元前 79 年），卒於成帝綏和元
年癸丑（西元前 8 年）。姜亮夫《歷代名人年里碑傳總表》則考定生於昭帝
元鳳四年甲辰（西元前 77 年），卒於哀帝建平元年乙卯（西元前 6 年）。

⓮ 後漢肅宗：即漢章帝，為明帝第五子，名烜。肅宗，為其廟號，章，為其諡
號。班固著《漢書》，在章帝之世。

⓯ 濟水入河，不復別出：《地名大辭典》：「濟水，古四瀆之一。《書·禹
貢》：導沇水，東流為濟，入于河。《周禮·職方》：『兗州，川曰河
濟。』春秋時，濟水經曹衛齊魯之界，在齊界為齊濟，在魯界為魯濟，亦稱
沇水，源出河南濟源縣西王屋山，東南流為豬龍河，入黃河，其故道本過黃
河而南，東流至山東，與黃河平行入海。《水經》所云，濟水出河東垣縣王
屋山，其下流東北入海是也。今下游為黃河所佔，惟河北發源處尚存。」

⓰ 楊倞注《荀子·成相》：「蓋亦賦之流也。」：《荀子·成相》，楊倞注：
「以初發語名篇，雜論君臣治亂之事以自見其事，故下云託于成相以喻意。
《漢書·藝文志》謂之《成相雜辭》，蓋亦賦之流也。」

⓱ 朱子以為「雜陳古今治亂興亡之效，託之風詩以諷時君」：王應麟《漢藝文
志考證》（卷八）：「《成相雜辭》十一篇。《荀子·成相篇》注：『蓋亦

賦之流也。』朱文公曰：『凡三章，雜陳古今治亂興亡之效，託聲詩以諷時君，若將以為工師之誦，旅賁之規者，其尊主愛民之意，亦深切矣。』」

⓲ 連珠：文體名。起於漢章帝時，班固、賈逵、傅毅皆有作。其體不指說事情，祇以華麗之文旨，借譬喻委婉表達其意，如明珠之連貫，故稱連珠。《文心雕龍·雜文》：「揚雄覃思文閣，業深綜述，碎文璅語，肇為《連珠》，其辭雖小而明潤矣。」

⓳ 濫觴：指事物之起源。唐劉知幾《史通·斷限》：「若《漢書》之立表志，其殆侵官離局者乎！考其濫觴所出，起于司馬氏。」

⓴ 《漢志》詳賦而略詩：《漢書·藝文志》〈詩賦略〉收詩賦一百六家，一千三百一十八篇，其中歌詩二十八家，三百一十四篇，賦七十八家，一千四篇。

㉑ 蘇李〈河梁〉之篇：《文選》雜詩有李少卿〈與蘇武詩〉三首，〈蘇子卿詩〉四首。《文心雕龍·明詩》：「逮漢李陵，始著五言之目。」李詩第三首有「攜手上河梁」句，故云〈河梁〉之篇。

㉒ 詮次：選擇及編次。梁鍾嶸《詩品》（中）：「一品之中，略以世代為先後，不以優劣為詮次。」

## 【今譯】

　　《漢書·藝文志》分圖書為六略，每略又分為數種，每種才排比各家著作，就像《太玄經》，先分為三方，方下有州，州下有部，部下有家，大的綱領，小的條目，互相維繫，方法最佳。每略各有總敘，析論學術源流，內容十分詳細。不過〈詩賦略〉，分為五種，每種之後，沒有敘論，不瞭解這是劉歆、班固所遺漏的呢？或是流傳過程中脫簡造成的呢？現在看《屈原賦》三篇以下，共二十一家為一種；《孫卿賦》十篇以下，共二十五家為一種。類名相同，卻區分為不同種類，當時一定有其道理、體例。這些作品，現在十分之八九都已亡佚，而又看不到敘論，這不是目錄的遺憾嗎？至於「雜賦」與「歌詩」兩種，由於名稱不同，讀者還可以辨別，但不如其他五略之有敘錄，讀者更容易瞭解其源流始末。

　　（以上十五之一）

古代賦家的各類作品，都是淵源於詩和楚辭，其內容風格，與戰國諸子有關。例如假設問對的形式，就是《莊子》、《列子》中的寓言所存留的形式。廣大的聲威氣勢，就是蘇秦、張儀等縱橫家作品的體製。排比的句法、詼諧而隱藏含意的語詞，就像韓非〈內外儲說〉這類的文章。徵引聚集各種材料事物，就是《呂覽》分類編輯的方法。賦的文體雖講求聲韻，旨意存有比興的道理，如果深入探求其源流，實際上能夠成為一家之學，與一些專精一門的著作，本來就沒有差別。所以在排比各家的著作，多的有數十篇，少的只有一篇，放在眾多的著作裡，道理是一樣的，就是這個立意。所以把賦分為三種，也就像各種子書又分為很多家，當時這些賦無法歸屬同一類別罷了。那裡像後代的詩賦家，將各種作品彙聚成一書，使人無從辨別了。

（以上十五之二）

賦是古詩的支流，劉勰說賦是「六義的附屬，繁盛成大國」的文體。照道理詩應排在前面，賦放在詩的後面，才可以呈現文章傳承變遷的次序。劉歆、班固反而把賦放在詩前面，稱之為詩賦略，豈不是顛倒了嗎？常責怪梁朝蕭統的《文選》，賦放在詩的前面，毫無道理，而後人爭相效法，不可理解。如今知道劉歆、班固在編纂書目時，已開始了。又：詩賦本來是《詩經》的支流，前面已論述，此處不再討論。

（以上十五之三）

詩賦略前三種（指屈原賦之屬、陸賈賦之屬、孫卿賦之屬）分家的道理，已無法考證。前三種與後二種（指雜賦之屬、歌詩之屬）類別不同，十分清楚。前三種賦，以人為單位，這是後代別集的體製。雜賦這一種，不列舉專一的名稱，而把同類的賦編在一起，這是後代總集的體製。歌詩這一種，詩與賦不同，本來就應該分開的。根據其體製來說，則第一種的《淮南王群臣賦》四十四篇，及第三種的《秦時雜賦》九篇，應該歸屬在雜賦，卻隨便放在一個專門的類別，甚麼道理呢？推測其所以如此分隸的原故，就是把《淮南王賦》列在第一種，把群臣的著作放在它的後面，以

人為排比次序的標準。《秦時雜賦》，放在《荀卿賦》的後面（《漢書‧藝文志》作孫卿）、《孝景皇帝頌》的前面，這是以時代為排比次序的標準。著錄圖書，要先瞭解各家的學術淵源，在同一類別中，有時可用人為次序排比，有時可用時代為次序排比。那會有不瞭解分類的道理，把源流不同的著作，完全用個人的意見從事排比的現象呢？

（以上十五之四）

《上所自造賦》二篇，顏師古注說：「武帝所作。」按：劉向是成帝時人，離武帝時很遠了。武帝的著作，應當稱孝武皇帝，才可以讓後人明確瞭解。現在說「上所自造」，標目太不清楚。臣子們稱當時的國君都叫做「上」。不然，寫作時上文已稱某宗某帝，下文也可以稱前面所稱的某宗某帝為「上」了。我認為「上所自造」四字，一定是武帝時代的人所標的目錄，劉向照舊寫下，沒能重新審定，研讀《七略》者，就誤以為成帝的賦了。班固又把它放在〈藝文志〉裡，「上」字又變成班固對國君的稱呼，如果師古不加以注釋，讀者又會懷疑是東漢肅宗所作的賦了。

（以上十五之五）

《荀卿賦》十篇，列在第三種的第一篇，當時一定有其用意。按：荀卿的著作共有三十二篇，其中包括〈賦篇〉。這十篇中，〈賦篇〉不知是否在其中？是否曾用裁篇別出的方法？從〈藝文志〉中無法確知，這是疏漏的地方。

（以上十五之六）

《孝景皇帝頌》十五篇，放在第三種賦裡，無法瞭解其道理。按：在〈六藝略〉裡，賦的流派最廣，只要是比興的意義，就可冒稱為賦。古代可以觀察民風的詩已不傳了，但反映民風的歌謠諺語則還在。所以雅頌的體製，實際上其淵源與賦相同，只是派別不同。即使流傳的篇數，多寡不相當，就像濟河在漢代匯入黃河，從此不再分流的情形一樣，濟河就不再存在了。所以《孝景皇帝頌》應當放在詩歌總部之後，另行排比，或者與銘、箴、贊、誄一起成為一個部類，也是可以的。怎麼可以雜在賦篇裡，

以致無法辨認其區別呢？

（以上十五之七）

《成相雜辭》十一篇，《隱書》十八篇，列在雜賦之後，不很適當。
按：楊倞注釋《荀子·成相》說：「也是賦的支流。」朱子認為「雜陳古
今治亂興亡的現象，假託歌謠，用以諷諫國君。」稱之為雜辭，可見不完
全為賦。《隱書》下的注釋引劉向《別錄》說：「我推測此書用言語相問
答，全部用心思考，可以全部知曉。」所以這兩書的體製，是戰國諸子的
支流，後代連珠韻語的起源。照理應當隸屬〈諸子略〉的雜家類，用互著
的方法，附在歌詩之後加以說明就可以了。

（以上十五之八）

《漢書·藝文志》著錄賦比較完備，詩的部分比較簡略，難道是當時
的風尚所造成的嗎？帝王的著作，有漢高祖的〈大風歌〉、〈鴻鵠歌〉
等，而無漢武帝的〈瓠子之歌〉、〈秋風辭〉等（有人說：「〈秋風辭〉
收在《上所自造賦》二篇中」）。臣子的著作，有《黃門倡車忠等歌詩》
十五篇，卻沒有蘇武、李陵的〈河梁〉詩。（有人說：雜各有主名詩十
篇，其中可能有蘇武、李陵的作品。但是漢代主名詩，怎麼只有十篇而已
呢？）

（以上十五之九）

詩歌類雜亂無序，如《吳楚汝南歌詩》、《燕代謳》、《齊鄭歌詩》
等，屬於風謠類的詩歌；《出行巡狩及游歌詩》與《漢興以來兵所誅滅歌
詩》，屬於朝廷類的詩歌；《宗廟歌詩》、《諸神歌詩》、《送靈頌歌
詩》等，屬於宗廟類的詩歌。不加以選擇分類，風、雅、頌、賦、比、興
遺存的方法，完全無法尋索了。

（以上十五之十）

# 漢志兵書第十六

孫武《兵法》八十二篇，注「圖九卷」。此兵書權謀之首條也。按〈孫武傳〉：「闔閭謂孫武曰：子之十三篇，吾盡觀之矣。」阮孝緒《七錄》「《孫子兵法》三卷，十三篇為上卷，又有中下二卷。」然則杜牧謂魏武削其數十萬言為十三篇者，非也❶。蓋十三篇經語，故進之於闔閭；其餘當是法度名數❷，有如形勢、陰陽、技巧之類，不盡通於議論文詞，故編次於中下，而為後世亡逸者也。十三篇之自為一書，在闔閭時已然，而《漢志》僅記八十二篇之總數，此其所以益滋後人之惑矣。

（上十六之一）

大抵《漢志》之疎，由於以人類書，不能以書類人也。《太玄》、《法言》、《樂》、《箴》四書，類於揚雄所敘三十八篇❸；《新序》、《說苑》、《世說》、《列女傳》四書，類於劉向所敘六十七篇❹；尤其顯而易見者也。《孫子》八十二篇，用同而書體有異，則當別而次之。縱欲以人類書，亦當如《太公》之二百三十七篇，已列總目，其下分析謀八十一篇、言七十一篇、兵八十五

篇之例可也。任宏部次不精，遂滋後人之惑，致謂十三篇非孫武之完書，則校讐不精之咎也。

（上十六之二）

八十二篇之僅存十三，非後人之刪削也。大抵文辭易傳而度數❺難久。即如同一兵書，而權謀之家，尚有存文；若形勢、陰陽、技巧三門，百不能得一矣。同一方技，而醫經一家，尚有存文；若經方、房中、神仙三門，百不能得一矣。蓋文辭人皆誦習，而制度則非專門不傳，此其所以有存逸之別歟？然則校書之於形名制度，尤宜加之意也。

（上十六之三）

即如孫武、孫臏書，列權謀之家，而孫武有圖九卷，孫臏有圖四卷❻，書篇類次，猶之可也。圖則斷非權謀之篇所用者矣。不為形勢之需，必為技巧之用，理易見也。而任宏、劉、班之徒，但知出於其人，即附其書之下；然則以人類書之弊，誠不可以為訓者也。

（上十六之四）

按阮孝緒《七錄》，有孫武《八陣圖》❼一卷，是即《漢志》九卷之圖與否，未可知也。然圖必有名，《八陣》之取以名圖，亦猶始〈計〉之取以名篇❽；今書有其名，而圖無其目，蓋篇名合於諸子之總稱，例❾如是也；圖亦附於其下，而不著其名，則後人不知圖之何所用矣。

（上十六之五）

鄭樵言任宏部次有法❿，今可考而知也。權謀，人也；形勢，地也；陰陽，天也；孟子曰：「天時不如地利，地利不如人和。」此三書之次第也。權謀，道也；技巧，藝也；以道為本，以藝為末，此始末之部秩也。然《周官》大司馬之職掌⓫與軍禮之《司馬法》⓬諸條，當先列為經言，別次部首，使習兵事者，知聖王之遺意焉。任宏以《司馬法》入權謀篇，班固始移於經禮⓭。夫司馬之法，豈可以為權謀乎？宜班固之出此而入彼也。惜班固不知互見之法，與別出部首，尊為經言之例耳。

（上十六之六）

書有同名而異實者，必著其同異之故，而辨別其疑似焉；則與重複互注、裁篇別出之法，可以並行而不悖矣。兵形勢家之《尉繚》三十一篇，與雜家之《尉繚子》二十九篇同名⓮；兵陰陽家之《孟子》一篇，與儒家之《孟子》十一篇同名⓯；《師曠》八篇，與小說家之《師曠》六篇同名⓰；《力牧》十五篇，與道家之《力牧》二十二篇同名⓱；兵技巧家之《伍子胥》十篇，與雜家之《伍子胥》八篇同名⓲；著錄之家，皆當別白而條著者也。若兵書之《公孫鞅》二十七篇，與法家之《商君》二十九篇，名號雖異而實為一人⓳，亦當著其是否一書也。

（上十六之七）

　　鄭樵痛詆劉、班著錄，收書而不收圖❷，以為圖譜之
亡，由於不為專門著錄始也。因於《七略》之中，獨取任
宏〈兵書略〉，為其書列七百九十篇，而圖至四十三卷
也。然任宏兵略具在，而按錄以徵，亡逸之圖，又安在
哉？夫著錄之道，不係存亡，而係於考證耳。存其部目，
可以旁證遠搜，此逸詩、逸書之所以貴存〈小序〉也。任
宏收圖，不能詳分部次，收而猶之未收也。誠欲廣圖之
用，則當別為部次，表名圖目，（如《八陣圖》之類。）而於本
人本書之下，更為重複互注，庶幾得其倫敍歟。

　　　　（上十六之八）

## 【今註】

❶　杜牧謂魏武削其數十萬言為十三篇者，非也：宋王應麟《困學紀聞》（卷
　　十）：「杜牧注《孫子·序》云：『孫武著書數十萬言，魏武削其繁剩，筆
　　其精切，凡十三篇，因注解之。』考之《史記》本傳：『闔閭曰：子之十三
　　篇，吾盡觀之矣。』非筆削為十三篇也。」明宋濂《諸子辨》：「《孫子》
　　一卷，吳孫武撰，魏武帝注。自〈始計〉至〈用間〉，凡十三篇。〈藝文
　　志〉乃言八十二篇。杜牧信之，遂以為武書數十萬言，魏武削其繁剩。筆其
　　精粹，以成此書。按《史記》：『闔閭謂武曰：「子之十三篇，吾盡觀
　　之。」』其數與此正合。《漢志》與《史記》後，牧之言要非是。」《四庫
　　全書總目》子部兵家類：「《孫子》一卷，周孫武撰。考《史記·孫子列
　　傳》，載武之書十三篇，而《漢書·藝文志》乃載《孫子》兵法八十二篇，
　　圖九卷。故張守節《正義》以十三篇為上卷，又有中下二卷。杜牧亦謂武書
　　本數十萬言，皆曹操削其繁剩，筆其精粹，以成此書；然《史記》稱十三
　　篇，在《漢志》之前，不得以後來附益者為本書，牧之言固未可以為據
　　也。」
❷　法度名數：法度，技巧、方法。名數，數學上所用有實物之數目，如一人、

二山等。法度名數，猶言制度也。

❸ 《太玄》《法言》《樂》《箴》四書，類於《揚雄所敘》三十八篇：《漢書・藝文志》〈諸子略〉儒家：「《揚雄所敘》三十八篇。」班固：「《太玄》十九，《法言》十三，《樂》四，《箴》二。」

❹ 《新序》《說苑》《世說》《列女傳》四書，類於《劉向所敘》六十七篇：《漢書・藝文志》〈諸子略〉儒家：「《劉向所序》六十七篇。」班固注：「《新序》、《說苑》、《世說》、《列女傳頌圖》也。」

❺ 度數：法度名數。參見本篇註❷。

❻ 孫武有圖九卷，孫臏有圖四卷：《漢書・藝文志》〈兵書略〉兵權謀：「《吳孫子兵法》八十二篇。」班固注：「圖九卷。」師古曰：「孫武也，臣於闔廬。」又：「《齊孫子》八十九篇。」班固注：「圖四卷。」師古曰：「孫臏。」

❼ 阮孝緒《七錄》，有孫武《八陣圖》一卷：《隋書・經籍志》子部兵類：「《鈔孫子兵法》一卷。」注：「魏太尉賈詡鈔。梁有《孫子兵法》二卷，孟氏解詁。《孫子兵法》二卷，吳處士沈友撰。又《孫子八陣圖》一卷，亡。」梁，指阮孝緒《七錄》也。

❽ 亦猶始〈計〉之取以名篇：《孫子》卷一為〈計篇〉，李筌注曰：「計者，兵之上也，太乙遁甲先以計神加德宮以斷主客成敗，故孫子兵法，以計為篇首。」

❾ 例：常法，成規。

❿ 鄭樵言任宏部次有法：《通志・校讐略・編次不明分類論》：「《七略》惟〈兵家〉一略，任宏所校，分權謀、形勢、陰陽、技巧為四種書。又有圖四十三卷，與書參焉。觀其類例，亦可知兵，況見其書乎！」

⓫ 《周官》大司馬之職掌：《周禮・夏官》：「大司馬之職，掌制軍詰禁，以糾邦國，以九伐之法正邦國。」

⓬ 《司馬法》：《漢書・藝文志》〈六藝略〉禮類：「《軍禮司馬法》百五十五篇。」《漢書・藝文志》〈諸子略〉兵家類小敘：「兵家者，蓋出古司馬之職，王官之武備也。〈鴻範〉八政，八曰師，孔子曰：『為國者足食足兵，以不教民戰，是謂棄之。』明兵之重也。……下及湯武受命，以師克亂而濟百姓，動之以仁義，行之以禮讓，《司馬法》，是其遺事也。」

⓭ 任宏《司馬法》入權謀篇，班固始移於經禮：《漢書・藝文志》〈兵書略〉

兵權謀：「右兵權謀十三家二百五十九篇。」班固注：「出《司馬法》，入
〈禮〉也。」

❹ 兵形勢家之《尉繚》三十一篇，與雜家之《尉繚子》二十九篇同名：《漢
書・藝文志》〈兵書略〉兵形勢：「《尉繚》三十一篇。」《漢書・藝文
志》〈諸子略〉雜家：「《尉繚子》二十九篇。」班固注：「六國時。」

❺ 兵陰陽家《孟子》一篇，與儒家之《孟子》十一篇同名：《漢書・藝文志》
〈兵書略〉陰陽：「《孟子》一篇。」《漢書・藝文志》〈諸子略〉儒家：
「《孟子》十一篇。」班固注：「名軻，子思弟子，有列傳。」

❻ 《師曠》八篇，與小說家之《師曠》六篇同名：《漢書・藝文志》〈諸子
略〉兵陰陽家：「《師曠》八篇。」班固自注：「晉平公時。」《漢書・藝
文志》〈諸子略〉小說家：「《師曠》六篇。」班固自注：「見《春秋》。
其言淺薄，本與此同，似因託之。」

❼ 《力牧》十五篇，與道家之《力牧》二十二篇同名：《漢書・藝文志》〈諸
子略〉兵陰陽家：「《力牧》十五篇。」班固自注：「黃帝臣，依託也。」
《漢書・藝文志》〈諸子略〉道家類：「《力牧》二十二篇。」班固注：
「六國時作，託之力牧。力牧，黃帝相。」

❽ 兵技巧家之《伍子胥》十篇，與雜家之《伍子胥》八篇同名：《漢書・藝文
志》〈兵技巧家〉：「《伍子胥》十篇。」班固注：「圖一卷。」《漢書・
藝文志》〈諸子略〉雜家類：「《伍子胥》八篇。」班固注：「名員，春秋
時為吳將，忠直遇讒死。」

❾ 兵書之《公孫鞅》二十七篇，與法家《商君》之二十九篇，名號雖異而實為
一人：《漢書・藝文志》〈兵書略〉兵權謀：「《公孫鞅》二十七篇。」王
先謙《補注》：「《荀子・議兵篇》：『秦之衛鞅，世俗所謂善用兵者
也。』」《漢書・藝文志》〈諸子略〉法家類：「《商君》二十九篇。」班
固注：「名鞅，姬姓，衛後也。相秦孝公，有列傳。」

⓴ 鄭樵痛詆劉、班著錄，收書而不收圖……而圖至四十三卷也：《通志》（卷
七十二）〈圖譜略・索象〉：「河出圖，天地有自然之象，洛出書，天地有
自然之理。天地出此二物，以示聖人，使百代憲章，必本於此而不可偏廢者
也。圖，經也；書，緯也。一經一緯，相錯而成文。圖，植物也；書，動物
也。一動一植，相須而成變化。見書不見圖，聞其聲不見其形；見圖不見
書，見其人不聞其語。圖，至約也；書，至博也。即圖而求易，即書而求

難。古之學者，為學有要，置圖於左，置書於右，索象於圖，索理於書，故人亦易為學，學亦易為功。舉而措之，如執左契。雖平日胸中有千章萬卷，及真之行事之間，則茫茫然不知所向。秦人雖棄儒學，亦未嘗棄圖書，誠以為國之具，不可一日無也。蕭何之取天下易，守天下難，當眾人爭取之時，何故入咸陽，先取秦圖書，以為守計，一旦干戈既定，文物悉張，故蕭何定律令，而刑罰清；韓信申軍法，而號令明；張蒼定章程，而典故有倫；叔孫通制禮儀，而名分有別。……漢初典籍無紀，劉氏創意，總括羣書，分為七略，只收書不收圖，藝文之目，遞相因習，故天祿、蘭臺、三館、四庫內外之藏，但聞有書而已。蕭何之圖，自此委地，後之人將慕劉、班之不暇，故圖消而書日盛。惟任宏校兵書，一類分為四種，有書五十三家，有圖四十三卷，載在《七略》，獨異於他。宋、齊之間，群書失次，王儉於是作《七志》以為之紀。六志收書，一志專收圖譜，謂之〈圖譜志〉，不意末學而有此作也。且有專門之書，則有專門之學；則其學必傳，而書亦不失。任宏之略，劉歆不能廣之；王儉之志，阮孝緒不能續之。孝緒作《七錄》，散圖而歸部錄，雜譜而歸記注，蓋積書猶調兵也，聚則易固，散則易亡。積書猶賦粟也，聚則易贏，散則易乏。按任宏之圖與書幾相等；王儉之《志》，自當七之一；孝緒之《錄》，雖不專收，猶有總記，內篇有圖七百七十卷，外篇有圖百卷，未知譜之如何耳。隋家藏書，富於古今，然圖譜無所繫。自此以來，蕩然無紀，至今虞、夏、商、周、秦、漢上代之書具在，而圖無傳焉。圖既無傳，書復日多，茲學者之難成也。」

## 【今譯】

孫武《兵法》八十二篇，注釋說：「圖九卷。」這是兵書權謀類的第一條。按〈孫武傳〉說：「闔閭對孫武說：『你的著作十三篇，我已全部閱讀了。』」阮孝緒《七錄》說：「《孫子兵法》三卷，十三篇為上卷部分，另有中卷、下卷。」這樣看來，杜牧說魏武帝曹操把孫武的數十萬字著作刪存十三篇，這說法錯了。因為十三篇為經語，所以進奉給闔閭，其餘都是屬於兵法的技巧、方法、名數等，像形勢、陰陽、技巧之類，不完全與議論文詞有關，所以編在中卷和下卷，後人不再存傳了。十三篇是獨

立的一部書，在闔閭時就已如此，而《漢書·藝文志》只著錄八十二篇的
總數，這是更加引發後代疑惑的原因。

（以上十六之一）

《漢書·藝文志》的疏誤，大致是由於採用以作者種別圖書，而未能
以圖書種別作者。《太玄》、《法言》、《樂》、《箴》四部書，類屬於
《揚雄所敘》三十八篇；《新序》、《說苑》、《世說》、《列女傳》四
書，類屬於《劉向所敘六十七篇》，就是最明顯的例子。《孫子》八十二
篇，其中各書的功用相同，但體制不同，應該分別著錄。即使想用作者種
別圖書，也應像《太公二百三十七篇》的方式，先著錄總目，下面再分析
著錄《謀八十一篇》、《言七十一篇》、《兵書八十五篇》。任宏分類著
錄不細致，遂使讀者產生疑惑，以致認為《史記·孫武傳》中記載孫子的
著作十三篇為不完整，這是由於校讎不精審所造成的過錯。

（以上十六之二）

《孫子》八十二篇，僅存十三篇，並不是後人刪削造成的。一般來
說，文章容易流傳，法度技巧很難久傳。就像同樣是兵書，權謀類的著
作，還有留存；至於形勢、陰陽、技巧三類的著作，留存的不到百分之
一。同樣是方技類的著作，醫經類的著作，還有留存；至於經方、房中、
神仙三類的著作，留存的不到百分之一。這是由於文章方便頌讀，而法度
技巧則非專精技藝者無法傳授，這是造成存亡不同命運的原因吧。所以從
事圖書整理時，對於器物、法度、技巧的著作，尤應多加留意。

（以上十六之三）

又如將孫武、孫臏的著作，列在權謀類。而孫武有《圖》九卷，孫臏
有《圖》四卷。文字部分放在權謀類，還算適當，圖的部分，絕非用來說
解權謀的。這些圖，如果不是用來說解形勢，就是為了說解技巧而繪製，
這道理是容易瞭解的。而任宏、劉歆、班固等，只知道這些圖是孫武、孫
臏所製，就附在其著作中，所以用作者種別圖書的缺失，實在是不足以為
法式、典則的。

（以上十六之四）

按阮孝緒的《七錄》，著錄了孫武的《八陣圖》一卷，是否就是《漢書·藝文志》的《圖》九卷，無從確知。圖一定有名稱，用《八陣》做為圖名，就像用《計》做為《孫子兵法》第一篇篇名的道理。現在著作有名稱，而圖部分沒有子目，因為篇名的性質合於諸子的總稱，這是編纂的成規。把《圖》附在書名下，而不標明圖的名稱，後人就不瞭解圖的功用了。

（以上十六之五）

鄭樵說任宏編纂兵家的著作很有法度，現在可查核瞭解。權謀，與人有關；形勢，與地有關；陰陽，與天有關，孟子說：「天時不如地利，地利不如人和。」這正是這三種圖書先後次第的道理。權謀，屬於事理，技巧，屬於技藝，以事理為根本，以技藝為末微，這是本末的次第。但是，《周官》大司馬的職掌與軍禮的《司馬法》諸條，應先列經文，並另外次於一部之首，讓學習兵事者，可以瞭解聖人遺留的思想。任宏把《司馬法》放在權謀類，班固《漢書·藝文志》才把它移置經書的禮類。掌管軍隊的方法，怎麼可以當作權謀的著作呢？班固將它從權謀類移置禮經類是正確的。可惜班固不懂得互見的著錄方法，及另立於一部之首，尊為經文的常法。

（以上十六之六）

圖書有名稱相同而內容不同的，需要說明異同的地方，並考辨其中疑非又似是的地方，如此，則與重複互著、別裁互著的方法，可以並行不違背。兵家形勢的《尉繚》三十一篇，與雜家的《尉繚子》二十九篇同名；兵家陰陽類的《孟子》一篇，與儒家的《孟子》十一篇同名；《師曠》八篇，與小說家的《師曠》六篇同名；《力牧》十五篇，與道家的《力牧》二十二篇同名；兵家技巧類的《伍子胥》十篇，與雜家的《伍子胥》八篇同名；編纂目錄者，都應當分別說明清楚的。像兵書的《公孫鞅》二十七篇，與法家的《商君》二十九篇，名號雖不同而實際上為同一人，也應當

說明是否為同一書。

　　　　（以上十六之七）

　　鄭樵極力詆毀劉歆、班固在著錄圖書時，只收書而不收圖，認為圖譜亡佚的原因，起因於沒有專收圖譜的著作。因此從《七略》中，獨取由任宏所撰的〈兵書略〉，因為〈兵書略〉中著錄了七百九十篇的兵書，而圖多到四十三卷。任宏的〈兵書略〉完整的留存，根據目錄考徵，那些亡佚的圖，現在在那裡呢？編纂目錄的原理，不在於圖書的存亡，而在於是否足資考證。留存圖書的分類、目錄，可資旁證追索，這就是學者珍視逸詩及逸書〈小序〉的道理。任宏的〈兵書略〉雖然收了很多圖，但未能詳予分類，收了等於沒收。如果要推廣增加圖的功用，就應當另為圖分類編次，著明圖的名稱（就如《八陣圖》一樣），而於作者及本書之下，另加重複互著，能如此，或許可以瞭解其類別順序。

　　　　（以上十六之八）

# 漢志數術第十七

　　數術諸書，多以圖著，如天文之《泰一雜子星》、《五殘雜變星》❶，書雖不傳，而世傳甘石《星經》❷，（未著於錄。）則有星圖可證者也。《漢日旁氣行事占驗》不傳，而《隋志》《魏氏日旁氣圖》一卷可證❸。《海中星占驗》不傳，而《隋志》《海中星圖》一卷可證❹。《圖書祕記》十七篇，著於天文之錄❺。《耿昌月行帛圖》，著於曆譜之錄❻。《後漢·曆志》賈逵論，引「甘露二年，大司農丞耿壽昌，奏以圖儀度日月行，考驗天運」❼，則諸書之有圖，蓋指不可勝屈矣。尹咸校數術書，非特不能釐別圖書，標目家學；即僅如任宏之兵書條例，但注有圖於本書之下，亦不能也。此其所以難究索歟。

　　（上十七之一）

　　五行家之《鍾律災應》❽，當與〈六藝略〉樂經諸書互往；《鍾律叢辰日苑》、《鍾律消息》、《黃鍾》三書❾，亦同。《五音奇胲用兵》二十三卷❿，《刑德》二十一卷⓫，當與兵書陰陽家互注。其五行之本《尚書》，著龜之本《周易》，已具論次，不復置議。

（上十七之二）

雜占家之《禳祀天文》❷、《請雨止雨》❸、《雜子候歲》❹（泰一、子貢二家。）《神農教田相土耕種》❺諸書，當與諸子農家互注。

（上十七之三）

形法之家，不出五行、雜占二條，惟《山海經》❻宜出地理專門，而無其部次，故強著之形法也。說已見前，不復置議。

（上十七之四）

【今註】

❶ 《泰一雜子星》、《五殘雜變星》：《漢書·藝文志》〈數術略〉天文類有《泰壹雜子星》二十八卷。王先謙《補注》曰：「泰壹，星名，即太一也。見〈天文志〉。雜子星者，蓋此書雜記諸星，以太一冠之，猶下雜變星，以五殘冠之也。」又《五殘雜變星》二十一卷。師古曰：「五殘，星名也，見〈天文志〉。」

❷ 甘石《星經》：宋晁公武《郡齋讀書志》（卷十三）子部天文類：「甘石《星經》一卷，右漢甘公、石申撰。以日月、五星、三垣、二十八舍恒星，圖象次舍，有占訣以候休咎。」錢大昕《十駕齋養新錄》（卷十四）云：「今世俗所傳甘、石《星經》，不知何人偽撰，大約採晉、隋二志成之。《續漢書·天文志》注引《星經》五六百言，今本皆無之，是劉昭所見之《星經》，久失其傳矣。」

❸ 《漢日旁氣行事占驗》不傳，而《隋志》《魏氏日旁氣圖》一卷可證：《漢書·藝文志》〈數術略〉天文類：「《漢日旁氣行事占驗》三卷。」王先謙《補注》：「王應麟曰：『〈功臣表〉：成帝時，光祿大夫滑堪有《日旁占驗》。〈天文志〉：王朔所候決於日旁。』沈欽韓曰：『《隋志》：《京氏日占圖》三卷，《夏氏日旁氣》一卷，《魏氏日旁氣圖》一卷。太卜注：

『王者夜有夢，則晝視日旁氣，以占其吉凶。』」

❹　《海中星占驗》不傳，而《隋志》《海中星圖》一卷可證：《漢書‧藝文志》〈數術略〉天文類：「《海中星占驗》十二卷。《後漢‧天文志》注引《海中占》。《隋志》有《海中星占圖》、《海中星占》各一卷，即張衡所謂海人之占也。《唐‧天文志》：開元十二年，詔太史交州測景，以八月自海中南望老人星殊高，老人星下眾星粲然，其明大者甚眾，圖所不載，莫辨其名。」

❺　《圖書祕記》十七篇，著於天文之錄：《漢書‧藝文志》〈數術略〉天文類：「《圖書祕記》十七篇。」王先謙《補注》：「沈欽韓曰：」『《後（漢）書》楊厚祖父春卿戒子統曰：「吾緣衷中有先祖所傳祕記，為漢家用。」又章帝賜東平王蒼，以祕書列仙圖道術祕方。』」

❻　《耿昌月行帛圖》，著於曆譜之錄：《漢書‧藝文志》〈數術略〉曆譜類：「《耿昌月行帛圖》二百三十二卷。」

❼　「《後漢‧曆志》賈逵論」句：「《後漢書》〈律曆志（中）〈賈逵論曆〉：「（賈）逵論曰：……案甘露二年，大司農中丞耿壽昌奏，以圖儀度日月行，考驗天運狀，日月行至牽牛、東井，日過（一）度，月行十五度，至婁、角，日行一度，月行十三度，赤道使然，此前世所共知也。如言黃道有驗，合天，日無前卻，弦望不差一日，比用赤道密近，宜施用，上中多臣校。」

❽　《鍾律災應》：《漢書‧藝文志》〈數術略〉五行類：「《鍾律災異》二十六卷。」王先謙《補注》：「王應麟曰：『《隋‧牛宏傳》引劉歆鍾律書。』沈欽韓曰：『此蓋京房之術，《後志》京房以六十律分朞之日，黃鍾自冬至始，及冬至而復，陰陽寒燠風雨之占生焉。』」

❾　《鍾律叢辰日苑》、《鍾律消息》、《黃鍾》三書：《漢書‧藝文志》〈數術略〉五行類：「《鍾律叢辰日苑》二十二卷。」王先謙《補注》：「沈欽韓曰：〈日者傳〉：孝武帝時，聚會占家問之，某日可娶婦乎？五行家曰可，堪輿家曰不可，建除家曰不吉，叢辰家曰大凶，曆家曰小凶，天一家曰小吉，太一家曰上吉。辨訟不決，以狀聞，制曰：避諸死忌，以五行為主，人取於五行者也。案此數家雖總名五行，所占又不同若此。」又：「《鍾律消息》二十九卷。」又：「《黃鍾》七卷。」

❿　《五音奇胲用兵》二十三卷：《漢書‧藝文志》〈數術略〉五行類：「《五

音奇胲用兵》二十三卷。」師古曰：「許慎云：胲，軍中約也。」王先謙
《補注》：「王念孫曰：『《說文》奇侅，非常也。《淮南・兵略篇》：
「明於奇賌，陰陽刑德五行，望氣候星，龜策機祥。」高誘注：「奇賌，陰
陽奇祕之要，非常之術。」《史記・倉公傳》：「受其脈書上下經，五色診
奇咳術。」然則，奇侅者，非常也。侅，正字也，胲、咳、賌，皆借字耳。
脈法之有五色診奇侅術，猶兵法之有五音奇侅，皆言其術之非常也。顏以奇
胲用兵四字連文，遂以胲為軍中約，不知軍中約之字，自作該，非奇胲之
義，且奇胲二字，同訓為非常，若以胲為軍中約，則與奇字義不相屬矣。』
沈欽韓曰：『《抱朴子・極言》篇：「黃帝審攻戰，則納五音之策。」《御
覽》三百二十八引《玄女兵法》曰：「黃帝攻蚩尤，三年，城不下，募求術
士，乃得伍骨，與之言曰：『今日余攻蚩尤，三年，城不下，其咎安在？』
伍骨曰：『此城中之將，為人必白色商音，帝始攻時，得無以秋之東方行
乎？今黃帝為人蒼色角音，此雄軍也，以戰為之。』黃帝曰：『善，為之若
何？』……攻蚩尤三日，其城果下。太師注：『《兵書》曰：王者行師，出
軍之日，授將弓矢，士卒振旅，將張弓大呼，大師吹律合音：商則戰勝，軍
士強；角則軍擾多變，失士心；宮則兵和，士卒同心；徵則將急數怒，軍士
勞；羽則兵弱，少威明。』按《六韜》亦有《五音》篇，兼以五勝制敵是
也。」

⓫ 《刑德》二十一卷：《漢書・藝文志》〈數術略〉五行類：「《五音奇胲刑
德》二十一卷。」王先謙《補注》：「王念孫曰：『《淮南・兵略訓》明於
刑德奇胲之術，即此所云奇胲刑德。』」

⓬ 《禳祀天文》：《漢書・藝文志》〈數術略〉雜家類：「《禳祀天文》十八
卷。」師古曰：「禳，除災也。」王先謙《補注》引沈欽韓曰：「《晏子・
諫篇》：景公睹彗星，召柏常騫使禳去之。」又引葉德輝曰：「《說文》
禜，設緜蕝為營，以禳風雨雪霜水旱癘疫於日月星辰山川也，此即禳祀天文
之遺法。」

⓭ 《請雨止雨》：《漢書・藝文志》〈數術略〉雜占類：「《請雨止雨》二十
六卷。」王先謙《補注》引王應麟曰：「〈董仲舒傳〉言《求雨止雨》，
《後漢・輿服志》注引仲舒《止雨書》。」又引沈欽韓曰：「《繁露》有
〈求雨篇〉、〈止雨篇〉。《御覽》三十五引《神農求雨書》，春甲乙不
雨，東為青龍，又為大龍，東方老人舞之，壬癸黑雲興乃雨。」

❶ 《雜子候歲》：《漢書・藝文志》〈數術略〉雜占類：「《泰壹雜子候歲》二十二卷。」王先謙《補注》引王應麟曰：「〈天官書〉言候歲美惡，漢之為天數者，占歲則魏鮮。」又引沈欽韓曰：「《易通》卦驗，亦以卦氣候歲。《御覽》十七及《齊民要術》〈雜說〉並引師曠占歲語。」

❶ 《神農教田相土耕種》：《漢書・藝文志》〈數術略〉雜占類：「《神農教田相土耕種》十四卷。」王先謙《補注》引沈欽韓曰：「《御覽》七十八引《周書》曰：『神農之時，天雨粟，神農耕而種之，陶冶斤斧為耒耜，鉏耨以墾草莽，然後五穀興。』」又引葉德輝曰：「引見〈食貨志〉。《呂氏春秋》〈愛類〉亦引神農之教，言耕織儲粟之事。」

❶ 《山海經》：《漢書・藝文志》〈數術略〉形法類：「《山海經》十三篇。」王先謙《補注》引沈欽韓曰：「劉歆〈序〉云：『……孝武時，東方朔言異鳥之名，孝宣時臣父向對貳負之臣，皆以是書，朝士由是多奇。《山海經》者，可以考休祥變怪之物，見遠國異人之謠俗，臣望所校凡三十二篇，今定為十八篇。』案：十三篇者，劉向於時合〈南山經〉三篇，以為〈南山經〉一篇；〈西山經〉四篇，以為〈西山經〉一篇；〈北山經〉三篇，以為〈北山經〉一篇；〈東山經〉四篇，以為〈東山經〉一篇；〈中山經〉十二篇，以為〈中山經〉一篇，並〈海外經〉四篇、〈海內經〉四篇，凡十三篇。至劉歆增〈大荒經〉四篇，〈海內經〉一篇，故為十八篇。宋人著錄，既不能考其篇第所由，而陳振孫以為《山海經》本解《楚詞》〈天問〉而作，殆於庸妄者也。」

【今譯】

　　數術類的各書，大部分都以書中的圖而顯著於世。例如天文類的《泰一雜子星》、《五殘雜變星》，這二部書雖已亡佚不傳，而目前傳世的漢甘公、石申所撰的《星經》（這部書《漢書・藝文志》未著錄。），書中有圖，可以證明。《漢日旁氣行事占驗》一書已亡佚不傳，而《隋書・經籍志》則有《魏氏日旁氣圖》一卷，可以證明。《海中星占驗》一書已亡佚不傳，而《隋書・經籍志》則有《海中星圖》一卷，可以證明。《圖書祕記》十七篇，著錄於天文類；《耿昌月行帛圖》，著錄於曆譜類。《後

漢書·曆志》篇載賈逵論說裡，曾說：「甘露二年，大司農丞耿壽昌，奏請用圖儀測量日月的運行，考驗天體的運行。」據此，各書都有圖，多到數不完。尹咸校讐數術類圖書時，不但未能考訂區分圖書，正確標舉各家學術的名稱，就連只要像任宏校讐兵書類的法則，只要在各書下注明有圖，都沒能做到。這大概是數術類的著作難以探索的原故吧？

（以上十七之一）

五行類的《鍾律災應》一書，應當與樂經類的各書，採取互著的方式。其他如《鍾律叢辰日苑》、《鍾律消息》、《黃鍾》三書，也應如此。《五音奇胲用兵》二十三卷、《刑德》二十一卷，應當與兵書陰陽類的書互著。《書》類中具有五行性質的著作及著龜類中的《周易》，也都應採互著的方法，已經詳細的討論過，不再討論。

（以上十七之二）

雜占家的《禳祀天文》、《請雨止雨》、《雜子候歲》（泰一、子貢二家）、《神農教田相土耕種》等書，應該互著於諸子的農家類。

（以上十七之三）

形法類的著作，不外乎分屬五行、雜占兩個類別，只是《山海經》一書，應該歸屬地理類，但是《漢書·藝文志》沒有地理類，所以勉強著錄於形法類。前面已談過，不再論說。

（以上十七之四）

# 漢志方技第十八

　　方技之書，大要有四，經、脈、方、藥❶而已。經闡其道，脈運其術，方致其功，藥辨其性；四者備，而方技之事備矣。今李柱國所校四種❷，則有醫經、經方二種而已。脈書、藥書，竟缺其目。其房中、神仙，則事兼道術❸，非復方技之正宗❹矣。宜乎敘方技者，至今猶昧昧❺於四部相承之義焉。按司馬遷〈扁鵲倉公傳〉，「公乘陽慶，傳黃帝、扁鵲之脈書」❻，是西京未嘗無脈書也。又按班固〈郊祀志〉，成帝初，有本草待詔❼，〈樓護傳〉少誦醫經本草方術❽。是西京未嘗無藥書也。李柱國專官典校，而書有缺遺，類例不盡著錄，家法豈易言哉。

## 【今註】

❶　經、脈、方、藥：經指醫書；脈指血氣脈絡；方指方劑；藥指藥品。

❷　李柱國所校四種：《漢書・藝文志》〈方技略〉分四類：醫經七家，經方十一家，房中八家，神僊十家。

❸　房中、神仙，則事兼道術：《漢書・藝文志》〈方技略〉房中類小敘：「房中者，性情之極，至道之際，是以聖王制外樂以禁內情，而為之節文。傳曰：先王之作樂，所以節百事也。樂而有節，則和平壽考。及迷者弗顧以生疾而隕性命。」神僊類小敘：「神僊者，所以保性命之真，而游求於其外者

也。聊以盪意平心，同死生之域，而無怵惕於胸中。然而或者專以為務，則
誕欺怪迂之文，彌以益多，非聖王之所以教也。孔子曰：『索隱行怪，後世
有述焉，吾不為之矣。』」

❹ 正宗：嫡傳之流派。

❺ 昧昧：視不清楚。

❻ 「公乘陽慶，傳黃帝、扁鵲之脈書」：《史記》（卷一百五）〈扁鵲倉公列
傳〉：「太倉公者，齊太倉長，臨淄人也，姓淳于氏，名意，少而喜醫方
術。高后八年，更受師同郡元里公乘陽慶。慶年七十餘，無子，使意盡去其
故方，更悉以禁方予之，傳黃帝、扁鵲之脈書，五色診病，知人生死，決嫌
疑，定可治，及藥論，甚精。受之三年，為人治病，決生死，多驗。」

❼ 班固〈郊祀志〉，成帝初，有本草待詔：《漢書》（卷二十五下）〈郊祀
志〉：「成帝初即位……明年，上始祀南郊，赦奉郊之縣及中都官耐罪囚
徒。是歲，（匡）衡、（張）譚復條奏：『長安廚官縣官給祠郡國候神方士
使者所祠，凡六百八十三所，其二百八所應禮，及疑無明文，可奉祠如故。
其餘四百七十五所不應禮，或復重，請皆罷。』奏可。……候神方士使者副
佐，本草待詔七十餘人皆歸家。」顏師古注：「本草待詔，謂以方藥本草而
待詔者。」

❽ 〈樓護傳〉少誦醫經本草方術：《漢書》（卷九十二）〈游俠傳〉：「樓護
字君卿，齊人，父世醫也。護少隨父為醫長安，出入貴戚家。護誦醫經本草
方術數十萬言，長者咸愛重之。」

## 【今譯】

方技類的書，主要有四類：醫經、血脈、方劑、藥物四種而已。醫經
主要在闡述病理，血脈的書主要在說明血氣運行的方法，方劑的書可以獲
致功效，藥物的書在分辨藥性。具備了這四種圖書，方技類的內涵才算完
備。現在李柱國所校讐的四種方技類圖書，則只有醫經、方劑兩種而已，
血脈、藥物兩種書，竟然沒有子目。其中房中、神仙兩種著作，和道術有
關，不能算是純正的方技類圖書。難怪編次方技類目錄者，到現在還不清
楚四部相承的道理。按：司馬遷在《史記・扁鵲倉公傳》說：「公乘陽

慶，傳授黃帝、扁鵲的脈書。」可知西漢時是有脈書的。又按：班固的
《漢書‧郊祀志》，成帝初年，有以具有方藥本草知識等待任職詔令者。
《漢書》的〈樓護傳〉記載樓氏少時誦讀本草方術的書，可見西漢時是有
藥書的。李柱國專門從事主持校讐工作，而所收圖書卻有缺漏，類別也未
能完整著錄，各家學術傳授的源流變遷，那能輕易論說的呢？

外篇

# 吳澄野太史歷代詩鈔商語❶

　　承示《詩鈔》凡目，義例精純，考訂該博，足為近代佳選。鄙人於詩，無能為役，古人用意及流傳篇什是非得失，所在茫然，殆於黑白不分，是以平日未敢輕置一議。惟於編書義例及著錄考訂之處，輒因管窺所及，用報下問殷懷，亦未敢遽❷以為然，聊備采擇可耳。

　　凡例第一條，鄙意以謂全書冠首，似可統舉大凡❸。原例八十七字，鄙擬易為「古人編詩，各有所主，約有分代、分家❹、分調、分類、分體❺之別。分代主於世運，分家主於流別❻，分調主於協律❼，分類主於比例，分體主於法度❽，各有所長而不可偏廢者也。茲輯主於分體；一體之中，又存分代分家之意。」（原例但云分體。）

　　〈凡例〉第八條，原文云：「歷代諸詩，閒亦采用後人改本，然必其參酌盡善者，大都止在詞句之閒，惟沈佺期〈獨不見〉七言一首❾，本用齊、梁舊體❿，後人改為七律，較之七古更佳，今特從之，固不以改其體製為嫌也。若常建〈題破山寺後禪院〉五言⓫，亦齊梁舊格，改為五律，意致頓減，自當仍從其舊。此外，凡從後人改

本，有原集可考者，皆載入注內，其善否，覽者當自得之。」立論取義，可謂詳矣。其下數語，鄙意嫌於過謙，似恐考據經史一流從而指摘，而為是周旋⓬，轉於義理有未暢也。今欲妄刪原文中論詩與考古書不同數語，而易其文曰：「詩文乃天下公器⓭，點竄塗改，古人不諱，要於一是而已。莊子點竄《列子》而勝於《列子》，史遷點竄《國策》而勝於《國策》。即如《論語》接輿之歌，莊子增改其文，亦自有妙境。雖聖經賢傳，亦何嫌於異本別出耶！若事關考據，文有取於疏通證明，則雖村書俚說，亦一字不容移易，理各有所當也。論文別有專長，固不得以此為拘。但庸妄一流，任意改易古人面目，自有毫釐千里之別，不容於影附⓮也。」如此立說，其下乃接原文，「梁人增減〈隴頭歌〉、楊慎增減〈鯀州歌〉」等語，似覺意義融洽，得毋笑其言之放邪？

〈凡例〉第十條，馮惟訥《詩紀》⓯「蒐輯略備」句下，擬增入「臧懋循《詩所》，據《馮本》而更有增益，而《馮本》考訂頗疏，臧亦無所匡正」⓰數語，聊備采擇。

〈凡例〉第十二條，鄙意以為詩注本不易為，且選家與注家本屬兩途，例言但明司選，不及司注，其下援引故事⓱，申說注不易為可也。其所云「千載而後，安能盡識古人之意，必欲徵實，轉致臆說橫生」數語，似可刪節。

蓋推此語意，轉似古今注詩一途，皆當廢矣。抑鄙見更有進者，古人誦詩讀書，尚友論世❶，自三百篇訖於近代，詩篇存者多矣，其閒實有篇章字句毫無改易，而說詩意致有殊，則詩意之貞淫厚薄，與詩辭之工拙優劣，霄壤相懸，則譜詩序詩，較之注詩更不易為，然其實不可不為者也。惟當缺其所不可知而慎為其可知者，斯庶幾矣。原例文云「凡自注外，必其可信因某事作者，始識數語」，可見不必盡難知也。鄙意欲仿唐、宋詩文別集各著年譜之義，將入選之詩作一統同年譜，取漢訖明凡二千年，橫排甲子干支，而以朝代年號繫之。其入選詩人，生卒年月有可考者，附於其下；無可考者，取其姓名見於史鑑何年，或其詩題詩序有年月者，附於譜文，再取其年時事，裁取大綱，約略為辭，以列於格，可與諸家之詩互相印證。不特為詩家證明義旨，亦兼可為史傳正其流訛，為功藝林，亦自不尠。但依正史綱目為主，而簡省裁約，工程亦不至甚繁苦也。

〈凡例〉第十三條云：「鈔中所載詩話，凡訂正詩題及詩中故實，必確鑿無疑義，始為采錄。」說既美矣盡矣。至云「詩評各有好尚不同，不必盡確，概不闌入」，則頗疑於過也。《詩鈔》所謂分代、分家、分調、分類，尚自別有主義。至於分體，專究詩法，原例所云「求精不求博，以詩不以人」，則舍論詩之外，更無可以生色矣。

自注所云「客有病此不加評點，不知詩非評點所能盡」，此誠深造有得之言。評點始於宋人，原為啟牖蒙學❶設法，固不可以厚非。但評點興而學者心思耳目轉為評點所拘，宜大雅之所鄙也。鄙意則謂就詩文而加評點，如就經傳而作訓故，雖伏、鄭❷大儒不能無強求失實之弊，以人事有意為攻取也；離詩文而為評論，如離經傳而說大義，雖諸子百家未嘗無精微神妙之解，以天機❷無意而自呈也。故西山、疊山之評點❷，非不專攻啟牖，而劉勰、鍾嶸之流❷，或於一書標識數篇，或於全篇摘舉數語，而觀者心領神會，即一言而可作千百之用，校之銖銖解而節節評者，相去不可以道里計也。明人如孫鑛、鍾惺❷，蓋嘗評《毛詩》矣，雖未可盡棄，然謝氏以「穆如清風」一語該三百篇，豈不超然遠哉！故妄謂諸家詩話，似當裁其尤雅，錄於詩人小傳之後，略如徐氏之《全唐詩錄》❷，不知高明以謂如何？

例言❷分上下卷，上卷，例也；下卷乃論詩，非例也，似可別為一目，或標偶評，或標雜說，何如？其識議精妙，惜鄙人無從問津塗也。

下卷〈凡例〉第二條，編詩次序，先帝王，次宮壼❷，次宗室，次諸家，次閨閣，次道釋，次謠諺，次妓女❷，次外國，命意卓然，明倫紀而崇風教，可謂精矣。鄙意妓女不必另為門類，附於閨閣之後可矣。如恐與貞節婦

女同編，則諸家一門，奸良善惡，並未區別為類，何獨刻於女而寬於男乎？況史傳列女，如毛惜惜㉙等妓而能烈，大書褒之。假令此妓能詩，如何位置？宮壼中之武后㉚上官昭容㉛，閨閣中之蔡文姬㉜李清照㉝，對如此妓女有愧色矣。惟女道士與比丘尼，未見例及，則李冶㉞魚玄機㉟輩，或附道釋後耶？此中有仙佛，亦有娼優也。

　　諸家詩文集，本多異同，著今存本極佳。然《韓昌黎集》，舍下存四五本，約計部目，與尊著小有異同。東雅堂本上似當加徐時泰名姓㊱。至所著王伯大重編《韓文考異》原本㊲，此時果否尚存？今流俗所傳，乃是明人朱崇沐重刊王本，非留耕舊面目矣。蓋留耕但取朱子《考異》附正集之下，其所自定音釋，附逐卷後，不入正文，所謂南劍官本是也。至朱崇沐㊳悉取以入正集，而坊估流通，尚稱《韓文考異》，不知其本已三變也。然外集實有十卷，今鈔目所書，則外集遺文各止一卷，豈王氏原書固如此耶？此中亦恐有誤。又此外尚有明葛鼐校刻《韓集》五十三卷㊴，其詩文皆以朱子《考異》所定為準，不注諸本異同，而遺文又與《考異》原本十卷中所著目次，時有出入，則葛氏又不知何所受之，恐此本亦當併載也。

　　詩既分體，人名先後參差，隨詩互見，固其勢也。鄙意諸家小傳自為卷次，不必與詩同見，致有古今倒置之慮。惟於目錄之外，再別撰一分家譜錄，則合之年譜之

編，是於分體之輯，而兼分代分家之法矣。蓋自四言以至七絕，分體有九，則縱橫可以畫表，橫畫九格，每體各占一格，大書四言五古各體字樣於每格之首以為之經；再將入選諸家名姓，冠於上方名姓之下，檢取其人入選有何體詩，即於何體橫格內書其題目，再有何體入選，又於其何體橫格內書其題目，其詩諸體俱備，則逐格皆書，止有一體二體，亦如數止書一格二格，一人詩目填完，再書一人名姓，逐格檢填如前以為之緯；則讀者辨體辨家如指諸掌，用以考古訂今，有餘裕矣。古人撰著一書，必備數家之用，在於精熟著書之義例爾。

## 【今註】

❶ 吳澄野太史《歷代詩鈔》商語：胡適《章實齋先生年譜》嘉慶三年（1798）條云：「是年冬，在揚州，主於曾燠官署。立冬日，作〈八座雲說〉，又有〈吳澄野太史歷代詩鈔商語〉。」吳紹燦，字澄野。

❷ 遽：匆促、輕易。

❸ 大凡：大概。

❹ 分家：家，派別。

❺ 分體：體，指詩之規格、形式。

❻ 流別：淵源派別。

❼ 協律：音律和諧。

❽ 法度：指規矩、準則、技巧、方法等。

❾ 沈佺期〈獨不見〉七言一首：佺期，字雲卿，相州內黃人。善屬文，尤長七言之作。擢進士第，長安中，累遷通事舍人。預修《三教珠英》。轉考功郎給事中，坐交張易之，流驩州，稍遷台州錄事參軍。神龍中，召見，拜起居郎，修文館直學士，歷中書舍人，太子少詹事，開元初卒。有文集十卷。事

蹟具《唐書》（卷一九〇中）、《新唐書》（卷二〇二）。《全唐詩》云：「建安後，訖江左，詩律屢變，至沈約、庾信，以音韻相婉附，屬對精密。及佺期與宋之問，尤加靡麗，回忌聲病，約句準篇，如錦繡成文，學者宗之，號為沈宋。語曰：『蘇李居前，沈宋比肩。』」

❿ 齊梁舊體：指南朝齊、梁時之詩體。齊、梁詩人作詩，講求音律、對偶、詞藻等。

⓫ 常建〈題破山寺後禪院〉：唐開元中進士第，大曆中，為盱眙尉。《全唐詩》云：「詩似初發通莊，卻尋野徑，百里之外，方歸大道，其旨遠其興僻，佳句則來，唯論意表。淪於一尉，士論悲之。詩一卷。」〈題破山寺後禪院〉詩云：「清晨入古寺，初日照高林，竹徑通幽處，禪房花木深。山光悅鳥性，潭影空人心，萬籟此都寂，但餘鐘磬音。」

⓬ 周旋：應付、對付。

⓭ 公器：天下所公有之資產、事物，如名位、爵祿、文學作品等。

⓮ 影附：如影附身、影射附會，比喻真假不分。。

⓯ 馮惟訥《詩紀》：馮惟訥，字汝言，號少洲，明臨朐人。嘉靖十七年（1538）進士，由宜興令累擢江西左布政使，所舉多為民便，以光祿卿致仕，隆慶六年（1572）卒。惟訥與兄惟健、惟敏，皆以詩名齊魯間。著有《風雅廣逸》、《楚詞旁註》、《選詩約註》、《文獻通考纂要》、《杜律刪註》、《馮光祿詩集》、《古詩紀》等。事蹟具《明史》卷二一六。《四庫全書總目》集部總集類（四）：「《古詩紀》一百五十六卷，明馮惟訥撰，⋯⋯其書〈前集〉十卷，皆古逸詩；〈正集〉一百三十卷，則漢魏以下，陳隋以前之詩；〈外集〉四卷，附錄仙鬼之詩；〈別集〉十二卷，則前人論詩之語也。時代綿長，採摭繁富，其中真偽錯雜，以及牴牾舛漏，所不能無，故馮舒作《詩紀匡謬》，以糾其失。然上薄古初，下迄六代，有韻之作，無不兼收，溯詩家之淵源者，不能外是書而別求，固亦採珠之滄海，伐木之鄧林也。」

⓰ 臧懋循《詩所》，據馮本而更有增益，而馮本考訂頗疏，臧亦無所匡正：懋循，明長興人，字晉叔，萬曆進士，官南國子監博士。博聞強識，畋漁百氏，官南中時，與名人覽六朝遺迹，命題分賦，或至丙夜，忌者以沉湎中之，遂歸。輯《古詩所》、《唐詩所》、《元曲選》，所著曰《負苞堂集》。事蹟具《明史》（卷二八七）。《四庫全書總目》總集類存目

（三）：「《詩所》五十六卷。明臧懋循編。……初，臨朐馮惟訥輯上古至三代諸詩為《風雅廣逸》，後又益以漢魏，迄於陳、隋諸詩，總名曰《古詩紀》。懋循是編，實據惟訥之書為稿本。惟訥書以詩隸人，以人隸代，源流本末，開卷燦然，懋循無所見長，遂取其書而割裂之，分二十有三門，曰〈郊祀歌辭〉，曰〈廟祀歌辭〉，曰〈燕射歌辭〉，曰〈鼓吹曲辭〉，曰〈橫吹曲辭〉，曰〈相和歌辭〉，曰〈清商曲辭〉，曰〈舞曲歌辭〉，曰〈琴曲歌辭〉，曰〈古歌辭〉，曰〈雜曲歌辭〉，曰〈雜歌謠辭〉，曰〈古語古諺〉，曰〈古雜詩〉，曰〈四言古詩〉，曰〈五言古詩〉，曰〈六言古詩〉，曰〈七言古詩〉，曰〈雜言古詩〉，曰〈騷體古詩〉，曰〈闕文〉，曰〈璇璣圖詩〉，曰〈雜歌詩〉，曰〈補遺〉。顛倒瞀亂，茫無體例。且古詩之名，本對近體而起，故沈宋變律以後，編唐宋詩者，二體迥分，若陳隋以前，無非古體，乃亦稱曰幾言古詩，於格調已為矇昧。……又《詩紀》蒐採雖博，亦頗傷泛濫，故後來常熟馮舒有《匡謬》一書，頗中其病。懋循不能有所考訂，而掇拾餖飣，以博相誇，又不分真偽，裨販雜書以增之，甚至庾信諸賦，以句雜七言，亦復收入，尤為冗雜矣。」

**❼** 故事：典故、舊日之事例、典章制度等。

**❽** 尚友論世：上與古人為友。《孟子·萬章（下）》：「以友天下之善士為未足，又尚論古之人，頌其詩，讀其書，不知其人可乎？是以論其世也，是尚友也。」趙岐注：「好善者，以天下之善士為未足，極其善道。尚，上也，乃復上論古之人。頌其詩，詩歌頌之故曰頌。讀其書，猶恐未知古人高下，故論其世以別之也。在三皇之世為上，在五帝之世為次，在三王之世為下，是為好上友之人也。」

**❾** 啟牖蒙學：開導初學者。

**❿** 伏鄭：指漢代伏勝（亦作伏生）、鄭玄。

**⓫** 天機：天意、造化之奧秘。

**⓬** 西山、疊山之評點：西山，謂宋真德秀。疊山，謂宋謝枋得。真德秀（1178－1235），字希元，一字景元，更字景希，號西山，浦城人。慶元五年（1199）進士。理宗時歷知泉州、福州，召為翰林學士，拜參知政事，端平二年（1235）卒，年五十八。諡文忠，學者稱西山先生。德秀立朝有直聲，游宦所至，惠政深洽。其學以朱熹為宗，自韓侂冑立偽學之名，以錮善類，其後正學得以復明者，德秀之力也。著有《大學衍義》、《唐書考疑》、

《讀書記》、《文章正宗》、《西山甲乙稿》、《對越甲乙集》、《經筵講義》、《端平廟議》、《翰林詞草四六》、《獻宗集》、《江東救荒錄》、《清源雜志》、《星沙集志》、《西山文集》、《四書集編》等。事蹟具《宋史》卷四三七。西山評點者，即《文章正宗》。《四庫全書總目》集部總集類（二）：「《文章正宗》二十卷《續集》二十卷，宋真德秀編。……是集分辭令、議論、敘事、詩歌四類，錄《左傳》、《國語》以下，至於唐末之作。其持論甚嚴，大意主於論理而不論文。《劉克莊集》有〈贈鄭寀文〉，詩曰：『昔侍西山講讀時，頗於函丈得精微，書如逐客猶遭黜，辭取橫汾亦恐非。箏笛焉能諧雅樂，綺羅原未識深衣。嗟予老矣君方少，好向師門識指歸。』其宗旨具於是矣。然克莊《後村詩話》又曰：『《文章正宗》初萌芽，以詩歌一門屬予編類，且約以世教民彝為主，如仙釋、閨情、宮怨之類皆弗取。余取漢武帝〈秋風辭〉，西山曰：「《文中子》亦以此辭為悔心之萌，豈其然乎？」意不欲收，其嚴如此。然所謂懷佳人兮不能忘，蓋指公卿扈從者，似非為後宮而設。凡予所取而西山去之者大半，又增入陶詩甚多，如三謝之類多不收。』詳其詞意，又若有所不滿於德秀者。蓋道學之儒與文章之士，各明一義，固不可得而強同也。顧炎武《日知錄》亦曰：『真希元《文章正宗》所選詩，一掃千古之陋，歸之正旨，然病其以理為宗，不得詩人之趣，且如〈古詩十九首〉，雖非一人之作，而漢代之風，略具乎此。今以希元之所刪者讀之，不如飲美酒，被服紈與素何異。〈唐風〉〈山有樞〉之篇，良人惟古歡，枉駕惠前綏，蓋亦〈邶風〉〈雄雉于飛〉之義。牽牛織女意仿〈大東〉，兔絲女蘿情同〈車舝〉，十九作中無甚優劣，必以坊淫正俗之旨，嚴為繩削，雖矯昭明之枉、恐失〈國風〉之義。六代浮華，固當刊落，必使徐庾不得為人，陳隋不得為代，毋乃太甚，豈非執理之過乎？』所論至為平允，深中其失。故德秀雖號名儒，其說亦卓然成理，而四、五百年以來，自講學家以外，未有尊而用之者，豈非不近人情之事，終不能強行於天下歟？然專執其法以論文，因矯枉過直，兼存其理以救浮華冶蕩之弊，則亦未嘗無裨，藏弆之家，至今著錄，厥亦有由矣。」謝枋得（1226－1289），字君直，號疊山，信州弋陽人。寶祐四年（1256）進士。為人豪爽，觀書五行俱下，好直言，每掀髯抵几，跳躍自奮，以忠義自任。應吳潛辟，團結兵民以扞饒信。尋應試建康，語侵賈似道，乃誣以居鄉不法，謫居興國軍。咸淳中赦歸，德祐初以江東提刑知信州，元兵東下，信州

不守，乃變姓名入建寧唐石山，日麻衣躡履，東鄉哭。已而賣卜建陽市，惟取米履，委以錢，謝不取。宋亡，居閩中，留夢炎薦之不起，遺書有曰：「吾年六十餘，所欠一死耳，豈有它哉！」元至元二十六年（1289），福建參政魏天祐強之而北，至都，遂不食死，年六十四。門人私諡文節，世稱疊山先生。著有《文章軌範》、《疊山集》。事蹟具《宋史》（卷四二五）。疊山評點者，即《文章軌範》。《四庫全書總目》集部總集類（二）：「《文章軌範》七卷，宋謝枋得編。……是集所錄漢、晉、唐、宋之文，凡六十九篇，而韓愈之文居三十一，柳宗元、歐陽修之文各五，蘇洵之文四，蘇軾之文十二，其餘諸葛亮、陶潛、杜牧、范仲淹、王安石、李覯、李格非、辛棄疾，人各一篇而已。前二卷題曰〈放膽文〉，後五卷題曰〈小心文〉，各有批註圈點。其六卷〈岳陽樓記〉一篇，七卷〈祭田橫文〉、〈上梅直講書〉、〈三槐堂銘〉、〈表忠觀碑〉、〈後赤壁賦〉、〈阿房宮賦〉、〈送李愿歸盤谷序〉七篇，皆有圈點，而無批註，蓋偶無獨見，即不填綴以塞白，猶古人淳實之意。其〈前出師表〉、〈歸去來辭〉，乃併圈點亦無之，則似有所寓意。其門人王淵濟〈跋〉謂：『漢丞相、晉處士之大義清節，乃枋得所深致意。』非附會也。前有王守仁〈序〉，稱為當時舉業而作，然凡所標舉，動中竅會，要之古文之法，亦不外此矣。」

❷❸ 劉勰、鍾嶸之流：劉勰，梁朝莒人，字彥和，早孤，篤志好學，家貧不婚娶，依沙門居處，積十餘年，遂博通經論。天監中，以東宮通事舍人遷步兵校尉。昭明太子好文學，深愛接之。後與慧震撰經於定林寺，啟求出家，改名慧地，有文集。所撰《文心雕龍》，論古今文體及文之工拙，沈約謂其深得文理。事蹟具《梁書》（卷五〇）、《南史》（卷七十二）。鍾嶸，梁長社人，字仲偉，好學有思理，明於《周易》，仕齊為南唐王國侍郎。天監中官西中郎，晉安王記室，著《詩品》三卷，列古今五言詩，自漢魏以來一百有三人，論其優劣，分為上中下三品，每品之首，各冠以序，妙達文理，與《文心雕龍》並稱。事蹟具《梁書》（卷四十九）、《南史》（卷七十二）。

❷❹ 孫鑛、鍾惺：孫鑛，見本書〈內篇〉〈宗劉第二〉註❹❻。鍾惺（1574－1624），字伯敬，號退谷，明竟陵人。萬曆三十八年（1610）進士，授行人，官至福建提學僉事。為人嚴冷，不接俗客。嘗官南都，僦秦淮水閣，讀史恆至丙夜，有所見即筆之，名曰《史懷》。愛名山水，所至必遊，不極幽

遂不止。晚逃於禪，年五十一卒。惺詩以幽深孤峭為鵠，與同里譚元春，評
選《古詩歸》、《唐詩歸》，當時謂之竟陵體。又有《諸經圖》、《詩合
考》、《毛詩解》、《鍾評左傳》、《隱秀軒集》、《名媛詩歸》、《周文
歸》、《宋文歸》等。事蹟具《明史》卷二八八。

❷❺ 徐氏之《全唐詩錄》：徐倬，清德清人，字方虎，號蘋村，康熙進士，官侍
讀，後家居。聖祖南巡，進呈《全唐詩錄》百卷，加禮部侍郎銜，工詩，著
有《蠡山記》、《心遠樓詩鈔》、《全唐詩錄》、《道貴堂類稿》等。《四
庫全書總目》集部總集類（五）：「《全唐詩錄》一百卷，國朝徐倬
編。……是編以唐詩卷帙浩繁，乃採擷菁華，輯為一集，每人各附小傳，又
間附詩話、詩評，以備考證。」

❷❻ 例言：論述著作成規、大旨、體例等之文字。

❷❼ 宮壼：壼，宮中道路。後指宮中后妃所居之處。此部分專收后妃之詩。

❷❽ 妓女：歌舞女藝人。《後漢書》（卷七十二）〈濟南安王康傳〉：「（劉）
錯為太子時，愛康鼓吹妓女宋閏，使醫張尊招之，不得。」與今專指娼妓者
不同。

❷❾ 毛惜惜：宋高郵妓，端平間，榮全據高郵以叛，與同黨王安等宴飲，惜惜恥
於供給，安斥責之，惜惜曰：「妾雖賤伎，不能事叛臣。」全怒，以刀刃裂
口，立命臠之，罵至死不絕口，封英烈夫人。

❸❰ 武后：唐武曌，高宗之后。初，太宗選為才人，太宗崩，削髮為尼，高宗時
復蓄髮入宮，旋立為皇后。高宗崩，臨朝稱制，廢中宗，改國號周，恣為淫
虐，大殺唐宗室。晚年朝政大亂，張柬之等乃因后寢疾，迫禪位於中宗，遷
后於上陽宮，尋死，諡則天皇后。

❸❶ 上官昭容：即唐上官婉兒，上官儀女孫，辨慧能文，習史事，武后愛之，拜
婕妤，秉機政，中宗時立為昭容。帝每引名儒賜宴賦詩，輒令婉兒第其甲
乙。與崔湜亂，遂引知政事，韋后之敗，斬闕下。

❸❷ 蔡文姬：漢蔡琰，邕女，字文姬，知音律，適衛仲道，為胡騎所獲，在胡二
十年。生二子，曹操以全璧贖之歸。作〈胡笳十八拍〉，後再嫁董祀，嘗寫
邕遺書呈操，文無遺誤。

❸❸ 李清照：宋濟南人，李格非之女，號易安居士，湖州守趙明誠之妻。工詩
文，尤以詞擅名，卓然為宋代大家，紹興中卒，年七十餘。著有《漱玉
詞》。事蹟具《全宋詞》（卷二）、《宋詩紀事》（卷八十七）。

❸❹ 李冶：唐女冠，烏程人，字季蘭，性蕩，工詩，劉長卿稱為女中詩豪。五、
六歲時，其父抱於庭，令詠薔薇云云，父恚曰：「必失行婦也。」後竟如其
言。《全唐詩》（卷八〇五）收其詩十六首。

❸❺ 魚玄機：唐長安里家女，字幼微，一字蕙蘭，喜讀書，有才思，補闕李億納
為妾，愛衰，遂從冠帔於咸宜觀，後以笞殺女童綠翹事，為京兆溫璋所戮。
今《全唐詩》（卷八〇四）收其詩一卷。

❸❻ 東雅堂本上似當加徐時泰名姓：東雅堂，明嘉靖間，長洲人徐封之室名。封
字子慎，別號墨川，喜藏書，家有紫芝園，法書名畫甚多，日與友朋嘯泳玩
賞其間。嘗覆刻宋世綵堂本唐韓愈《昌黎先生集》四十卷《外集》十卷《遺
文》一卷。徐時泰，徐封之後，明萬曆中重刊宋世綵堂本宋廖瑩中撰《韓昌
黎集注》四十卷《外集》十卷。惡瑩中為賈似道之黨，削去其名，並削去世
綵堂名，而改題「東雅堂刊」字。

❸❼ 王伯大重編《韓文考異》：王伯大，字幼學，號留耕，福州人。嘉定七年進
士，嘗知臨江，賑荒有法。累官樞密副都承旨，進對言天下大勢。又極論邊
事，曲盡事情。淳祐中為刑部尚書，參知政事。立朝直諒，終資政殿學士，
知建寧府。事蹟具《宋史》（卷四二〇）。《四庫全書總目》集部別集類
（三）：「《別本韓文考異》四十卷《外集》十卷《遺文》一卷，宋王伯大
編。……伯大以朱子《韓文考異》，於本集之外，別為卷帙，不便尋覽，乃
重為編次。離析考異之文，散入本集各句之下，刻於南劍州。又採洪興祖
《年譜辨證》、樊汝霖《年譜註》、孫汝聽解、韓醇解、祝充解，為之者
釋，附於各篇之末。厥後，麻沙書坊以註釋綴於篇末，仍不便檢閱，亦取而
散諸句下，蓋伯大改朱子之舊第，坊賈又改伯大之舊第，已全失其初，即卷
首題〈朱文公校昌黎先生集凡例十二條〉者，勘驗其文，亦伯大重編之凡
例，非朱子《考異》之凡例。流俗相傳，執此為朱子之本，實一誤且再誤
也。」

❸❽ 朱崇沐：明萬曆間新安人。嘗刊刻朱熹《重錄文公先生奏議》十五卷，又
《晦庵集》八十八卷《續集》十一卷《別集》十卷，又《朱子語類》一四〇
卷，又《楚辭集注》八卷《辨證》二卷《後語》六卷，朱熹、呂祖謙《近思
錄》十四卷，唐韓愈《昌黎先生集》四十卷《外集》十卷《遺文》一卷《集
傳》一卷，《韓文考異》四十一卷，朱熹輯《宋名臣言行錄》七十五卷，宋
滕珙輯《經濟文衡》、《前集》二十五卷《後集》二十五卷《續集》二十五

卷，馮應京輯《重輯諸子錄要》十五卷，丘濬輯《重輯朱子學的》二卷。

❸ 葛鼐校刻《韓集》五十三卷：葛鼐，明萬曆間吳縣人，室名曰「永懷堂」。刻書甚多，主要有：《十三經古注》二九一卷，《國語》二十一卷，《國策》十卷，《孔子家語》十卷，《韓昌黎集注》四十卷《外集》十卷《遺文》一卷，鍾惺校《弦雪居重訂遵生八箋》十九卷《目錄》一卷，戚繼光《紀效新書》十八卷。所刻書時稱「葛板」。


【今譯】

　　承蒙寄來《詩鈔》的凡例目錄，義例精密美善，考訂繁博，可說是近代完好的選集。個人對於詩，不能有所貢獻，古人詩中的用意及流傳詩篇的是非得失，很多地方不甚瞭解，幾乎黑白不分，所以平時不敢隨便評論。只有對於編書的體例及著錄考訂方面，提出我個人有限的意見，用以報答你謙虛詢問我的盛情，不過，也不敢輕易的認為這些意見都是對的，姑且提供你選擇參考而已。

　　凡例的第一條，我以為它是全書的最前面，似乎可以綜合列舉全書的大概。原文有八十七字，我以為可以改為：「古人編纂詩集，各有重點，大致有分代、分家、分調、分體等類別。以時代畫分的，主要以時代盛衰治亂的變動為依據；以詩學派別畫分的，主要以詩的淵源派別為依據；以聲律音調畫分的，主要以音律的和諧為依據；以類別為畫分的，主要以比擬的事例為依據；以詩的體制畫分的，主要以技巧方法為依據。以上各種方式，各有優點，不可偏廢。這本詩選，以分體為主，在同一詩體中，又採分代、分家的方法。」（原有的凡例裡，只談到分體。）

　　凡例的第八條，原文說：「歷代的詩，偶而採用後人改訂的本子，但是還是會多加參考斟酌，取其最正確的，大部分都限於詞句間的異同。只有沈佺期七言詩〈獨不見〉一首，本來是齊梁體，後人改為七律，比七古要好，現在採用七律，不因為體製遭到改變而嫌棄。至於常建的五言詩〈題破山寺後禪院〉一首，原來也是齊梁體，後人改為五律，意境情趣立

刻消滅，自當根據舊的體製。此外，凡是根據後人改定的，如果還有原來的詩集的，全部將原詩放在註釋裡，兩者的優點缺點，讀者應該可以自行評定。」立說用義，可以說很是詳細。下面的幾句話，個人覺得過於謙虛，像是怕那些從事經史考據的人加以指摘，所以說這些客套話來應付，反而使整個道理不通達貫暢了。現在想把原文中談到論說詩歌與研究古書不同的幾句話，而把原文改為：「詩文是天下人公有的東西，修改字句，古人是不避忌的，主要是求其正確。例如莊子改易《列子》而比原本《列子》要好，司馬遷的《史記》改易《戰國策》而比原本《戰國策》要好。即使像《論語》接輿的歌，莊子引用時增益改動原文，另有妙境。雖是聖賢的經傳也不妨有不同的本子。如果涉及考據，對疏通文義有所助益，那末即便是通俗的著作及說法，也是一個字都不能改動，因為各有合宜的道理。但是評論文章另有專長，則不受此限制。但一些庸俗胡說的人，隨意改易古人原本的文字，雖改動很少，但文義會產生很大的差別，這種情形，不容許隱藏附入。」先有這種說法，下面接著原文：「梁朝人改易〈隴頭歌〉、楊慎改易〈縣州歌〉」等語，感覺上文義會比較和諧。請不要笑我的這些意見過於放任。

　　凡例的第十條，在馮惟訥《詩紀》「蒐輯略備」句下，擬增入「臧懋循所輯的《詩所》，根據馮惟納的《詩紀》而有所增加，而馮惟訥的《詩紀》考訂頗多疏漏，臧氏卻未能加以改正」等幾句話，姑且提供你參考取資。

　　凡例的第十二條，個人認為註釋詩篇本來就不容易，同時，編輯詩選集與為詩作註釋，本來就是兩種不同的工作，凡例裡只要說明僅從事選輯，不涉及註釋，下面援引典故，說明註釋工作的不容易就可以了。凡例中所說：「千年以後，那能完全瞭解古人的心意？一定要尋求實際，反而產生許多主觀的推測」等幾句話，似可刪去。因為這幾句話的用意，好像古今註釋詩的工作，都可以廢掉了。此外，個人另有一個看法，古人誦詩讀書，與古人為友，瞭解古人所處的時代，從《詩經》三百篇到近代，所

流傳的詩篇很多，其中有些詩篇流傳到今字句一點都沒有改易，但後人的注釋說解卻有不同，可見詩意的正邪、敦厚淡薄，與詩句的精妙拙劣，其關係有如天壤的差距，可見編輯排纂詩作，比起注釋詩更為不容易，但是這種工作又不能不作。只有儘量做到：不做自己所不瞭解的，謹慎的做自己所瞭解的，如此，或許就可以做好。原凡例說：「所有作者自注外，一定要能確知其詩篇是為某事而作，才加識語」，可見不是全部都難以瞭解。個人認為可以倣效唐宋詩文別集各附年譜的道理，將入選的詩作撰寫一個總年譜，從漢代到明代共兩千年，橫排甲子干支，每一甲子干支繫上朝代年號。作品入選的詩人，生卒年月可以考知的，附在下面；生卒年月不可考知的，說明其姓名見於史鑑的那一年；如果其詩題或詩序有附記年月的，則附在譜文裡，再取那一年發生的事，撰為大綱，寫成簡略的文章，列於格欄中，可與各家的詩互相證明。如此，不僅能印證發明各家詩篇的旨意，也可同時改正史傳沿襲的錯誤，對文藝界、學術界的貢獻，自然不少。只依正史的綱目為主，撰寫力求簡省文字，這項工作也不至於太繁雜辛苦了。

凡例第十三條說：「《詩鈔》中所載對詩作的評論，所有訂正詩題及詩裡典故的，必須是確切沒有疑義的，才會收錄。」說得又好又詳盡。至於說：「詩的評論常隨各人的好惡而有不同，未必完全正確，一概不收。」這可能太嚴苛了些。《詩鈔》所謂分代、分家、分調、分類，還算各有其道理、主張。至於分體，專事推求詩法，原凡例所說：「求取精萃而求多，以詩為選取標準，不以人為標準」，那麼除評論詩以外，沒有其他的特色了。自注所說：「有朋友認為這部《詩鈔》沒有評點是個缺點，他不知道詩作不是只靠評點就能詳盡瞭解的。」這些話實在是對詩有造詣的人才能說出的。評點工作，是由宋代開始，本來只是為初學者創設的方法，不用予以嚴厲的批評。但是評點工作興起後，讀者的思想觀點反而為評點內容所拘束，所以被有學問的人士所輕視。個人認為只就詩文本身加以評點，就像單就經傳從事訓詁，即使是伏勝、鄭玄等大儒也不免牽強不

符事實之缺點，這是因為人們有主觀從事琢磨。判析詩文而從事評論，就像判析經傳而解說其思想，即使諸子百家有時也有精微神妙的說解，這說明造化的奧妙是不會自我顯示的。所以宋代真德秀、謝枋得所作的文章評點，並不是專門研治關鍵扼要之處，而劉勰、鍾嶸等人，有時對一部書標舉數篇，有時候在一篇文章摘舉數語，而讀者可以瞭解入微、深刻體會，每每一個字可當千百字用，比起那些字字解釋、每段評論者，兩者相差很多。明代人像孫鑛、鍾惺，曾經評論《毛詩》，雖有部分可資採用，但謝枋得用「和順如清風」一句話來總括《詩經》三百篇，豈不是超出很多嗎？所以我以為諸家詩話，可以截取最雅正者，錄置於詩人小傳之後，有點像徐倬所輯編的《全唐詩錄》，不知高見如何？

〈例言〉分上下兩卷。上卷，講的是大旨、體例；下卷評論詩，內容與大旨、體例無關，似乎可另成一個標目，或可題為「偶評」，或可題為「雜說」，你以為如何？這部分的見識議論都很精妙，可惜個人沒能提出更好的意見。

下卷凡例第二條，說明詩的編纂次序，依次是：帝王、宮壼、宗室、諸家、閨閣、道釋、謠諺、妓女、外國，構思立意十分特出，能顯示人倫規範並且崇尚風俗教化，可以說是十分精審。個人認為妓女不需單獨立為一類，附在閨閣類就可以。如果擔心妓女類和貞節婦女的詩放在一起，那末諸家類裡，奸良善惡，也沒有加以區分，為什麼對女性要求嚴苛，而對男性較寬厚呢？何況史書列女傳裡，像毛惜惜等人，具歌舞技藝又剛毅貞烈，詳細表揚其事蹟。假始這些妓女也能寫詩，她們的詩要放在那一類？宮壼類中的武后、上官昭容，閨閣類中的蔡文姬、李清照，面對這些妓女，會覺得羞慚。至於女道士及比丘尼，凡例中沒提到，那末像李冶、魚玄機等人，是不是附在道釋類後面呢？這中間，有些是仙人佛徒，也有些是娼妓優伶。

各家的詩文集，各本有很多異同，著錄今日所傳各本，很好。但是《韓昌黎集》，我家藏有四五種版本，就其中部目約略加以統計，與你所

著錄的本子，略有不同。東雅堂本上，似乎應當加上重刊者徐時泰的姓名。至於所著錄王伯大重編的《韓文考異》原本，現在是否還有傳本？目前一般所傳存的，是明代人朱崇沐所重刊的王伯大本，已不是王留耕刊本原來的面貌。因為王留耕只取朱熹的《韓文考異》附在正集下面，他所自定的音釋，附在每一卷後，不放入正文，這就是人們所稱的南劍官本。到了明萬曆年間，朱崇沐才把正文放入，而書坊所流通的，仍然稱為《韓文考異》，殊不知這個本子已經過三次變動了。但是《外集》部分實際上有十卷，現在《詩鈔》目錄上所寫的，則《外集》、《遺文》各只有一卷，難道王伯大原書就如此嗎？其間可能有錯誤。除此之外，還有明代葛鼐校刊的《韓集》五十三卷，這個本子的詩文都以朱熹所編的《韓文考異》為標準，不注明各本的異同，而《遺文》部分又和《韓文考異》十卷原本的目次，常常不同，那末葛氏的本子根據何本而來，不得而知，所以葛本也應該載錄。

詩篇既然分體編纂，那末作者姓名，時代先後不能整齊，隨著詩篇的先後交互出現，是必然的現象。個人認為諸家小傳，可自成卷次，不必與詩同時出現，不致有時代先後倒置的顧慮。於目錄之外，再另編一個分家譜錄，與年譜合為一編，那麼這部以分體方式編成的《詩鈔》，兼具分代、分家的方法了。從四言詩到七言絕句，分為九體，可以畫成縱橫表格，橫的部分畫分九格，每一體各佔一格，用較大字體書寫四言、五古等各體字樣於每格的最前頭，成為縱線；再將入選詩人的姓名，套在上方名姓之下，檢取這位詩人入選的有那一體的詩，就在那一體的橫格內寫上詩題，再有那一種詩體入選，又在那一種詩體的橫格寫上詩題。一個詩人各體都有，那麼每一格都寫；如果只有一體、二體入選，就依入選的體數寫一格、二格。一個詩人的詩題填完，再寫另一人的姓名，一格一格照前面的方式填寫，成為橫線，如此，讀者分辨每一首詩是什麼詩體、何人所作，就非常清楚了，用來考訂古今的詩，十分足夠了。古人撰著一部書，必需具備多種功用，要能透澈瞭解著書的主旨和體例。

# 代擬續通典禮典目錄序❶

　　臣謹按：杜佑上溯經傳，旁採〈藝文〉，討論古今沿革故事，凡吉、嘉、賓、軍、凶，以類相從，為〈禮典〉一百卷❷，而當代典章，其儀節度數，見於施行者，別為《開元禮纂》三十五篇❸，（〈開元禮〉本書凡百五十卷❹。）殿其後云。佑之意，以謂《禮》教之原，倣於三五❺，損益因革，至周大備，而《周官》、《儀禮》，周公所以致太平，述文武德業，為後王法度者，學士至今誦之。兩漢以還，或得或失，就其善者，皆卓然自垂一代成憲❻，而儒宗碩師，保守遺經，深明古先聖王述作精意，當廟堂治定功成，潤色鴻業，相與討論制作，昭文章，辨等威，明法度，訟說糾紛之閒，並得稽古考經，衷其至是。嗚呼！詎不重歟！夫三皇不共轍而化，五帝不襲跡而治，帝王升降，三代文質之辨，雖善斷者莫能自擇而決嫌定是，當時所常行，自謂毫髮無遺，後人觀之，往往或有餘憾，則其勢也。佑之為是書也，蓋欲博採異同，歸於實用。故其文雖簡直而指實開通，體雖旁摭舊聞而義則裁以獨見。其於經訓之文有典奧者，則為之說以導達之；參差之論有不齊

者，則為之評以品節之：而時又申明成說，更標為議。（三例皆見自注。）彌綸❼終始，貫乎其間。又以史志體例，載言繁瑣，或妨敘述，別取公私論撰，刪蕪掇英，以次本條之後，為〈禮議〉二十餘卷❽。不必其說之取效於時，而談言有中，存其名理，斯亦古今得失之林，作述源流所由會也。第佑當建中貞元間，有唐禮制，經於三變。（太宗《貞觀禮》百卷，秘書監魏徵等撰❾；高宗《顯慶禮》百三十卷，太尉長孫無忌等撰❿；玄宗《開元禮》百五十卷，起居舍人王仲邱等撰⓫。）折衷今古，莫近乎開元，又為時王制度，當代所行，故其敘述沿革，特重經制文章。至於揖讓跪拜之容，俎豆尊彝之位，凡所謂繡文末節者，一以《開元禮纂》為歸，不特詳略因時，抑亦著書之體有宜然爾。自《通典》成書而後，憲宗元和中，秘書郎韋公肅，錄開元以後至元和十年沿革損益，為《禮閣新儀》三十卷⓬。（凡十五門，見《中興書目》。）其後檢討官王彥威，又集至元和十三年裁制敕格，為《曲臺新禮》三十卷，並《續曲臺禮》三十卷奏上⓭，拜彥威為博士。後唐明宗嘗詔太常卿劉岳⓮及博士田敏⓯等，刪定鄭餘慶《書儀》⓰，當時以為不經。周世宗顯德中，詔竇儼依《唐會要》門類，編《大周通禮》⓱，其書不傳；然儼《疏》謂「上疏五帝，訖於本朝，《開元通典》之書，綜屬包於內」，蓋亦巍然鉅觀已。宋太祖既受周禪，則命御史中丞劉溫叟等撰《開寶通禮》二百卷⓲。（又《通禮義纂》百

卷⓳，同上。）仁宗天聖初，太常博士王皞又為《禮閣新編》六十卷⓴，其書不為著述，一仍官府文書，有司便之。自慶曆、嘉祐、迄元豐、紹聖之間，四方承平，廟堂討論典章，史官編次，日以繁富，其尤著者，若賈昌朝《太常新禮》㉑、王欽若《天書儀制》㉒、文彥博《大享明堂記》（二十卷）㉓。歐陽修、蘇洵等《太常因革禮》（百卷）㉔。蘇頌《閣門儀制》㉕之類。至私門著述，若陳祥道《禮書》㉖、司馬光《書儀》㉗、蘇洵《謚法》㉘、韓琦、范祖禹、呂大防諸家《祭式》、《祭儀》㉙，不可勝紀，而政和《五禮新儀》二百四十卷㉚，（鄭居中等。）猶上於徽宗之朝，則一代之文章繁縟，可想見焉。南宋紹興初，命續《太常因革禮》㉛，訖不見全書。嘉泰二年，禮部尚書費士寅等始奏進禮寺所續《中興禮書》八十卷㉜。嘉定六年，李壆上《通禮》三十卷㉝。自咸淳以降，則可言者鮮矣。遼俗近樸，典制無聞，可略舉者，遙輦胡剌可汗制《祭山儀》、蘇可汗制《琴瑟儀》而已㉞。金明昌間，有《金纂修雜錄》四百餘卷，事物名數，最為詳博。後亦僅傳《集禮》一書㉟，餘多散逸。元作《禮典》三篇，為三十二卷。泰定四年，博士李好文，以前令州郡修集禮，久不成，乃白長官為《太常集禮》五十卷㊱，是亦一時之制作也。明太祖洪武中，禮樂制度，講求甚備。其可見者，《洪武禮制》、《稽古定制》、《洪武集禮》五十卷㊲，

《洪武禮法》、《禮儀定式》、《祭祀禮儀》、《禮制集要》諸書❸❽，在廷之臣，若宋濂、劉基、陶安、詹同❸❾，咸相裁定。又詔舉通經博雅之士，若徐一夔、梁寅、周子諒、胡行簡諸人❹⓿，亦與討論，可謂善矣。自後惟世宗嘉靖閒，張璁、桂蕚之論，紛紛議禮，雖阿時希旨❹❶，而釐正郊壇，分配南北，所頒《嘉靖祀典》（十七卷）❹❷，《郊祀通典》（三十七卷）❹❸，及壇廟、陵殿、輿服諸圖二十餘種❹❹，頗有可採，是又逆施晚蓋，不可遽以人廢者也。於戲！自《通典》訖《開元禮》以至明季，中歷八百餘年，風會變遷，典雅又隨時改易，自非聰明天亶，造聲律身度之極者，烏能振其弊而定中和之則乎！

## 【今註】

❶ 〈代擬續通典禮典目錄序〉：胡適《章實齋先生年譜》乾隆三十二年（1767）先生三十歲條云：「清廷詔修《續通志》、《續通典》、《清通典》。」乾隆三十四年（1769）先生三十二歲條云：「為座師秦芝軒校編《續通典》之〈樂典〉。」秦芝軒，即秦承業。承業，清江寧人，字補之，號易堂，乾隆進士，嘉慶間官至侍講學士。性嚴冷，語言真率，卒諡文慤。著有《養正書屋詩》、《瑞芝軒文集》。事蹟具《國朝耆獻類徵》（卷一○四）、《續碑傳集》（卷十八）。又乾隆四十九年（1784）先生四十七歲條云：「十二月，清廷修《續通典》成。先生曾代擬〈禮典序〉，今本尚有原稿痕蹟。」

❷ 杜佑上溯經傳，旁採〈藝文〉，……為〈禮典〉一百卷：杜佑，唐萬年人，希望子，字君卿。以父蔭補濟南參軍，歷嶺南、淮南節度使。德宗、憲宗初，兩攝冢宰，進司徒，封岐國公，以太保致仕，卒諡安簡。佑嗜學，雖貴，夜分猶讀書。先是，劉秩摭百家，侔《周官》六法，為《政典》三十五

篇。佑以為未盡，因補其闕漏，參益新禮，為二百篇，名曰《通典》，考唐以前掌故者，以茲編為淵海。其中自卷四十一至卷一百四十，共一百卷為〈禮典〉。

❸ 別為〈開元禮纂〉三十五篇：〈禮典〉一百卷中，前六十五卷為〈歷代沿革〉，後三十五卷為〈開元禮纂〉。

❹ 《開元禮》本書凡百五十卷：陳振孫《直齋書錄解題》（卷六）〈禮注類〉：「《開元禮》一百五十卷。唐集賢院學士蕭嵩、王仲丘等撰。唐初有《貞觀》、《顯慶禮》，儀注不同，而《顯慶》又出於許敬宗希旨傅會，不足施用。開元十四年，通事舍人王嵒請刪《禮記》舊文，而益以今事。張說以為《禮記》不可改易，宜折衷《貞觀》、《顯慶》以為唐禮。乃詔徐堅、李銳、施敬本撰述，蕭嵩、王仲丘繼之。書成，唐之五禮之文始備，於是遂以設科取士。《新史》〈禮樂志〉大略采摭于篇。然唐初已降凶禮於五禮之末，至顯慶，遂削去〈國恤〉一篇。則敬宗諂諛諱惡鄙陋亡稽，卒不能正也。」

❺ 三五：三皇、五帝。三皇，說法多種，通常指伏羲、神農、黃帝。五帝，說法亦不一，《史記・五帝本記》指黃帝、顓頊、帝嚳、堯、舜。

❻ 成憲：舊時之法制。

❼ 彌綸：包羅統括，彌補縫合。

❽ 《禮議》二十餘卷：《通典・禮典》，多載禮議，如〈王侯兄弟繼統服議〉、〈未踰年大喪不立廟議〉、〈總論為人後議〉、〈出後者為本父母服議〉等。

❾ 太宗《貞觀禮》百卷，秘書監魏徵等撰：《新唐書・藝文志》史部儀注類：「《大唐儀禮》一百卷。」注：「長孫無忌、房玄齡、魏徵、李百藥、顏師古、令狐德棻、孔穎達、于志寧等譔。〈吉禮〉六十篇、〈賓禮〉四篇、〈軍禮〉二十篇、〈嘉禮〉四十二篇、〈凶禮〉六篇、〈國恤〉五篇，總一百三十篇。貞觀十一年上。」

❿ 高宗《顯慶禮》百三十卷，太尉長孫無忌等撰：《新唐書・藝文志》史部儀注類：「《永徽五禮》一百三十卷。」注：「長孫無忌、侍中許敬宗、兼中書令李義府、黃門侍郎劉祥道、許圉師、太常卿韋琨、博士蕭楚材、孔志約等譔。削國恤以為豫凶事、非臣子所宜論，次定著二百九十九篇，顯慶三年上。」

❶ 玄宗《開元禮》百五十卷，起居舍人王仲邱等撰：見註❹。

❷ 《禮閣新儀》三十卷：陳振孫《直齋書錄解題》（卷六）禮注類：「《禮閣新儀》三十卷。唐太常修撰京兆韋公肅撰。錄開元以後禮文損益，至元和十年。其一卷為目錄。按《館閣書目》云卷數雖存，而書不全，又復差互重出。今本不爾，但目錄稍誤。」韋公肅，京兆人，元和初為太常博士兼修撰。事蹟具《新唐書》（卷二〇〇）本傳。

❸ 王彥威，又集至元和十三年裁制敕格，為《曲臺新禮》三十卷，並《續曲臺禮》三十卷奏上：《新唐書·藝文志》史部儀注類：「王彥威《元和曲臺禮》三十卷。又《續曲臺禮》三十卷。」《直齋書錄解題》（卷六）禮注類：「《續曲臺禮》三十卷。唐太常博士太原王彥威撰。元和十三年，嘗獻《曲臺新禮》三十卷。至長慶中，又自元和之末次第編錄，下及公卿、士庶昏姻、喪祭之禮，并目錄為三十卷，通前為六十一卷。案此惟續書，而亦無目錄，全書則未之見也。《館閣書目》亦無之。文宗朝，彥威仕為尚書節度使。」王彥威，太原人，元和中舉明經甲科，太和時累遷司農卿，拜平盧節度使。開成中檢校禮部尚書為忠武軍節度使，徙宣武，封北海縣子，卒贈尚書右僕射，諡曰靖。著有《續古今諡法》、《唐典》、《占額圖》、《元和曲臺禮》、《內典目錄》等。事蹟具《唐書》（卷一五七）、《新唐書》（卷一六四）本傳。

❹ 劉岳：後唐洛陽人，字昭輔，好學，敏於文辭，善談論，舉進士，仕梁，累官兵部侍郎，明宗時為吏部侍郎。宰相馮道世本田家，狀貌質野，兵部侍郎任贊與岳在其後，道行數反顧，贊問岳何為，岳曰：「遺下兔園冊耳。」兔園冊者，鄉校俚儒教田夫牧子之所誦也。道聞之大怒，徙岳祕書監，終太常卿。事蹟具《舊五代史》（卷六十八）、《新五代史記》（卷五十五）本傳。

❺ 田敏：五代淄州鄒平人。梁末舉進士，歷仕梁、唐、晉、漢、周。官至工部尚書，以太子少保致仕。既歸宋，多釀美酒待賓客，親授諸子經。開寶四年卒，年九十二。敏篤於經學而好為穿鑿，所校《九經》，頗以獨見自任，世頗非之。事蹟具《宋史》（卷三二六）本傳。

❻ 鄭餘慶《書儀》：《新唐書·藝文志》儀注類：「《鄭氏書儀》二卷。」注：「鄭餘慶。」餘慶，字居業，鄭州滎陽人。大曆中進士，貞元中拜中書侍郎，同中書門下平章事，貶郴州司馬。順宗立，以尚書左丞召，憲宗朝復

以本官，知政事，罷為太子賓客，累除太子少師，封滎陽郡公。穆宗立，進位檢校司徒，卒年七十五，贈太保，諡曰貞。著有《談綺》、《文集》等。事蹟具《唐書》（卷一五八）、《新唐書》（卷一六五）本傳。按：《新唐書・鄭餘慶傳》云：「……遷左僕射，憲宗患典制不倫，謂餘慶淹該前載，詔為詳定使，俾參裁訂正。餘慶引韓愈、李程為副，崔郾、陳佩、楊嗣復、庾敬休為判官，增損儀矩，號稱詳衷。」宋王應麟《困學紀聞》云：「鄭餘慶採士庶吉凶書疏之式，雜以當時家人之禮，為《書儀》兩卷，後唐劉岳等增損其書，司馬公《書儀》本於此。」

⓱ 詔竇儼依《唐會要》門類，編《大周通禮》：王應麟《玉海》（卷六十九）〈周通禮〉條：「世宗顯德五年十一月庚戌，敕竇儼集通禮，儼上言：『禮者太一之紀，品物之宗，自五帝之後，三代以來，損益因革，咸有憲章，越在唐室，程軌量、昭采物，則有《開元禮》在；紀先後，明得失，則有《通典》在；錄一代之事，包五禮之儀，比類相從，討尋不紊，則有《會要》在。三者，經國之大典也。梁朝之後，戎祀朝會，多於市廛，草定儀注，前代矛盾，率多粃粺，請依《唐會要》門類，上自五帝，迄于聖朝，悉命編次，《開元禮》、《通典》之書，包綜于內，名曰《大周通禮》，俾禮院掌之。』」竇儼，字望之，漁陽人，儀弟。幼能屬文，性夷曠，好賢樂善，於昆弟中尤號才俊。晉天福六年進士，周顯德中拜翰林學士，判太常寺，受詔考正雅樂。宋初，轉禮部侍郎，當時祀事樂章，宗廟諡號，多所擬定，議者服其該博。卒年四十二。著有《文集》七十卷。事蹟具《宋史》（卷二六三）。

⓲ 劉溫叟等撰《開寶通禮》二百卷：《宋史・藝文志》史部儀注類：「劉溫叟《開寶通禮》二百卷。」《直齋書錄解題》禮注類：「《開寶通禮》二百卷。御史中丞洛陽劉溫叟（永齡）等撰。開寶四年（971）五月，令溫叟及李昉、盧多遜、扈蒙、楊昭儉、賈黃中、和峴、陳諤、以《開元禮》重加損益，以成此書。」《玉海》（卷六十九）〈開寶通禮〉條：「開寶四年五月，命中丞劉溫叟、中書舍人李昉、知制誥盧多遜、扈蒙、詹事楊昭儉、補闕賈黃中、司勳郎和峴、中書陳諤，重定《開元禮》，以國朝沿革制度附屬之。溫叟卒，又以知制誥張澹參其事。六月丙子，書成上之，凡二百卷，目錄三卷，號曰《開寶通禮》，藏於書府。」朱熹《朱子語錄》：「《開寶禮》，全體是《開元禮》，但略改動五禮新儀，其間有難定者，皆稱御製以決之，如禱山川者，只《開元禮》內有，祖宗時有《開寶通禮》科，學究試

默義，須是念得禮熟，方得禮官，用此等人為之，介甫一切罷去，盡令做大義，故今之禮官，不問是甚人皆可做，某嘗聞朝廷須留此等專科，如史科亦當有。」劉溫叟，字永齡，河南洛陽人，性重厚方正，動遵禮法，七歲能屬文，善楷隸。後唐清泰中為左拾遺，未幾召為右補闕，開運中充翰林學士。契丹入汴，溫叟北遷，漢祖南下，授駕部郎中。周初拜左諫議大夫，入宋官至御史中丞，兼判吏部。開寶四年被疾，太祖知其貧，就賜器幣，數月卒，年六十三。事蹟具《宋史》（卷二六二）本傳。

❶⁹ 《通禮義纂》百卷：馬端臨《文獻通考·經籍考》著錄《開寶通禮儀纂》一百卷，引《崇文總目》云：「皇朝翰林學士盧多遜等撰。多遜既定新禮，復因《開元禮義鑑》，增益為《開寶通禮儀纂》一百卷上之，詔與《通禮》並行。」盧多遜，億子。周顯德初舉進士，官集賢校理，尋知兵部尚書。多遜博涉經史，文辭敏捷，有謀略，發多奇中。太祖好讀書，每取書史館，多遜預戒吏，令白己知，所取書必通夕閱覽。及太祖問書中事，多遜應答無滯，同列皆伏焉。雍熙二年（985），卒於流所，年五十二。事蹟具《宋史》（卷二六四）本傳。

❷⁰ 王洙又為《禮閣新編》六十卷：《宋史·藝文志》史部儀注類：「王洙《禮閣新編》六十三卷。」《玉海》（卷六十九）〈天聖禮閣新編〉條云：「天聖五年（1027）十月辛未，太常博士同知禮院王洙撰《禮閣新編》六十卷。初，天禧中，同判太常禮院陳寬請編次本院所承詔敕，其後不能。洙因取國初至乾興所下詔敕，刪去重複，類以五禮之目，成書上之，賜五器服。」按：此書《宋史·藝文志》作六十三卷，《玉海》云六十卷，疑三卷為目錄。王洙，字熙仲，一字子融，元昊反，請以字為名。祥符進士，遷太常丞，同知禮院，知河陽。英宗時，累進兵部侍郎，卒。有《唐餘錄》、《文集》。書蹟具《宋史》（卷三一〇）本傳。

❷¹ 賈昌朝《太常新禮》：《宋史·藝文志》史部儀注類：「賈昌朝《太常新禮》四十卷。」《直齋書錄解題》（卷六）禮注類：「《太常新禮》四十卷。提舉編修賈昌朝（子明）等上。景祐四年（1037）同知太常禮院浦城吳育（春卿）言：『本院所藏禮文故事，未經刊修，請擇官參定。』至慶曆四年（1044）始成，凡《通禮》所存，悉仍其舊，裒其異者列之為一百二十篇。編修官：孫祖德、李宥、張方平、呂公綽、曾公亮、王洙、孫瑜、余靖、刁約。」賈昌朝，字子明，真定獲鹿人，天禧初賜同進士，為崇政殿說

書。慶曆中拜同中書門下平章事，英宗時判尚書都省，封魏國公。治平元年（1064），以侍中守許州，明年以疾留京師，迺以左僕射觀文殿大學士判尚書都省卒，年六十八。著有《群經音辨》、《通紀》、《慶曆祀儀》、《文集》等。事蹟具《宋史》（卷二八五）本傳。

㉒ 王欽若《天書儀制》：《宋史・藝文志》史部儀注類：「王欽若《天書儀制》五卷。」《宋史・王欽若傳》云：「大中禪符初為封禪經度制置使，兼判兗州為天書儀衛副使。先是，真宗嘗夢神人言賜天書於泰山，即密諭欽若，欽若因言：『六月甲午，木工董祚，於醴泉亭北，見黃素曳草上，有字不能識，皇城吏王居正見其上有御名，以告欽若。』即得之，具威儀奉導至社首跪授，中使馳奉以進，真宗至含芳園奉迎，出所上天書，再降祥瑞圖示百僚。欽若又言至嶽下兩夢神人願增建廟庭，及至威雄將軍廟，其神像如夢中所見，因請構亭廟中，封禪禮成，遷禮部尚書，命作〈社首頌〉，遷戶部尚書，從祀汾陰，復為天書儀衛副使，遷吏部尚書，明年為樞密使檢校太傅同中書門下平章事。」此書即纂奉天書之禮儀。王欽若，字定國，臨江軍新喻人。事蹟具《宋史》（卷二八三）本傳。

㉓ 文彥博《大享明堂記》二十卷：《宋史・藝文志》史部儀注類：「文彥博、高若訥《大饗明堂記》二十卷。」又：「文彥博《大饗明堂記要》二卷。」《直齋書錄解題》（卷六）禮注類：「《大饗明堂記》二十卷《紀要》二卷。宰相河汾文彥博（寬夫）等撰。國朝開創以來，三歲親郊，未嘗躬行大饗之禮。皇祐二年（1050）二月，詔以季秋擇日有事於明堂，而罷冬至郊祀。直龍圖閣王洙言：『國家每歲大饗，止於南郊寅祭，不合典禮。古者明堂宗廟路寢同制，今大慶殿即路寢也，九月親祀，當於大慶殿行禮。』詔用其言。禮成，命彥博及次相宋庠參預，高若訥編修為記。上親製序文。已而彥博以簡牘繁多，別為《紀要》，首載聖訓，欲以大慶為明堂，禮官之議適與聖意合云。」文彥博，字寬夫，汾州介休人。仁宗時第進士，累官同中書門下平章事，封潞國公。熙寧中為王安石所惡，力引去。拜司空，河東節度使，尋以太師致仕，居洛陽，卒年九十有二，謚忠烈。著有《藥繩》、《文潞公集》等。事蹟具《宋史》（卷三一三）本傳。

㉔ 歐陽修、蘇洵等《太常因革禮》：《宋史・藝文志》史部儀注類：「歐陽修《太常因革禮》一百卷。」清阮元《揅經室外集》（卷二）：「《太常因革禮》一百卷。宋歐陽修等奉敕撰。案：宋自太祖始命儒臣約唐之舊，為《開

寶通禮》。至仁宗初年，禮官王皞，復論次太宗、真宗兩朝已行之事，名曰
《禮閣新編》，止于天禧五年。其後賈昌朝等，復加編定，名曰《太常新
禮》，止于慶曆三年。嘉祐中，修奉敕重定此書，至治平中上之于朝，英宗
賜名《太常因革禮》，見于修之〈自序〉如此。然書後有淳熙十五年李壁
〈跋〉，以為此老蘇先生奉詔所修。考歐公為老泉〈墓誌〉云：『會太常修
纂建隆以來禮書，乃以為霸州文安縣主簿，使食其祿，與陳州項城縣令姚闢
同修典禮，為《太常因革禮》一百卷。』則此書雖為修所上，其體裁出于蘇
洵居多。書中分〈總例〉二十八卷，〈吉禮〉三十三卷，〈嘉禮〉九卷，
〈軍禮〉三卷，〈凶禮〉三卷，〈廢禮〉一卷，〈新禮〉二十一卷，〈廟
議〉十二卷。〈總例〉內子目二十八，〈吉禮〉子目三十七，〈嘉禮〉子目
十七，〈軍禮〉子目六，〈凶禮〉子目二十五，〈廢禮〉子目九，〈新禮〉
子目三十七，〈廟議〉字目二十六。計共百卷，八門，一百八十五目。《郡
齋讀書志》、《直齋書錄解題》不載此書，儲藏家亦絕無著錄者，茲從舊鈔
本影寫，失去五十一至六十七凡十七卷，書中亦多闕文，無從訪補。其書所
采擇者，自《開寶通禮》、《禮閣新編》、《太常新禮》三書之外，復有
《會要》、《實錄》、《禮院儀注》、《禮院例冊》、《封禪記》、《明堂
記》、《慶曆祀儀》等書，至為賅備，蓋治平之際，正宋室最盛之時，而又
出于名臣名儒之所訂定，汴京四朝典禮，粲然具備，足以資考鏡者，固不少
矣。」歐陽修，字永叔，廬陵人，自號醉翁。舉進士甲科，慶曆初召知諫
院，改右正言，知制誥。時杜衍、韓琦、范仲淹、富弼相繼罷去，修上疏極
諫，出知滁州，徙揚州、潁州、還為翰林學士。嘉祐間拜參知政事，熙寧初
與王安石不合，以太子少師致仕，晚號六一居士。著有《新唐書》、《新五
代史》、《毛詩本義》、《集古錄》、《歸田錄》、《文忠集》、《六一詩
話》、《六一詞》等。事蹟具《宋史》（卷三一九）本傳。蘇洵，字明允，
眉山人，序子。年二十七，始發憤為學，通六經百家之說，下筆頃刻數千
言。至和、嘉祐間，與二子軾、轍同至京師，翰林學士歐陽修上其所著《權
書衡論》二十二篇，士大夫爭傳之。宰相韓琦奏於朝，除秘書省校書郎。與
姚闢同修建隆以來禮書，為《太常因革禮》一百卷，治平三年書成而卒，年
五十八。著有《謚法》、《嘉祐集》。洵家有老人泉，梅堯臣為之作詩，故
自號老泉。世以其父子俱知名，稱洵為老蘇，軾為大蘇，轍為小蘇。事蹟具
《宋史》（卷四四三）本傳。

❷⑤ 蘇頌《閣門儀制》：《宋史·藝文志》史部儀注類：「李淑《閣門儀制》十二卷。」又：「梁顥《閣門儀制》十二卷。」又：「不著撰人《閣門儀制》四卷。」蘇頌，字子容，紳子，泉州南安人，父葬潤州丹陽，因徙居之。第進士，累遷集賢校理，英宗時遷度支判官，元祐七年拜右僕射，兼中書門下侍郎。紹聖四年以太子少師致仕，靖國元年卒，年八十二。著有《渾天儀象銘》、《本草圖經》、《文集》等。事蹟具《宋史》（卷三四〇）本傳。

❷⑥ 陳祥道《禮書》：《宋史·藝文志》經部禮類：「陳祥道《禮書》一百五十卷。」《直齋書錄解題》（卷二）禮類：「《禮書》一百五十卷。太常博士長樂陳祥道（用之）撰。論辯詳博，間以繪畫。於唐代諸儒之論，近世聶崇義之圖，或正其失，或補其闕。元祐中表上之。」陳祥道，字用之，一字祐之，福州人。治平四年進士，元祐中為太常博士，終秘書省正字。著有《論語全解》十卷。事蹟附見《宋史》（卷四三二）陳暘傳。

❷⑦ 司馬光《書儀》：《直齋書錄解題》（卷六）禮注類：「《溫公書儀》一卷。司馬光撰。前一卷為表章、書啟式，餘則冠昏、喪祭之禮詳焉。」司馬光，字君實，陝州夏縣人。寶元初進士甲科，除奉禮郎，歷同知諫院。仁宗時請定國嗣。神宗時為御史中丞，以議王安石新法，不合，去。居洛十五年，絕口不論時事。哲宗起為門下侍郎，拜尚書左僕射，悉去新法之為民害者，在相位八月，卒，年六十八。贈太師溫國公，諡文正。居涑水鄉，世稱涑水先生。著有《易說》、《古文孝經指解》、《切韻指掌圖》、《資治通鑑》、《稽古錄》、《涑水記聞》、《家範》、《文集》等。事蹟具《宋史》（卷三三六）本傳。

❷⑧ 蘇洵《諡法》：《宋史·藝文志》經部經解類：「蘇洵《嘉祐諡法》三卷。」《直齋書錄解題》（卷三）經解類：「《嘉祐諡法》三卷。太常禮院編纂眉山蘇洵（明允）撰。洵與編《六家諡法》，因博采諸書為之，為論四篇，以序其去取之意。諡法與解經無預，而前志皆以入此類，今姑從之，其實合在禮注。」蘇洵，參見《太常因革禮》條。

❷⑨ 韓琦、范祖禹、呂大防諸家《祭式》、《祭儀》：《宋史·藝文志》史部儀注類：「韓琦《參用古今家祭式》（無卷）」，《直齋書錄解題》（卷六）禮注類：「《韓氏古今家祭式》一卷。司徒兼侍中相臺韓琦（稚圭）撰。」考韓琦《韓魏公集》（卷十一）載〈韓氏參用古今家祭式序〉，於撰此書之緣由及內容敘述甚詳。韓琦，字稚圭，相州安陽人，自號贛叟，風骨秀異，

弱冠舉進士，名在第二。初授將作監丞，趙元昊反，琦適自蜀歸，論西師形勢甚悉，即命為陝西安撫使，進樞密直學士，歷官陝西經略安撫招討使，與范仲淹在兵間久，名重一時，人心歸之，朝廷倚以為重，天下稱韓范。英宗立，拜右僕射，封魏國公。神宗立，拜司徒，兼侍中，卒謚忠獻。著有《文集》、《仁宗實錄》、《閱古堂詩》等。事蹟具《宋史》（卷三一二）本傳。《宋史・藝文志》史部儀注類：「范祖禹《祭儀》一卷。」《直齋書錄解題》（卷六）禮注類：「《范氏家祭禮》一卷。范祖禹（淳甫）撰。」范祖禹，字淳甫，一字夢得，第進士，從司馬光編修《資治通鑑》，在洛十五年，不事進取。書成，薦除祕書正字。哲宗立，遷給事中。宣仁太后崩，祖禹慮小人乘間害政，諫章累上，不報。時紹述之論已興，有相章惇意，祖禹力沮之，不從，遂請外，又為論者所誣，連貶昭州別駕而卒，年五十八。著有《詩解》、《古文孝經說》、《論語說》、《仁皇訓典》、《唐鑑》、《帝學》、《文集》等。事蹟具《宋史》（卷三三七）本傳。《宋史・藝文志》史部儀注類：「呂大防、大臨《家祭儀》一卷。」《直齋書錄解題》（卷六）禮注類：「《呂氏家祭禮》一卷。丞相京兆呂大防（微仲）、正字大臨（與叔）撰。」呂大防，字微仲，藍田人，進士及第，歷監察御史裡行。元豐初知永興軍，元祐初封汲郡公，拜尚書左僕射，兼門下侍郎，與范純仁同心輔政，後為章惇所構，紹聖四年（1097）遂貶舒州團練副使，安置循州，至虔州信豐而病卒，年七十一。著有《杜工部年譜》、《韓吏部文公集年譜》等。事蹟具《宋史》（卷三四〇）本傳。大臨，大防弟，字與叔。初學於張載，載卒，乃東見二程，與謝良佐、游酢、楊時，號「程門四先生」。大臨博極群書，能文章，元祐中為祕書省正字，范祖禹薦其好學修身如古人，可備勸學，未用而卒。著有《易章句》、《禮記傳》、《論語解》、《考古圖》、《孟子講義》等。事蹟具《宋史》（卷三四〇）本傳。

❸⓪ 政和《五禮新儀》：《玉海》（卷六十九）《政和五禮新儀》條：「《書目》：二百四十卷，鄭居中等撰，二百二十卷，〈御製序〉一卷，〈御筆指揮〉九卷，〈御製冠禮〉十卷，合二百四十卷，又〈目錄〉六卷在外。政和三年正月二十九日壬午，頒行《五禮新儀》。先是，大觀元年正月朔，詔講求典禮。十三日，尚書省置議禮局，二年十一月十七日，〈御製冠禮沿革〉十一卷，付議禮局，餘五禮令視此編次。四年二月九日戊寅，修成《大觀新編禮書》，〈吉禮〉二百三十一卷，〈祭服制度〉十六卷，〈祭服圖〉一

冊，詔行之。政和元年三月六日，續編成賓、軍等四禮四百九十七卷，詔頒行，於是鄭居中等奏編成《政和五禮新儀》。」鄭居中，字達夫，開封人，登進士第，由中書舍人連擢至翰林學士。大觀初同知樞密院，罷改資政學士。政和中再知樞密院，官累特進，尋拜少保太宰。居中存紀綱，守格言，抑僥倖，振淹滯，士論翕然望治。加少師，封燕國公，卒，諡文正。著有《崇寧聖政》、《政和新修學法》、《學制書》等。事蹟具《宋史》（卷三五一）本傳。

❸❶ 南宋紹興初，命續《太常因革禮》：《玉海》（卷六十九）〈元豐紹興續編因革禮〉條云：「紹興元年七月七日，章倚上歐陽修編纂《太常因革禮》一百卷，詔付太常。是年十一月八日辛丑，太常少卿趙子晝言：政和、宣和《續編因革禮》，渡江皆散失，欲自渡江以後，修纂成書，因為《紹興續編太常因革禮》，詔可。明年，太常以總例及吉、凶、嘉新四禮，凡八十六篇，二十七卷（或云三十卷），始於建炎，至紹興二年，編類初成，未以進御。九年，太常丞梁仲敏言：紹聖三年以後，修纂尚缺，請委官編類，詔本寺續修，不克成書。」

❸❷ 嘉泰二年，禮部尚書費士寅（寅原誤作賓，今正）等始奏進禮寺所續《中興禮書》八十卷：《宋史‧藝文志》史部儀注類：「《中興禮書》二卷。」注云：「淳熙中禮部太常寺編。」《玉海》（卷六十九）〈淳熙中興禮書‧嘉定續中興禮書〉條云：「嘉泰二年八月十七日，禮部尚書費士寅等言：禮寺以孝宗一朝典禮，續纂《中興禮書》八十卷，詔令繳進。嘉定十一年三月丙申，禮部員外郎李琪奏請令太常將慶元元年以後典禮編纂成書。」費士寅，字戒父，成都人。登淳熙二年進士，歷官秘書郎遷著作郎，除權吏部侍郎，禮吏兩部尚書，嘉泰四年以參知政事兼知樞密院事，監修國史。開禧元年罷參政，以資政殿學士出知興元府。事蹟具《宋大臣年表》、《南宋制撫年表》等書。

❸❸ 嘉定六年，李壐上《通禮》三十卷：《宋史‧藝文志》史部儀注類：「李壐《公侯守宰士庶通禮》三十卷。」《玉海》（卷六十九）〈嘉定通禮〉條云：「（嘉定）六年，祕書少監李壐纂公侯守宰士庶為《通禮》三十卷，取開寶、政和凡通行者，分別五禮，類為一編。」李壐，字季允，燾子，壁弟也。紹熙進士，知常德府，以安靜為治。改知夔州，召為禮部侍郎，以持論侃直，出知鄂州，復與諸司爭曲直，不相能，罷去，後累遷資政殿學士。嘉

熙二年卒于官，年七十八。著有《皇宋十朝綱要》、《固陵錄》、《悅齋文
集》等。事蹟具《宋史翼》（卷二十五）。

❸❹ 遼俗近樸，典制無聞，可略舉者，遙輦胡剌可汗制《祭山儀》，蘇可汗制
《琴瑟儀》而已：《遼史》（卷四十九）〈禮志〉（一）：「遼本朝鮮故
壞，箕子八條之教，流風遺俗，蓋有存者。自其上世，緣情制宜，隱然有尚
質之風。遙輦胡剌可汗制《祭山儀》，蘇可汗制《瑟瑟儀》，阻午可汗制
《柴冊再生儀》，其情朴，其用儉，敬天恤災，施惠本孝，出於悃忱。」

❸❺ 金明昌閒，有《金纂修雜錄》四百餘卷……後亦僅傳《集禮》一書：清倪
燦、盧文弨《補遼金元藝文志》儀注類：「《金禮器纂脩雜錄》四百卷，世
宗命禮官脩。」又：「《大金集禮》四十卷。」

❸❻ 博士李好文……乃白長官為《太常集禮》五十卷：李好文，字惟中，元大名
東明人。至治元年進士，至正三年累官太常院同知，明年，以治書侍御史與
修遼、宋、金史，出為西臺治書，六年除翰林侍講，累遷太常院使。《元
史》（卷一八三）本傳云：「泰定四年，除太常博士，會盜竊太廟神主，好
文言在禮，神主當以木為之，金玉祭器，宜貯之別室。又言祖宗建國以來
七、八十年，每遇大禮，皆臨時取具博士，不過循故事應答而已。往年有詔
為《集禮》，乃令各省及各郡縣置局纂修，宜其久不成也。禮樂自朝廷出，
郡縣何有哉！白長院者選僚屬數人，仍請出架閣文牘，以資採錄。三年，書
成，凡五十卷，名曰《太常集禮》。」

❸❼ 《洪武禮制》、《稽古定制》、《洪武集禮》五十卷：《洪武禮制》一卷，
今收在《皇明制書》中。《明史・藝文志》史部儀注類：「《稽古定制》一
卷。」注：「頒示功臣。」又：「《集禮》五十卷。」注：「洪武中梁寅等
纂修。初係寫本，嘉靖中詔禮部校刊。」

❸❽ 《洪武禮法》、《禮儀定式》、《祭祀禮儀》、《禮制集要》諸書：《明
史・藝文志》史部儀注類：「《禮儀定式》一卷，《教民榜文》一卷，《鄉
飲酒禮圖式》一卷。」注：「俱洪武中頒行。」又：「《祭祀禮儀》六卷，
《郊壇祭享儀注》一卷。」注：「皆明初定式。」又：「《禮制集要》一
卷。」注：「官民服舍器用等式。」

❸❾ 宋濂、劉基、陶安、詹同：宋濂（1310－1381），字景濂，號潛溪，又號玄
真子，明浙江金華人。元至正中薦授翰林院編修，以親老辭不赴，隱東明山
著書。歷十餘年，明初以書幣徵，除江南儒學提舉，修《元史》，累轉至翰

林學士承旨，知制誥，以老致仕。長孫慎坐法，舉家謫茂州，道遇疾卒，年七十二，正統中追諡文憲。濂博極群書，孜孜聖學，為文醇深演迤，與古作者並。一代禮樂制作，多所裁定。有《宋學士全集》、《龍門子》、《浦陽人物記》、《周禮集說》、《孝經新說》等。事蹟具《明史》（卷一二八）。劉基（1311－1375），字伯溫，明青田人。元元統元年進士，官高安丞，有廉直聲，後棄官歸。太祖定括蒼，聘至金陵，陳時務十八策，建禮賢館處之。佐太祖滅陳友諒，執張士誠，降方國珍，北伐中原，遂成帝業。授太史令，累遷御史中丞。諸大典制，皆基與李善長、宋濂定計。封誠意伯，以弘文館學士致仕。性剛嫉惡，與物多忤，為胡惟庸所構，憂憤卒，年六十五。正德中追諡文成。著有《郁離子》、《劉文成全集》等。事蹟具《明史》（卷一二八）。陶安（1315－1371），字主敬，明當塗人。從者儒李習游，元至正四年舉鄉試，授明道書院山長，避亂家居。太祖渡江，安與習率父老出迎，太祖與語，善之，留參幕府，授左司員外郎。洪武初命知制誥，兼修國史，歷江西行省參知政事卒，年五十七，贈姑孰郡公。安博學，尤長於《易》，筮驗若神，明初議諸禮，率安裁定。福王時追諡文憲。著有《陶學士集》、《辭達類抄》、《姚江類抄》等。事蹟具《明史》（卷一三六）。詹同，字同文，初名書，明婺源人。元至正中舉茂才異等，除彬州學正，陳友諒以為翰林學士承旨。太祖下武昌，召為國子博士，賜今名。洪武六年累遷吏部尚書，與宋濂等修《日曆》，為總裁官。洪武七年書成，凡一百卷，尋以老乞歸。同操行耿介，終始清白，卒諡文敏。著有《天衢吟嘯集》、《海岳涓埃集》等。事蹟具《明史》（卷一三六）。

**❹⓪** 徐一夔、梁寅、周子諒、胡行簡諸人：徐一夔，字大章，明天台人。博學工文，洪武二年被徵纂修《禮書》，尋薦修《元史》，一夔以事關才難，謝不往。後用薦為杭州教授，召修《日曆》，書成，將授翰林官，固辭，賜文綺遣還。著有《始豐稿》。事蹟具《明史》（卷二八五）。梁寅：原作梁寬，當是誤植，今正。梁寅（1309－1390），字孟敬，明江西新喻人，家貧力學，淹貫百氏。太祖徵天下名儒修述禮樂，寅就徵年已六十餘，在禮局中討論精審，諸儒皆推服。書成，將授官，以老病辭歸，結廬石門山，學者稱為梁五經，又稱石門先生，卒年八十二。著有《禮書演義》、《周禮考注》、《春秋考義》、《周易參義》、《詩演義》、《石門集》等。事蹟具《明史》（卷二八二）。周子諒，事蹟待考。胡行簡：事蹟待考。《欽定續文獻

通考經籍考》別集類：「胡行簡《樗隱集》六卷。」

❹ 張璁、桂萼之論，紛紛議禮，雖阿時希旨：張璁（1475－1539），字秉用，後賜名孚敬，字茂恭，號羅峯，明永嘉人。正德十六年進士，仕至華蓋殿太學士。嘉靖十五年病，乞致仕，年六十五卒，諡文忠。著有《諭對錄》、《奏對錄》、《保和冠服圖》、《張文忠集》等。事蹟具《明史》（卷一九六）。桂萼，字子實，號古山，明安仁人。正德六年進士，嘉靖初由成安知縣遷南刑部主事，與張璁同疏請稱孝宗曰皇伯考，興獻帝曰皇考，迎合帝意，是以受知，驟擢至禮部尚書，兼武英殿大學士，入參機務，其所論奏，亦頗有裨君德時政者，然性猜狠，好排異己，故不為物論所容。言官交章論劾，帝亦漸疑之，遂致仕。逾年召還，數月引疾歸，卒諡文襄。著有《桂文襄奏議》、《輿圖記敘》、《經世民事錄》等。事蹟具《明史》（卷一九六）。按：所謂「阿時希旨」者，即指大禮之爭：弘治十八年，孝宗死，太子厚照即位，是為武宗，改元正德。正德十六年，武宗死。武宗無子，閣臣楊廷和議立武宗叔興獻王祐杬之子厚熜即位，是為世宗，改元嘉靖。有主張尊其生父為「皇叔考」，有主張尊其父為「皇考獻皇帝」兩種意見，是為「大禮之爭」，世宗欲採後者，張璁、桂萼等迎合帝意，力折廷臣，世宗盡罷主張前者之楊廷和等人。

❹ 《嘉靖祀典》十七卷：《明史·藝文志》史部儀注類：「《祀儀成典》七十一卷。」注：「嘉靖間更定儀文。」

❹ 《郊祀通典》三十七卷：《明史·藝文志》史部儀注類：「《郊祀通典》二十七卷。」注：「夏言等編次。」

❹ 壇廟、陵殿、輿服諸圖二十餘種：《明史·藝文志》史部儀注類：「《乘輿冕服圖說》一卷。」注：「嘉靖間，考古衣冠之制，張璁為注說。」又：「《武弁服制圖說》一卷。」注：「親征冠服之制，張璁為注說。」又：「《元端冠服圖說》一卷。」注：「燕居冠服之制，張璁為注說。」又：「《保和冠服圖說》一卷。」注：「宗室冠服之制，張璁為注說。」又：「《圜丘方澤總圖》二卷，《圜丘方澤祭器樂器圖》二卷，《朝日夕月壇總圖》二卷，《朝日夕月壇祭器樂器圖》二卷，《神祇社稷雩壇總圖》三卷，《太廟總圖》一卷，《太廟供器祭器圖》一卷，《大享殿圖》一卷，《大享殿供器祭器圖》一卷，《天壽山諸陵總圖》一卷，《泰神殿圖》一卷，《帝王廟總圖》二卷，《皇史宬景神等殿圖》二卷，《圓明閣陽雷軒殿宇圖》一

卷，《沙河行宮圖》一卷。」注：「已上俱嘉靖間制式。」

## 【今譯】

臣謹按：杜佑推尋前代的經傳，廣博的採用史書的〈藝文志〉，討論古今典故的沿革，所有與吉禮、嘉禮、賓禮、軍禮、凶禮有關的，同類的編在一起，撰成《禮典》一百卷，而當代的典章，其禮節的法度道理，當時還施行的，另外編為《開元禮纂》三十五篇（《開元禮》本書共一百五十卷），放在《禮典》後面。杜佑的用意，認為禮教的根源，效法三皇五帝的制度，加以增減、因襲、更新，到周代而完備，而《周官》、《儀禮》這兩部書，是周公用來使天下獲得太平，遵循周文王、周武王的德行功業，為後世君王做為效法準則的經典，到現在讀書人都還誦讀它們。兩漢以來，有得有失，其中好的，都能卓越的自行流傳成一個時代的傳統法制，而經學大師，保持守護經典的原意，透澈瞭解古聖先王述作經典的精意，當朝廷安定，治國有成，發揚學術，互相討論如何制訂典章，顯揚文章，分辨等第，昭明法規制度，如有見解紛歧，大家共同稽考古代的制度經典，求取最適中正確的制度。啊！這些典章制度，豈不是很重要嗎？天皇、地皇、泰皇三人用不同的方法教化天下，黃帝、顓頊、帝嚳、堯、舜五人不因襲前人的方法治理天下，歷代帝王的盛衰消長，夏、商、周三代文采實質的分別，即使是善於斷定是非者也很難做是非的選擇，當時所推行的制度，自以為毫無缺失，在後代人看來，每每有些缺憾，這就是由於時代不同所致。杜佑撰《通典》，想博採各時代的異同，以實用為依歸。所以其文字雖然簡單質樸，而旨意則明朗通達；其體制雖是廣採前代資料而成，但內容則有獨特的見解。經典的說解如有深奧難懂的，則加以解說，使其通達；前人的論說有時參差不一致，則加以衡量節取適當的；有時又闡述既有的論說，另外標著議論（以上三個方法，都見於杜佑的自注。）從頭到尾，組織嚴密，貫暢一體。又因為史志的體例，所記載過於繁瑣，妨礙敘述，於是另取其他官方或個人的論說，刪棄繁蕪部分，採取

精華部分，排比在有關各條之後，撰成〈禮議〉二十餘卷。其中的論說不一定適用於當時，而所談論都有內涵，保留名分道理，可以說是綜合古今得失，會集歷代論述的源流變遷。但是杜佑是唐代建中、貞元間人，唐代的禮制，經過三次變革（太宗《貞觀禮》一百卷，秘書監魏徵等撰；高宗《顯慶禮》一百三十卷，太尉長孫無忌等撰；玄宗《開元禮》一百五十卷，起居舍人王仲邱等撰。）能夠調節古今制度，使其適中的，以開元的禮制最為近是，所載都是當時君王的制度，為當代所施行，所以敘述沿革時，格外重視典制文章。至於行禮跪拜的禮節，祭品禮器的位置，所謂繁瑣的細節，全部以《開元禮纂》為標準，不僅由於詳略能配合時代，同時也由於著作的體裁合宜所致。自《通典》成書以後，憲宗元和中，祕書郎韋公肅，採取開元以後到元和十年間的沿襲變革和增損情形，撰成《禮閣新儀》三十卷。（共分十五門，見《中興書目》）其後，檢討官王彥威，又編集到元和十三年所制定的制度、敕命、格律，撰成《曲臺新禮》三十卷及《續曲臺禮》三十卷奏給國君，授王彥威博士官職。後唐明宗曾詔令太常卿劉岳及博士田敏等，改訂鄭餘慶的《書儀》，當時多認為不合常理。周世宗顯德年間，令竇儼依照《唐會要》的類別，編纂《大周通禮》，這部書已亡佚不傳。不過竇儼奏進的〈疏〉說：「這部書上則追溯五帝，一直到本朝及《開元禮纂》、《通典》，都包括在內」，可以說是一部鉅著。宋太祖在五代周朝之後登上帝位後，就命令御史中丞劉溫叟等編纂《開寶通禮》二百卷。（又有《通禮義纂》一百卷，一同奏進。）仁宗天聖初年，太常博士王皥又編輯《禮閣新編》六十卷。這部書談不上是著作，全部因襲官府的文書，方便主管禮的官員使用。從慶曆、嘉祐到元豐、紹聖之間，天下太平，朝廷討論典章制度，史官編纂相關文獻，一天一天多了起來，其中比較重要的，像賈昌朝所撰的《太常新禮》、王欽若所撰的《天書儀制》、文彥博所撰的《大享明堂記》（二十卷）、歐陽修、蘇洵等撰的《太常因革禮》（一百卷）、蘇頌所撰的《閤門儀制》等書。至於個人的著述，像陳祥道所撰的《禮書》、司馬光所撰的《書

儀》、蘇洵所撰的《謚法》、韓琦、范祖禹、呂大防等人的《祭式》、
《祭儀》等，為數繁夥，無法全部著錄，而政和《五禮新儀》二百四十卷
（鄭居中等撰），尚且在徽宗朝就進給皇帝，一個朝代典章制度是多麼繁
多瑣碎，可想而知。南宋紹興初年，下令續修《太常因革禮》，一直沒能
看見全書。嘉泰二年，禮部尚書費士寅等人才奏進禮寺所續編的《中興禮
書》八十卷。嘉定六年，李壂奏進《通禮》三十卷。從咸淳以後，可以列
舉的就不多了。遼代習俗樸實，沒有重要的典章制度，可以說出的幾種，
像遙輦胡刺可汗制訂的《祭山儀》、蘇可汗制訂的《琴瑟儀》而已。金朝
明昌年間，有《金纂修雜錄》四百多卷，記載各種事物戶籍，最為詳細博
富。之後，元代編纂《禮典》三篇，共三十二卷。也只有《集禮》一書流
傳，其他大部分都已散失亡佚。泰定四年，博士李好文，由於朝廷先前曾
命令各州各郡纂修各種典禮，經過多年仍未完成，於是向長官陳述緣由，
撰成《太常集禮》五十卷，可以說是一個時代的重要著述。明太祖洪武年
間，禮樂制度，探討得十分完備。可以看到的，有《洪武禮制》、《稽古
定制》、《洪武集禮》五十卷、《洪武禮法》、《禮儀定式》、《祭祀禮
儀》、《禮制集要》等書，在朝廷任職的臣子，如宋濂、劉基、陶安、詹
同等，都共同參與討論撰述。又下詔推舉通曉儒家著述、學識廣博的知識
分子，像徐一夔、梁寬、周子諒、胡行簡等人，也參與討論，可以說十分
完美。此後，只有世宗嘉靖年間，張璁、桂萼兩人，同時上疏奏請稱孝宗
為皇伯考，稱興獻王為皇考之說法，於是大臣紛紛討論禮，這些言論，雖
是迎合當時皇帝的想法，但是對釐正郊祀的壇位、南北方位的分配，都有
貢獻，所頒下的《嘉靖祀典》十七卷、《郊祀通典》三十七卷及《壇廟陵
殿輿服諸圖》二十餘種，有許多可資參考的地方，這又可以說是早先的倒
行逆施為較晚後的善行所掩蓋，不能隨便因人而廢了。嗚乎！從《通典》
到《開元禮》以至到明代末年，中間經過八百多年，風俗不斷變遷，雅正
的標準又隨時改變，如果不是天縱聰明，創作詩賦而又親自體驗，那能整
頓缺失而訂定最中正平和的典則呢！

# 天玉經解義序❶

　　家淮墅觀察❷，聞名二十年，未得相接。嘉慶丁巳之春，來遊古皖❸，訪君於東郊之紅莊別業，談款往復，知君所得良深。君學淹貫天人，而於陰陽五行之理，尤洞其奧。精識名理❹，得於天授，非術數❺家所能窺測。出其所著地理諸書，皆以一己之潛喻默識，推闡古人精微，析疑破惑，俾讀者曠如得未曾有，而還證古人，又若其說之必當如是而後始安者，此豈尋常所可幾也！君以手著《楊氏天玉經解義》問序於余，余以此道茫然，而閒嘗從事校讐，略辨其中源委，請附君所解而還質於君。按儒者言古無相地之學。呂才❻以為《禮經》葬皆北方北首，晉之九原❼，漢之北邙❽，皆有定處，非人所擇，其說非也。《周官》墓大夫掌辨兆域❾，《傳》稱卜其宅兆❿，雖非陰陽五行家言，而有卜有辨，則其候風脈水⓫之理，未嘗不具於中矣。周公澗東瀍西，卜維洛食⓬，建都立邑，大既有之，小亦宜然。《漢志》形家者流，以《山海經》與《相人》之書同著為部⓭，則地理之必合陰陽五行，其來已久。而著兵家形勢之書，又與地理形家分部，則其同源

異流，各專家學，古人辨之，未嘗不詳且析也。第文人學士未通於術，而藝業諸家又闇於文，故其書又失傳，而傳者亦多不得其解。文人不暇討論，而俗師輒以己意顛倒更張，仍訛襲舛，則術業之誤，因以災人禍世，所關非纖細也。郭氏《葬經》❶，為後世形家鼻祖，而所傳已非完本。楊氏《天玉經》，號為完書，與《青囊奧語》❶，並衍郭氏心傳而開後人門徑。顧宗旨既晦，不知「四經」「三合」❶，各有精義，而以《天玉》所言「四經」為補《青囊》「三合」之歉，其內傳分上中下篇，節次相承，而俗本流傳，倒亂章段，文義不明，訛謬錯出，術家亦相與沿其習而莫之覺也，非一日矣。君以天擅之識，濟以博通之學，加以數十年閱歷徵驗之功，反復討論，求其至是，章摯❶句析，為之解義，俾千百年沈薶晦蝕之書，渙然冰釋，油然❶理解。蓋用文學士之所長，而通法術家之所秘，薈萃成書，俾習術而疏於學者，可因法以知文，通文而不知術者，又可因文以通於法，其嘉惠後學而有功前人，不亦深且至哉！君生質甚奇，讀書抱經濟志，由州縣起家監司，幹濟之略，見於設施。年甫服政，遽爾懸車❶，杜門著書，靜觀物理，不為無益空言。蓋以卓、魯之經綸❶而晚為陳邵之高蹈❶，吾宗豪傑士也，學術該洽，此特其一端云。

## 【今註】

❶ 〈天玉經解義序〉：胡適《章實齋先生年譜》嘉慶二年（1797）先生六十歲條云：「春，在安慶。作〈天玉經解義序〉。此書為相地之書，先生序中駁『古無相地之學』之說，引《周官》墓大夫掌辨兆域，謂『候風脈水之理，未嘗不具於中矣！』可見實齋終不能全脫紹興師爺的見解。」《天玉經》，舊題唐楊筠松撰。《四庫全書總目》子部術數類：「《天玉經內傳》三卷《外編》一卷，舊本題唐楊筠松撰。鄭樵《通志·藝文略》、陳振孫《書錄解題》楊曾二家書，無《天玉經》之名，相傳楊氏師弟祕之不行於世，至宋吳見誠遇異人，始授以此經，其子景鸞乃發明其義，然則是書亦至宋始出，其為筠松所撰與否，更在影響之間矣。特其流傳稍遠，詞旨亦頗有意義，故言理氣者，至今宗之。」

❷ 家淮墅觀察：章攀桂，字華國，一字淮樹（或作淮墅），清桐城人，歷仕甘肅渭源知縣、武威知縣、江南鎮江府知府、江寧府知府、蘇松督糧道、松太兵備道。博知天下利病，所至興廢得宜，而尤明於地理形勢。嘉慶八年十二月二日卒，年六十八。事蹟具《清史稿》（卷五○七）、《國朝耆獻類徵》（卷二一四）。

❸ 嘉慶丁巳之春，來遊古皖：嘉慶丁巳，嘉慶二年（1797）。古皖，即春秋時皖國，清朝為安慶府，安徽省治。

❹ 名理：辨別是非同異之學。

❺ 術數：以陰陽五行相生相剋之道理，推算人生吉凶之方法。

❻ 呂才：唐清平人。善音律，貞觀時召直弘文館，參論樂事，帝嘗覽周武帝三局象經不能通，試問才，退一宿即解，具圖以聞，由是知名。累擢太常博士，受詔刪定陰陽家書，詔頒天下，又詔造方域圖，及教飛騎戰陣圖，屢稱旨。擢太常丞，麟德中卒。

❼ 晉之九原：即九原山，在山西新絳縣北二十里，接汾城縣界，有土阜九。《禮記·檀弓》：「以從先大夫於九京也。」《寰宇記》：「九原，一名九京，晉大夫趙盾葬所。」按：晉卿大夫之墓地在九原，京當為原。後世因謂墓為九原。或云九原在山西和順縣西北。

❽ 漢之北邙：即北邙山，在河南洛陽縣東北，接孟津，偃師、鞏三縣界，亦作芒山，一名郟山，又曰北山，亦作北芒，後漢城陽王劉祉葬於北邙，其後王侯公卿多葬此。後魏令代人遷洛者，悉葬邙山。《水經注》：「洛陽穀門北

對邙阜，連嶺修瓦，苞總眾山，始自洛口，四踰平陰，悉邙壟也。」

❾ 兆域：墳墓之界域。

❿ 宅兆：墳墓。

⓫ 候風脈水：測量風向及河水之流向。

⓬ 周公澗東瀍西，卜維洛食：《尚書·周書·洛誥》：「召公既相宅，周公往營成周，使來告卜。……周公拜手稽首曰：『……予惟乙卯，朝至于洛師。我卜河朔黎水，我乃卜澗水東，瀍水西，惟洛食。』」孔《傳》：「我使人卜河北黎水上，不吉，又卜澗、瀍之間，南近洛，吉。」澗水，河流名，源出河南澠池縣東北白石山，東流經新安、洛陽，入於洛河。瀍水，河流名，源出河南洛陽市西北谷城山，南流經洛陽城東，入於洛河。

⓭ 《漢志》形家者流，以《山海經》與《相人》之書同著為部：《漢書·藝文志》〈數術略〉形法類：「《山海經》十三篇。」又：「《相人》二十四卷。」

⓮ 郭氏《葬經》：《四庫全書總目》子部術數類：「《葬書》一卷，舊本題晉郭璞撰。……葬地之說，莫知其所自來，《周官》冢人墓大夫之職，皆稱以族葬，是三代以上，葬不擇地之明證。《漢書·藝文志》形法家始以宮宅地形與相人相物之書並列，則其術自漢始萌，然尚未言葬法也。……書中詞意簡質，猶術士通文義者所作，必以為出自璞手，則無可徵信。」

⓯ 《青囊奧語》：《四庫全書總目》子部術數類：「《青囊奧語》一卷《青囊序》一卷。《青囊奧語》，舊本題唐楊松筠撰。……是書以陰陽順逆，九星化曜，辨山水之貴賤吉凶。」

⓰ 四經、三合：為《天玉經》常用術語。如「天卦即天干，以地支從天干，水之用也，是為四經之祖。」「地卦即地支，以天干從地支，山與水相對之用也，是為三合之祖。」四經，指天卦、地卦、江東、江西、江南、江北等卦。三合，謂申子辰合水局，亥卯未合木局，寅午戌合火局，巳酉丑合金局。《協紀辨方書》引《考原》曰：「三合者，取生、旺、墓三者以合局也。水生於申旺於子，墓於辰，故申子辰合水局也。木生於亥，旺於卯，墓於未，故亥卯未合木局也。火生於寅，旺於午，墓於戌，故寅午戌合火局也。金生於巳，旺於酉，墓於丑，故巳酉丑合金局也。」

⓱ 犁：通「釐」，治理、改正。

⓲ 油然：自然而然。《莊子·知北遊》：「惝然若亡而存，油然不形而神。」

又：「注然勃然，莫不出焉；油然瀯然，莫不入焉。」

❿ 懸車：古人年七十辭官家居，廢車不用，故曰懸車。漢班固《白虎通》（卷二下）〈致仕〉：「臣年七十懸車致仕者，臣以執事趨走為職。七十陽道極，耳目不聰明，跂踦之屬，是以退老去避賢路者，所以長廉遠恥也。」因稱七十歲為懸車之年，後泛指辭官為懸車。

⓴ 卓魯之經綸：卓指卓茂，魯指魯仲連。經綸，規畫治理國家，指政治方面之才能。卓茂，後漢宛人，字子康，元帝時學於長安，事博士江生，習法禮及曆算，稱為通儒。性寬仁恭愛，初辟丞相府史事，後以儒術舉為侍郎，給事黃門，遷密令，視人如子，舉善而教，數年，教化大行，道不拾遺。及王莽居攝，以病免。更始立，以茂為侍中祭酒。光武即位，訪求茂，以為太傅，封褒德侯。事蹟具《後漢書》（卷五十五）本傳。魯仲連，戰國齊人，喜為人排難解紛。游於趙，秦圍趙急，魏使新垣衍請帝秦，仲連義不許，見衍曰：「彼即肆然為帝，連有蹈東海而死再。」秦君為卻。後田單言於秦王，欲爵之，連逃隱於海上以終。

㉑ 陳邵之高蹈：陳指陳摶，邵指邵雍。高蹈，指隱居。陳摶，宋亳州真源人，字圖南，後唐末舉進士不第，遂隱於武當山九室巖，服氣避穀。移居華山，每寢處，百餘日不起，周世宗召為諫議大夫，不受。太平興國中來朝，太宗甚重之，賜號希夷先生，摶好讀《易》，自號扶搖子，學者又稱白雲先生，端拱初自言死期而卒。著有《高陽集》、《釣潭集》等。事蹟具《宋史》（卷四五七）。邵雍，宋河南人，字堯夫，號伊川丈人。讀書蘇門山百源上，北海李之才攝共城令，授以圖書先天象數之學，妙悟神契，多所自得。富弼、司馬光、呂公著退居洛中，恆相從游，為市園宅。雍歲時耕稼，僅給衣食，名其居曰安樂窩，自號安樂先生。嘉祐中詔求遺逸，留守王拱辰薦之，授將作監主簿，不赴。熙寧中舉逸士，補潁州團練推官，亦不之任。熙寧十年卒，年六十七。元祐中賜謚康節。著有《伊川擊壤集》、《皇極經世》等。事蹟具《宋史》（卷四二七）本傳。

## 【今譯】

族人淮墅觀察，二十年前就聽到他的名字，但一直沒能見面。嘉慶丁巳（二年）春季，我到古皖一遊，到紅莊別業拜訪他，多次真誠的談話，

瞭解他有廣博的學識。他的學問貫通天意和人事，而對於陰陽五行的道
理，最能透徹瞭解其深奧。精深瞭解辨別是非的道理，需靠天賦，不是那
些用陰陽五行相生相剋的道理來推算人事吉凶的人們所能瞭解的。他拿出
他所著有關地理的全部著作，都是他個人長久以來內心深刻的瞭解，闡發
古人的精深微妙，析解疑惑，使讀者獲得從來沒有的明朗透徹，用來印證
古人，就覺得他的說法必當如此才得正確，這那裡是一般人所能做到的
呢！他請我為他親手寫的《楊氏天玉經解義》一書寫序，我對這方面一無
所知，只偶而曾經校讐過這類圖書，略為瞭解其中始末，希望能與他的見
解相符合，並且請教於他。按：儒家說古代並無看地理風水的學術。唐代
的呂才，認為《禮經》談到葬處，都是北方北嚮，晉代的九原，漢代的北
邙，都有固定的葬處，不是人們所擇定的，這種說法是錯誤的。《周官》
裡記載墓大夫掌理分辨墳墓的界域，《傳》說用占吉凶的方法擇定墳墓。
這些雖然不是陰陽五行家的言論，但有占問，有辨析，那末風水的徵候脈
理，也有寓含其中了。周公曾經占問澗水、瀍水西是否適宜建都，不吉，
卜洛陽時，墨色深入龜甲裂縫，表示吉，於是在洛陽建築都城，大建築如
此，小建築也應如此。《漢書·藝文志》裡形家這個流派，將《山海經》
與《相人》一類的書放在同部，可見地理要與陰陽五行結合，由來已久。
而兵家類形勢方面的圖書，又與地理類形家方面的圖書，分別著錄在不同
的部類，可知它們來源相同，流派則不同。各家專精的學術，古人考辨，
都很詳析。但一般文人學者不能精通技藝，而懂這方面技藝的人不精熟相
關文獻，所以這類書多已失傳，部分流傳的，也不容易瞭解。文人學者沒
有時間研討這些術數堪輿類的著作，而那些見識淺薄的風水師又常憑個人
的意見，顛倒是非，任意改變，以訛傳訛。由於這些錯誤的技藝，造成人
們、社會的災禍，關係非同小可。晉代郭璞所撰的《葬經》，是後代地理
形家的始祖，不過，目前所傳的已不完整。唐代楊益所撰《天玉經》，宣
稱是完整的書，與楊益所撰的另一部《青囊奧語》，都是推演郭璞的心
法，開啟了後人研究的門徑。但是，這些著作的旨趣不明確，不瞭解「四

經」、「三合」，各有精深的道理，而以《天玉經》所說「四經」是為了補《青囊奧語》「三合」之不足，其內傳分上、中、下篇，節次相接，而民間所流傳的本子，章節前後倒置，文義不清楚，錯誤百出，術數家也都相沿舊習而不知其錯誤，這種現象已經很久了。淮墅觀察以上天賦予的見識，輔以廣博通達的學問，加上數十年來人生經歷及實際體驗的成效，一再討論研究，力求正確，釐正分析章句，詳細解說，讓沈埋千百年來不易瞭解、不完整的著作，其疑難像冰塊融解流散，自然而然得以瞭解。用文學家的學術專長，去說解術數家的奧祕，將這些研究成果彙集成書，讓學習術數而學術粗疏者，可根據方法技藝瞭解文義；通達文義而不瞭解方法技藝者，又可依據文義而瞭解方法技藝，對後進學者的助益及對前人的貢獻，豈不是又深又大！淮墅觀察天生資質不凡，讀書懷抱經邦濟世的志向，從州縣做起，做到監督府縣的監司，其才幹濟世的經略，見於各項施政。年初任職，倉猝辭職，家居閉門著述，冷靜觀察天下萬物的原理，不寫沒有益處的空話。具有像卓茂、魯仲連具有治理政事的才能，晚年效仿陳搏、邵雍隱居，遠離塵世，是我們宗族中的豪傑，學術廣博，只是眾多才能中的一項而已。

# 陳東浦方伯詩序❶

詩文同出六籍，文流而為纂組之藝，詩流而為聲律之工，非詩文矣；而不知者猶以工藝竊自喜也。文須依附名義❷，而詩無達指，多托比興，中人以下，得以竄竊形似❸，故詩人之濫❹，或甚於文。學誠天性不工韻言，既不能學古人詩，而又不敢知紛紜❺者之詩集，故於斯道謝不敏焉。顧嘗從事於校讎之業，略辨《詩》教源流，謂《六經》教衰，諸子爭鳴，劉向條別其流有九，至諸子衰而為文集，後世史官不能繼劉向條辨文集流別，故文集濫焉❻。六義風衰而騷賦變體，劉向條別其流有五，則詩賦亦非一家已也，第劉向九流之說猶存，今推其意以校後世之文，如韓出儒家，柳出名家，蘇出兵家，王出法家，子瞻縱橫，子固較讎❼，猶可推類以治其餘，詩賦五家之說已逸，（今《漢藝文志詩賦略》五家之分目猶存，而闕其分家之說。）而後世遂混合詩賦為一流，不知其中流別，古人甚於諸子之分家學，此則班劉以後千七百年未有議焉者也。故文集之於《六經》，僅一失傳，而詩賦之於六義，已再失傳，詩家猥濫❽，甚於文也。蘇州布政德化陳東浦先生，清名重

望，在人耳目，吏民知為使相❾大臣福星一路而已。詩句流傳，名流稱誦，則又知為風雅之宗，政事能兼文學而已。是說雖未易幾❿，然以此論先生則未盡也。學誠嘗推劉班區別五家之義，以校古今詩賦，寥寥鮮有合者。詩家不勝患苦，或反詰如何方合五家之推，則報之曰：古詩去其音節鏗鏘，律詩去其聲病⓫對偶，且併去其謀篇⓬、用事、琢句、鍊字一切工藝⓭之法，而令翻譯者流，但取詩之意義，演為通俗語言，此中果有卓然其不可反，迥然其不同於人者，斯可以入五家之推矣。苟去是數者，而枵然⓮一無所有，是工藝而非詩也。而詩家者流，方謂微妙不可思議，又謂「意會不可言傳」，「詩有別長妙悟，非關學識」云云，吾不謂諸說盡非也，然必有立於是詩之先者，且亦必無連篇累什皆無可指之實，而盡為微妙難言者也。而江湖游乞，與夫纖詭輕薄宵人⓯，方藉別長妙悟之說以為城社⓰之憑，則《經詩》三百，聖人未嘗有是訓也。今觀東浦先生之詩，未嘗無微妙，未嘗無會意難言，至於聲調法律與夫篇章字句一切工藝之精，不能禁人不激賞也，而人因以謂是工於詩，不知去是數者，而先生之詩自在也。譬華袞所以章身，而華袞非身，則所謂使相大臣福星一路，可見其人，又豈足以盡其為人也哉！今讀〈冬日〉、〈和陶〉、〈狂瘦〉、〈癡肥〉諸什，則情性之恬，會心之遠，素所樹立然也；讀〈桑苧〉、〈春風〉、

〈匡廬〉、〈龍鬆〉、〈寒雲〉、〈蔽江〉諸篇，則師友淵源，交情氣誼，非漫然也；讀〈中秋〉、〈舟中〉、〈砌花〉、〈呈喜〉、〈圓月〉、〈渝舟〉及〈茂州辭別〉、〈邊塞感憶〉諸篇，則依親為命，孺慕不衰，可想見也；〈早春觀農〉、〈夏至占雨〉、〈二麥〉、〈三蠶〉、〈留別〉、〈閬中〉諸詩，則父母師保，稱殫心也。風流儒雅，則有〈清秋〉、〈錦水〉、〈鶴感〉、〈前松〉之灑逸；勤勞民事，則有〈開堰〉、〈禱雨〉諸篇之懇惻。至於出塞從戎，崎嶇險阻，出入死生，奮勵忠孝，臨機制變，彈安反側，事上接下，不吐不茹，前後五年，見於篇什，學問志節，經濟事功，與夫番漢風俗，山川景象，體撰幽險，刻畫微至，雖千載而下，猶如目見。昔王全斌平蜀❶，功成而不聞述作，杜子美入蜀，詩高而不著事功，先生殆兼之矣。至〈梭木歸詩〉之遠意，（身防不測，寄詩歸家。）〈黃河失柁〉之從容，蓋庶幾談笑於生死間，非豫立有素而可勉強為邪！夫江南，天下財賦區也；勝國事隸陪京六部，今三布政分理之。江寧當淮甸之衝；安慶控西江之勢，其地要耳，承平則坦途也。蘇州吳越門戶，而尤為南部膏腴，賦重役繁，非清惠使相，不能風化列城，臻於至治。先生敭歷四十年，能守一官之貧，今遍歷三司，思周菶屋❶，行且節鉞開府❶，洊❷進平章，福星一路者，轉而福星天下，皆以素所樹立推之，無有所屈，

則誦其詩固可知其人也。倘推劉班五家之例，必曰此儒者言孝友施於有政者耳。學誠稔先生名也久，嘗恨不得一見，嘉慶丙辰歲杪，來止安慶，幸接謦欬❷，披誠如素。明年二月，先生移部蘇州，見示詩編，因書所見以為贈別，亦不自辨其為序詩與序人也。

## 【今註】

❶ 〈陳東浦方伯詩序〉：胡適《章實齋先生年譜》嘉慶元年（1796）先生五十九歲條云：「九月十九日，自杭州解纜，行向不詳（似係揚州）。歲杪始抵安慶，投朱珪，並困以識布政使陳奉茲（東浦）。」又嘉慶二年，丁巳（1797）先生六十歲條云：「二月，作〈陳甫浦方伯詩序〉。此〈序〉論詩頗具特識，如云：『學誠嘗推劉班區別五家之義（《漢書·藝文志》序詩賦百六家分為五種，亦不明言其所以分五種之故。）以校古今詩賦，寥寥鮮有合者。……或反詰如何方合五家之推，則報之曰：古詩去其音節鏗鏘，律詩去其聲病對偶，且并去其謀篇用事琢句鍊字一切工藝之法，而令翻譯者流，但取詩之意義演為通俗語言，此中果有卓然其不可及，迥然其不同於人者，斯可以入五家之推矣。苟去是數者，而枵然一無所有，是工藝而非詩也。』這個標準可謂辣極！只有真詩當得起這個試驗。章實齋若生晚兩百年，他一定會贊成白話詩！」按：陳東浦，陳奉茲，字時若，號東浦，清江西德化人。乾隆進士，官至江蘇布政使，在江南九年，熟習民情，能以簡靖祛民患，為吏民所愛戴。著有《敦拙堂集》。事蹟具《清史列傳》（卷七十二）、《國朝詩人徵略》（卷三十七）。

❷ 名義：事物取名之含義。

❸ 形似：外貌相似。

❹ 濫：浮辭。《昭明文選》陸士衡〈文賦〉：「或清虛以婉約，每除煩而去濫。」

❺ 紛紜：雜亂。《楚辭》漢劉向〈九嘆·遠逝〉：「腸紛紜以繚轉兮，涕漸漸其若屑。」注：「紛紜，亂貌。」

❻ 文集濫焉：文集浮濫。

❼ 韓出儒家，柳出名家，蘇出兵家，王出法家，子瞻縱橫，子固較讐：劉師培於《論文雜記》引申章氏之說云：「古人學術，各有專門，故發為文章，亦復旨無旁出，成一家言，與諸子同。試即唐宋之文言之。韓、李之文，正誼明道，排斥異端，歐、曾繼之，以文載道，儒家之文也。子厚之文，善言事物之情，出以形容之詞，而知人論世，復能探源立論，核覈刻深，名家之文也。明允之文，最喜論兵，謀深遠慮，排兀雄奇，兵家之文也。子瞻之文，以粲花之舌，運捭闔之詞，往復卷舒，一如意中所欲出，而屬詞比事，翻空易奇，縱橫家之文也。介甫之文，侈言法制，因時制宜，而文辭奇峭，推闡入深，法家之文也。立言不朽，此之謂歟！」按：至於子固較讐者，指曾鞏長於目錄之序。

❽ 猥濫：猥，眾多。繁雜浮濫。

❾ 使相：唐代中葉以後，節度使加同平章事銜者稱使相。宋代亦有以中書令，同平章事加節度使銜者，亦稱使相，此稱一地之治官。

❿ 易幾：幾，察也。《禮記・玉藻》：「御瞽幾聲之上下。」鄭玄〈注〉：「幾，猶察也。」

⓫ 聲病：指古代科舉取士時所規定不合詩聲律之標準。

⓬ 謀篇：籌畫篇章。

⓭ 工藝：人為之技藝。

⓮ 枵然：空虛貌。

⓯ 宵人：小人、壞人。《莊子・列禦寇》：「宵人之離外刑者，金木訊之。」

⓰ 城社：城池、田社，比喻為邦國或權勢。《後漢書》（卷七十八）〈曹節傳〉：「華容侯朱瑀知事覺露，禍及其身，遂興造逆謀。……因共割裂城社，自相封賞。」《南史・戴法興傳・論》：「因城社之固，執開塞之機。」

⓱ 王全斌平蜀：宋太原人。事唐莊宗累歷內職，同光末，國有內難，兵入宮城，近侍皆遁去，惟全斌與符彥卿等數十人拒戰。後仕周官都指揮使。宋初為四川行營前軍都指揮，平蜀有功。事蹟具《宋史》（卷二五五）本傳。

⓲ 蔀屋：以草蓆覆蓋屋頂之房屋。宋王安石《臨川集》（卷三十五）〈寄道光大師〉：「秋雨漫漫夜復朝，可嗟蔀屋望重霄。」後人因用蔀屋為貧家幽閒之屋。

**⓲** 節鉞開府：指符節及斧鉞。《孔叢子》：「天子當階南面，授之節鉞，大將受，天子乃東向西面而揖之，示弗御也。」開府，指開建府署，辟置僚屬，後世稱督撫為開府。

**⓳** 洊：再次。

**⓴** 謦欬：比喻談天、談笑。《莊子・徐无鬼》：「夫逃虛空者……聞人足音跫然而喜矣，又況乎昆弟親戚之謦欬其側者乎？」

## 【今譯】

　　詩、文都同樣源出六經，文章後來流變為講究編纂組織的技藝，詩流變為講究聲律的精密，這已不是詩文作品了，而不懂得詩文的人，仍以精通這些技藝而暗中高興呢！文章必須依附事物得名的含義，而詩作不直接表達旨意，大多用比興的方法，只要聰明才智在中等以下的人，都能用改易剽竊的手段寫出外貌像詩的作品，所以浮濫的詩比浮濫的文章還要多。我的天性不善於寫有韻的文字，一方面不敢學習古人的詩，一方面又不敢去瞭解眾多的詩集，所以對詩學我不敢表示意見。但是我曾經從事校讐，略為瞭解《詩經》教化的源流。我認為六經的教化衰沒後，諸子紛紛興起，劉向把諸子的流派分為九種；到諸子衰沒後於是有文集。後代的史官不能繼承劉向的工作，分別文集的流派，所以文集浮濫。六義的風教衰沒後，騷賦的體製也有改變，劉向將騷賦的流派分為五種，可見詩賦也不是只有一種派別而已。但是劉向將諸子析分為九種流派的說法還在，現在推尋他的意思纇對後代的文章，例如韓愈的文章，出自儒家；柳宗元的文章，出自名家；蘇洵的文章，出自兵家；王安石的文章，出自法家；蘇軾的文章，出自縱橫家；曾鞏的文章，出自校讐家，可以用這個方法，推論其他各家。詩賦分為五家的說法已亡佚（現今《漢書・藝文志・詩賦略》五家的篇目還存在，但是缺少分家的說法）。於是後代遂將詩賦合成一個流派，不瞭解古人對詩賦的分類，比諸子的分類更為重視，班固、劉歆以後一千七百年間都沒有人討論這個問題。所以文集相對於六經來說，只失

傳一次；而詩賦相對於六義來說，已多次失傳，所以詩家的繁雜，超過文集。蘇州布政德化陳東浦先生，大家都知道他聲名清高，受人敬重，官員百姓只知道他仕途一路順暢而已。他的詩句流傳，著名人士都稱讚誦讀，只知道他是文藝界的宗長，是一個能處理政事又精於文學的人而已。這種說法雖沒有差錯，但是用這些話評論東浦先生則不夠完善清楚。我曾推崇劉向、班固將賦家區分為五家的道理，用以校理古今的詩賦，很少有合乎這些道理的，寫詩的人每為此所苦，有人反問我作詩要如何才能符合賦分五家推崇的道理？我就告訴他們說：「古詩摒除鏗鏘樂聲般的音節，律詩摒除那些所謂不合聲律的標準及對偶的規定，而且一併摒除那些規畫篇章、使用典故、雕琢詩句、精鍊文字等一切人為的技藝，讓從事翻譯者，只要取詩的思想內容，推衍為大家都瞭解的語言，其中如果有特別高超，他人趕不上，或者與一般人遠不相同，就可以入五家尊崇的地位了。」如果摒除了以上所列舉的數項，而一無所有，那是人為的技藝而不是詩了。而那些詩家們，都說詩是微妙不可思議的，又說「只能意會，不可言傳」，「寫詩要有特別的長處和妙悟，與學識無關」等等。我不說這些說法都是錯的，但是任何說法都必需站在詩的首要條件，而且不可能所有的詩都與實事無關，不可能每一首詩都是微妙難言的。一些江湖上游蕩的寒士，和一些工於心計、行為輕薄的小人，都假借所謂「別長妙悟」的說法，做為獲得權勢的憑藉。不過，《詩經》三百首，聖人不曾有這種說法。

現在讀東浦先生的詩作，也有微妙的地方，也有只能會意難以言喻的地方，至於聲調、詩法、詩律及篇章字句等所有人為技藝之精純，不能不讓人高度欣賞，如果有人因此說他善於寫詩，那是不瞭解東浦先生的詩，去掉了這些，最主要的是東浦先生的詩最為任意無礙。例如華麗的公侯禮服，用來彰顯身分，而華麗的公侯禮服，並不等於本身，那麼所謂使相大臣福星在一起，可以看見他們的地位，但是這些華服又那能彰顯一個人的一切呢！現在讀〈冬日〉、〈和陶〉、〈狂瘦〉、〈癡肥〉等篇，詩中所

表現安適寧靜的情性，心中了悟之遠，這是他平常所培育的修養，才能如此。讀〈桑苧〉、〈春風〉、〈匡廬〉、〈龍樅〉、〈寒雲〉、〈蔽江〉等篇，所表現的師友淵源、交情志趣友誼，不是隨便空虛的。讀〈中秋舟中〉、〈砌花呈喜〉、〈圓月渝舟〉及〈茂州辭別〉、〈邊塞感憶〉等篇，其與父母相依為命，愛慕父母之心從不稍減之情，可以想見。讀〈早春觀農〉、〈夏至占雨〉、〈二麥三蠶〉、〈留別閩中〉等詩，可見父母教養之恩，是十分盡心的。至於瀟灑高雅、雍容淵博，則有〈清秋〉、〈錦水〉、〈鶴感〉、〈前松〉等首所表現的瀟灑俊逸。至於為百姓奉獻勤勞，則有〈開堰〉、〈禱雨〉等篇所表現的誠懇忠厚。至於出塞參與兵事，道路崎嶇險阻，出生入死，奮勵忠孝，臨機應變，平定戰亂，奉事上司，接待屬下，無暇飲食，前後五年，表現於詩中。學問志氣節操，經邦濟世的貢獻，以及邊疆民族及漢人的風俗，山川景色氣象，親身領會描述幽險，刻畫細致，即使千年以後，猶如親眼看見。從前宋代的王全斌平定蜀地，功成後沒有聽過有相關的著作；唐代的杜甫入蜀，有關蜀地的詩高雅但不見治蜀的事功，東浦先生則詩作與事功兼而有之。至於〈梭木歸詩〉表現的遠意（此詩乃身防不測之危，寄詩回家。），〈黃河失柁〉一詩所表現的從容態度，已經到了談笑於生死間的臨危不亂，不是平時有修養的人那能做到的。江南，是天下財賦富有的地區，明代時隸屬於南京的六部，現在由三個布政使分別治理。江寧位於淮水流域的重要地區；安慶控制兩江的情勢，地點非常重要，只要這些地區平安，則國家就安定了。蘇州是江蘇、浙江的門戶，是南方最肥沃的地方，稅賦重，勞役頻繁，如果不是清廉的官吏，不能使各個城市移風易俗，得以教化，以達到最好的治理。東浦先生歷官四十年，能安貧堅守官職，在清貧的居家從事周密的思慮，所做所為卻是持符節斧鉞及督撫等大官的事，再次升任丞相，一路福氣，進而造福天下，都將平時所得推而廣之，從不屈從，誦讀他的詩就可以瞭解其人了。如果依劉向、班固五家的標準，一定會說東浦先生是儒家所說孝順父母、友愛兄弟而能把這種精神推於施政的人。我早已熟聞他

的大名，曾經悔恨未能見到他，嘉慶丙辰（元年，西元 1796）歲末，到安慶居住，有幸能和他談笑，和平時一樣的誠懇。次年二月，東浦先生到蘇州任官，將他的詩集出示給我，因此將所見到的感想寫下做為贈別之作，我自己也不能分辨是在介紹詩與介紹人了。

# 元次山集書後

　　《元次山集》十二卷❶，淮南黃又研旅訂刊，黃又不知何時人，淮南亦不知何縣治，無題跋，不知其訂刊歲月。楮板精佳，款式亦似近代人所為，大兒貽選購之五柳居陶氏書估，可寶貴也。晁氏《讀書志》，有《元子》十卷，《琦玗子》一卷，《文編》十卷❷。按次山〈自序〉，《文編》十卷，凡二百三首，今正集十卷，實二百四首，當是傳誤也。陳氏《書錄解題》，《元次山集》二本❸，蜀本但載〈自序〉，江州本以李商隱〈序〉冠首，蜀本《拾遺》一卷，〈中興頌〉、〈五規〉、〈十惡〉之屬皆在，江本則分置十卷。按商隱序《次山文集》，有《文編》，有《後集》，有《元子》，三書皆自為之序。〈心經〉已下若干篇，是外曾孫遼東李惲辭收得之，為元文後編。而《琦玗子》一卷者反不在錄。《後集》一作《詩集》，未知孰是。宋陳、晁二家所錄，則無後集、後編，而所謂蜀本《拾遺》一卷者，不知何人所輯。今本《拾遺》二十三篇，分為二卷，而〈五規〉與〈惡圓〉、〈惡曲〉二篇，在《拾遺》前卷。通檢《正集》十卷與

《拾遺》二卷，亦無〈十惡〉篇目。其〈中興頌〉則在《正集》第六卷中，與蜀本所謂俱在《拾遺》，與江州本所謂分置十卷者俱不合。其《琦玗子》，集中又閒作《猗玗子》，當是傳寫之訛。洪容齋《隨筆》❹，謂「《次山文編》十卷，李商隱作序，今九江所刻是也。又有《元子》十卷，李紓作序，凡一百五篇，其十四篇已見文編，其餘大抵澶漫矯亢❺，悖理害教，於事無補。」按《元子》一百五篇，今亦未見，而洪氏謂見文編者一十有四，則今集中有稱《猗玗子》者，疑即所著《琦玗子》一卷之中亦有出入者也。又次山自序文編，今在《拾遺》後卷，與蜀本《拾遺》一卷而〈自序〉冠於首者亦不相合。序末書大曆三年丁未中冬，按大曆三年當是戊申，丁未乃在二年，次山本傳，卒年五十。按次山〈別王佐卿序〉，「癸卯歲元結年四十五」，癸卯為代宗廣德元年，是年次山年四十五，其生當在玄宗開元七年己未；卒年五十，正代宗大曆戊申，撰序又在中冬，疑三年為二年之誤。撰後一年而次山遂卒，遺文當遺無多，疑商隱所謂後集或作詩集者為近之。然〈自序〉卒不可見，當闕疑也。次山於文，前人評論已詳。大約抗節勵志，不可規隨❻，讀其書，可以想見其人。雖若矯勵大過❼，矜失之廉❽，然而亦君子矣。義山稱許其文，未免失實，必若所言，昌黎韓氏猶未敢任，至謂不必仲尼為師，尤害於理。高氏《子略》❾，

取與柳州頡頏上下，似為得之。第柳以少年驟進，中閒得罪貶竄，謫居悔過，既已無望於時，其志將以傳後，故氣稍平；元則晚歲始達，中閒浮沈亂世，既結主知，又多與時枘鑿❿，其心切於憤世，故氣尤亢，蓋其所處然也。元之面目，出於諸子，人所共知；其根蘊本之騷人⓫，而感激怨懟奇怪之作，亦自〈天問〉、〈招魂〉揚其餘烈，人不知也。洪氏謂其《元子》十卷，悖理害教。今觀洪氏所舉窵方二十國事，是亦憤世嫉邪⓬之意，不以文害辭志，亦自無傷。蓋《元子》作於天寶乙未以前，次山之才，壯歲⓭不獲一第，故本屈〈騷〉之志，而蕩肆⓮於莊周之寓言，古人本自有此一種，無足怪也。至其涉世⓯之文，高古淳樸，唐賢鮮有能及之者。使以次山之才之學，生後四五十年，得與昌黎韓氏同時酬唱⓰，講摩⓱討論，則相如、揚雄⓲並時生矣。人謂六朝綺靡，昌黎始回八代之衰⓳，不知五十年前，早有河南元氏為古學於舉世不為之日也。嗚呼！元亦豪傑也哉！

**【今註】**

❶　《元次山集》十二卷：《四庫全書總目》集部別集類：「《次山集》十二卷，唐元結撰。……結所著有《元子》十卷，李商隱為作〈序〉；《文編》十卷，李紓為作〈序〉；又《琦玗子》一卷，並見《唐志》，今皆不傳，所傳者惟此本，而書名、卷數皆不合，蓋後人掇拾散佚而編之，非其舊本。」元結，唐河南人，字次山，天寶進士，肅宗詔詣京師，上時議三篇，帝悅之。累遷水部員外郎，代宗時以親老歸樊上，著書自娛。晚拜道州刺史，免

徭役，收流亡，進授容管經略使，身諭蠻豪，綏定諸州，民樂其教，罷還京師卒。事蹟具《新唐書》（卷一四三）本傳。

❷ 晁氏《讀書志》，有《元子》十卷《琦玕子》一卷，《文編》十卷：《郡齋讀書志》（卷十七）別集類：「《元子》十卷《琦玕子》一卷《文編》十卷，右唐元結（次山）也。後魏之裔。天寶十三年進士，復舉制科，授右金吾兵曹，累遷容管經略使。始在商餘山，稱元子，逃難入琦玕洞，稱琦玕子，或稱浪士，漁者稱為聱叟，酒徒呼為漫叟，及官呼為漫郎，因以命其所著。結性耿介，有憂道閔世之思。逢天寶之亂，或仕或隱，自謂與世聱牙，豈獨其行事而然，其文辭亦如之。然其辭義幽約，譬古鍾磬，不諧於里耳，而可尋玩。在當時，名出蕭、李下，至韓愈稱數唐之文人，獨及結云。」

❸ 陳氏《書錄解題》，《元次山集》二本：《直齋書錄解題》（卷十六）別集類（上）：「《元次山集》十卷，唐容管經略使河南元結（次山）撰。蜀本但載〈自序〉，江州本以李商隱所作〈序〉冠其首。蜀本《拾遺》一卷，〈中興頌〉、〈五規〉、〈二惡〉之屬皆在焉。江本分置十卷。結自號漫叟。」

❹ 洪容齋《隨筆》：《四庫全書總目》子部雜家類（二）：「《容齋隨筆》十六卷《續筆》十六卷《三筆》十六卷《四筆》十六卷《五筆》十卷，宋洪邁撰。邁字景廬，鄱陽人，皓之子。紹興十五年進士，歷官端明殿學士，事蹟具《宋史》本傳。其書先成《隨筆》十六卷，刻於婺州，淳熙間傳入禁中，孝宗稱其有議論，邁因重編為《續筆》、《三筆》、《四筆》、《五筆》。《續筆》有隆興三年〈自序〉：《三筆》有慶元二年〈自序〉；《四筆》有慶元三年〈自序〉，亦各十六卷，而《五筆》止十卷，蓋未成而邁遂沒矣。其中自經史諸子百家以及醫卜星算之屬，凡意有所得，即隨手札記，辯證考據，頗為精確。」

❺ 澶漫矯亢：澶漫，縱逸。《莊子》：「澶漫為樂。」矯亢，故意與人不同而自高也。〈秦觀文〉：「晉王衍口不言錢，而指以為阿堵物，此乃奸人故為矯亢，盜虛名以暗世也。」

❻ 規隨：《揚子》：「蕭也規，曹也隨。」蕭指蕭何，曹指曹參。

❼ 矯勵大過：砥礪節操過分而違反常情。

❽ 矜失之廉：過於自負己能，驕傲自誇，失之鋒利。

❾ 高氏《子略》：《四庫全書簡明目錄》史部目錄類：「《子略》四卷《目

錄》一卷，宋高似孫撰。首卷冠以目錄，由《漢志》、《隋志》、《唐志》、庾仲容《子鈔》、馬總《意林》，至鄭樵《通志・藝文略》所載諸子，皆存其書名，而削其門目，略註卷數，撰人於下。其下四卷，則似孫所論斷，凡三十八家。雖品題未必盡允，然皆實覩其書，非鄭樵、焦竑輩，輾轉販鬻，徒見書名者比也。」

❿ 枘鑿：也作「圓鑿方枘」，比喻格格不入。枘，方形榫頭，鑿，器物之圓形卯眼。

⓫ 騷人：本指〈離騷〉之作者屈原。後指詩人，亦泛指憂愁失意之文人。

⓬ 憤世嫉邪：憤，怨恨。嫉，憎恨。

⓭ 壯歲：古以三十歲為壯。稱三、四十壯盛時期為壯年。《文選》南朝宋袁陽源（淑）〈効古詩〉：「勤役未云已，壯年徒為空。」

⓮ 蕩肆：放縱。

⓯ 涉世：經歷世事。《史記》卷六十三〈韓非傳〉：「故此二子（伊尹、百里奚）者，皆聖人也，猶不能無役身而涉世如此其汙也。」漢王充《論衡・須頌》：「古之通經之臣，紀主令功，記於竹帛，頌上令德，刻於鼎銘。文人涉世，以此自勉。」

⓰ 酬唱：即唱和。唐鄭谷《鄭守愚集》卷三〈右省補闕張茂樞同在諫垣鄰居光德送知篇什未嘗間時忽見貽謂谷將來履歷必在文昌當與何水部宋考功為儔谷雖賦於風雅實用兢惶……因行酬寄詩〉：「積雪巷深酬唱夜，落花牆隔笑言時。」釋齊己《白蓮集》卷二〈寄普明大師可準詩〉：「相留曾幾歲，酬唱有新文。」

⓱ 講摩：切磋。

⓲ 相如、揚雄：司馬相如，字長卿，漢成都人。景帝時為武騎常侍，病免。客遊梁，旋歸蜀。過臨邛，以琴心挑卓王孫寡女文君，與俱歸成都，家徒四壁，又與文君返臨邛賣酒，卓王孫恥之，與僮僕百人，錢百萬，遂為富人。武帝時以狗監楊得意薦，召為郎，通西南夷有功，尋拜孝文園令，病免。居茂陵，帝使取其書，而相如已死，遺札言封禪事。相如工文詞，所作〈子虛〉、〈上林〉、〈大人〉等賦，漢魏六朝人多倣之。揚雄，字子雲，漢成都人。少好學，不為章句訓詁，博覽無所不見。為人簡易佚蕩，口吃不能劇談，好深湛之思，成帝時召對承明庭，奏〈甘泉〉、〈河東〉、〈長楊〉等賦，多仿司馬相如。所著有《太玄》、《法言》、《方言》等書。

⑲　六朝綺靡，昌黎始回八代之衰：六朝指吳、東晉、宋、齊、梁、陳，相繼建都於建康（今南京市）。綺靡，華麗、浮艷，此指六朝之駢文。宋蘇軾《經進東坡文集事略》（卷五十五）〈韓文公廟碑〉：「文起八代之衰，道濟天下之溺。」八代指漢、魏、晉、宋、齊、梁、陳、隋。

## 【今譯】

　　《元次山集》十二卷，淮南黃又（研旅）校訂刊刻。黃又，不知是甚麼時代的人；淮南，也不知那一縣治，無題跋，也不知訂刊年月。板刻精美良好，行款也像近代人所刊，長子貽選在五柳居陶氏書商購得，相當寶貴。晁公武《郡齋讀書志》，著錄有《元子》十卷、〈琦玕子〉一卷、〈文編〉十卷。根據元氏〈自序〉，《文編》十卷，收二百又三篇，現在《正集》十卷，實際上有二百又四篇，應該是傳寫錯誤。陳振孫《直齋書錄解題》著錄兩本《元次山集》，蜀刻本只載〈自序〉，江州本則李商隱的〈序〉放在最前面。蜀本《拾遺》一卷，〈中興頌〉、〈五規〉、〈十惡〉等都在其中，而江州本則分置於十卷裡。根據李商隱所撰《次山文集》的序，有《文編》，有《後集》，有《元子》，三書都有元結自己寫的序。《心經》以下若干篇，是外曾孫遼東李惲辭收得的，是元氏文集的後編。而所謂蜀刻本《拾遺》一卷，不知是誰輯編的。今本《拾遺》二十三篇，分為兩卷，而〈五規〉與〈惡圓〉、〈惡曲〉兩篇，在《拾遺》的前卷。讀徧《正集》十卷與《拾遺》二卷，都沒有〈十惡〉這個篇目。其〈中興頌〉則在《正集》第六卷裡，與蜀本之都放在《拾遺》及江州本分別放在十卷中說法都不符合。《琦玕子》，集中有時寫作《猗玕子》，應該是傳寫錯誤。洪邁的《容齋隨筆》說：「《次山文編》十卷，李商隱作〈序〉，就是現在的九江刻本。又有《元子》十卷，李紓作〈序〉，共一百五篇，其中十四篇《文編》已收錄，其餘的大致放縱、故意與人不同而自命清高，違背道理，妨害教化，於事無益。」按：《元子》一百五篇，現今也看不到，而洪邁說所看見的《文編》中有十四篇《元子》的文章，

這樣說起來，現在集中的〈猗玕子〉，可能也與《琦玕子》一卷中的文章，也有不同。又元氏文編的〈自序〉，現在的本子是放在《拾遺》的後卷，與蜀刻本《拾遺》一卷，而〈自序〉是放在卷首的體例不同。〈序〉末寫「大曆三年丁未中冬」，按：大曆三年應是戊申，丁未是大曆二年，根據《唐書》元氏傳，元氏卒年五十。按：元氏〈別王佐卿序〉說：「癸卯歲元結年四十五」，癸卯是代宗廣德元年，這一年元氏四十五歲，他應是生於玄宗開元己未七年，五十歲卒，這一年正是代宗大曆戊申，〈序〉又寫在中冬，懷疑三年是二年的誤寫。撰〈序〉後一年元氏遂卒，遺文應當不太多，李商隱所說《後集》或作《詩集》的說法比較正確。但是〈自序〉始終未能見到，這些疑惑暫擱置不論。

元結的文章，前人評論已很詳細。大致志節高卓，奮發向上，不容易模仿追隨，讀他的著作，可以想像他是怎樣的人。雖然砥礪節操過分而違反常情，自負自誇過於鋒利，但畢竟是一個君子。李義山對他文章的稱揚，未免過於誇大，如果真像李義山所言，韓愈也未必能如此的好，以至說不必以孔子為師，尤其不合事理。高似孫《子略》，以元結的文章和柳宗元不相上下，較得其實，但柳宗元年輕時就快速升官，中途得罪遭到貶謫放逐，在偏遠的貶謫居所悔過，在對前途無望之餘，自認自己的心志將傳後世，所以心情略為平靜。元結則晚年才顯達，其間遭逢亂世，浮沈官場，在結束了國君的知遇，又常與當時人格格不投合，其內心憤世深切，所以氣節高傲，這是環境所造成的。

元結文章的面貌，源於諸子，這是大家都知道的。他的根本來自詩人，其中感奮激勵、怨恨不滿、抱怨的作品，也是受到〈天問〉、〈招魂〉的影響，發揚屈原餘留的功業，一般人都不知道。洪邁批評《元子》十卷，違背事理，有害教化。現在看洪氏所舉的睿方二十國事，也是怨恨社會、憎恨邪惡的意思，不因為文章而傷到其志向，沒有甚麼影響。《元子》作於天寶乙未年以前，以元結的才華，到了三十歲還沒考取科舉考試，所以依據屈原〈離騷〉的志向，而放縱於莊子的寓言，古代本來就

有這種人，沒有值得奇怪的。至於那些經歷世事的文章，高古淳樸，唐代賢者很少能比得上他的。以元結的才識學問，假使能晚生四、五十年，有機會與韓愈唱和，切磋討論，那麼就如同司馬相如、揚雄同時生存的情形了。一般人都說六朝的文章華麗浮艷，到了韓愈才改變八代以來的衰頹，卻不知道在韓愈之前的五十年，早就有河南元氏在大家不願從事古文時已從事提倡古學了。唉！元結實在是豪傑之士啊！

# 唐劉蛻集書後

　　《劉復愚文集》六卷❶，明天啟四年吳馡❷編輯，刻板行世。乾隆丁酉戊戌之間，大兒貽選從朱先生❸假影鈔本攜歸手錄。為文四十八篇，馡自敘為於緇廬❹披翻蠹冊❺，文多漫滅，以意強會，僅辨〈山書〉及〈文冢銘〉，猶有桑悅❻私印，因搜唐編裒輯而裒為六卷。蛻上崔尚書，有《集》十卷，《舊拔剌書》一卷，《雜歌詩》二卷，陳氏《書錄解題》《文泉子》十卷❼，皆不可見，蓋劉氏舊書之亡久矣。論者以劉蛻、孫樵並稱，今以蛻較樵，蛻為尤僻矣。〈山書〉頗得莊生緒言，〈禹書〉則經生著論而稍變音節，無深義也。〈古漁父〉首篇頗奇，後三篇柳州雜著類也。其餘雜論及投報諸書，文詭而理不失正。大約怪澀自其天性，窮不得志，愈鬱而為奇詭，此養氣之所以為要務也。孫樵❽、劉蛻所養未充，要於古人之學實有所見，而文境幽僻，乃其生質使然，故披文見志，可以卓然不朽，後人無其志意而貌襲其詭激，不知於文理殊未通也，此不可以不辨。吳馡不知何許人，首有熊文舉❾序，稱其字為眾香，餘俟異日考之。

## 【今註】

❶ 《劉復愚文集》六卷：此唐代劉蛻之文集。《四庫全書總目》集部別集類：「《文泉子集》一卷，唐劉蛻撰。蛻字復愚，長沙人，大中四年進士及第，咸通中官至左拾遺，外謫華陰令。……《舊唐書·令狐楚傳》載咸通二年左拾遺劉蛻極論令狐綯子滈，恃權納貨之罪，坐貶華陰令。則蛻在當時本風裁矯矯，宜其文之拔俗也。《集》十卷，今已不傳。此本為崇禎庚辰，閩人韓錫所編，僅得一卷，蓋從《文苑英華》諸書採出，非其舊帙，存備唐文之一家，姑見崖略云爾。」

❷ 吳馡：明天啟間吳郡（一作江寧）人，字祖堂，一字眾香，室名石香館，曾刊印《唐孫樵集》十卷、《唐劉蛻集》六卷、《唐皇甫持正集》六卷等。

❸ 朱先生：朱筠也。筠，清大興人，字竹君，一字美叔，號笥河，珪弟，乾隆進士。由翰林院侍讀學士降編修。博聞宏覽，好獎掖後進，承學之士，望為依歸。所居椒花吟舫，聚書至數萬卷，好金石文字，著有《笥河集》。章學誠於乾隆三十年，師事朱筠。

❹ 緇廬：黑屋。李庾〈西都賦〉：「黃宅緇廬，金篆玉扃，以張帝居，用壯天庭。」黃潛〈西峴峯詩〉：「幽尋得緇廬，亂石扶結構。」

❺ 蠹冊：為蟲蛀食之圖書。南朝梁沈約《沈隱侯集》（卷二）〈和竟陵王抄書詩〉：「披縢辨蠹冊，酌醴訪深疑。」

❻ 桑悅：明常熟人，字民懌，成化舉人，遷柳州府通判，丁外艱歸，遂不出。為人怪妄，敢為大言以欺人，著有《桑子庸言》、《思玄集》。

❼ 陳氏《書錄解題》、《文泉子》十卷：《直齋書錄解題》（卷十六）別集類：「《文泉子》十卷，唐中書舍人長沙劉蛻（復愚）撰。自為〈序〉云：『覃以九流之旨，配以不竭之義，曰泉。』有〈文塚銘〉，甚奇。蛻，大中四年進士。其為西掖，在咸通時。」

❽ 孫樵：唐關東人，字可之，又字隱之，從韓愈游。舉大中進士，授中書舍人。僖宗幸岐隴時，詔赴行在，遷職方郎中，上柱國，著有《孫可之集》。

❾ 熊文舉：清新建人，明崇禎進士，官吏部郎中，福王時以文舉曾附李自成，入從賊案。順治初降清，累官兵部左侍郎。事蹟具《清史列傳》（卷七十九）。

## 【今譯】

　　《劉復愚文集》六卷，明天啟四年吳馡編輯，刊板行世。乾隆丁酉、戊戌之間，長子貽選從朱筠先生借得影鈔本，帶回家親手鈔錄。一共收錄四十八篇文章，吳馡自敘說在黑屋裡翻閱為書蟲蛀食的書冊，有很多字已漫漶不清楚，以己意勉強附會，僅改正了〈山書〉及〈文冢銘〉兩篇。書上仍有桑悅的印章。於是從唐代所編的總集中蒐採，編集為六卷。劉蛻上崔尚書，有《集》十卷、《舊拔刺書》一卷、《雜歌詩》二卷，陳振孫《直齋書錄解題》著錄《文泉子》十卷，都已見不到，可見劉氏的著作已亡佚很久了。學者都把劉蛻、孫樵兩人同時稱舉，現在兩人相較，劉蛻的詩文比孫樵的詩文為奇奧。〈山書〉一篇頗有莊子的思想旨意，〈禹書〉一篇則是一般讀書人的論說而略作改變，沒有深奧的道理。〈古漁父〉的第一篇相當奇特，後三篇類似柳宗元的雜著。其他雜論及一些來返書信，文章奇特而道理正確。大致上劉氏詩文的奇異艱澀，出於天性，窮困不得志，越是憂悶，更容易寫出奇特詭異的作品，所以養氣是重要的工作。孫樵、劉蛻養氣不充足，對古人的學術的確有見地，而文章境界奇僻，這是天生氣質所致，所以閱讀文章以見其志節，可以卓然不朽，後人缺少他們的志意，只沿用、效法他們詭激的外貌，其文理是不能通達的，這個道理不能不知道。吳馡的事蹟不清楚，前面有熊文舉的〈序〉，說吳馡字眾香，其他事蹟等以後再考證。

# 王右丞集書後

　　《王摩詰詩文》二十八卷，《弁語》一卷，《附錄》一卷，《序目》一卷，總三十一卷，仁和趙殿成松谷氏箋注❶，李穆堂紱❷、杭大宗世駿❸、全謝山祖望❹、厲太鴻鶚❺，皆為之序。趙君於此書博贍精辨，於近代注書家號為傑出。其自述所見《王集》舊本，如廬陵劉須溪❻、武陵顧元緯❼、句吳顧可久❽、吳興淩初成❾四家之書，推須溪本為最善。而惜於蜀本、廣信本、維揚本，與何義門考正宋槧本❿俱未得見。又以詩有多本可校，而文則僅有顧元緯本，餘皆不見為惜。嘗考王縉⓫〈進維集表〉，《詩筆》十卷，今須溪本詩集六卷，合武陵本文集四卷，恰如其數，則析為二十八卷，自趙君箋注始也。趙君又云：「《舊唐書》〈維傳〉，弟縉對代宗言：『編綴都得四百餘篇。』今須溪本所載僅三百七十一篇，疑非寶應⓬所進原本。」今按傳載代宗語云：「多少文集，卿可進來。」表進文云：「共成十卷，隨表奉進。」則四百餘首，似合詩文計之，詩篇三百七十，雜體文字六十餘篇，合計正符其數，似未有所遺也。摩詰蕭遠清謐，淡然塵外⓭，詩文

絢爛歸入平淡，似不食人間煙火味者。「鬱輪袍」❶取解之辱，杭大宗已辨其誣。陷身於賊，服藥取痢，佯瘖賦〈凝碧池詩〉，前人謂其心未忘君，不能引決❶，為遺憾耳。歷觀前世清靜自好之士，能輕富貴，寡嗜欲，而往往顧惜身命，臨難不能引決，依違濡忍❶，卒遺後世譏議，若揚子雲之投閣❶餘生，王摩詰之輞川晚節，均可惜也。子雲心儀老氏，摩詰神契空王❶，聰明才學，使人可欲者多，則不免於維羅之患；而淡泊寧靜，不自義方敬直❶中來，則隱微私利猶存，不能臨危難而授義命也。故責以古人之道義，摩詰可謂君子而不幸者矣。若其庸懦猥鄙❶，患得患失，本非學道之人，則文章流麗，必有踽踽牽率❶，發於不知其然而然，不能有此物外遠致，是又在乎知言者之善鑒也。

## 【今註】

❶ 《王摩詰詩文》二十八卷《弁語》一卷《附錄》一卷《序目》一卷，仁和趙殿成松谷氏箋註：《四庫全書總目》集部別集類（二）：「《王右丞集箋註》二十八卷《附錄》二卷，唐王維撰，國朝趙殿成註。殿成，字松谷，仁和人。《王維集》舊有顧起經分類註本，但註詩而不及文，詩註亦間有舛漏。殿成是本，初定稿於雍正戊申，成書於乾隆丙辰。鉤稽考訂，定為〈古體詩〉六卷，〈近體詩〉八卷，皆以元劉辰翁評本所載為斷。其別本所增及他書互見者，則為〈外編〉一卷，其雜文則釐為十三卷，併為箋註。又以王縉〈進表〉、代宗批答、《唐書》本傳、世系、遺事及同時唱和、後人題詠為一卷，弁之於首，以詩評、畫錄、年譜為一卷，綴之於末。」

❷ 李穆堂紱：李紱，清臨川人，字巨來，號穆堂，以康熙進士入翰林，累官工

部右侍郎。為田文鏡所困，幾死，尋得赦。乾隆初，召授戶部侍郎，其學原本象山，在先立乎其大者。博聞強識，下筆千言。李光地許其與歐曾代興，王士禛稱其有萬夫之稟，論者謂紱能集江西諸先正之長。著有《穆堂類稿》、《陸子學譜》、《陽明學錄》等。

❸ 杭大宗世駿：杭世駿，清仁和人，字大宗，號堇浦，雍正舉人，乾隆初召試鴻博，授編修，校勘武英殿《十三經》、《二十四史》，纂修《三禮義疏》。改御史，條上四事，有「朝廷用人，宜泯滿漢之見」語，下吏議擬死，尋放還，自號秦亭老民。博聞強記，於經史詞章之學，無所不貫，浙中耆宿，自黃宗羲後，以全祖望及世駿為冠。主講粵秀、安定兩書院最久。著有《禮例》、《續禮記集說》、《石經考異》、《續方言》、《史記考異》、《道古堂詩文集》等。

❹ 全謝山祖望：全祖望，清鄞人，字紹衣，一字謝山，雍正舉人，乾隆初舉鴻博，會成進士選庶吉士，不與鴻博試，散館以知縣用，遂不復出。為人負氣迕俗，有風節，於學靡不貫串，而尤以網羅文獻、表章忠義為事。家居後，修黃宗羲《宋元學案》，校《水經注》。著有《漢書地理志稽疑》、《經史問答》、《鮚埼亭集》等。

❺ 厲太鴻鶚：厲鶚，清錢塘人，字太鴻，號樊榭，康熙舉人。乾隆初召試鴻博不遇，性嗜書，嘗館揚州馬曰琯小玲瓏山館數年，所見宋人集最多，而又求之詩話說部山經地志，著《宋詩紀事》，著有《樊榭山房集》。

❻ 廬陵劉須溪：劉辰翁，字會孟，號須溪，宋廬陵人。景定三年進士，時賈似道專國，方殺直臣以塞言路，辰翁因對策極論之。以親老請為濂溪書院山長。江萬里薦居史館，又除太學博士，皆固辭。宋亡，託方外以歸。元大德元年卒，年六十六。著有《須溪集》、《班馬異同評》、《放翁詩選後集》等。事蹟具《南宋書》（卷六十三）。

❼ 武陵顧元緯：顧起經也。起經，明武陵人，字長濟，又字玄緯（以避康熙諱，章氏作元緯），號羅浮外史。好藏書、從從父可學官京師，嚴嵩知其才，要置直廬，屬為應制之文，起經遂巡謝去。以國子生謁選，授廣東鹽課副提舉。今臺北國家圖書館有顧起經注《類箋唐王右丞詩集十卷文集四卷外編一卷年譜一卷附錄二卷》，明嘉靖三十五年錫山顧氏奇字齋刊本。

❽ 句吳顧可久：顧可久，字興竹，號洞陽，明無錫人，正德九年進士，授行人，嘉靖初官戶部員外郎，議大禮忤旨，兩遭廷杖，出守泉州。後以廣東兵

備副使放歸，年七十九卒。可久好學工書，著有《洞陽詩集》。事蹟具《國朝獻徵錄》（卷九十九）。臺北國家圖書館有明顧可久注《唐王右丞詩集》六卷，明萬曆十八年吳氏漱玉齋刊本。

❾ 吳興淩初成：淩蒙初也。蒙初，明吳興人，字稚成，一字玄房，號初成，別署即空觀主人。崇禎四年以副貢選授上海縣丞，擢徐州判，居房村治河。與閔齊伋俱以刻套色印本著稱。今臺北國家圖書館有明吳興淩蒙初刊朱墨套印本《王摩詰詩集》七卷。

❿ 何義門考正宋槧本：何焯，清長洲人，字屺瞻，晚號茶仙，先世曾以義門旌，學者稱義門先生。為諸生即負盛名，所選制義《行遠集》，為學者所宗。康熙中以拔貢生值南書房，賜舉人，復賜進士，官編修，直武英殿修書。其學長於考訂，所居曰賚硯齋。多蓄宋元舊槧，參稽互證，丹黃稠迭，評校之書，名重一時。著有《義門讀書記》。清邵懿辰《四庫簡目標注》云：「《王右丞集注》二十八卷，唐王維撰，昭文張氏有何義門校本。」

⓫ 王縉：王維弟，字夏卿，少好學，與維俱有聞譽。舉草澤文辭清麗科，累拜黃門侍郎，同平章事。縉素奉佛，晚節尤謹，導帝設道場，致大曆政刑日以陵替。性復貪冒，招納財賄，事敗當死，帝憐其耄，貶括州刺史，久之，遷太子賓客，分司東都卒。

⓬ 寶應：唐代宗年號，僅一年。寶應元年，西元七六二年。

⓭ 塵外：世外。《後漢書》（卷四十九）〈張衡傳・思玄賦〉：「遊塵外而瞥天兮，據冥翳而哀鳴。」

⓮ 鬱輪袍：曲名。《奇異記》：「王維未冠，文章得名。又妙能琵琶，岐王引至公主第，使為伶人。維進新曲，號〈鬱輪袍〉，主大奇之，令宮婢傳教，召試官至第諭之，作解頭登第。」解頭，又稱解元，古代科舉，鄉試第一名稱解元。

⓯ 引決：《史記》：「及罪至網加，不能引決自裁。」謂自殺也。

⓰ 依違濡忍：依違：反覆，遲疑不決。《楚辭》漢劉向〈九歎・離世〉：「余思舊邦，心依違兮。」〈注〉：「言我思念故國，心中依違，不能遠去。」濡忍：《史記》：「無濡忍之心。」〈注〉：「人性淫潤，則能含忍。」

⓱ 投閣：《漢書・揚雄傳・贊》：「莽誅豐父子，投菜四裔，辭所連及，便收不請。時雄校書天祿閣上，治獄事使者來，欲收雄，雄恐不能自免，廼從閣上自投下，幾死，莽聞之，曰：『雄素不與事，何故在此？』間請問其故，

⑩劉棻嘗從雄學作奇字，雄不知情。有詔勿問，然京師為之語曰：『惟寂寞，自投閣。爰清靜，作符命。』寂寞清靜者，以雄〈解嘲〉之言譏之也。」

⑱ 空王：佛之尊稱。佛說世界一切皆空，故稱空王。《圓覺經》：「佛為萬法之王，又曰空王。」

⑲ 義方敬直：義方：做人之正道。《左傳·隱公三年》：「石碏諫曰：『臣聞，愛子教之以義方，弗納於邪。』」敬直：恭敬正直。

⑳ 猥鄙：卑賤鄙陋。

㉑ 踢蹐牽率：踢蹐，《詩經·小雅·正月》：「謂天蓋高，不敢不局；謂地蓋厚，不敢不蹐。」《釋文》：「局，本又作踢。」踢，曲身，彎腰，蹐，小步行路。形容行動小心戒懼。牽率，亦作牽帥，牽引之意。《後漢書·孔融傳》：「日碑以上公之尊，秉髦節之使，銜命直指，寧輯東夏，而曲媚姦臣，為所牽率。」

## 【今譯】

　　《王摩詰詩文》二十八卷、《弁語》一卷、《附錄》一卷、《序目》一卷，共三十一卷，仁和趙殿成（松谷氏）箋注，李穆堂（紱）、杭大宗（世駿）、全謝山（祖望）、厲太鴻（鶚），都寫了〈序〉。趙氏的箋注，取材廣博，考證精確清楚，在近代注書家裡以傑出著稱。他自述所見的《王集》早期刻本，有廬陵劉須溪本、武陵顧元緯本、句吳顧可久本、吳興淩初成本等四家注本，其中以劉須溪本最好。可惜的是，蜀刻本、廣信刊本、維揚刊本及何義門考正宋刊本，都沒能見到。又：詩的部分，有版本可以參校，文章部分則只有顧元緯本可校，其他都未能見到，十分可惜。我曾經閱讀王縉的〈進維集表〉，談到《詩筆》十卷，現在劉須溪本《詩集》六卷，和武陵顧元緯的刊本《文集》四卷合起來，剛好就是十卷，這樣看起來，王維的詩文集分析為二十八卷，是從趙氏的箋注本才開始的。趙氏又說：「《舊唐書·王維傳》，記載王維的弟弟王縉曾回答唐代宗說：『經過編纂一共得到四百餘篇。』現在劉須溪本所收只有三百七

十一篇，我推測不是王縉於寶應年間所奏進的原本。」今檢《舊唐書・王維傳》裡記載唐代宗的話說：「不論有多少文集，你都可以奏進。」那麼，王縉所稱的四百餘篇，似乎是詩文合計，其中詩有三百七十首，各體文章共六十餘篇，合起來正符這個數目，似乎沒有遺佚。

王維個性高遠寧靜，恬淡如處世外，詩文能從絢爛歸入平淡，好像不食人間煙火的樣子。進新曲〈鬱輪袍〉而獲解頭的恥辱，杭世駿（大宗）已辨明是誣衊。至於陷身於賊，服藥取痢，假紫瘢啞寫〈凝碧池詩〉，前人說他心中未忘國君，不能自殺，是遺憾的事。看看歷代清靜自持的讀書人，能不重視富貴，慾望少，但每每顧惜身命，遇到危難時卻不能殉死，遲疑不決，心中容忍，終於讓後人諷刺議論，像揚雄從天祿閣跳下未死，苟全餘生；王維晚年在輞川構築別墅，均很可惜。揚雄心中嚮往老子，王維精神與佛契合，兩人的聰明才學，讓人對他們有較多的期望，也就免不了被羈縻的憂患。淡泊寧靜的性情，不是從做人正道、恭敬正直中獲得，那麼心中仍有些微自私自利的念頭，自然就不能面臨危難而殉死了。所以用道義苛求古人，王維可以說是不幸的君子了。至於其懦弱卑賤，患得患失，他本來不是學道家的，在流暢華麗的文章中，必然有小心戒懼的現象，都在不知不覺中表現出來，不能有這種超然物外而遠致的思想，這些都有賴能領會其文意者善加評定了。

# 朱崇沐校刊韓文考異書後❶

　　《韓文公集》四十卷，《外集》十卷，《集傳》一卷，《遺文》一卷，《序目》一卷，總五十三卷。朱子校《昌黎文集》，別著《考異》十卷❷，自為一書。留耕王氏伯大❸倅劍南時，取《考異》附於《正集》本文之下，而以洪氏興祖《年譜辨證》❹，樊氏汝霖《韓志》及《年譜注》❺，孫氏汝聽、韓氏醇、祝氏充三家《全解》參附其間❻；王氏又集諸家之善，更定音釋，附於逐卷之後，不入正文，仍空其下以待竄補，書以《考異》為主，故正文篇次，俱按方崧卿本❼，而以諸本參校，著為凡例一十二條，所謂南劍官本是也。明萬曆中，朱子裔孫❽崇沐，又取劍本重刻，而以王氏《音釋》同附正文之下，以便省覽。蓋自朱子《考異》以後，三更其面目矣。此本行世最廣，而標名仍稱《朱子韓文考異》，學者不察，遂以王氏之書為《考異》也。王氏此書，兼採樊韓孫祝諸家之說，補綴《考異》之所不逮，良亦有功。其於《考異》全文，初無改竄，至字句小有異同，或為傳寫之訛。碑誌數卷，《考異》於卷首注明某篇為碑，某篇為誌，此本刪去，尚

無甚礙。惟於《遺文》傳末有〈憲宗崩慰諸道疏〉及〈慈
恩〉、〈洛陽〉、〈華岳題名〉七段，朱子俱仍方本存
錄，今本刪去不載。且他本所有而方本刪去，或方本所有
而朱子刪去者，尚皆存其篇目而著說於下，獨於此處并篇
目而刪之，殆不可解。余家所藏《韓文》四本，此本最為
流俗通用。楮板未為精佳。惟是童子塾中初購此書，即已
寶如拱璧❾。其後先君丹墨評點，指示初學為文義法❿，
小子自幼習焉。手澤所存，珍而襲之，不特以其為舊物
也。憶此書乃甲戌秋冬所購，是時先君方官湖北應城知
縣，塾師於舉業外，禁不得閱省他書，及得此集，匿藏篋
笥⓫，燈牗輒竊觀之，初不盡解，顧愛好焉，不忍釋手。
今撫玩之，三十年前光景，猶歷歷也。

【今註】

❶　〈朱崇沐校刊韓文考異書後〉：胡適《章實齋先生年譜》乾隆十九年
　　（1754）先生十七歲條云：「秋冬之間，購得朱崇沐校刊《韓文考異》。塾
　　師於舉業外，禁不得閱他書。先生得此集，匿藏篋笥，燈窗輒竊觀之。尚不
　　盡解，但愛好不忍釋手。」朱崇沐：見〈吳澄野太史歷代詩鈔商語〉註❸。

❷　朱子校《昌黎文集》，別著《考異》十卷：《四庫全書總目》別集類
　　（二）：「《原本韓文考異》十卷，宋朱子撰。其書因《韓集》諸本，互有
　　異同，方崧卿所作《舉正》，雖參校眾本，棄短取長，實則惟以館閣本為
　　主，多所依違牽就，即〈南山有高樹〉詩之婆娑弄毛衣，傳安道所舉為笑端
　　者，亦不敢明言其失，是以覆加考訂，勒為十卷。凡方本之合者存之，其不
　　合者一一詳為辨證。其體例本但摘正文一二字大書，而所考夾註於下，如陸
　　德明《經典釋文》之例，於全集之外別行。」

❸ 王氏伯大：見〈吳澄野太史歷代詩鈔商語〉註❸。

❹ 洪氏興祖《年譜辨證》：洪興祖，宋鎮江丹陽人，字慶善，號練塘，登政和
八年上舍第。紹興中召試第一，除祕書省正字，出典州郡，興學闢荒，所至
有治績。忤秦檜，編管昭州，卒，年六十六。事蹟具《宋史》（卷四三
三）。所著《韓子年譜》一卷，今有《粵雅堂叢書》本。

❺ 樊氏汝霖《韓志》及《年譜注》：樊汝霖，字澤霖，宋溫州樂清人。長於詩
賦，年三十八登寶祐四年進士。事蹟具《寶祐四年登科錄》。所著《韓文公
年譜》一卷，今附載《新刊五百家註音辯昌黎文集附刊韓文類譜》卷九。

❻ 孫氏汝聽、韓氏醇、祝氏充三家《全解》參附其間：孫汝聽，宋人，事蹟待
考，著有《三蘇年表》三卷。韓醇，宋臨邛人，字仲韶，著有《韓集集
解》、《柳宗元文集音釋》等。祝充，宋人，事蹟待考，著有《注韓文公集
外集》十一卷。

❼ 方崧卿本：《四庫全書簡明目錄標注》（卷十五）別集類：「《韓集舉正》
十卷《外集舉正》一卷，宋方崧卿撰。本與《文集》、《外集》、《附錄》
並刻，今惟存此。紙墨精好，猶淳熙中所印。朱子《韓文考異》，即用此為
藍本。其篤信閣本，頗為朱子所詆。然所採碑刻十有七，所據諸家之本凡
十，其蒐輯之功，亦烏能盡掩也。」方崧卿，字季申，莆田人。隆興元年進
士。知信州上饒縣，累官至京西轉運判官，所至皆有惠政。所得祿賜，半為
鈔書之費，家藏書四萬卷，皆手自校讐。嘗校正《韓昌黎文集》，又為《韓
詩編年》十五卷，《韓集舉正》十卷。紹熙五年卒，年六十。事蹟具《宋史
翼》（卷二十一）。

❽ 裔孫：後代子孫。

❾ 拱璧：大璧。《左傳》襄公二十八年：「與我其拱璧。」《疏》：「拱，謂
合兩手也。此璧兩手拱抱之，故為大璧。」後泛指珍貴之物。

❿ 義法：清桐城派古文家所主張之古文作法。義，求其有內容，法，求其有條
理。

⓫ 篋笥：藏物之竹器。


## 【今譯】

《韓文公集》四十卷，《外集》十卷，《集傳》一卷，《遺文》一

卷，《序目》一卷，共五十三卷。朱熹校《昌黎文集》時，另外撰著《考異》一書，單獨成為一書。留耕王氏伯大在劍南擔任副官時，把《考異》一書附在《正集》本文之下，又以洪興祖所撰《年譜辨證》，樊汝霖所撰《韓志》及《年譜注》，孫汝聽、韓醇、祝充等撰的三種《全解》加入書中。王伯大又彙集各家的優點，另外又考定字音字義，附在各卷後面，不加入正文，正文下仍保留空白，等待增補。全書以《考異》為主，所以正文篇目的次序，全部依照方崧卿的《韓集舉正》本，而用各本參校，撰成〈凡例〉十二條，這就是人們所稱的南劍官刻本。明代萬曆年間，朱熹的後代子孫朱崇沐，又取南劍官本重刻，而以王伯大的《音釋》一起附在正文下面，用以方便閱讀。《韓昌黎文集》從朱子的《考異》以後，其面貌已改變了三次。朱崇沐的本子流傳最廣，書名仍稱《朱子韓文考異》，讀者沒能仔細瞭解，於是誤以為《考異》是王伯大的書。王伯大的本子，兼採樊汝霖、韓醇、孫汝聽、祝充各家的說解，補充朱子《考異》一書所不及，很有貢獻。王氏於朱子《考異》全書，基本上沒有更改，至於其中少部分字句有不同，可能是傳寫時造成的錯誤。碑誌有好幾卷，《考異》在卷首注明那一些是碑，那一篇是誌，這個本子把這些刪去，沒有太大的影響。但是《遺文》的傳末有〈憲宗崩慰諸道疏〉及〈慈恩〉〈洛陽〉〈華岳題名〉七段，朱熹都依照方崧卿的本子全部留存收錄，現在這個本子則全部刪去。況且其他本子有而方本刪除，或方本有而朱子刪除的，都還保留篇目，並在篇目下加以說明，只有《遺文》傳末的〈憲宗崩慰諸道疏〉及〈慈恩〉〈洛陽〉〈華岳題名〉七段，連篇目都刪除，不瞭解是甚麼原因。我家藏有四種《韓文》的本子，以朱崇沐的本子流傳最廣。板刻不算精確完善，但初學者在私塾中第一次買到此書，就像獲得大璧玉般的珍貴。先父用紅筆、墨筆加以評論點定，指示初學者作文的方法，我從小就閱讀學習。由於書上有先父親手寫的文字，所以很珍惜的沿用它，不僅由於它是早期圖書的關係。回想起甲戌年秋冬間購得此書，當時先父擔任湖北省應城縣的知縣，我私塾中的老師規定除了與科舉有關的以外，其他的

書一律不得閱讀。等到購得此書，藏在書箱裡，利用燈下或窗下偷看它，開始看時不能完全瞭解，但因為喜好它，所以捨不得放下。現在放在手裡，想起三十年的情景，歷歷在眼前。

# 東雅堂❶校刻韓文書後

　　長洲徐氏時泰❷校刊《昌黎先生集》，用宋廖瑩中世綵堂本❸，卷次篇第，與南劍官本不異。徐氏之意，以魏仲舉刊《五百家注》❹，引注冗複，而方崧卿《舉正》❺及朱子《校本》與《考異》之文未得附入，故以朱子《校本》、《考異》為主，而刪取諸家要語附注其下，在今世遂稱佳本，所謂東雅堂本是也。此本較諸刻最為晚出，前人考校、疏證、論辨之說，至是匯集不為不多，苟欲刊定此書，蔚垂不朽，則宜詳具始末，彙集眾長，為《韓集》之大全可也。如考訂時事，辨別傳聞，則程、呂、洪、樊諸譜記❻，當備載也；校正文字，疏證名物，則祝氏《音義》、王氏《音釋》、蔡氏《補注》❼諸編不宜略也；評論文墨，商榷義理，則詩話文評、儒先語錄、前人序例當甄採也。詩有唱和，文有端委，如〈月蝕詩〉之盧仝原作，〈平淮西碑〉之段文昌改本，俱宜附注本篇之下。推類而及，凡有同時交際詩文，苟有傳者，必當搜輯同編，以見郢人之質，同歌之善，乃使讀《韓集》者無遺憾焉可也。至於《外集》、《遺文》，真偽雜出，亦當存其本

文，著其所以辨別之說，一如諸子外雜諸篇，縱有他人之筆，苟使相傳有自，斷無刪去其文者也。蓋文集者，一人之史也。其事其文，苟與其人相涉，未有不為一例通編，固不必盡出其人手筆，亦不可遽以我意區分，乃為善考古人之業也。徐氏苟欲訂定善本，折衷一是，以供子弟之誦習，則按據朱子《考異》，盡刪繁文以歸簡易，抑亦可矣。如曰將盡心於《韓集》，使無憾焉，則當博取眾長，有條不紊，如前說焉，然後可也。今乃約既不精，博又不盡，所求非其所用，所志非其所為，世傳以為佳本，相與矜❽之，誠不知其何所取也。且如〈原道〉一篇，最為先儒聚訟，徐氏初無折衷，僅採楊龜山❾及蘇子由❿〈駁議〉二條，理既不確，又不博採他說以參互之，使人得以自為別擇，將使後生小子，何所決是非乎！大者如此，他可知矣。桐城方氏世舉⓫謂其辨注多而箋事少；不知辨注雖多，仍少發明，其書可備參稽而不可為定本。苟欲集韓氏之大全，固當醇駁兼收，虛實互致，其有成書者，如《舉正》、《考異》、《音釋》、《補注》之類，各自為書，列於正集之後；其本無成書，或雖有其書而久亡者，則裒集諸說，條次逐篇之末，而間附己意以折其中，如范寧集解《穀梁》之例⓬可也。至隨文解義，偏旁音訓之類，則順次本文之下，以便讀者之省覽可也。嗚呼！文士之見，祇拘拘⓭於文章工拙；而先儒之辨，惟介介⓮於義

理醇疵；至考古之士，則又惟是時事始末，出處先後之間，援記證傳，紛紛未已。不知一人之集，固為一人之史，而他集與他史傳，固將藉是以為辨裁，執一不可相通，兼收乃克有濟。然而自古及今，未聞有議及者，是固斯文之闕典也。余故發明其指，以待後之從事於《韓集》者，且欲凡有志於考定前人，胥用是為例焉，詎非藝文之大觀，不朽之盛事耶！此書於《韓集》雖未為至，而剞劂精良，款識古雅，置之案閒，摩挲❶寶玩，蓋亦不可少之物也。緣世之所震矜❶，是以推本而極言之❶。

## 【今註】

❶ 東雅堂：參見〈吳澄野太史歷代詩鈔商語〉註❸。

❷ 長洲徐氏時泰：參見〈吳澄野太史歷代詩鈔商語〉註❸。

❸ 宋廖瑩中世綵堂本：廖瑩中，字群玉，號藥洲，宋邵武人。善屬文，工書，為賈似道客，嘗除太府丞，知某州，皆不赴。似道還越待罪，瑩中相從不捨，一夕與似道痛飲，悲歌雨泣，五更歸舍，服冰腦而死。事蹟具《宋史翼》（卷四十）。世綵堂，為廖瑩中室名，曾翻刻《淳化閣帖》、《絳帖》，皆逼真。所刻《九經》、《韓昌黎集》、《柳河東集》，當時視為善本。

❹ 魏仲舉刊《五百家注》：《四庫簡明目錄標注》（卷十五）別集類：「《五百家註音辨昌黎先生文集》四十卷，宋魏文舉編。於諸儒之論韓文者，採摭頗博。然據其所列，實止三百六十八家，不足五百家之數。凡引用片語，即列一家，亦非皆音註。然韓文撰有考證音訓者，洪興祖以下，凡三十一家。原本十佚其九，頗賴此書以存。」魏仲舉，南宋慶元間建安人，名懷忠，以字行。書賈，坊名崇正堂，曾編刊唐孔穎達《附釋文尚書注疏》二十卷、唐韓愈《新刊五百家註音辨昌黎先生文集》四十卷《外集》十卷《別集》一卷，《論語筆解》十卷、唐柳宗元《新刊五百家註音辨唐柳先生文集》二十

一卷《附錄》二卷《外集》二卷《新編外集》一卷《龍城錄》二卷，唐杜牧《樊川文集》二十卷《外集》一卷《別集》一卷等。

❺ 方崧卿《舉正》：參見〈朱崇沐校刊韓文考異書後〉註❼。

❻ 程、呂、洪、樊諸譜記：此指宋程俱撰《韓文公歷官記》（一卷）、宋呂大防撰《韓吏部文公集年譜》（一卷）、宋洪興祖撰《韓子年譜》（五卷）、宋樊汝霖撰《韓文公年譜》（一卷）。

❼ 祝氏《音義》、王氏《音釋》、蔡氏《補注》：祝氏《音義》指宋祝光（一作充）《韓文音義》五十卷。（見《宋史・藝文志》）王氏《音釋》指宋王伯大《音釋》。蔡氏《補注》指宋蔡夢弼《纂注昌黎集》。

❽ 矜：誇讚。

❾ 楊龜山：宋楊時，字中立，將樂人。熙寧九年進士，調官不赴，學於程顥。顥死，復學於程頤。高宗即位，召為工部侍郎，丐外，以龍圖閣直學士提舉洞霄宮致仕，以著書講學為事。紹興五年卒，年八十三，謚文靖，學者稱龜山先生。

❿ 蘇子由：宋蘇轍，字子由，一字同叔，眉山人，軾弟。與軾同登嘉祐二年進士，累官御史中丞，以大中大夫致仕，築室於許，號潁濱遺老。政和二年卒，年七十四，謚文定。著有《欒城前後集》、《龍川志略》等。事蹟具《宋史》（卷三三九）本傳。

⓫ 方世舉：清桐城人，字扶南，一字息翁，博學篤行，不求仕進，好為詩，鎔鑄古今，自開生面。晚年注韓詩，酷嗜其體。乾隆初薦鴻博，不就，卒年八十餘，著有《春及堂集》。

⓬ 范甯集解《穀梁》之例：《直齋書錄解題》（卷三）春秋類：「《春秋穀梁傳集解》十二卷，晉豫章太守順陽范甯（武子）撰。甯嘗謂王、何之罪，深於桀、紂，著論以排之。仕為中書侍郎。其甥王國寶憚之，乃相驅扇，因求外補抵罪。會赦免。甯以為《春秋》惟穀梁氏無善釋，故為之注解。其〈序〉云：『升平之末，先君稅駕於吳，帥門生故吏，兄弟子姪，研讀六經、《三傳》。』蓋甯父汪為徐、兗二州北伐失利，屏居吳郡時也。汪沒之後，始成此書。所集諸家之說，皆記姓名。其稱何休曰及鄭君釋之者，即所謂《發墨守》、《起廢疾》也。稱邵曰者，甯從弟也。稱泰曰、雍曰、凱曰者，其諸子也。」《四庫全書總目》（卷二十六）春秋類：「《春秋穀梁傳注疏》二十卷，晉范甯集解，唐楊士勛疏。……又（甯）〈自序〉有『商略

名例』之句，《疏》稱甯別有《略例》百餘條，此本不載，然注中時有『傳例曰』字，或士勛割裂其文，散入注疏中歟？」

❸ 拘拘：受限制不能伸展。《莊子·大宗師》：「夫造物者，將以予為此拘拘也。」《釋文》：「拘拘，司馬云：體拘攣也。」

❹ 介介：心不安。《後漢書》（卷二十四）〈馬援傳〉：「但畏長者家兒或在左右，或與從事，殊難得調，介介獨惡是耳。」

❺ 摩挲：用手撫摩。也作「摩抄」「摩娑」。

❻ 震矜：震，推揚。矜，誇讚。

❼ 推本而極言之：推，尋究。本，事理之基礎。極，詳盡。


## 【今譯】

　　長洲徐時泰校刊《昌黎先生集》，用的是宋代廖瑩中的世綵堂刊本，卷次和篇目次序，都與南劍州官刻本相同。徐氏的用意，以為魏仲舉編的《五百家注音辨昌黎先生文集》（四十卷），引用的注釋冗雜重複，而宋代方崧卿《韓集舉正》及朱熹所撰的《校本》與《韓文考異》等資料都未能載錄，因此以朱子的《校本》與《韓文考異》為主，並節錄各家的要點附注在下面，現在都認為是最好的本子，也就是大家所稱的東雅堂刊本。這個本子是韓文各種刊本中最晚出的，前人有關韓文的考校、疏證、論辨等，到現在已經很多，如果要刊定韓文，成為不朽的書，就應該詳備的說明各種資料的前因後果，彙集各家的優點，撰成《韓集》的大全。如果考訂時事，考辨傳聞，那麼程俱、呂大防、洪興祖、樊汝霖等人所編的韓昌黎年譜，應完整收錄。如果校正文字、疏證名物，那麼宋代祝光（一作充）所撰《音義》、王氏的《音釋》、蔡氏的《補注》等書，就不能不收。如果是評論文章，商討義理，那麼有關的詩話、文評、先賢的語錄及前人的序例，都應該選擇採用。詩有唱和的詩，文章有寫作的始末，例如〈月蝕詩〉是盧全原作，〈平淮西碑〉經段文昌改定，這些都應在相關篇目下加上附注。以此類推，凡是與韓愈有關的交際詩文，如有傳世的，都應當搜採編在一起，以顯現郢州人的性情及互相酬唱的優點，才能讓閱讀

《韓昌黎集》者感到滿意。至於《外集》、《遺文》，真偽都有，應該保存本文，著錄考辨真偽的各種說法，悉如諸子外雜等篇，即使有出自他人之筆，如果流傳已久，來源可考，就不可刪除。文集，是一個人的歷史。所有的事情與文章，如果與作者有關，沒有不予以全部收集成編的，本來就不一定要出自作者本人手筆，也不可倉猝以自己的想法加以區分，這樣才是正確考述古人學術的態度。徐氏如果想要編定韓集的善本，求其適當，以供年輕的晚輩誦讀，只要根據朱熹所撰的《韓文考異》，刪去繁冗的文詞，求其簡單易讀就可以了。如果是要盡其心力整理《韓集》，做到沒有缺點，那就應當博採各家的長處，資料的彙集要有條不紊，做到我前面所說的各點，才算滿意。現在徐氏所刊《韓文》，說它簡約但不夠精要，資料多但不完整，所編刊的與最初的要求不符，所做的與最初的想法不符，世人卻認為善本，大家都誇讚，實在不瞭解那一點值得稱許。像〈原道〉這一篇，古代學者爭論最多，徐氏沒能求其至當，只採用楊時及蘇轍的〈駁議〉兩條，道理既不確實，又未能博採其他說法互相比較，讓讀者可以自行甄別選擇，如此做法，晚輩年輕讀者，怎麼去決定誰是誰非呢？重要的地方如此，其他地方就可想而知了。桐城方世舉稱此書關於注釋的考辨較多，而於史事的說解較少，卻不知道考辨注釋雖多，但很少創見，所以這本書可供參考，但不能做為完善的標準本。如果想要彙編韓文最完善的本子，不論是醇正的或駁雜的，都要收錄，空虛或充實的也都要採錄，目前已有的專書，如《舉正》、《考異》、《音釋》、《補注》之類，依原書一一放在正集的後面；至於還沒有成書的，或雖已成書但已亡佚的，就蒐集各家的說法，一條條附在各篇的後面，偶而附上自己的意見，以求至當，就像范寧撰寫《穀梁傳集解》的方法一樣。至於說解文義或注解字音字義等，則可依序放在本文下面，以方便閱讀就可以了。可惜的是，一般文人所注意到的，拘泥於文章的好壞；而前代儒者所注意的，則在乎義理是否精醇；至於考證史事者，又只專注於史事的始末。各種資料先後出現，彼此援用，紛雜不已。他們不瞭解一個人的文集，原本就是

一個人的歷史，其他人的文集與其他史書傳記，都將參考這個文集從事考辨裁定，只採用單一資料是無法使各書相通，只有兼收各種資料才能做到。然而從古到今，沒聽過有人談到這個道理，這是文化上還欠缺的一本書。我特地說出這個道理，期待將來研究、編纂韓集的人能去做，同時，凡是有志於考定前人著作者，都能用這個方法，那豈不是圖書文獻最壯觀、不朽的盛事嗎？此書對《韓集》的整理編纂雖沒能做到盡善盡美，但是刊印精良，行款古雅，放在桌上，當作寶物撫摩，也是不可或缺的東西。由於世人都推崇誇讚它，所以就尋究事理而詳盡的說明。

·校讎通義今註今譯·

# 葛板韓文書後

　　前明東吳葛鼐靖調氏❶校刻《韓集》五十三卷，卷第篇次，與諸本皆同，盡刪諸家之說，而一以朱子《考正》原文為主，折衷一定，朱子所兩存者，亦不復更存旁注，所以便初學也。靖調氏伯仲校刻諸書，世號葛板，其為篇雖簡約，而校讐復盡心。此本雖本朱子校定正文，而審定篇第，則尤為慎密。按《考異》篇第，於《正集》四十卷，俱仍李漢原編❷，其《外集》、《遺文》，則據方崧卿❸所收二十五篇之外，增入諸家所錄與《順宗實錄》五卷❹，並編十卷；中有刪者，亦存篇目，以俟後人考定。嗣是諸本，皆以《考異》篇目為準則矣。然《考異》於《遺文》篇次，將〈皇帝即位賀宰相啟〉編於〈忭州嘉禾嘉瓜狀〉後，〈賀諸道狀賀觀察使狀〉之前，其〈憲宗崩慰諸道疏〉，則編於〈賀諸道狀〉〈賀觀察使狀〉後，〈潮州謝孔大夫狀〉前，於類例似為不倫。朱崇沐本❺，則以〈賀宰相啟〉移置〈奏嘉禾狀〉之前，似矣。而刪去〈慰諸道疏〉，亦不可解。葛氏則啟列狀前，疏列狀後，文以類從，頗似得當。第不著其說，似病於過略耳。又退

之〈與大顛師書〉，朱子於第三書，「不如親顏色」句，謂「親」字下「顏」字上當有「見」字，而石本杭本皆闕，故不敢增而空其處，此校書闕文之義必當如是。今葛氏既以闕處填作「見」字，亦似非闕疑慎言之意。至於《正集》之下，〈邠侯革華傳〉題下，注閣本無此篇，乃用方崧卿說而刪去之。《外集》、《遺文》有用《舉正》及《考異》之文而刪去者，俱注闕字，不注去之之說，則體例亦未畫一矣。凡此皆葛板之未盡善者，是校書之所以難也。前人文集，非特校正為難，即編次篇第，亦不易易。蓋不明著作之意及文字承用體裁，鮮有能得當者。世俗習而不察，集部目次，多是率意編類。如賦先於詩，詩賦先於眾體，乃是昭明《文選》一時陋例，而文人編集，遂為千古典型，尤可異也。唐人文集，韓退之文定於李漢❻，柳子厚文定於劉禹錫❼，最為當世所稱。《柳集》卷數今已訛錯，而李漢《韓集》目次，則諸本皆同，雖甲賦乙詩，尚沿陋例，而中間雜體文字，則頗見其用心。蓋緣雜著四十三題，不為強分類例，則似有窺於古人著作之遺。惟十三卷卷末七記，明是記體，不合編於雜著耳。若移七記冠於十四卷之首，而標類為記，更以十四卷〈貓相乳〉以下七題編於十三卷之末，定為雜著三卷，〈郾州谿堂詩〉別編於詩，則位置無遺憾矣。至〈圬者王承福傳〉，編入雜著，而〈毛穎傳〉編於雜文，既不別立傳

類，而又不混合為一，尤為有識。蓋二篇本非傳體，《文苑》❽、《文粹》❾入傳，非也。〈王承福〉乃有為而作，故入雜著；〈毛穎〉乃是游戲，故入雜文也。至〈太學生何蕃傳〉編於〈與李秘書論小功不稅書〉後，〈答張籍二書〉之前，方崧卿從舊本作〈太學生何蕃書〉，以為此文總於書類，當從舊本作書，朱子以謂文實傳體，仍當為傳，此則疑方說為得之。蓋史法不傳生人，且文體亦不類傳，乃是書事體耳。孫樵❿〈書何易于〉，即其例也。書事之文，依李漢例，亦當編於雜著，今因篇以書名，而竟編於書牘之內，乃李漢之疏也。若篇題本自為傳，李漢安得如是之舛誤乎！至於餞送詩序，當分主客，一己作詩而序引其端，則序乃一詩之序，當編入詩類，而序乃同於《詩》〈小序〉也；與眾同賦而又為作序，則序乃眾詩之序也，序編序類，而分賦之詩仍歸詩類，乃為得當。今〈送溫處士赴河陽軍〉、〈送鄭尚書鎮海南〉等篇，皆序與詩分載，當矣；而〈送張道士〉與〈鄭十校理〉，皆以詩編序後，未免為例不純；而〈送陸歙州詩〉，乃是昌黎一人所賦，其序即同《詩》之〈小序〉，今不編於詩類而編入序類，又不免於反主而為客矣。〈石鼎聯句詩序〉，乃是以文滑稽⓫，例當編入雜文，今亦編於序類，非也。〈石鼎序〉之不可為序，猶〈毛穎傳〉之不可為傳也。又狀體亦自不一，奏御之狀，與表同類；申達上官之狀，與

書啟同類。今〈與盧郎中薦侯喜狀〉、〈袁州申使狀〉、〈國子監論新注學官牒〉三首,雜入奏狀之內,皆不可以為訓。凡此並是李漢編次不能條理,舉一可以反三,編集諸家,不可不討論而熟察之也。此類固與葛氏校刊得失無與,因其闕篇之注,義例不明,故引申而及之,以為篤於時而拘於墟❶者覺也。

## 【今註】

❶ 前明東吳東吳葛鼐靖調氏:參見〈吳澄野太史歷代詩鈔商語〉註❸。

❷ 《考異》篇第,於《正集》四十卷,俱仍李漢原編:李漢,字南紀,少事韓愈,通古學,屬辭雄蔚,為人剛略類愈,愈以女妻之。第進士,累遷左拾遺。敬宗侈宮室,漢極諫,坐婞訐出佐興元幕府。文宗時擢史館修撰,論次李吉甫事不假借,與其子德裕交惡,遂不復振。宣宗召拜宗正少卿,卒。《直齋書錄解題》(卷十六)別集類:「《昌黎集》四十卷《外集》十卷,唐吏部侍郎南陽韓愈(退之)撰,李漢〈序〉。漢,文公婿也。其言『辱知最厚且親,收拾遺文,無所失墜』者,懼後之人偽妄,輒附益其中也。外有《註論語》十卷傳學者,《順宗實錄》五卷列於史官,不在集中。今《實錄》在《外集》。然則世所謂《外集》者,自《實錄》外皆偽妄,或韓公及其婿所刪去也。南陽者,唐東都之河陽,《春秋傳》『晉於是始啟南陽』者也。《新書》以為鄧州,非是,方崧卿《年譜》辨之詳矣。」

❸ 方崧卿:參見〈朱崇沐校刊韓文考異書後〉註❼。

❹ 《順宗實錄》五卷:《直齋書錄解題》(卷四)起居注類:《唐順宗實錄》五卷,唐史館修撰韓愈撰。見愈《外集》。案:《志》稱韓愈、沈傳師、宇文籍撰,李吉父監修。《新史》謂議者閧然不息,卒竄定無完篇,以闇官惡其書禁中事切直故也。」

❺ 朱崇沐本:參見〈朱崇沐校刊韓文考異書後〉註❶。

❻ 韓退之文定於李漢:參見註❷。

❼ 柳子厚文定於劉禹錫:《直齋書錄解題》(卷十六)別集類:「《柳柳州

集》四十五卷《外集》二卷，唐禮部員外郎柳州刺史河東柳宗元（子厚）撰。劉禹錫作〈序〉，言編次其文為三十二通，退之之誌若祭文，附第一通之末。今世所行本皆四十五卷，又不附誌文，非當時本也，或云沈元用所傳穆伯長本。」

❽ 《文苑》：即《文苑英華》一千卷。《四庫全書總目》（卷一八六）總集類：「《文苑英華》一千卷，宋太平興國七年，李昉、扈蒙、徐鉉、宋白等奉敕編，續又命蘇易簡、王祐等參修，至雍熙四年書成，宋四大書之一也。梁昭明太子撰《文選》三十卷，迄於梁初，此書所錄則起於梁末，蓋即以上續《文選》，其分類、編輯體例亦略相同，而門目更為繁碎，則後來文體日增，非舊目所能括也。」

❾ 《文粹》：即《唐文粹》一百卷。《四庫全書總目》（卷一八六）總集類：「《唐文粹》一百卷，宋姚鉉編。陳善《捫蝨新話》以為徐鉉者誤也。鉉字寶臣，廬州人，自署郡望，故曰吳興。太平興國中第進士，官至兩浙轉運使，事蹟具《宋史》本傳。是編文賦惟取古體，而四六之文不錄；詩歌亦惟取古體，而五七言近體不錄。」

❿ 孫樵：參見〈內編〉〈著錄殘逸〉註❼。

⓫ 滑稽：形容詼諧多智、順應隨世之態度。

⓬ 拘於墟者：拘墟，也作「拘虛」，比喻所見不廣也。《莊子》：「井蛙不可以語海者，拘於虛也。」虛，故所居也，拘限於所居，不知海之大也。

## 【今譯】

明代東吳人葛鼐（靖調氏）校刊《韓昌黎集》五十三卷，卷數、篇章次序等，與其他本子相同，他把各家說法全部刪除，全部用朱熹所撰《韓文考異》的原文為主，分別是非，求其適當，朱子如存有兩說，也就不再另存其他注釋，以方便初學者。靖調氏兄弟所校刊的各種書，大家稱之為「葛板」，其篇幅雖簡約，但是校勘則甚用心。這個本子雖是根據朱子的《考異》校定正文，但審定篇目次序，《正集》四十卷部分，都依照唐代李漢所編的樣子，《外集》、《遺文》部分，則除了依據宋代方崧卿《外集舉正》所收的二十五篇以外，又增入了各家所收錄的及《順宗實錄》五

卷，合併成十卷，如果被刪除的，仍保留其篇名，等待後人考定。自此以後《韓集》的各種本子，都用《韓文考異》的篇目為標準。不過《韓文考異》中對《遺文》部分的篇目次序，將〈皇帝即位賀宰相啟〉一文編在〈汴州嘉禾嘉瓜狀〉一文之後，〈賀諸道狀〉、〈賀觀察使狀〉二文之前；〈憲宗崩慰諸道疏〉一文，則放在〈賀諸道狀〉、〈賀觀察使狀〉後，〈潮州謝孔大夫狀〉前，在類例上似乎沒有條理。明代朱崇沐的刊本，則是將〈賀宰相啟〉移置在〈奏嘉禾狀〉之前，比較合理，但刪去〈慰諸道疏〉，不知道為什麼。葛氏則把「啟」放在「狀」前，「疏」放在「狀」後，同類的文章放在一起，似乎比較適當。但沒加以說明，有過於簡略的缺失。又如韓愈〈與大顛師書〉，朱子在第三封信的「不如親顏危」句，以為「親」字下「顏」字上應當有「見」字，而石本、杭本都從闕，所以空著不敢增字，從事校勘時，一定要有這種如無可信證據寧可從闕的謹慎態度。現在葛氏在闕處填進「見」字，這不合乎闕疑慎言的態度。至於在《正集》中的〈邴侯革華傳〉題目下，注云閣本無此篇，是根據方崧卿的說法而刪去。《外集》中的《遺文》部分，有用《舉正》及《考異》之文而刪去的，都注了「闕」字，卻不說明所以刪去的理由，如此體例就不一致了。這些都是葛本的缺失，這可見校書是一件困難的事。前人的文集，不僅校勘不容易，就是編排篇次，也是不容易。如果不瞭解作者寫作的用意及文章所沿用的體裁，很少有能編得適當的。一般人都習慣了而沒注意到，以致文集的目次，大部分都是任意編輯。例如「賦」放在「詩」的前面，「詩」「賦」排在其他文體之前，這是《昭明文選》臨時決定的粗俗體例，卻成後代編集文章時永遠不變的典範，十分奇怪。唐代的文集，韓退之的文集由李漢編定，柳子厚的文集由劉禹錫編定，最為當時人所稱許。《柳先生文集》的卷數現在已不正確，而李漢所編《昌黎先生文集》的目次，各本都相同，雖然「賦」排在「詩」前面，仍沿用粗俗的體例，但對於書中其他各體文章的編排，則可見相當用心。這是由於各種文體的文章共有四十三篇，李漢不強行隨意分類，似乎已觀察到古人

著作的精神。只是第十三卷最後七篇「記」，明明是記體，不適合編在雜著類。如果把七篇記放在第十四卷的前面，並標注為「記」類，另外再把第十四卷〈貓相乳〉以下七篇放在第十三卷的後面，定為雜著三卷，〈鄆州谿堂詩〉則編在詩類，如此，目次就沒有缺失了。至於〈圬者王承福傳〉，編入雜著類，而〈毛穎傳〉編入雜文類，既不另外成立「傳」類，也不將這兩篇放在同一類，最為有見地。因為這兩篇本來就不是傳記體裁，《文苑英華》、《唐文粹》把這兩篇放在傳記類，是錯誤的。寫〈圬者王承福傳〉，是有用意的，所以放入雜著類；〈毛穎傳〉則是用輕鬆、不嚴肅的態度寫的，所以放在雜文類。至於〈太學生何蕃傳〉一文，放在〈與李秘書論小功不稅書〉一文後面，〈答張籍二書〉一文前面，方崧卿依據舊本題為〈太學生何蕃書〉，以為這篇文章統領書類，所以應依舊本作「書」；朱子則認為它其實為傳記的體制，仍應作「傳」，關於這點，我以為方氏比較正確。因為依據史學例法是不為活著的人寫傳的，而且其體裁也不像傳記，是屬於敘事體。孫樵寫的〈書何易于〉一文，就是一個例子。敘事體的文章，依李漢的體例，也應該編在雜著類，現在由於文章以「書」為篇名，竟然放在書牘類，這是李漢的疏誤。如果篇目本來就用「傳」為名，李漢怎麼可能會有如此的疏誤呢？至於設宴為友人送行所寫的詩及詩前的小序，應分別主客，如果是為自己的詩前面作小序，則這個序是一首詩的小序，應當編在詩類，這種小序就和《詩經》的〈小序〉一樣。如果是與很多人一起作詩，在所有的詩前面作了序，這是很多首詩共有的序，這篇序應該編在序類，各人寫的詩仍然編在詩類，才是適當。現在〈送溫處士赴河陽君〉、〈送鄭尚書鎮海南〉等篇，都把「序」與「詩」分別收錄，很適當。而〈送張道士〉與〈鄭十校理〉，都把詩編在序文後，全書體例就不一致了。而〈送陸歙州詩〉，是昌黎一個人寫的，詩前的小序和《詩經》的〈小序〉一樣，現在不編入詩類，卻編入序類，犯了反主為客的疏誤。至於〈石鼎聯句詩序〉，是一篇詼諧的文章，依體例應當編入雜文類，現在也編入序文類，是錯誤的。〈石鼎序〉之不可編

入序文類，就和〈毛穎傳〉不可編入傳記類的道理是一樣的。又如「狀」的體制也不盡相同，奏御類的狀，與表同一類；向上級官員表達意見的狀，與書啟同一類。如今將〈與盧郎中薦侯喜狀〉、〈袁州申使狀〉、〈國子監論新注學官牒〉三篇，都雜編在奏狀類裡，不可效法。以上這些，都是李漢所編昌黎文集不合條理的地方，舉其中一事就可以類推其他了，編纂文集者，不能不詳細討論注意的。這些事本來和葛氏校刊韓文的得失無關，只因葛版韓文闕篇的注解，義例不明確，所以順便加以討論，提供那些只瞭解現代又見識不廣的人有所啟發、瞭解。

# 朱子韓文考異原本書後

　　朱子《韓文考異》十卷，自王留耕❶散入《韓集》正文之下，其原本久失傳矣。康熙中，安溪李厚菴相國得宋槧本於石門藏書家，重付之梓❷，校讎字畫，精密甚甚，計字十一萬七千九百有奇，諦審此書，乃知俗本增刪，失舊觀也。第一卷、第四卷、第六卷、第七卷，卷尾俱有補注，安溪公❸親見原本補注皆作行書，第一卷注文自稱曰洽，故疑為朱子門人張元德所刊❹，尤非他宋槧本可比，洵可寶也。按第四卷補注，引楊倞《荀子注》〈性惡篇〉後，注文全載〈原性〉一篇，與今本多異，而楊倞❺稱「原性」為「性原」，則〈五原〉以「原」字在下，唐人所見之本，已有如此者矣。方本諸篇，皆以「原」字居上，獨「原性」題為「性原」，宜朱子以為不然，不知唐人已有是篇目也。此等雖無關於文義，然東雅堂❻本已以《淮南子》〈原道篇〉相擬矣。今按劉勰《文心雕龍》❼亦有〈原道〉，與韓子〈原道〉，鼎峙而三。韓最晚出，而世人言〈原道〉者，但知韓氏，不甚知彼二家，此布帛粟菽❽，所以重於空青大沆也。古人讀書，不憚委曲繁

重，初不近取耳目之便，故傳注訓故，其先皆離經而別自
為書。至馬鄭諸儒，以傳附經，就經作注，觀覽雖便，而
古法乃漸亡矣。評論文字，抑揚工拙，雖為道之末務，然
如摯氏《文章志論》❾，劉氏《文心雕龍》，亦離文而別
自為書。至真、謝諸公❿，就文加評，因評而加圈點識
別，雖便誦習，而體例乃漸褻⓫矣。至於校讎書籍，則自
劉向揚雄以還，類皆就書是正，未有辨論同異，離本文而
別自為書者。郭京《周易舉正》⓬，以家藏王、韓⓭手寫
真本比校世所行本，正得一百三十五處，二百七十三字，
自為一書，不以入經，此尊經也。其餘則絕無其例矣。至
宋人校正《韓集》，如方氏《舉正》⓮、朱子《考異》
⓯，則用古傳注例，離文別自為書，是皆後人義例之密過
於古人。竊謂校書必當以是為法，刻古人書亦當取善本校
讎之，自為一書者，附刻本書之後，俾後之人不憚先後檢
閱之繁，而參互審諦，則心思易於精入，所謂一覽而無
遺，不如反覆之覈核也。古人離文別自為書，非但自存謙
牧，不敢參越前人之書而已，亦欲學者不憚繁難而致功，
庶幾有益耳。一取便於耳目，未免漫忽而不經心，此意亦
可思也。

【今註】

❶　王留耕：即王伯大，參見〈吳澄野太史歷代詩鈔商語〉註❸❼。

❷　康熙中，安溪李厚菴相國得宋槧本於石門藏書家，重付之梓：《四庫簡目標

注》（集部二）《原本韓文考異》十卷條下，《續錄》云：「康熙戊子，李光地以呂晚村家藏宋本重刻。」知石門藏書家者，呂留良也。李厚菴相國，即李光地。光地，清安溪人，字晉卿，號厚菴，康熙進士，由庶吉士授編修，乞假在籍，會耿精忠反，置疏蠟丸，間道陳破敵策。又言施琅習海上形勢，可重任，用其言，遂平臺灣。累官直隸巡撫，文淵閣大學士，卒諡文貞，著有《榕村全集》。呂留良，清浙江石門人，字莊生，又名光綸，字用晦，號晚村。善為文，與張履祥等發明程朱之學。明亡後，著書多種族之感，誓不仕清室。郡守以隱逸薦，乃削髮為僧，取名耐可，字不昧，號何求老人。沒後，雍正時以曾靜文評獄牽涉，闔門被禍，著述均遭禁燬。

❸ 安溪公：即李光地。

❹ 第一卷注文自稱曰洽，故疑為朱子門人張元德所刊：張洽，字元德，號主一，宋清江人。從朱熹學，自六經傳注而下，皆究其指歸。第嘉定元年進士，歷袁州司理參軍，尋知永新縣，通判池州，皆有善政。端平初除直秘閣致仕，卒年七十七，諡文憲。著有《春秋集注集傳》、《左氏蒙求》、《續通鑑長編事略》、《歷代地理沿革表》、《文集》等。事蹟具《宋史》（卷四三〇）。

❺ 楊倞：唐代元和間人，官大理評事，注《荀子》二十卷。

❻ 東雅堂本：參見〈吳澄野太史歷代詩鈔商語〉註❻。

❼ 劉勰《文心雕龍》：參見〈吳澄野太史歷代詩鈔商語〉註❷。

❽ 布帛粟菽：布帛粟菽，為日常生活所必須，故用以比喻雖屬平常但不可缺少之物品。《宋史》卷四二七〈程顥傳〉：「其言之旨，若布帛菽粟然。」

❾ 摯氏《文章志論》：指晉摯虞撰《文章流別志論》一卷。摯虞，長安人，字仲洽，少師事皇甫謐，才學通博，舉賢良，武帝詔會東堂策問，擢太子舍人，除聞喜令，後歷祕書監，衛尉卿，從惠帝幸長安，及東軍來迎，百官奔散，遂流離鄠杜間。後得還洛，歷光祿勳，太常卿，及洛京荒亂，以餒卒。

❿ 真謝諸公：指真德秀、謝枋得之評點，參見〈吳澄野太史歷代詩鈔商語〉註❷。

⓫ 褻：輕慢、不莊重。

⓬ 郭京《周易舉正》：宋晁公武《郡齋讀書志》（卷一）經部易類：「《周易舉正》三卷，右唐郭京撰。京嘗任蘇州司戶。〈序〉稱：『京家藏王弼、韓康伯手札《周易》本及石經，校正一百三十五處，二百七十三字。』」蓋以繇

象家相證，有闕漏處，可推而知，託云得王、韓手札與石經耳。如〈渙〉之
繇『利涉大川』下有『利貞』字，而象辭無之，則增入；〈漸〉之繇『女歸
吉』下無『也』字，而象辭有之，則削去，他皆此類。」

❸　王、韓：王弼、韓康伯。

⓮　方氏《舉正》：指方崧卿《韓集舉正》，參見〈朱崇沐校刊韓文考異書後〉
　　註❼。

⓯　朱子《考異》：指朱熹《韓文考異》，參見〈朱崇沐校刊韓文考異書後〉註
　　❷。


## 【今譯】

　　朱熹所撰《韓文考異》十卷，自從王留耕把它分散放在《韓昌黎集》
正文下面後，朱子的原本已失傳很久了。康熙年間，安溪李厚菴相國，從
石門的藏書家獲得宋刊本，予以重刊，校勘文字，十分精確，字數總計有
十一萬七千九百餘字。詳細閱讀此書，才知道俗本頗有增減，已失去了舊
有的面貌。第一卷、第四卷、第六卷、第七卷，卷末都有補注，安溪公親
見原本的補注都是行書寫的，第一卷的注文自稱為「洽」，所以可能是朱
子的學生張元德所刊刻的，不是其他宋刊本可以相比的，十分可貴。按：
第四卷的補注，引用了楊倞的〈荀子注性惡篇後〉，注文載〈原性〉全篇
文字，與現在的本子有很多不同的地方。而楊倞將「原性」寫作「性
原」，那麼「五原」把「原」字放在下面，唐代人所見的本字，就已經是
這個樣子了。方崧卿刊本的各篇，都把「原」字放在上面，只有「原性」
寫作「性原」，難怪朱子認為不該如此，卻不知道唐代已有這種寫法的篇
目了。這些雖然和文義沒有關係，但是東雅堂刊本已將它和《淮南子》的
〈原道篇〉相比擬了。今檢劉勰的《文心雕龍》，也有〈原道〉篇，與韓
愈的〈原道〉，三者並立。韓愈的〈原道〉最晚出，一般人談到〈原
道〉，只知道韓愈的〈原道〉，不很知道另外兩篇，這種情形，就像布
匹、絲織品、穀類、豆類，對常人來說，要比空青大浣等藥品來得重要的
道理是一樣的。古人讀書，不畏懼詳細繁瑣，最早並沒有考慮到以閱讀方

便為取書的優先條件，所以古人所撰的傳、注等注釋，最早都是和經書本文分開，而單獨成書。到了馬融、鄭玄等經學家，將注釋附在經文，就在經文下撰作注釋，雖然閱讀方便，但是古書的寫作方法就漸漸亡佚了。評論作品的高低好壞，雖然是學術的小事情，但是像晉摯虞的《文章志論》，劉勰的《文心雕龍》，也是和文章分開，各自為書。到了宋代真德秀、謝枋得等人，在文章上加上評論，又依據評論加上圈點，以便識別，這種評點方法，雖然方便誦讀，但體例就逐漸不嚴謹了。至於校讎圖書，則從劉向、揚雄以來，大多是在原書上改正錯字，還沒有將各本異同的考證，不附本文而單獨成書的。唐代郭京所撰《周易舉正》，他以家中所藏王弼、韓康伯親手寫的真本，和當時所通行的本子互校，改正一百三十五處，二百七十三字，這些校勘資料單獨成書，不放在經文中，這是表示尊崇經書，其他則還沒有看到這種體例。至於宋人校正《韓集》，如方崧卿的《韓集舉正》、朱熹的《韓文考異》，則採用古代注釋的體例，將考證文字不附韓文，而單獨成書，可見後人的體例，比古人還要精密。我認為校書應該效法方氏、朱子，校刊古人著作時，也應該取精審的本子來校，把校勘內容自成一書的，可以把它附刻在本書後面，讓後人不畏懼前後檢閱的繁雜，能夠詳細對照察看，那麼思考會更為深刻，所謂一覽無遺的讀法，不如一再覈對察核的讀法。古人將注釋或校勘資料，不附本文而單獨成書，不僅是表示謙虛，表示不敢超越前人的著作而已，也為了希望讀書人不要畏懼繁雜、困難，而獲得成效，或許能有助益。一切都以方便閱讀為重，就難免不專注心力，這種道理也值得思考。

# 韓詩編年箋注書後

　　桐城方世舉扶南氏❶撰《韓昌黎詩集編年箋注》十二卷，每卷之首，標列篇目；篇目之下，標明出處時世，觀者但考十二篇目，而洪氏《年譜辨證》❷，程氏《歷官》之記❸，皆可列眉而指數焉；德州盧氏見曾❹為之訂正複舛而刻以行世，是亦攻《韓集》者不可不備之書也。唐人詩集宜編年者，莫若杜、韓。杜之編年多矣❺，韓則僅見於此。是固論世知人之學，實亦可見詩文之集固為一人之史，學者不可不知此意。為詩文者，篇題苟皆自注歲月，則後人一隅三反，藉以考正時事，當不止於小補而已。按周紫芝❻辨韓詩〈嘲鼾睡〉二首，以為退之平日未嘗用佛家語，且「鐵佛皺眉」之類，語近鄙俚，此詩非韓作，真瞽說也。方氏據《朱子集》中有「晨起讀佛經」解之，似矣。顧韓詩中尚有〈東野失子〉，大用《涅槃經》❼語，何嘗以佛經為詫；〈月蝕〉詩中「杷沙腳手」，「婪酣大肚」等語，何嘗以鄙俚為嫌。顧俠君號為通博，乃取此等悠謬議論，殊不可解。近聞有說詩者，於〈廬江小吏焦仲卿妻〉一篇，極詆焦仲卿❽之溺愛忘親，自謂有補風教，

此等真是村荒學究見識。以此論文，最為誤事，惜方氏闢之❾，猶未暢厥指也。大抵學人之詩，才人之詩，詩人之詩，文人之詩，各有所長，亦各有其流弊；但要醞釀❿於中，有其自得，而不襲於形貌，不矜於聲名，即其所以不朽之質。是以《漢志》區詩賦為五種⓫，而賦家者流，又分屈原、荀況、陸賈以下別為三家之學。惜劉、班當日但分其類而未嘗明著其說，而後世家學流別之義又無有能通之者，是以各就己之所近，浸淫⓬入之，以為詩賦之道，一而已矣。苟有不為其說，不同其道而稱詩賦者，即不勝其入主出奴⓭，憤若不共戴天。苟有識者通其源流，奚足當吹劍之一吷乎⓮！主風教者貴有操持之實，極言是也，婉言亦是也，無其實而傅於遒人⓯之鐸，無謂也；徵學術者貴有懷抱之志，侈言是也，約言亦是也，無其志而勞於書肆之估，無謂也。性靈，詩之質也，魂夢於虛無飄渺，豈有質乎！音節，詩之文也，桎梏於平仄雙單，豈成文乎！三百之旨，五種之流，三家之學，虛實侈約，平奇雅俗，何者非從六義中出，但問胸懷志趣有得否耳。而世人論詩，紛紛攘攘，昧原逐流，離跂攘臂⓰於醢缶之閒，以謂詩人別有懷抱，嗚呼！詩千萬，一言以蔽之曰惑而已矣。

## 【今註】

❶ 桐城方世舉扶南氏：參見〈東雅堂校刻韓文書後〉註❶。

❷ 洪氏《年譜辨證》：洪氏指宋洪興祖。參見〈朱崇沐校刊韓文考異書後〉註❹。

❸ 程氏《歷官》之記：程氏，指宋程俱。參見〈東雅堂校刻韓文書後〉註❻。

❹ 德州盧氏見曾：盧見曾，清德州人，字抱孫，號雅雨，康熙進士，官兩淮鹽運使。愛才好客，四方名士咸集，極一時之盛。刻《雅雨堂叢書》、《金石三例》，著《出塞集》。今臺北國立故宮博物院及國立臺灣大學有清方世舉撰《韓昌黎詩集編年箋注》十二卷，清乾隆二十三年德州盧氏雅雨堂刊本。

❺ 杜之編年多矣：杜詩編年之作，清以前有：宋趙子櫟撰《杜工部草堂詩年譜》（一卷）、清浦起龍編《杜少陵編年詩目譜》（一卷）、清張溍撰《杜工部編年詩史譜目》（一卷），近人所作則有：梁造今編《杜工部草堂詩年表》、鞏固編《杜工部年表及杜詩年表》。

❻ 周紫芝：宋宣城人，字少隱，自號竹坡居士，紹興十二年進士，歷官右司員外郎，知興國軍。為政簡靜不擾而事亦治。著有《太倉稊米集》、《竹坡詩話》、《毛詩解義》等。事蹟具《宋史翼》（卷二十七）。

❼ 《涅槃經》：涅槃，佛教術語，義譯為滅度、圓寂，意謂脫離一切煩惱，進入自由無礙之境界，後來僧人死，也稱涅槃。《涅槃經》，佛經名，有小乘、大乘二部。小乘之《涅槃經》，有西晉白法祖譯、東晉法顯譯及失名譯三種。大乘之《涅槃經》有西晉竺法護譯本。

❽ 焦仲卿：東漢建安中為廬江府小吏，妻劉氏，為仲卿母所遣，自誓不嫁。其家逼之，乃投水而死。仲卿聞之，亦自縊於庭樹，時人作詩以傷之。

❾ 闢：駁斥、屏除。

❿ 醞釀：比喻促使事情逐漸成熟。

⓫ 《漢志》區詩賦為五種：《漢志》詩賦分屈原賦、陸賈賦、孫卿賦、雜賦、歌詩五類。

⓬ 浸淫：逐漸擴及、逐漸進入。

⓭ 入主出奴：〈韓愈文〉：「入于彼必出于此，入者主之，出者奴之，入者附之，出者污之。」謂入于楊墨佛老者，必出於聖人之學，主異端者，必以聖人為奴；附異端者，必以聖人為污也。

⓮ 吹劍之一映：典出《莊子》：「吹劍首者，映而已矣。」劍首，謂劍環頭小

孔也。映然如風過，言不足動聽也。映，小聲。

**⓯** 遒人：古代官名，掌宣布教化。《尚書・胤征》：「每歲孟春，遒人以木鐸徇于路。」《疏》：「名曰遒人，不知其意，蓋訓遒為聚，聚人而令之，故以為名也。」

**⓰** 離跂攘臂：《莊子・在宥》：「今世殊死者相枕也，桁楊者相推也，刑戮者相望也，而儒墨乃始離跂攘臂乎桎梏之間。」成玄英《疏》：「離跂，用力貌也。」攘臂，捋衣出臂，表示振奮。

## 【今譯】

桐城方世舉（扶南氏）撰《韓昌黎詩編年箋注》十二卷，每卷最前面，標舉篇目，在篇目下面，標明出處及寫作年代，讀者只要看這十二篇目，那麼宋洪興祖所撰《年譜》中的辨證資料及宋代程俱所撰《韓文公歷官記》所載事蹟，皆可一一列舉而完全瞭解。德州盧見曾曾訂正其中重複及舛訛的地方，並刊印行世，是研究韓愈詩文集者必備的書。唐代詩集中應該編年的，以杜甫、韓愈兩人最有必要。杜詩的編年著作已經很多，韓詩的編年著作，則只見到這一種。研究一人學術，必需瞭解當時的史事，是從事學術研究者所熟知的，這也說明了一個人的詩文集，如同一個人的歷史，讀書人不能不瞭解這個道理。詩文的撰者，如能在篇目下自行注明寫作年月，那麼後人就可以舉一反三，藉以考證當時史事，其功用就很大了。按：宋代周紫芝考辨韓愈的〈嘲鼾睡〉二首詩，認為韓愈平常寫詩很少用到佛家語，而且「鐵佛皺眉」這類句子，相當粗俗，因此認為〈嘲鼾睡〉不是韓愈的作品，真是瞎說。方世舉根據《朱子集》裡有「晨起讀佛經」句加以解釋，比較正確。但是韓詩中還有〈東野失子〉，用了很多《涅槃經》的語句，並不以用佛家語而覺得奇怪；〈月蝕〉一詩中有「杷沙腳手」、「婪酣大肚」等，也並不因為其粗俗而覺得不好。但是俠君號稱博學，居然採錄了這等荒遠乖違事實的說法，實在難以瞭解。最近聽說有人解說詩，於〈廬江小吏焦仲卿妻〉一篇，痛斥焦仲卿只愛妻室而忘了

雙親，還以為這種說解對風俗教化有所助益，這些真是一些鄉下迂腐讀書人的見識。用這種認知評論詩文，最是錯誤，方世舉雖加以改正，但還是沒能疏通韓氏詩文的旨意。一般說來，學者的詩、才人的詩、詩人的詩、文人的詩，各有特色，也各有缺失。只要在心中慢慢成熟，形成自己的特色，不因襲外貌，不矜誇聲名，這種作品就具有不朽的特質。因此《漢書・藝文志》將詩賦分為五種，而賦家的流派，又分為屈原、荀卿、陸賈三家。可惜劉歆、班固當時在為《七略》、《漢書・藝文志》分類時，未說明賦家分三家的原因，而後代談論學術流派時都未能說出其道理。因此各就個人所習知的，逐漸進入，認為詩賦的道理，都是一樣的。如果不同意其說法，用不同方法論述詩賦的，受不住其成為異端，氣憤得有如不願與之共同於人世間。如果有見識的人瞭解其源流，又怎能引人注意呢？主持風俗教化的人要有實際的操守，盡力說出是對的，委婉說出也是對的，無操守之實而忙於教化工作，是沒有意義的。性靈，是詩的本體，悠遊於虛無飄渺間的魂夢，怎會有本體呢？音節，是詩的文彩，受到平聲、仄聲、對偶、單句的限制，那能有文彩呢？《詩經》三百首的大旨、詩賦分成五種流派，賦分為三家，其中雖有虛實侈約的不同，有平奇雅俗之異，每一項都是從風、雅、頌、賦、比、興六義中出來，只問胸懷志趣是否有所得而已。一般人論詩，各種見解很多，不瞭解淵源而無定見，所致力討論的都是些陳舊的見解，而說詩人另有所寄託。唉！數不盡的詩，可用一個字概括，那就是惑字。

# 韓文五百家注書後

　　《韓文五百家注》四十卷，《序目姓氏》一卷，無《外集》、《遺文》，蓋魏仲舉裒輯諸家❶，朱子《考異》❷未出，故《外集》、《遺文》猶未有定本也。其注有視今詳備可採輯者，亦有冗複無取可刪削者。其名《五百家注》，自韓子同時，柳、劉、籍、湜❸以至趙宋文人，凡有一語偶及，一言偶舉之者，無不羅列姓氏，猶未足五百也，約略其辭，舉其成數云耳。其實專門治《韓集》者，不過十餘家，猶未得盡見其全書也。《杜詩》有千家注❹，治《騷》者稱七十二家，美其言以詫庸俗之耳目，蓋前後出一轍也。然而余不病其過侈，特病其過於約也。向使專門治韓之書，如叢書之例，盡刻其全而次附本集之後，三百餘家姓氏，凡有言議涉於韓者，悉採無遺，而附於逐篇之後，豈不蔚然大觀哉？凡輯書之體，約則欲其極精，廣則欲其極備，精以明專家之長，而備以待採擇之便，二者交資而不可偏廢者也。若標名博大而按實頗疏，君子無所取也。

## 【今註】

❶ 　《韓文五百家注》……蓋魏仲舉裒輯諸家：參見〈東雅堂校刻韓文書後〉註
　　❹。

❷ 　朱子《考異》：參見〈朱崇沐校刊韓文考異書後〉註❷。

❸ 　柳劉籍湜：指柳宗元、劉禹錫、張籍、皇甫湜。柳宗元，唐河東人，字子
　　厚，少精敏絕倫，為文卓偉精緻，一時輩行推仰。第進士，中博學弘詞，拜
　　監察御史，坐王叔文黨貶永州司馬，徙柳州刺史，為文益進，世號柳柳州。
　　韓愈謂其雄深雅健，似司馬子長云。著有《柳先生文集》、《龍城錄》。劉
　　禹錫，唐中山人，字夢得，工文章，登貞元進士、弘詞二科，官監察御史。
　　以附王叔文，坐貶朗州司馬，久之召還，又以作〈玄都觀詩〉，語涉譏忿，
　　出為播州刺史，易連州，又徙夔州，後由和州刺史入為主客郎中，集賢直學
　　士，復刺蘇州，再遷太子賓客。禹錫恃才而廢，乃以文章自適。素善詩，晚
　　尤精，白居易推為詩豪。會昌中加檢校禮部尚書卒。有《劉賓客文集》。張
　　籍，唐和州人，字文昌，第進士，韓愈薦為國學博士，當時名士皆與之游，
　　而愈尤賢重之。籍為詩長於樂府，仕終國子司業。著有《張司業集》。皇甫
　　湜，唐新安人，字持正，元和進士，仕至工部郎中。卞急使酒，裴度辟為判
　　官，嘗為度撰〈福先寺碑〉，飲酣，援筆立就，度贈以車馬繒綵甚厚，湜大
　　怒曰：「自吾為〈顧況集序〉，未嘗許人，令碑字三千，字三縑，何遇我薄
　　也。」度笑曰：「不羈之才也。」從而酬之。湜與李翱、張籍齊名，有《皇
　　甫持正集》。

❹ 　《杜詩》有千家注：《四庫全書簡明目錄》（卷十五）別集類：「《集千家
　　註杜詩》二十卷，元高楚芳編。《集千家註杜詩》，本南宋書肆所刊，楚芳
　　略為刊削，而以劉辰翁評語散附其下，已非其舊，仍題曰《集千家註杜
　　詩》，從初名也。」

## 【今譯】

　　《韓文五百家注》四十卷，《序目姓氏》一卷，沒有《外集》、《遺
文》，是宋代魏仲舉彙輯各家注釋而成。當時朱子的《韓文考異》還沒有
出來，所以《外集》、《遺文》還沒有定本。其中注釋有比現在詳備可供
採輯的，也有繁雜不足參考而可刪削的。此書之所以取名《五百家注》，

從韓愈同時的人起，柳宗元、劉禹錫、張籍、皇甫湜等人以至宋代文人，只要有一句涉及韓文，或偶而列舉韓文的，全部列舉姓氏，合起來不足五百家，所以這是舉其大略的整數而已。其實專門研究《韓集》的，只有十餘家，這十幾家的著作，也沒能見到其全書。《杜詩》有千家注，研治《楚辭》的有七十二家，這都是說得好聽向庸俗者誇耀，都是用相同的方法。但是我不以其繁多為缺點，反而嫌它過於簡略。如果從前研治韓愈著作者，能像編纂叢書的方法，將研治韓愈著作的書完整刊刻，附在本集後面，凡有評論涉及韓愈的三百餘家著作，完整的採錄，附在各篇後面，那豈不是茂盛可觀嗎？凡是編纂圖書，簡約的話要做到十分精要，廣博的話要求十分完備。精要可以顯示專家的長處，完備則可以提供採擇方便，兩者交互取用而不可偏廢。如果書名標示得很博大，而內容很疏漏，君子是不會採用的。

# 讀道古堂文集❶

　　《杭大宗集》有〈兩浙經籍志序〉，自言雍正辛亥
❷，制府❸禮聘名碩修《浙省全志》。〈經籍〉一志，其
所創也。為卷五，為目五十有九，為書一萬有奇。無何
❹，制府朝京，局事大變，狐憑虎以作威❺，蜮含沙而射
影❻，檄❼取成書，妄生彈射。謂時令地理非史，天文律
曆非子，食貨不宜別標寶貨器用，醫家不宜更分經方針
灸，樹頤頰而插齒牙，沸吼吹脣，牢不可破。予援四代史
志❽及崇文、昭德、蒲田、鄱陽之書❾以證之，益復中其
所畏，倡為鴟張狼顧之談❿，以濟其鵷鶵腐鼠之嚇⓫。謂
聖天子稽古向學，將按籍而開獻書之路，封疆大吏，慮不
能盡應，至郢書燕說⓬，記醜而博，貽曲學⓭之譏，來求
全之責⓮。又草莽⓯私史，孤憤離騷⓰，將吹毛索疵⓱，傷
桃戕李。凡此數說，轉丸飛鉗⓲，恫疑虛喝，當局秉筆者
舌撟⓳頸縮，大有戒心。艾儒魁士之述作，以疑似而見刪
⓴；家猷國憲之章程，因運移而并廢。續鳧斷鶴㉑，取笑
通人，今世行本是也。杭復與爭，謂經籍所以補列傳闕
漏，班固不為馮商列傳而《續史記》則志於〈藝文〉㉒；

劉昫不為劉蛻列傳，而《文泉子》則志於經籍❷❸。然竟不能救。杭因次其舊稿，別本單行，聊述其顛末如此。按杭所稱制府，李公衛也❷❹。予在京師，見朱竹君先生❷❺家藏各省通志，其體例以《浙江通志》為最，即李公所修本也。此事見於雍正年間硃批奏摺，李公當日請動公帑萬金，彼時物力不甚艱難，一切人功、食用、剞劂，較今殆省倍蓰❷❻，而請帑萬金，優禮厚幣，徵名賢也。杭於史學未為深造，然才雄學富，一時未易其儔❷❼。《浙志》體例優於他部，殆其力歟！而小人譸張❷❽，遽已如此。蒼蠅變亂黑白，雖李公之裁斷，猶不能禁於暫去之際，羣邪醜正，從古然矣。

## 【今註】

❶ 《道古堂文集》：《續修四庫全書提要》別集類：「《道古堂文集》四十六卷，國朝杭世駿撰。世駿有《續方言》，《四庫全書》經部小學類著錄。世駿少負異才，博綜廣覽，於學無所不貫，藏書萬卷，日夕枕藉其中。與同里厲鶚、陳兆崙輩，結社讀書。通籍後，奉敕校勘武英殿《十三經》、《二十四史》，纂修《三禮注疏》，博聞強記，口若懸河，雖方苞負經術盛名，亦遜避之。所作古文，宏肆奧博，良由本原經術，故根柢盤深，而獨往獨來，不為宗派所囿，于法律仍不背馳。其題跋諸作，訂譌辨異，本本原原，尤為精覈。」杭世駿，字大宗，生平參見〈王右丞集書後〉註❸。

❷ 雍正辛亥：清世宗雍正九年，一七三一。

❸ 制府：清時稱總督曰制府，也稱制軍。

❹ 無何：不久。《史記·曹參傳》：「居無何，使者果召參。」

❺ 狐憑虎以作威：也作「狐假虎威」，比喻假借別人之威風，以恐嚇他人。

❻ 蜮含沙而射影：蜮，傳說中之一種動物，似鼈，三足，能以氣射殺人。含沙

　　射影：比喻暗中傷人。相傳蜮居水中，聞人聲，即以氣為矢，或含沙以射
　　人。中身者皮膚發瘡，中影者亦得病。

❼　檄：古代用於徵召、曉喻、討伐之官方文書。

❽　四代史志：指《漢書‧藝文志》、《隋書‧經籍志》、《唐書‧藝文志》、
　　《宋史‧藝文志》。

❾　崇文、昭德、莆田、鄱陽之書：指宋王堯臣等所編《崇文總目》（二〇
　　卷）、宋晁公武撰《郡齋讀書志》（二〇卷）、宋鄭樵撰《通志‧藝文略》
　　（八卷）、元馬端臨撰《文獻通考‧經籍志》（七十六卷）。晁公武，宋潭
　　州清豐人，字子止，號昭德先生。鄭樵，字漁仲，宋莆田人。馬端臨，字貴
　　與，江西饒州樂平人（一稱鄱陽人）。

❿　鴟張狼顧之談：鴟張，鴟鳥張翼，喻猖狂、囂張。《三國志‧吳志‧孫堅
　　傳》：「（張）溫責讓（董卓），卓應對不順，堅時在坐，前耳語謂溫曰：
　　『卓不怖罪而鴟張大語，宜以召不時至，陳軍法斬之。』」狼顧，狼懼被
　　襲，走常反顧，比喻有所畏懼。《吳子‧勵士》：「今使一死賊伏於曠野，
　　千人追之，莫不梟視狼顧，何者？恐其暴起而害己也，是則一人授命，足懼
　　千夫。」

⓫　鵷鶵腐鼠之嚇：鵷鶵，鸞鳳之屬。譬年少之有才華者。腐鼠，腐爛之死鼠，
　　比喻輕賤之物。《莊子‧秋水》：「於是鴟得腐鼠，鵷鶵過之，仰而視之
　　曰：『嚇！』」

⓬　郢書燕說：《韓非子》：「郢人有遺燕相國書者，夜書，火不明，因謂持燭
　　者曰：舉燭云，而過書舉燭，舉燭非書意也。燕相受書而說之，曰：『舉燭
　　者，尚明也，尚明也者，舉賢而任之。』燕相白王，大說，國以治。治則治
　　矣，非書意也。今世學者，多似此類。」今謂讀書牽強附會曰郢書燕說。

⓭　曲學：鄉曲之學術，指淺陋之言論。

⓮　求全之責：每事皆要求盡善盡美。

⓯　草莽：指民間。

⓰　孤憤離騷：孤憤，憤世疾俗。《韓非子》有〈孤憤篇〉，憤孤直不容於時
　　也。離騷，書名，戰國時，屈原仕楚懷王為三閭大夫，靳尚譖之，王疏屈
　　原，屈原作〈離騷〉以見志。

⓱　吹毛索疵：也作「吹毛求疵」，比喻故意挑剔他人之小缺失。

⓲　轉丸飛鉗：轉丸，喻便易也。《文心雕龍》：「轉丸騁其巧辭。」飛鉗，

鉗，夾物之金屬用具。《周禮疏》：「《鬼谷子》有〈飛鉗〉〈揣摩〉篇，皆言縱橫辨說之術。飛鉗者，言察是非語，飛而鉗持之。」

❶⑲ 舌撟：撟，舉也。撟舉其舌，則不能出聲，所以諳默不敢言謂之撟舌。

⑳ 艾儒魁士之述作，以疑似而見刪：艾南英，字千子，明江西東鄉人。好學，無所不窺。萬曆末場屋腐爛，南英與同郡章世純、羅萬藻、陳際泰以興起斯文為任，世人翕然歸之。天啟中舉於鄉，對策有譏刺魏忠賢語，罰停三科。崇禎初詔許會試，卒不第，而文日有名，負氣陵物，人多憚其口。西京覆，入閩，見唐王，陳十可憂疏，授兵部主事，改御史，未幾卒於延平，年六十四。著有《天傭子集》、《艾千子全稿》等。事蹟具《明史》（卷二八八）。艾氏所作《禹貢圖注》（不著卷數）《四庫全書總目》經部書類存目（一）著錄，詩文集則以疑似違礙而見刪。孫耀卿《清代禁書知見錄》著錄艾氏四書：「《天傭子全集》十卷，明東汝艾南英撰，孫艾為珖編輯，康熙三十八年家刊本。」「《天傭子集》八卷，明東鄉艾南英撰，乾隆十六年刊。」「《天傭子集》二十卷首一卷末一卷，東鄉艾南英撰，海陵張符驤評，康熙二十七年海陵張氏刊本。」「《禹貢圖注》一卷，明東鄉艾南英撰，道光間刊本、活字本、《學海類編》本，其冀州一篇註內，語有偏駁，應請抽燬。」魁士：碩學之士。《呂氏春秋》：「魁士名人。」

㉑ 續鳧斷鶴：《莊子·駢拇》：「鳧脛雖短，續之則憂；鶴脛雖長，斷之則悲。」

㉒ 班固不為馮商列傳而《續史記》則志於〈藝文〉：此言班固《漢書》無馮商傳，然《漢書·藝文志》則著錄其書。《漢書·藝文志》〈六藝略〉春秋類：「馮商所續《太史公》七篇。」《注》：「韋昭曰：『馮商受詔續《太史公》十餘篇，在班彪《別錄》。商字子高。』師古曰：『《七略》云：商，陽陵人，治《易》，事五鹿充宗，後事劉向。能屬文，後與孟柳俱待詔，頗序列傳，未卒，病死。』」

㉓ 劉昫不為劉蛻列傳，而《文泉子》則志於〈經籍〉：此言劉昫《舊唐書》未為劉蛻立傳，而《舊唐書·經籍志》則著錄其書。按：《舊唐書·經籍志》未收《文泉子》，《新唐書·藝文志》別集類：「劉蛻《文泉子》十卷。」注：「字復愚，咸通中書舍人。」

㉔ 李公衛：李衛，清碭山人，字又玠，入貲為戶部郎，雍正時官至直隸總督。不甚識字，而遇文人甚敬。負氣好勝，遇權要人，務出其上。嘗彈劾年羹

堯、田文鏡、鄂爾奇等，中外側目，卒謚敏達。

❷❺ 朱竹君先生：朱竹君，即朱彝尊，字錫鬯，號竹垞，又號醧舫，晚稱小長蘆釣魚師，清浙江秀水人。康熙十八年舉鴻博，授檢討，與修《明史》。室名曰潛采堂，家富藏書，中年好鈔書，於史館所儲，京師學士大夫所藏弄者，必借錄之。著有《曝書亭全集》、《日下舊聞》、《經義考》、《明詩綜》、《詞綜》等。

❷❻ 倍蓰：倍，一倍，蓰，五倍。此謂數倍。

❷❼ 儔：比類、比擬。

❷❽ 讟張：詛咒張揚。

## 【今譯】

　　《杭大宗集》裡有〈兩浙經籍志序〉，自言：雍正辛亥這一年，制府禮聘著名的學者修《浙省全志》，其中〈經籍志〉，就是他所修。共有五卷，分五十九目，著錄圖書一萬多種。不久，制府到京城述職，整個情形起了很大的變化，狐狸假借老虎發威，蜮也含沙射影，暗中傷人，用命令將已完成的〈經籍志〉取走，亂加攻擊。批評說時令、地理兩類不應在史部，天文、律曆不屬子部，食貨類不應另標寶貨、器用等子目，醫家類不應另分經方、針灸兩小類，這些小人的惡意毀謗，就算說得牙齒插到下巴，大聲說到嘴脣破爛，也改變不了他們的妄說。我引用了《漢書・藝文志》、《隋書・經籍志》、《新舊唐書・經籍藝文志》、《宋史・藝文志》及《崇文總目》、《郡齋讀書志》、《通志・藝文略》、《文獻通考・經籍考》等書以印證我的分類是正確的，這更加深中其要害，使得他們從事更加猖狂、囂張而心虛的批評，以達到他們輕視別人、不屑一顧的心態。他們又說天子考求古書，提倡學術，將依照書目而設立獻書的途徑，各地大官員，擔心不能完全做到，以至產生了牽強附會的說法，廣博的說解，蒙受學術淺陋之譏，得到要求盡善盡美的要求。又說那些民間私史，〈孤憤〉的憤世疾俗，〈離騷〉的罹憂見志，都將會故意挑剔他人的缺失，傷害到後學。這些說法，都是騁其巧辭以鉗制他人，虛而不實的恫

嚇，使在位執筆者，畏懼不敢言，產生戒心。老儒碩士的著作，只因相似而被刪除；與家國有關的法令章程，因朝代不同，而全部遭到廢除。不應增加的卻增加了，不該刪省的卻刪省了，讓博學之士取笑，這就是現行本的情形。杭氏又與當局辯論，杭氏認為〈經籍志〉可用來補正〈列傳〉的闕漏，就像班固修《漢書》時，〈列傳〉中不收馮商，但是在《漢書・藝文志》則收錄了馮商所撰《續史記》一書；劉昫撰《舊唐書》時，〈列傳〉中不收劉蛻，而《舊唐書・經籍志》則收錄了劉蛻所撰《文泉子》一書，可是最後還是未能補救現行本的缺失。因此，杭氏只好整理其舊稿，另行刊印，並且說明其始末如上。按：杭氏所稱制府，就是李衛。我在北京時，曾見到朱竹君先生家中所藏的各省通志，就體例來說，以《浙江通志》為最佳，就是李衛所修的本子。當時修《浙江通志》的事，見於雍正年間用硃筆所批示的奏摺裡。李衛當年申請到公款一萬元，當時國家財力不太困難，所有人事費、食用費、刊印費，比現在省好幾倍，居然申請了一萬元，是用優厚的禮金，聘請名賢。杭氏在史學方面的造詣不算最深邃，但是才氣高、學識豐富，當時沒人能和他相比，《浙江通志・經籍志》的體例優於其他通志，大多是由於他的心力吧！沒想到那麼快就招致小人的詛罵。小人像蒼蠅能到處散播、顛倒是非，像李衛如此善於決定事理的人，也無法在到京城述職的短暫時間，禁絕小人變亂是非。眾多小人醜詆正人君子，自古以來就是如此。

# 讀北史儒林傳隨箚

　　《北史·儒林傳》❶，梁祚嘗撰并陳壽《三國志》，名曰《國統》❷，不知體例如何，莫能考也。

　　隋牛弘❸引劉炫❹同修律令，九品❺妻母得再醮❻，炫著論以為不可，弘從之。按品官❼之妻，再醮坐絞❽，而隋制無罪，何可訓也！（命婦❾再醮坐絞，今律也。）

　　魏平恆，薊人❿，傳云：「多通博聞，自周以降，暨於魏世，帝王傳代之由，貴臣升降之緒，皆按品第，商略⓫是非，號曰『略注』，合百餘篇。」

　　中山張吾貴，與饒陽劉獻之齊名，皆稱儒宗⓬。吾貴門徒千數，而行業可稱者寡；獻之著錄數百，皆通經之士，識者辨其優劣。

　　《北史·儒林傳》於劉獻之甚為推許，然嘗注《涅槃經》⓭。孫惠蔚最為通顯，嘗因夜論佛經，有愜帝意，詔加惠蔚法師之號。是雖當時風氣，然諸儒入傳，竟無完行⓮，李延壽其有所激而為是篇歟？孫靈暉為南陽王，死後每七日，至百日，請僧設齋。

　　劉蘭之傳，既云：「張吾貴以聰辨過人，其所解說，

不本先儒之旨，惟蘭推經傳之由，本注者之意，參以緯候❿及先儒舊事，甚為精悉。」又云：「排毀《公羊》，非董仲舒，由是見譏於世。」至於敘及葛巾單衣⓰，鬼物⓱入座，責其無禮，今特見召，少時蘭死，則荒唐不可為訓。李氏過采小說，有玷〈儒林〉篇目也。一篇之中，褒貶亦不相蒙。

〈惠蔚傳〉議太祖廟雖改制，昭穆⓲不易，助崔光議昭穆應以次易⓳，諸儒莫能屈。及遷祕書丞，見典籍未周，及閱舊典，先無定目，新故雜糅，首尾不全，有者累帙數十，無者曠年不寫，請依前丞盧昶所撰《甲乙新錄》⓴，欲裨殘補闕，損并有無，校練句讀，以為定本，次第均寫，永為常式。其省先無本者，廣加推尋，搜求令足，求令四門博士㉑及在京儒生四十人，在祕書省專精校考，參定字義，此是劉向、劉歆校讐之業也。及代崔光為著作郎，才非文史，無所撰著。然則禮家制度，館閣校讐，其與文史一途，各不相侔久矣。

華陰徐遵明，乃師屯留王聰，受《毛詩》、《尚書》、《禮記》一年，辭去。師張吾貴數月，私謂友人，張生名高而義無檢格，凡所講說，不愜吾心，請更從師，遂又從范陽孫買德一年，復欲去之平原。田猛略曰：「君年少從師，每不終業，終恐無成。」遵明指其心曰：「吾今知真師所在矣。」乃詣平原唐遷，居於蠶舍，讀《孝

經》、《論語》、《毛詩》、《尚書》、《三禮》，不出門院六年。又知館陶趙世業家有《服氏春秋》，是晉世永嘉舊寫，往讀復經數載，教授門徒，海內莫不宗仰。事師而不愜意，自不可以因循❷，然屢就而屢辭，則終嫌其始訪之不慎爾。

遵明與劉獻之、張吾貴，皆河北聚徒教授，懸納絲粟，留衣物以待之，名曰「影質」，有損儒者之風。古人束脩請誨，載酒問字❸，所謂禮也。禮不備，君子惡之。因以貨殖❹，是為利也，宜為《北史》所譏矣。

鄭玄《論語・序》，書以八寸策，誤作八十宗，遵明不知為誤，而又不得解，因曲為之說，則遵明之學，亦必有傅會不諦者也。

衛國董徵，魏孝武所受業，於宣武時，累遷安州刺史，述職❺過家，置酒高會曰：「腰龜❻返國，昔人稱榮。仗節過家，云胡不樂！」誡子弟曰：「此之富貴，勤學所致耳。」韓昌黎〈符讀書城南詩〉❼，為先儒所譏；今徵言之陋如此，而史以為榮，何哉！

上黨李業興，師事徐遵明於趙衛之閒，漁陽鮮于靈馥亦聚徒教授，而遵明聲譽未高，著錄尚寡，乃詣靈馥，類受業者。靈馥曰：「李生久逐羌❽博士，何所得也？」業興默然而不言。及靈馥說《左傳》，業興問其大義數條，靈馥不能對。於是振衣❾起曰：「羌弟子正如此爾。」便

· 347 ·

遂徑❸還。自此靈馥生徒，傾學❸而就遵明，學徒大盛，業興為之也。此等雖見氣誼，亦近猥浮。後世標榜❸聲名，釀成惡習，其端自此起，而史亦無貶辭，固知當時風氣所趨，不以為詫也。盧景裕講《易》，其子崇祖年方十一，與之論難，業興助成其子，至於忿鬩，亦非儒者氣象也。

隋李文博著《政道集》十卷❸，亦自定集名之積漸❸也。

〈文苑〉中如明克讓，豈不當入〈儒林〉？

熊安生博通《五經》，專以《三禮》教授，何至受人之誑，指古墓為晉河南將軍七十二世，訟不得直，率族向塚而號，此經學豈可信邪？抑生性迂拘，世以此誣之邪？觀其對周武帝，直是佞倖一流，阿旨取容，儒教乃若是耶！

劉炫〈自贊〉，歷引通人❸司馬相如、揚子雲、馬季長、鄭康成，皆自敘徽美，傳芳來葉。按相如、子雲〈自序〉，人皆知之；馬扶風、鄭高密〈自序〉，不見前人議及，炫固當見之。

隋蜀王秀❸為太子廣❸誣搆❸禁錮之中，上書乞哀，文帝報書深譴謫之，不得其死。讀其本傳，未嘗不哀其不幸。及閱《北史·儒林傳》，劉焯、劉炫當代碩儒，廢太子勇聞而召之。既至京師，敕令事秀，焯等遷延未往，秀

大怒，枷送益州，大窘辱之。幸秀廢斥，方得免難。暴慢如此，幽廢殞身，非不幸也。

昌亭劉焯，景城劉炫，結盟為友，並有大名。焯既通博著聞，無可訾議，而《北史》譏其懷抱不曠，又嗇於財，不行束脩者，未嘗有所教誨。若如《北史》所言，正合夫子束脩以上未嘗無誨之旨，何反以為譏？炫則既造偽《三墳》與《魯春秋》，又失身❸❾從盜，以至官吏不收，飢寒而死。雖史文似慨當日輕儒以至於此，然〈儒林〉之篇，幾於無一完行，史亦未嘗不交譏❹❶之。蓋士賤則易於喪品，時賤而能自貴其品，乃聖賢之徒。〈儒林〉不過學者之事，未可與言立身而行道也。

〈平恆傳〉，恆三子不率❹❶父業，好酒自棄，恆不為營事，曰：「此輩曾是衰頓，何勞煩我！」別搆精廬，一奴自給，妻子莫得而往。時有珍美，呼時老東安公、一雍等共飲噉之，家人無得嘗焉。此序平恆夫妻父子之閒，全是乖謬。至時老東安公、一雍句，文理亦大欠明白。此等序入〈儒林〉，何所取之！

## 【今註】

❶ 《北史·儒林傳》：〈儒林傳〉載《北史》卷八十一、卷八十二。

❷ 梁祚嘗撰并陳壽《三國志》，名曰《國統》：《北史》（卷八十一）〈儒林傳〉（上）：「梁祚，北地泥陽人也。父邵，皇始二年歸魏，位濟陰太守。至祚居趙郡。祚篤志好學，歷習經典，尤善《公羊春秋》、《鄭氏易》，常

以教授，有儒者風，而無當世之才。與幽州別駕平恒有舊，恒時請與論經史，辟祕書中散，稍遷祕書令，為李訢所排擯，退為中書博士，後出為統萬鎮司馬，徵為散令。撰并陳壽《三國志》，名曰《國統》，又作〈代都賦〉，頗行於世。」

❸ 牛弘：隋鶉觚人，字里人，本姓𥐵，父允為後魏侍中，賜姓牛。弘性寬裕，好學博聞，隋初為祕書監，請開獻書之路，修五禮，立明堂，拜吏部尚書，封奇章郡公，從幸江都卒，謚憲。有《文集》。

❹ 劉炫：字光伯，隋景城人。少以聰敏見稱，周武帝平齊，瀛州刺史宇文亢引為戶曹從事，署禮曹，有吏幹。開皇中，徧直三省，不得官，尋除殿內將軍，坐罪除名。後與諸儒修定《五禮》，授旅騎尉，以楊達薦，射策高第，除太學博士，以品卑去任。尋陷於賊，賊破，炫無所依，凍餓死，門人謚曰宣德先生。著有《論語》、《孝經》、《春秋》、《尚書》、《毛詩》述義、《春秋攻昧》、《五經正名》，注《詩序》、《算述》等書。

❺ 九品：古代官職九等級中之最低等級。

❻ 再醮：再嫁。醮，古冠禮，婚禮時所行儀節。《北齊書·羊烈傳》：「一門女不再醮。」宋樓鑰《攻媿集》卷一〇六〈駱觀國墓誌銘〉：「鰥居二十餘年，不復再醮。」本可用於男女，元明以後，專指女子夫死再嫁。

❼ 品官：古代官吏分九級，有品級之官員稱品官。

❽ 坐絞：坐：獲罪。《史記》卷六十八〈商君傳〉：「商君之法，舍人無驗者坐之。」絞：縊死，古代死刑有斬、絞兩種。

❾ 命婦：受有封號之婦女。《國語·魯語（下）》：「命婦，成祭服。」《注》：「命婦，大夫之妻也。」《文苑英華》（卷七九四）引唐陳鴻〈長恨歌傳〉：「每歲十月，駕幸華清宮，內外命婦，熠燿景從。」

❿ 薊：古地名，周武王封堯之後於此，故地在今北京市西南。

⓫ 商略：商討。晉范甯《穀梁傳集解·序》：「於是乃商略名例，敷陳疑滯，博示諸儒異同之說。」

⓬ 儒宗：儒家之宗師。《史記》（卷九十九）〈叔孫通傳·贊〉：「（叔孫通）卒為漢家儒宗。」

⓭ 《涅槃經》：參見〈韓詩編年箋注書後〉註❼。

⓮ 完行：完美之操行。《後漢書》（卷二十七）〈杜林傳〉：「奏：及至其後，（法令）漸以滋章，吹毛索疵，詆欺無限，……故國無廉士，家無完

行。」

❶⓯ 緯候：又稱緯書，依託經義，言符籙瑞應之書也。有《易緯》、《書緯》、《詩緯》、《禮緯》、《樂緯》、《春秋緯》、《孝經緯》七種，託名孔子所作，實皆西漢末年以後所偽作。

❶⓰ 葛巾單衣：葛巾，以葛布製成之頭巾，形如幅而橫著。單衣，單層之薄衣。

❶⓱ 鬼物：鬼怪之類。《漢書》（卷三十六）〈劉向傳〉：「上復興神僊方術之事，而淮南有《枕中鴻寶苑祕書》。書言神僊使鬼物為金之術及鄒衍重道延命方。」

❶⓲ 昭穆：即左召右穆。古代宗法制度，重視人倫尊卑次序，故死後宗廟或墓地皆依輩分高低排列：始祖居中，其兩側依左昭右穆之次序分列後代祖先。後引申泛指家族之輩分。

❶⓳ 助崔光議昭穆應以次易：《北史》（卷八十一）〈惠蔚傳〉：「先是，七廟以平文為太祖。孝文議定祖宗以道武為太祖。祖宗雖定，然昭穆未改。及孝文崩，將祔神主於廟。侍中崔光兼太常卿，以太祖既改，昭穆以次而易，兼御史中尉黃門侍郎邢巒，以為太祖雖改，昭穆仍不應易，乃立彈草欲按奏光。光謂惠蔚曰：『此乃禮也，而執法欲見彈劾，思獲助於碩學。』惠蔚曰：『此深得禮變。』尋為書以與光讚明其事。光以惠蔚書呈宰輔，乃召惠蔚與巒庭議得失，尚書令王肅又助巒，而巒理終屈，彈事遂寢。」

❷⓪ 盧昶所撰《甲乙新錄》：《隋書經籍志補》史部簿錄類：「《甲乙新錄》。」注：「後魏范陽盧昶。」盧昶，後魏范陽琢人，字叔達，小字師顏，學涉經史，早有時譽，太和初為太子中舍人，兼員外散騎常侍，累遷吏部尚書，除徐州刺史，永平中表請取胊，失利免官，未幾，除雍州刺史，加散騎常侍，熙平元年，卒於官，贈征北將軍、冀州刺史，諡曰穆。事蹟具《魏書》（卷四十七）。

❷① 四門博士：後魏劉芳於太和二十年立四門博士，於四門置學。

❷② 因循：遵行不變。

❷③ 載酒問字：《漢書·揚雄傳》：「劉棻嘗從雄學作奇字，……雄家貧，素嗜酒，人希至其門。時有好事者，載酒肴從游學。」

❷④ 貨殖：買賣貨物以獲利潤，即經商。《史記》（卷一二九）〈貨殖列傳〉〈索隱〉：「《論語》云：『賜不受命而貨殖焉。』《廣雅》云：『殖，立也。』孔安國注《尚書》云：『殖，生也，生資貨財利也。』」

㉕　述職：大臣或諸侯返京朝覲天子，報告工作情形。

㉖　龜：指官印，《太玄經》：「龜綱」，印以龜為紐，故印亦可稱為龜。

㉗　韓昌黎〈符讀書城南〉詩，為先儒所譏：《昌黎先生集》（卷六）〈符讀書城南〉：「木之就規矩，在梓匠輪輿，人之能為人，由腹有《詩》、《書》。《詩》、《書》勤乃有，不勤腹空虛，欲知學之力，賢愚同一初。由其不能學，所入遂異閭。兩家各生子，提孩巧相如，少長聚嬉戲，不殊同隊魚。年至十二三，頭角稍相疏，二十漸乖張，清溝映汙渠。三十骨骼成，乃一龍一豬。飛黃騰踏去，不能顧蟾蜍。一為馬前卒，鞭背生蟲蛆，一為公與相，潭潭府中居。問之何因爾，學與不學歟。金璧雖重寶，費用難貯儲，學問藏之身，身在則有餘。君子與小人，不繫父母且，不見公與相，起身自犁鉏。不見三公後，寒飢出無驢，文章豈不貴，經訓乃菑畬。潢潦無根源，朝滿夕已除，人不通古今，馬牛而襟裾，行身陷不義，況望多名譽。時秋積雨霽，新涼入郊墟，燈火稍可親，簡編可卷舒。豈不旦夕念，為爾惜居諸。恩義有相奪，作詩勸躊躇。」注：「魯直嘗書此詩〈跋〉其後曰：『或謂韓公當開後生以性命之學，不當誘之以富貴榮顯。』」按：城南，為韓愈之別墅。符，韓愈子韓昶之小字。

㉘　羌：古西戎名，為三苗之後代，晉代為五胡之一，後散處於今甘肅、陝西、四川一帶。徐遵明陝西華陰人。

㉙　振衣：抖衣去塵。《楚辭》屈原〈漁父〉：「新沐者必彈冠，新浴者必振衣。」《昭明文選》晉陸士衡（機）〈赴洛道中作（之二）〉：「撫几不能寐，振衣獨長想。」

㉚　徑：即、就、快速。《史記》（卷一二六）〈淳于髡傳〉：「執法在傍，御史在後，髡恐懼俯伏而飲，不過一斗徑醉矣。」

㉛　傾學：傾，嚮往、欽佩。《漢書》（卷五十七上）〈司馬相如傳〉：「一坐盡傾。」傾學，嚮往為學。

㉜　標榜：也作「標牓」、「摽搒」，宣揚、誇耀。《後漢書》（卷六十七）〈黨錮傳〉：「海內希風之流，遂共相摽搒。」

㉝　隋李文博著《政道集》十卷：《隋書經籍志補》別集類：「李司馬《治道集》十卷。」注：「隋博陵李文博。」《北史》（卷八十三）〈文苑傳〉：「李文博，博陵人，性貞介鯁直，好學不倦，至於教義名理，特所留心，每讀書至安危得失，忠臣烈士，未嘗不反覆吟翫。開皇中，為羽騎尉。……文

博本為經學，後讀史書，於諸子及論，尤所該洽。性長議論，亦善屬文。著《政道集》十卷，大行於世。」按：《治道集》、《政道集》，當是一書。

❸❹ 積漸：逐漸積成。《漢書》（卷四十八）〈賈誼傳・陳政事疏〉：「安者非一日而安也，危者非一日而危也，皆以積漸然，不可不察也。」

❸❺ 通人：指學識淵博者。《史記・田敬仲完世家》：「太史公曰：『蓋孔子晚而喜《易》。《易》之為術，幽明遠矣，非通人達才孰能注意焉。』」

❸❻ 隋蜀王秀：楊秀，隋文帝楊堅第四子。開皇初，立為越王，徙封蜀。秀有膽氣，多武藝，甚為朝臣所憚，而奢侈違法。及太子楊勇以讒廢，秀甚不平，晉王楊廣既為太子，恐秀終為害，遂構成其罪，廢為庶人，幽內侍省。煬帝即位，禁錮如初，宇文化及弒煬帝，欲立秀為帝，群議不許，遂害之，并其諸子。

❸❼ 太子廣：即隋煬帝楊廣，為隋文帝第二子。文帝寢疾，以廣所行無道，欲廢之，廣遂弒文帝，即位。耽奢侈，廣土木，造西苑，置離宮四十餘所，開運河，築長城，所役人民，不可勝計。南巡至江都，沈湎酒色，無意北歸，為宇文化及所弒，在位十二年，諡煬。

❸❽ 誣搆：誣，誣蔑，誹謗。搆，設計陷害。

❸❾ 失身：喪失操守。《樂府詩集》（卷五十九）東漢蔡琰〈胡笳十八拍〉之三：「亡家失身兮，不如無生。」

❹⓪ 交譏：交，並、都。《國語・越語（下）》：「君臣上下，交得其志。」《注》：「交，俱也。」譏，非議、譏刺。

❹❶ 率：遵循。《詩・大雅・假樂》：「不愆不忘，率由舊章。」《鄭箋》：「率，循也。」

## 【今譯】

《北史・儒林傳》記載，梁祚曾經將陳壽《三國志》合寫稱為《國統》，但不知該書體例如何，無法考知。

隋代牛弘引薦劉炫一起修訂律令，俾九品的妻母得以改嫁。劉炫論說認為不可，牛弘依從劉炫的看法。按：有品級官員的妻子，如果丈夫去世後再改嫁，會得絞刑，而隋代的制度，是無罪的，不可以效法。（官員的

妻子再嫁判處絞刑，這是法律的規定。）

北魏的平恒，是薊州人。〈傳〉說：「學問通達，見聞廣博，從周代以後，直到北魏，歷代帝王遞傳的緣由，大臣升遷貶謫的起因，都按官品的次序，商討是非，書名叫《略注》，共一百多篇。」

中山人張吾貴，與饒陽人劉獻之齊名，都稱為儒家宗師。張吾貴的門徒有數千人，但是德行、學術有成就的卻不多。劉獻之的學生只有數百人，卻都是通達經學的讀書人，有見識的人能夠分辨兩人的優劣。

《北史·儒林傳》對劉獻之十分推崇，但他曾注釋《涅槃經》。孫惠蔚在諸儒中官位最高，名聲大，曾因為在夜晚談論佛經，皇帝十分滿意，下令加授「惠蔚法師」的封號。這雖然是當時的風氣，但是列傳中所載的儒者，竟無完美的操行，李延壽撰《北史》時可能受到激發才撰寫這篇吧？孫惠蔚的族曾孫劉靈暉，在南陽王高綽死後，每七日邀請僧人為南陽王舉行齋戒，進行到滿百日。

劉蘭的傳裡，既然說：「張吾貴自以為聰明過人，解說經傳時，不根據前代儒家的意思。只有劉蘭會推求經傳的原本思想，根據注釋者的意思，參酌緯書及先儒的故事，十分精妙詳細。」又說：「排斥詆毀《公羊傳》，批評董仲舒，由於這個原因為當時人所非議。」至於傳中記敘有一天劉蘭靜坐讀書時，有人敲門，蘭叫人開門讓他進來，原來是穿著葛巾單衣的鬼，坐下來談話，斥責劉蘭無禮，所以來召他回去，不久劉蘭就死了。這些荒唐的記載，不可效法。李延壽採用過多的稗官野史，玷辱了〈儒林〉這個名稱。在一篇之中，褒貶之事也不相隱瞞。

〈孫惠蔚傳〉評論太祖廟雖然改易制度，但左昭右穆的順序沒有改變。孫惠蔚幫助崔光議論昭穆的次序應改變，諸儒都不能使孫惠蔚、崔光等屈從。等到升任祕書丞，發現典籍不完備，等到閱讀既有的典籍，早期都沒有編目，新書舊書雜放在一起，很多書首尾殘缺。已經有的，每每重複數十冊，殘缺者常常好幾年都不加鈔寫補缺，於是奏請依前任祕書丞盧昶所撰《甲乙新錄》的方法，想要修補不完整的書籍、補充缺少的圖書，

減少多餘的部分以與殘缺的部分合併，校定句讀，使成為標準本，依順序全部鈔寫，成為永遠不變的法則。祕書省不藏的書，廣加尋索，務必搜尋完全，同時要求令四門博士及京城中的儒生四十人，在祕書省從事精審的校讐考訂，查考審定字義，這是劉向、劉歆校讐文獻的工作。後來接替崔光為著作郎，由於缺乏文史之才，沒有著作。可見禮家制度的制定、館閣校讐圖書的工作，它們與文史專業，長久以來不相齊等。

華陰徐遵明，師事屯留王聰，學習《毛詩》、《尚書》、《禮記》，讀了一年，辭別離去。又師事張吾貴，學了數月，私下對友人說：「張先生名望很高，但思想沒有法度，張先生講說的內容，不合我的心意，懇求另從其他老師。」於是又從范陽孫買得讀書，讀了一年，又想離去，前往平原。他的同學田猛略說：「你年少就拜師讀書，每每書沒能讀完就離去，恐怕最後一無所成。」徐遵明指著田猛略的心說：「我現知道真正的老師的所在了。」於是謁見平原唐遷，住在養蠶的房舍，讀《孝經》、《論語》、《毛詩》、《尚書》、《三禮》，六年中不出門院。又得知館陶趙世業的家中藏有《服氏春秋》，是晉朝永嘉年間的早期鈔本，前往趙家研讀，又過了數年，開始為門生授業，全國人都推崇敬仰。拜師讀書而不合心意，自然不可以遵行不變，但是多次拜師，又多次辭去，畢竟不滿意他第一次拜師不能謹慎從事。

徐遵明與劉獻之、張吾貴，都在河北收學生教授，學生需在門口懸繳絲織品、穀物，留下衣物等待，稱之為「影質」，損害了儒者的風範。古人用一束肉乾拜見老師，接受教誨，用車子載酒請教文字，這是禮節。不能備具禮物，君子覺得可恥。但是用來做為買賣的行為，就是為了利潤，難怪為《北史》所譏笑。

鄭玄的《論語·序》，「書以八寸策」，「八寸策」誤作「八十宗」，徐遵明不知道是誤字，而又查不到正確的解釋，於是作了不正確的解釋，可見徐遵明的學問，也必定有任意比附不夠仔細的地方。

衛國人董徵，是魏孝武帝的老師，在宣武帝時，多次升遷到安州刺

史，返京向國君報告工作情形時，回到自家，設置酒席辦了盛大的宴會，說：「腰繫官印回到京城，從前的人認為是光榮的事。拿著符節，回到家裡，是多麼快樂！」告誡晚輩說：「今日的富貴，是勤奮讀書所獲致的。」韓愈〈符讀書城南詩〉，為從前的儒者所譏刺；現在董徵的話是如此的疏淺粗野，而史官以為光榮的事，為甚麼這樣？

上黨人李業興，在趙魏一帶跟隨徐遵明學習，漁陽人鮮于靈馥也收學生授課，遵明由於聲望還不高，所以學生還不多，李業興於是去探訪靈馥，像學生那樣的恭謹。靈馥說：「李君長久追隨羌博士，有甚麼心得呢？」業興沉默不語。等到靈馥說解《左傳》，業興請教數條大義，靈馥不能回答。業興抖抖衣服站起來說：「羌人的弟子只不過如此而已。」就快速回去。從此，靈馥的學生，嚮往學習而拜遵明為師，學生眾多，這是業興造成的。這種言行雖表現義氣，但也近乎急切輕浮。後代誇耀聲名，漸漸成為惡習，是從這個時候開始的，史書卻沒加譏刺，知道原來這是當時風氣的趨向，不覺得奇怪。盧景裕講論《易經》，李業興的兒子李崇祖才十一歲，與盧景裕辯論詰難，李業興幫助兒子論辨成功，兩人甚至鬧到忿怒爭訟的地步，這也不是儒者應有的現象。

隋代李文博著《政道集》十卷，這種自定詩文集名稱的風氣，也是逐漸積成的。

〈文苑傳〉中像明克讓，難道不應該入〈儒林傳〉嗎？

熊安生通曉《五經》，專門講授《三禮》，怎麼會受人欺騙，指古墓是晉代河南將軍七十二世的墳墓，與官署爭辯，得不到正直的答覆，於是率族人向著墳墓哭號，這種經學難道可相信嗎？或者由於天性迂腐拘泥，世人用這種方法欺騙他嗎？看他與周武帝對話，實在是用巧言諂媚以獲得寵幸的第一等人物，迎合國君旨意以獲取國君的喜悅，儒家教化竟是這樣的嗎？

劉炫撰寫〈自贊〉，依次列引了司馬相如、揚子雲、馬季長、鄭康成，他們的〈自敘〉完善，聲譽留傳後世。按：司馬相如、揚雄的〈自

序〉，每個人都知道：馬融、鄭玄的〈自序〉，沒見前人談論過，劉炫應當見過。

隋朝蜀王楊秀，被太子楊廣誣謗陷害，幽禁在宮中，上書哀求，隋文帝回信予以嚴厲譴責，求死不得。讀楊秀的傳記，不能不為他的不幸遭遇哀痛。等到讀了《北史·儒林傳》，劉焯、劉炫兩人是當時的大儒，被廢的太子楊勇聽說他們的聲譽，於是召見他們。劉焯、劉炫到了京師，楊勇下令他們侍奉楊秀，劉焯、劉炫等遲遲不去，楊秀大怒，用刑具把他們送到益州，屈辱他們，使他們難堪。幸好楊秀遭到廢斥，劉焯、劉炫等才得免於受難。楊秀如此凶惡傲慢，被幽禁、廢斥以至喪命，不能說是不幸。

昌亭人劉焯、景城人劉炫，結盟為朋友，都很有名望。劉焯既然博學通達，著有聲譽，沒有可批評的，而《北史·儒林傳》譏刺他胸襟不夠開闊，又愛惜錢財，學生如果不繳學費，就得不到教誨。如果像《北史》所說，不是正符合孔子所說只要送一束乾肉，沒有不受教誨的意義，怎麼反而受到譏刺呢？劉炫則先是偽造《三墳》與《魯春秋》等書，又失去操守，依附盜賊，以至官吏不肯收留，飢餓凍死。史傳所載，似乎是在於感慨當時不重視儒者，以至於到這個地步，然而《北史·儒林傳》中，幾乎沒有一個人有完美的德行，史書上也都沒有譏刺批評。讀書人一窮就容易喪失品格，在窮苦的時代而能保有高尚品格的人，才是聖賢的門徒。〈儒林傳〉只不過是記載讀書人的事蹟，不能同時論述立身行道的事情。

〈平恆傳〉：平恆的三個兒子，都不遵循父親的學術，喜好喝酒，自我廢棄，平恆不為他們謀求工作，說：「他們如此頹廢，我何必如此勞苦煩心！」另外蓋了一棟小屋，帶了一個僕人，自力維持生活，妻與兒子都不許前來。如果有美好的食物，就請當時的大老東安公一雍等人共同飲用品嚐，家人不能品嚐。這段敘述平恆夫妻、父子間的事，全都荒謬背理。至於當時大老「東安公一雍」句，文理也十分不清楚，這樣的記載放在〈儒林傳〉裡，沒有什麼可取的。

# 論修史籍考要略❶

　　校讎著錄，自古為難。二十一家之書❷，志典籍者，僅有《漢》、《隋》、《唐》、《宋》四家❸，餘則闕如。《明史》止錄有明一代著述❹，不錄前代留遺，非故為闕略也：蓋無專門著錄名家勒為成書以作憑藉也。史志篇幅有限，故止記部目，且亦不免錯訛；私家記載，閒有考訂，僅就耳目所見，不能悉覽無遺。朱竹垞氏《經義》一考❺，為功甚鉅。既辨經籍存亡，且採羣書敍錄，閒為案斷，以折其衷❻，後人溯經藝者，所攸賴矣。第類例閒有未盡，則創始之難，而所收止於經部，則史籍浩繁，一人之力不能兼盡，勢固不能無待於後人也。今擬修《史籍考》，一倣朱氏成法，少加變通，蔚❼為鉅部，以存經緯相宣❽之意。一曰：古逸宜存。史之部次後於經，而史之原起實先於經，《周官》外史掌三皇五帝之書，蒼頡嘗為黃帝之史，則經名未立而先有史矣。後世著錄，惟以《史》、《漢》為首，則《尚書》、《春秋》尊為經訓故也。今作《史考》，宜具源委，凡《六經》、《左》、《國》、周秦諸子所引古史逸文，如《左傳》所稱《軍

· 359 ·

志》、《周志》，《大戴》所稱《丹書》、《青史》之
類，略倣《玉海》〈藝文〉❾之意，首標古逸一門，以討
其原。二曰：家法❿宜辨。較讐之學，與著錄相為表裏
⓫。較讐類例不清，著錄終無源委。舊例以二十一家之言
同列正史，其實類例不清。馬遷乃通史也，梁武《通史》
⓬、鄭樵《通志》之類屬之；班固斷代專門之書也，華、
謝、范、沈⓭諸家屬之；陳《志》⓮分國之書也，《十六
國春秋》⓯、《九國志》⓰之類屬之；《南》、《北史》
斷取數代之書也，歐、薛《五代》諸史屬之；《晉書》、
《唐書》，集眾官修之書也，《宋》、《遼》、《金》、
《元》諸史屬之。家法分明，庶幾條理可貫，而究史學
者，可以溯源流矣。他若編年、故事、職官、儀注之類，
折衷歷代藝文，史部子目，以次區分可也。三曰：翦裁⓱
宜法。史部之書，倍於經部。卷帙多寡，約略計之，僅與
朱氏《經考》相去不遠。蓋一書之中，但取精要數語，足
以該括全書足矣。篇目有可考者，自宜備載。其序論題
跋，文辭浮汎與意義複沓者，概從刪節。但記作序作跋年
月銜名，以備參考而已。按語亦取簡而易明，無庸多事敷
衍⓲，庶幾文無虛飾，書歸有用。四曰：逸篇宜採。古逸
之史，已詳首條。若兩漢以下至於隋代，史氏家學，尚未
盡泯。亡逸之史，載在傳志，崖略尚有可考。其遺篇逸
句，散見羣書，稱引亦可寶貴。自隋以前，古書存者無

多，耳目易於周遍，可做王伯厚氏採輯鄭氏《書》、《易》、《三家詩訓》之例❶，備錄本書之下，亦朱竹垞氏采錄緯候逸文之成法也。此於史學所補實非淺鮮。五曰：嫌名❷宜辨。《史記》之名，起於後世，當時止稱《司馬遷書》，《漢書》因東京而橫加《前漢》，固俗稱也。五代之書，薛氏稱《五代史》；歐陽則稱《新五代史記》。至於《漢記》之有《東觀》，異乎劉賈之所敍錄；曹氏自有《魏書》，異於陳子之分子目。古人之書，或一書歧名，或異書同名者多矣，皆於標題之下，注明同異名目，以便稽檢。仍取諸書名目，做《佩文韻府》❸之例，依韻先編檔簿，以俟檢覈，庶幾編次之時，乃無遺漏複疊之患。六曰：經部宜通。古無經史之別，《六藝》皆掌之史官，不特《尚書》與《春秋》也。今《六藝》以聖訓而尊，初非以其體用不入史也。而經部之所以浩繁，則因訓詁、解義、音訓而多。若《六藝》本書，即是諸史根源，豈可離哉？今如《易》部之《乾坤鑿度》，《書》部之《逸周諸解》，《春秋》之《外傳》、《後語》，韓氏傳《詩》，戴氏記《禮》，俱與古昔史記相為出入，雖云已入朱氏《經考》，不能不於《史考》溯其淵源，乃使人曉然於殊途同歸之義。然彼詳此略，彼全此偏，主賓輕重，又自有權衡❷也。七曰：子部宜擇。諸子之書，多與史部相為表裏。如《周官》典法，多見於《管子》、《呂

覽》，列國瑣事，多見《晏子》、《韓非》。若使鉤章鈲句，附會史裁，固非作書體要❷。但如〈官圖〉、〈月令〉、〈地圓〉諸篇之鴻文鉅典，〈儲說〉、〈諫篇〉之排列記載，實於史部例有專門，自宜擇取要刪，入於篇次，乃使求史事者無遺憾矣。八曰：集部宜裁❷。漢、魏、六朝史學，必取專門文人之集，不過銘、箴、頌、誄、詩、賦、書、表、文檄諸作而已。唐人文集，閒有紀事，蓋史學至唐而盡失也。及宋、元以來，文人之集，傳記漸多，史學文才，混而為一。於是古人專門之業，不可問矣。然人之聰明智力，必有所近，耳聞目見，備急應求，則有傳記誌狀之撰，書事紀述之文，其所取用，反較古人文集徵實為多。此乃史裁本體，因無專門家學，失陷文集之中，亦可惜也。是宜取其連篇累卷入史例者，分別登書。此亦朱氏取《洪範五行傳》於曾、王文集之故事也❷。九曰：方志宜選。既作史考，凡關史學之書，自宜鉅細無遺，備登於錄矣。乃有不得不去取者，府州縣志是也。其書計數盈千，又兼新舊雜糅，不下三十餘種，而淺俗不典，迂謬可怪，油俚不根，猥劣可憎者，殆過半焉。若胥吏簿書，經生策括❷，猶足稱為彼善於此者矣。是以言及方志，搢紳先生，每難言之。又其書散在天下，非一時人力所能彙聚，是宜僅就見聞所及，有可取者，稍為敘述；無可取者，僅著名目；不及見者，亦無庸過為搜尋，

後人亦得以量其所不及也。十曰：譜牒宜略。方志在官之書，猶多庸劣；家譜私門之記，其弊較之方志，殆又甚焉。古者譜牒掌於官，而後世人自為書，不復領於郎令史故也。其徵求之難，甚於方志，是亦不可得而強索者矣。惟於統譜類譜，彙合為編，而專家之譜，併取一時理法名家，世宦巨族，力之所能及者，以次列之，仍著所以不能遍及之故，以待後人之別擇可耳。十一曰：考異宜精。史籍成編，取精用弘，其功包經子集，而其用同《經義考》矣。然比類既多，不能無所牴牾，參差同異，勢不能免。隨時編次之際，取其分歧互見之說，賅而存之，俟成書之後，別為《考異》一編，庶幾無罅漏矣。十二曰：板刻宜詳。朱氏《經義考》後有刊板一條，不過記載刊木源委，而惜其未盡善者，未載刊本之異同也。金石刻畫，自歐、趙、洪、薛❷❼以來，詳哉其言之矣。板刻之書，流傳既廣，訛失亦多，其所據何本，較訂何人，出於誰氏，刻於何年，款識何若，有誰題跋，孰為序引，板存何處，有無缺訛，一書曾經幾刻，諸刻有何異同，惜未嘗有人倣前人《金石錄》例而為之專書者也。如其有之，則按錄求書，不迷所向，嘉惠後學，豈不遠勝《金石錄》乎？如有餘力所及，則當補朱氏《經考》之遺，《史考》亦可以例倣也。十三曰：制書宜尊。《列聖寶訓》、《五朝實錄》、《巡幸盛典》、《蕩平方略》一切尊藏史宬❷❽者，不分類

例，但照年月先後，恭編卷首。十四曰：禁例宜明。凡違
礙書籍㉔，或銷毀全書，或摘抽摘毀。其摘抽而尚聽存留
本書者，仍分別著錄。如全書銷毀者，著其違礙應禁之
故，不分類例，另編卷末，以昭功令。十五曰：採摭宜
詳。現有之書，鈔錄敘目凡例；亡逸之書，搜剔羣書紀
載；以及聞見所及，理宜先作長編，序跋評論之類，鈔錄
不厭其詳。長編既定，及至纂輯之時，刪繁就簡，考訂易
於為力。仍照朱氏《經考》之例，分別存、軼、闕與未見
四門，以見徵信。

## 【今註】

❶　〈論修《史籍考》要略〉：胡適《章實齋先生年譜》乾隆五十三年（1788）
先生五十一歲條云：「〈論修史籍考要略〉，當係去冬今春間在開封所作。
經畢沅同意後，遂開局編《史籍考》，由先生主持其事。」

❷　二十一家之書：指《史記》、《前漢書》、《後漢書》、《三國志》、《晉
書》、《宋書》、《南齊書》、《梁書》、《陳書》、《魏書》、《北齊
書》、《周書》、《南史》、《北史》、《隋書》、《唐書》、《五代史
記》、《宋史》、《遼史》、《金史》。

❸　志典籍者，僅有《漢》、《隋》、《唐》、《宋》四家：指《漢書‧藝文
志》、《隋書‧經籍志》、《唐書‧藝文志》、《宋史‧藝文志》。

❹　《明史》止錄有明一代著述：《明史‧藝文志‧序》：「四部之目，昉自荀
勗，晉、宋以來因之。前史兼錄古今載籍，以為皆其時柱下之所有也。明萬
曆中，修撰焦竑修國史，輯〈經籍志〉，號稱詳博。然延閣廣內之藏，竑亦
無從徧覽，則前代陳編，何憑記錄，區區掇拾遺聞，冀以上承《隋志》，而
贗書錯列，徒滋譌舛。故今第就二百七十年各家著述稍為釐次，勒成一
志。」

❺　朱竹垞氏《經義》一考，為功甚鉅：《四庫全書簡明目錄》史部目錄類：

「《經義考》三百卷，國朝朱彝尊撰。統考歷代經義之目，以御註敕撰諸書，別為一卷，弁於首。次以諸經分類，而附以讖緯、擬經、承師、刊石、書壁、鏤版、著錄、通說八門。每經先註其或存或闕，或佚或未見，次載原序跋及諸家論斷。彝尊有所考證，亦附著之。網羅宏富，為古來諸家書目所未及。雖間有舛誤，要不傷其大體也。」朱彝尊，字錫鬯，號竹垞，清秀水人，康熙己未薦舉博學鴻詞，召試授檢討，入直內廷。彝尊文章淹雅，初在布衣之內，已與王士禎聲價相齊，博識多聞，學有根柢，復與顧炎武、閻若璩頡頏上下，凡所撰述，具有本原。

❻ 以折其衷：調和二者，取其中正，無所偏頗。

❼ 蔚：文采華美、盛貌。

❽ 相宣：相互為用。《左傳》昭二十七年：「有十年之備，有齊楚之援，有天之贊，而不敢宣也。」杜注：「宣，用也。」

❾ 《玉海・藝文》：《玉海》二○○卷，宋王應麟撰。是書分〈天文〉、〈律曆〉、〈地理〉、〈地學〉、〈聖文〉、〈藝文〉、〈詔令〉、〈禮儀〉、〈車服〉、〈器用〉、〈郊祀〉、〈音樂〉、〈學校〉、〈選舉〉、〈官制〉、〈兵制〉、〈朝貢〉、〈宮室〉、〈食貨〉、〈兵捷〉、〈祥瑞〉二十一門，每門各分子目，凡二百四十餘類。〈藝文〉部，載卷三十五至卷六十三。

❿ 家法：古代專門之學，師徒相傳承之法則。

⓫ 相為表裏：二者關係密切，相輔相成。

⓬ 梁武《通史》：《隋書・經籍志》史部正史類：「《通史》四百八十卷。」注：「梁武帝撰。起三皇，訖梁。」

⓭ 華、謝、范、沈諸家屬之：華指晉華嶠撰《後漢書》九十七卷；謝指晉謝沈撰《後漢書》一百二十二卷；范指南朝宋范曄撰《後漢書》九十七卷；沈指梁沈約撰《宋書》一百卷。

⓮ 陳《志》：指晉陳壽撰《三國志》六十五卷。

⓯ 《十六國春秋》：《隋書・經籍志》史部霸史類：「《十六國春秋》一百卷。」注：「魏崔鴻撰。」

⓰ 《九國志》：《宋史・藝文志》史部霸史類：「路振《九國志》五十一卷。」路振，宋湘潭人，字子發，淳化中舉進士，大中祥符中遷太常博士，擢知制誥。事蹟具《宋史》（卷四四一）。

❼ 翦裁：本指翦衣料以製成衣服。引申為對事物之取捨安排。宋蘇軾《分類東坡詩》（卷十四）〈吉祥寺花將落而述古不至〉：「今歲東風巧翦裁，含情只待使君來。」又朱熹《朱文公集》（卷五）〈新喻西境詩〉：「自佳觸目成佳句，雲錦無勞更翦裁。」

❽ 敷衍：鋪敍引申。三國吳韋昭《國語解·敍》：「侍中賈君，敷而衍之，其所發明，大義略舉，為已憭矣，然於文閒時有遺忘。」宋唐庚《唐先生集》（卷二十三）〈上蔡司空書〉：「所作講義，率皆敷衍前輩所說，無一言一句能自立門戶。」

❾ 王伯厚氏採輯鄭氏《書》、《易》、《三家詩訓》之例：宋王應麟字伯厚。王氏輯有《鄭氏古文尚書》十卷《周易鄭康成注》一卷、《詩考》一卷。

⓴ 嫌名：本指與人姓名字音相近之字，後引申為同名異實，或同實異名，皆稱嫌名。

㉑ 《佩文韻府》：《四庫全書總目》（卷一三六）子部類書類：「《御定佩文韻府》四百四十四卷，康熙五十年聖祖仁皇帝御定。……每字皆先標音訓，所隸之事，凡陰氏、淩氏書所已採者，謂之『韻藻』，列於前，兩家所未採者，別標『增』字，列於後。皆以兩字、三字、四字相從，而又各以經、史、子、集為次。其一語而諸書互見者，則先引最初之書，而其餘以次註於下，又別以事對摘句，附於其末。」按：文中稱陰氏書者，元陰時夫《韻府群玉》二十卷；淩氏書者，明淩以棟《五車韻瑞》一六〇卷。

㉒ 權衡：平正、衡量。《淮南子·本經》：「故謹於權衡準繩，審乎輕重，足以治其境內矣。」高誘《注》：「權衡，平也。」

㉓ 體要：大體與綱要。唐柳宗元《柳先生集》（卷十七）〈梓人傳〉：「彼將捨其手藝，專其心智，而能知其體要者歟？」

㉔ 裁：裁取安排。

㉕ 朱氏取《洪範五行傳》於曾、王文集：朱彝尊《經義考》（卷九十五）著錄曾鞏《洪範論》一卷，王安石《洪範傳》一卷。

㉖ 策括：科舉時代，考生為考試口試問答，將經史及時務資料，分類編輯，以備需求。

㉗ 歐、趙、洪、薛：指宋歐陽修《集古錄》（十卷）、宋趙明誠《金石錄》（三十卷）、宋洪适撰《隸釋》（二十七卷）、宋薛尚功《歷代鐘鼎彝器款識法帖》（二十卷）。

㉘　史宬：宬，藏書室。

㉙　違礙書籍：違反國家政令，妨礙國家安定之圖書。

## 【今譯】

　　校讐編纂目錄，自古以來就很困難。二十一種正史中，記載典籍的，只有《漢書》、《隋書》、《唐書》、《宋史》四家，其餘各家正史都沒有。《明史》只著錄明朝一代的著作，不收錄前代留傳的圖書，不是有意省略不著錄，是因為沒有重要的目錄學家所撰成的目錄可供取資。史書的藝文經籍志，篇幅不多，所以只記書名，而且也難免有錯誤；私家所編目錄，偶有考訂，但是只能根據一己所聞所見，不能徧覽所有圖書。朱彝尊的《經義考》一書，貢獻很大。除了考辨經籍的存佚情形，而且採錄各書的敘錄，偶而從事考訂案語，使得中正，以免偏頗，後人探討經學源流的，都依賴它。但是《經義考》的分類方法偶有不詳盡的地方，這是由於開始創建的困難，而所收錄的只限於經部，史書浩瀚繁夥，朱氏一個人的力量不能同時完成史部，勢必只能等待後人了。現在我想修纂《史籍考》，全部倣效朱氏既有的方法，略加變通，使成為文采華美的鉅著，用以存留經史互相為用的用意。第一：亡佚的古史應該保存。史籍在分類上的次序在經部之後，但是史書的起源實際上早於經書，《周禮》說外史掌管三皇五帝的文獻，蒼頡曾任黃帝的史官，可見還沒有經的名稱之前已經有史了。後代的目錄，史部只以《史記》、《漢書》列在最前，這是因原為史書的《尚書》、《春秋》被推崇為經書的緣故。現在撰寫《史（籍）考》，應該詳細說明本末，凡是《六經》、《左傳》、《國語》、周、秦時的各家子書所徵引的已亡佚的古史文句，例如《左傳》所列舉的《軍志》、《周志》，《大戴禮》所列舉的《丹書》、《青史》等書，略倣《玉海》〈藝文〉門的用意，開頭列舉〈古逸〉一門，以探究其本源。第二：應辨明學術傳承的法則。校讐的學問，與目錄學兩者關係密切，相輔相成。校讐時如果分類的方法不明確，那麼圖書目錄就不能顯示學術發展

的本末。傳統的方法將二十一種史書都列為正史類，其實這是分類不明確。司馬遷的《史記》屬於通史，梁武帝所撰《通史》、鄭樵所撰《通志》都屬這一類。班固的《漢書》是專門記述漢代的斷代史，華嶠的《後漢書》、謝承的《後漢書》、范曄的《後漢書》、沈約的《晉書》等屬於這一類。陳壽的《三國志》，是記述分國的著作，崔鴻的《十六國春秋》、路振的《九國志》等屬於這一類。《南史》、《北史》，是截取記述好幾代的書，歐陽修的《五代史記》、薛居正的《舊五代史》等屬於這一類。《晉書》、《唐書》，是集合很多官員共同修纂的書，《宋史》、《遼史》、《金史》、《元史》等屬於這一類。這些學術傳承的方法十分清楚，條理大致都很珍貴，探究史學者，可據以推溯源流了。其他像編年、故事、職官、儀注等類，客觀公允的參考歷代藝文志，史部的子目，依次區分就可以了。第三：取捨要適當。史部的圖書，較經部多上一倍。《史籍考》的篇幅長短，約略估計，只有和朱彝尊的《經義考》相去不多。對著錄的每一書，只要取最精要的幾句，只要能夠涵蓋全書的要旨就可以了。每一書的篇目，如果可以考知的，自當完整的載錄。至於書中的序論題跋，文詞空泛與意義重複的，全部予以刪省節略，只要記下作序跋的年月和官職名稱，用供參考而已。至於按語部分，也儘量做到簡潔易知，不需多做鋪敘引申，希望能做到沒有無用的文字，使這本書對學術有所助益。第四：亡逸的篇章應該採收。關於亡佚的古史，第一條已談過。至於從兩漢到隋代，史家的著作，還沒完全消失。亡佚的史書，在傳記及藝文志裡有所記載，該書的大概內容還可以考知。佚書所殘存的篇章字句，散見於各書，各書所列舉徵引的，相當珍貴。隋朝以前的古書，留傳到現在的不多，全部容易看到，可以模倣王應麟採輯鄭玄《尚書注》、《周易注》、《三家詩訓》的方法，全部採錄在本書下面，這也是朱彝尊在採錄緯書逸文時所用的方法。這對於史學的助益實在不小。第五是：應該辨別嫌名。《史記》這個名稱，起於後代，在當時只稱《司馬遷書》。又如《漢書》，由於東漢遷都東京洛陽，而隨便妄加「前」字成為《前漢

書》，這是習慣上的名稱。五代的史書，薛居正所撰的稱《五代史》，歐陽修所撰的稱《新五代史記》。至於《漢記》有「東觀」二字成為《東觀漢紀》、與劉、賈敘錄的名稱不同。曹氏的史事本來就有《魏書》，與陳壽《三國志》分魏、蜀、吳子目不同。古人的書，有時同一書有不同的名稱，有時不同的書名稱卻相同，這種情形很多，都在書名之下，注明同異的名稱，以方便稽考檢索。傚效《佩文韻府》的方法，先依韻編製索引，以供檢索，也許可以在編纂的時候，能避免遺漏或重複的缺失。第六是：要與經書相通。古代經史沒有區別，《六經》都由史官主管，不僅《尚書》與《春秋》而已。現在《六經》是聖人的教誨而受到尊崇，早期並不是由於體制功用不同而不入史部。經部的著作繁夥的原因，是因為相關的訓詁、解義、音訓等著作很多。就《六經》本書而言，是各種史書的根源，經史怎可分離呢？現在像《周易》類的《乾鑿度》、《坤鑿度》，《尚書》類的《逸周書》的各種說解，《春秋》類的《春秋外傳》、《春秋後語》，韓嬰的《韓詩外傳》，戴聖的《禮記》和戴德的《大戴記》，都與古代的史書互有相通，這些書雖已收入朱氏《經義考》，但仍不能不在《史籍考》中探溯其淵源，俾讀者瞭解殊途同歸的道理。至於《經義考》與《史籍考》對於經類同一書的考證，何者為詳，何者為略；何者為全，何者為偏；何者為主，何者為賓；何者為輕，何者為重，我自會有平正的衡量。第七是：子部的書，要有所選擇。子類的書，常與史書相輔相成。例如《周禮》所載的制度法則，很多見於《管子》、《呂氏春秋》；有關各國瑣細的事，很多見於《晏子》、《韓非子》。如果析裂章句，牽強符合史書的體制，這不是著書的大體和綱要。但是像〈官圖〉、〈月令〉、〈地圓〉等篇的巨大篇幅，〈儲說〉、〈諫篇〉等篇的排列記載，實際上在史部有專門的方法，自當刪取其重要部分，放在本書中，可以使探求史事者沒有文獻不足的缺憾。第八是：集部的內容也應裁取參考。漢魏六朝的史學，必然會採用精通學術的文人別集，但這些文集所載，只是些銘、箴、頌、誄、詩、賦、書、表及官方文書而已。唐人的別集，偶有

記事的文章，因為史學到了唐代已完全喪失了。到了宋元以後，文人的文集裡，傳記的資料漸漸多了起來，史學家與文人，融合在一起。於是古人的專家學術，不可得知了。不過人們的聰明智力，一定會有所求取，耳聞目見的資料，可以提供急需，這些資料有傳記、墓誌銘、行狀及記述事情的文章，取用這些資料，反而較文集所載可信得多。這些資料，本來就是史書的體制，但因沒能成為專門學術，只好放在文集裡，十分可惜。因此，應該裁取那些合乎史學方法的資料，分別登載。這也是朱彝尊撰寫《經義考》〈洪範五行傳〉部分時，採摘曾鞏、王安石文集中所載有關古代典章制度資料的方法。第九是：應該選取方志的資料。既然撰寫《史籍考》，凡是與史學有關的著作，自當鉅細不遺的全部收錄。有一種文獻，不得不有所取捨的，那就是府志、州志、縣志等方志。這些方志估計有千餘種，其中部分方志有新修的、舊修的，共約三十多種。其中淺俗不雅正的、乖謬奇怪的、浮華不實沒有根據的、惡劣令人厭惡的，佔一半以上。至於那些小官吏的公文書，科舉考生為考試之需將經史及時務分類彙編的資料，都要比方志為佳。因此一談到方志，一般士大夫，每每說不清楚。這些方志分散在各地，不是短時間能蒐集在一起的，因此可以就所聞見的方志，其中如有可採用的，可稍為引用，如無可採取的，只要著錄書名目錄。不及經眼的方志，也不用費時搜尋，後人也可以估計所不及見的部分。第十是：家譜應該省略不用。方志是官方所修的，猶有很多不好的，至於家譜是私人所修，比起方志，其缺失更多。古代家譜玉牒由官府主管，後代則由私人自行修撰，這是因為族譜不再由官員統理的關係。徵求族譜，比徵求方志還要困難，因為族譜是不能強行索取的。至於那些記述世世代代的統譜及記述同一類人物的類譜，這些族譜是彙集成編的；還有專門學者的家譜，只取一時理法方面的名家或歷代為官的大家族，對於這些家譜，可以就力量所及，可加排比列舉，並說明不能一概收錄的原因，俾後人自行甄擇。第十一是：考證異同要精審。《史籍考》成書後，取材精審，功用很大，其成效涵蓋經部、子部、集部，其功用與《經義考》相

同。但是由於採取的資料很多，不免有所矛盾，記述不一，有所出入，必然難免。從事編撰時，隨時把分歧或互見的地方，全部彙集留存，等成書之後，另外撰成《考異》一書，或許能做到沒缺失的地步。第十二是：記述板刻宜詳細。朱彝尊《經義考》書後有一條與刊版有關的文字，但是只記載刊版的經過，可惜的是沒能說明各種刊本的異同。歷代金石刻畫的源流，從宋代歐陽修、趙明誠、洪邁、薛尚功以來，已有詳細的考述。版刻的圖書，流傳很廣，訛誤缺失也很多，每種刻本是依據何本刊刻？從事校訂的是那些人？刊行的人是誰？那一年刊刻的？有甚麼款識？有誰寫的題跋？誰寫的〈序〉或〈引言〉？刻版現存何處？有沒有殘缺訛誤？一本書曾經多少次刊刻？各種刻本之間有什麼異同？這些問題，可惜還沒有人倣效《金石錄》的方法撰寫專書。如果有這種書，則可依其所著錄索求圖書，不致盲目求書，對後學者的助益，不就遠勝於《金石錄》嗎？如還有餘力，則應補正朱氏《經義考》遺漏的地方，《史籍考》也可用同樣的方法去做。第十三是：帝王御製的書應予尊崇。《列聖寶訓》、《五朝實錄》、《巡幸聖典》、《蕩平方略》等所有典藏在宮中藏書處的御製圖書，不分類別，只依照編纂時期的年月先後次序，肅敬的編在卷首。第十四是：處理違禁圖書的方法要明確。所有違背政策、妨害國政應該禁止流傳的圖書，有的應全書燒掉毀棄，有的抽取毀棄違礙的部分。只燒毀一部分，其他還准許留存的，仍然可以一一著錄。如果是全書燒毀的，則要說明妨害政策應該查禁的原因，不分類別，另行編錄在卷末，用以彰明法令。第十五是：擇取資料要詳細。現存的書，要鈔錄敘文、目錄、凡例；亡佚的書，則從群書中搜採與該書有關的資料。所有聞見所及的資料，應該先作長編，所有序跋評論之類的資料，不厭其詳的予以鈔錄。長編完成了以後，等到纂輯的時候，刪繁就簡，考訂起來就容易從事了。仍然比照朱氏《經義考》的體例，每一書分別著明存、軼、闕、未見四種情形，以顯現此書文獻之可信。

# 與邵二雲書❶

　　逢之❷寄來逸史，甚得所用。至云摭逸之多，有百餘紙不止者，難以附入《史考》，但須載其考證，此說亦有理。然弟意以為蒐羅逸史，為功亦自不小。其書既成，當與余仲林《經解鉤沈》❸可以對峙，理宜別為一書，另刻以附《史考》之後。《史考》以敵朱氏《經考》，《逸史》以敵余氏《鉤沈》，亦一時天生瑜亮❹，洵稱藝林之盛事也。但朱、余二人各自為書，故朱氏《經考》，本以著錄為事，附登緯候逸文；余氏《鉤沈》本以搜逸為功，而於首卷別為五百餘家著錄。蓋著錄與蒐逸二事，本屬同功異用，故兩家推究所極，不侔而合如此。今兩書皆出弇山先生❺一人之手，則又可自為呼吸照應，較彼兩家更便利矣。夫史籍遺篇逸句，不講著錄部次，則無所附麗❻，更不比余氏《經解》，猶有本經白文可以作閒架❼也。今為酌定凡例，自唐以前，諸品逸史，除蒐采尚可成卷帙者，倣叢書例，另作敍跋較刻，以附《史籍考》後。其零章碎句不能成卷帙者，仍入《史籍考》內，以作考證。至書之另刻，不過以其卷頁累墜，不便附於各條之下，其為

體裁，仍是搜逸以證著錄，與零章碎句之附於各條下者未始有殊。故文雖另刻，必於本條著錄之下注明另刻字樣，以便稽檢。鴻編鉅製，取多用弘，創例僅得大凡；及其從事編摩，時遇盤根錯節❽，必須因時準酌。例以義起，窮變通久❾，難以一端而盡，凡事不厭往復熟商。今茲所擬，不識高明以為何如？至宋、元以來，史部著述浩繁，自諸家目錄之外，名人文集有序文題跋，雜書說部有評論敘述，均須摘抉搜羅。其文集之敘跋，不無仰資館閣，說部則當搜其外間所無者。此事不知張供事能勝任否？吾兄幸熟計之，若得此二事具，則於采擇之功，庶幾十得其八九矣。又文集內有傳誌狀述敘人著述有關於史部者，皆不可忽。四月廿二日。

## 【今註】

❶ 邵二雲：邵晉涵，清餘姚人，字與桐，號二雲，乾隆三十六年進士，歸部銓選。四庫館開，特旨改庶吉士，充纂修官，累官至侍讀學士。博聞強識，四部七錄，靡不研究，著有《爾雅正義》、《南都事略》、《孟子述義》、《韓詩內傳考》、《輶軒日記》、《南江詩文集》等。

❷ 逢之：章宗源，清浙江山陰人，字逢之，乾隆中大興籍舉人，以對策博贍發科，益好學，積十餘年，採獲經史群籍傳注，輯錄唐宋以來亡佚古書盈數笈。著有《隋書經籍志考證》。

❸ 余仲林《經解鉤沈》：余蕭客，清長洲人，字仲林，號古農，年十五通九經，尤耽古籍，聞有異書，必假鈔錄，嘗輯注《雅別鈔》，就質惠棟，遂著弟子籍。直隸總督方觀承聘修《畿輔通志》，以目疾歸，教授鄉里。時稱其學在王應麟、顧炎武之間，乾隆間以布衣終。著有《文選雜題》、《文選音

義》、《選音樓詩拾》等。《四庫全書總目》經部五經總義類：「《古經解鉤沈》三十卷，國朝余蕭客撰。蕭客，字仲林，長洲人。是編採錄唐以前諸儒訓詁。首為〈敘錄〉一卷，次〈周易〉一卷，〈尚書〉三卷，〈毛詩〉二卷，〈周禮〉一卷，〈儀禮〉二卷，〈禮記〉四卷，〈左傳〉七卷，〈公羊傳〉一卷，〈穀梁傳〉一卷，〈孝經〉一卷，〈論語〉一卷，〈孟子〉二卷，〈爾雅〉三卷，共三十卷。而〈敘錄〉、〈周易〉、〈左傳〉均各分一子卷，實三十三卷也。自宋學大行，唐以前訓詁之傳，率遭掊擊，其書亦日就散亡，沿及明人，說經者遂憑臆空談，或蕩軼於規矩之外，國朝儒術昌明，士敦實學，復仰逢我皇上稽古右文，詔校刊《十三經注疏》，頒行天下，風教觀摩，凡著述之家，爭奮發而求及於古，蕭客是書其一也。」

**❹** 瑜亮：三國時，吳周瑜及蜀諸葛亮之並稱。《三國演義》（五七）：「（瑜）言訖，昏絕。徐徐又醒，仰天長歎曰：『既生瑜，何生亮。』」後因稱兩人才力相匹敵者為「一時瑜亮」。

**❺** 弇山先生：畢沅也。畢沅，清鎮洋人，字纕蘅，又字秋帆，自號靈巖山人。乾隆進士，官至湖廣總督。好著書，鉛槧不去手，經史、小學、金石、地理之學，無所不通。著有《續資治通鑑》、《關中勝蹟圖記》、《西安省志》、《關中中州山左金石論記》、《靈巖山人詩文集》等。清史善長編有《弇山畢公年譜》一卷。

**❻** 附麗：依附。

**❼** 間架：架構也。羅隱〈鎮海軍使院記〉：「肥楹巨棟，間架相稱。」

**❽** 盤根錯節：樹根盤曲錯雜，比喻事情繁難複雜。《魏書・甄琛傳》：「今河南郡是陛下天下之堅木，盤根錯節，亂植其中。」也作「槃根錯節」。

**❾** 窮變通久：指事物面臨窮困則須變通，變通後才能長久。也作「窮則變，變則通」。

## 【今譯】

逢之寄來散佚的史料，對我很有用處。至於談到掊擿已佚史料甚多，有些資料多到一百多張紙都寫不完，難以收在《史籍考》裡，但《史籍考》中需記載這些史料的考證，這種說法也有道理。不過我以為蒐羅已散佚的史料，貢獻也不小。將來《逸史》完成後，應當可與余仲林的《經解

鉤沈》相對等，依理應該自成一書，另行刊印，附在《史籍考》之後。《史籍考》和朱氏《經義考》相對等，《逸史》和余氏《經解鉤沈》相對等，是同時期中天生一對好著作，實在是學術界的盛事。只是朱、余二人的著作各自單獨刊行，朱氏的《經義考》，本來以著錄經學著作為主，附載緯書的逸文；余氏的《經解鉤沈》，本來以蒐採經學的逸書為主，而於首卷載錄了五百餘種經學著作。著錄圖書與蒐採佚書這兩件事，本來就是貢獻相同，作用不同，所以兩家著作考述的成就，不謀而合。現在兩書都由弇山先生刊行，又可使兩書密切照應，較朱、余兩家更便利了。史書的遺文佚句，如果不加以分類著錄，就無法依附，不像余氏的《經解鉤沈》，還有經書的原文可以做為架構。現在酌定凡例，唐代以前的各類已佚史書，還可搜採編纂成卷帙的，倣效叢書的方法，另撰敘跋並校勘刊印，附在《史籍考》後面。至於一些零星文句不足以編纂成卷帙的，則放在《史籍考》中，以為考證之資。至於另行刊刻的書，由於卷頁繁多，不便附在各條之下，其體裁形式，仍然以搜採佚文做為所著錄的佐證為主，其功用與零星的篇章或文句附在各條下沒有不同。所以有些文章另行刊刻，必須在本條書目下注明「另刻」字樣，以便稽考檢索。篇幅如此巨大的著作，取材多，功用大，寫作體例大致上只有如此，等到實際撰寫時，每遇繁難複雜時，必須隨時辨正斟酌。體例要合理，事情遇到困難，則須變通；變通了，才能長久，所以很多現象不是一則條理可以涵蓋，任何事都需一再深思商酌。我這裡所擬的，不知卓見以為如何？宋、元以來，史部著述浩繁，除各家目錄以外，名家文集裡有許多序文題跋，雜著及筆記裡有許多評論敘述，這些都要搜採。文集中的敘跋，部分仰賴館閣所藏，雜著筆記則需搜採外面不常見的書。這種搜採的事，不知張供事能否勝任？希望您好好替我思考規畫，這兩件事如能做到，那末採擇文獻的工作，大概完成十之八九了。此外，文集內所載傳記、墓誌、行狀等記述有關史部的著作，都不可忽略。四月廿二日。

# 與胡雒君論校胡穉威集二簡

## （一）

　　昨示校刊《胡穉威徵君文集》❶，所言先後目次與其人之專愚，誠不足當一噱。徵君於雍正、乾隆閒，名重京師三十年，至今猶有相引重者。學使命刊，必有京師同志相囑，誠佳事也。鄉人取比毛西河氏❷，此恐未逮。當與杭堇浦氏❸，齊息園氏❹，互校短長。夫毛氏甚駁，不及杭、齊之醇也；但取立言有故，能自成家，不徒以文學表見，則杭、齊若有待焉。若其才雄舉富，舉相似也。鄙人亦未讀徵君全書，蓋習聞其緒論❺，而窺其一二序記，因以所見質於同人，則頗以鄙論為然，故今欲一見其書，以冀質乎向者之所擬議也。所以錄本暫假一觀，明日必可納上也。至編次諸體，先序殿賦，以為徵君手定，此言恐有所授，當審察之。鄙著《文史通義》有〈繁稱〉、〈匡謬〉、〈文集〉、〈文選〉、〈韓柳〉諸篇，專論編次文集目錄之事，深慨昔人編次集部目錄，不達古人立言宗旨。夫文集諸體，大略相同，而諸集成家，百變未已。《漢志》詩賦，即後世集部辭章之祖也，諸子亦後世集部

論撰之祖也。然詩賦區為五略，諸子別為九流。且同一賦
也，而荀卿之賦，不與屈宋同編；同一詩也，而高祖歌
詩，不與孝景同編。古人具有家法，鄭重分明，而後世編
次文集，不知校讎之學，但奉蕭梁陋例，一概甲賦乙詩而
癸弔祭文，曾無有人覺其非者，可為浩歎！故嘗妄謂編次
集目，當先定其人家學流別，然後可以甲乙諸體，未可一
概繩也。此說雖創自鄙人，而仰窺古人，閒有暗合，特未
盡符契耳，而世或轉以為非，此古學之所以難也。昔在保
定，梁制軍有業師仁和葉君，身亡無後，而門下搜其遺
文，屬鄙人編次成集而刊行之。鄙就其人所長，審其立言
指趣，於諸體中以序為甲，而編詩於癸，彼時甚有斟酌，
非鹵莽者，制軍初不為然。鄙援古今而辨正之，遂為定
本，今杭城有其書也。茲聞徵君全集甲序癸賦，適與鄙人
定葉君文集有合，而又傳出自徵君手定，不覺有觸於心，
疑此言之或有因也。徵君全集諸體，誠不知其何如，即使
果出手定，而所定之為是為非，亦難懸斷。鄙於讀書無他
長，子史諸集，頗能一覽而得其指歸。至於未彙之集，商
榷去取，審定甲乙，似於前人小有拾鞭之益。但乞假一
觀，當有芹獻❻，必可備采擇也。并以此達文翁明府，何
如何如？

（二）

惠借《胡徵君集》，足慰久企。往在都門，曾見沈徵

君〈詩義序〉❼及杭侍御〈續方言序〉❽與〈送馬力畚序〉、〈禹穴記〉四篇,今此本獨無〈詩義序〉耳。徵君平日好擬揚子雲,今參質聞見,頗有沈博絕麗之文,而乏淵默深沈之思,先生以為辭章之傑,良然。然徵君以經學知名,尤長《三禮》,今未見其經學之書,而集中序記書牘,發揮所見,亦未見有得於《三禮》而可徵蘊蓄者,恐經學諸書,亦未必如江戴之精專而有得也。惟〈與周內翰論洪範書〉與〈本韻二序〉及〈禹穴記〉,則於經訓史籍,蓋嘗肄業及之,而發言不甚離宗,非專門也。與〈朱羅孝廉二書〉,論詩古文,其得亦似未深。今雖所見僅三之一,而大體可知。日內擬整行裝,而筆墨之債夢集,亦不及索觀中下卷矣。賢侯授梓,想有一本見惠,當徐讀之也。《胡集》博麗,似非有意於立言,向擬杭、齊之間,亦不甚似。至目錄先後,無可庸心,彼墨守之愚妄,先生所言良是。鄙意駢體與散行夾雜不分,而以〈三洞璇華一序〉冠首,尤不可訓,想高明善編審也。雖然,浙東前輩撰述未刊,此猶中駟耳。昨聞邵二雲學士逝世❾,哀悼累日,非盡為友誼也。浙東史學,自宋元數百年來,歷有淵源。自斯人不祿,而浙東文獻盡矣。蓋其人天性本敏,家藏宋元遺書最多,而世有通人口耳相傳,多非挾策之士所聞見者。鄙嘗勸其授高第學子,彼云未得其人;勸其著書,又云未暇,而今長已矣,哀哉!前在楚中,與鄙有同

修《宋史》之約，又有私輯府志之訂，今皆成虛願矣。曾憶都門初相見時，詢其伯祖邵廷采氏撰著❿，多未刻者，皆有其稿；其已刻之《思復堂文集》⓫，中多譌濫非真，欲校訂重刊，至今未果。此乃合班、馬、韓、歐、程、朱、陸、王⓬為一家言，而胸中別具造化者也，而其名不為越士所知。又有黃梨洲⓭者，人雖知之，遺書尚多未刻，曾於其裔孫前嘉善訓導黃璋⓮家，見所輯《元儒學案》數十鉅冊，搜羅元代掌故，未有如是之富者也。又有鄞人全謝山⓯，通籍清華，學士亦聞其名矣。其文集專搜遺文逸獻，為功於史學甚大，文筆雖遜於邵，而博大過之。以其清樸不務塗澤，故都人士不甚稱道。此皆急宜表章之書，學使所未聞者，曷乘閒為略言之。鄙與學使素稱知契，然本部憲使，不欲屢通書問故也，如何如何！適有小恙，未及手書，口授不悉，餘晤罄。

## 【今註】

❶ 胡稺威：胡天游，一名騤，字稺威，號雲持，清浙江山陰人。榜姓方，後始復姓。雍正副貢，乾隆初舉鴻博不遇。工駢文，詩亦雄健有奇氣。性耿介，公卿欲招使一見，不可得。後舉經學報罷，客遊山西，卒於蒲州，著有《石笥山房集》。

❷ 毛西河氏：毛奇齡，清蕭山人，字大可，一字齊于，本名甡，字初晴，學者稱西河先生。明季諸生，明亡，斷髮竄山谷，讀書土室中。為人好譏議，品目嚴峻，一時士流多忌之。康熙中召試鴻博，授檢討，纂修《明史》，後以病乞歸。博覽載籍，著書甚富，尤好說經，其辨正圖書，排擊異學，多有功於經義。惟喜為駁辯以求勝，凡他人所已言者，必力反其詞。晚年性樂易，

好獎勵後進，卒年九十四。所著經集五十種，文集二百三十四卷。

❸ 杭董浦氏：即杭世駿，參見〈王右丞集書後〉註❸。

❹ 齊息園氏：齊召南，清天台人，字次風，號瓊臺，晚號息園，雍正副貢。乾隆初舉鴻博，授庶吉士，累官禮部侍郎，坐事削職。召南幼稱神童，書一覽即記，最精輿地之學，嘗以酈道元《水經注》開於西北，闇於東南，著《水道提綱》，盛行於時。又有《史漢侯第考》、《歷代帝王表》、《賜硯堂詩文集》等。

❺ 緒論：有系統、有條理之言論。

❻ 芹獻：微薄之貢獻，贈人禮物之謙詞。

❼ 沈徵君：指沈彤。彤，清吳江人，字冠雲，號果堂，諸生。乾隆初召試鴻博不遇，與修《三禮》及《一統志》，書成，授九品官，以親老辭歸。篤志群經，尤精《三禮》，及卒，門人私諡文孝先生。著有《周官祿田考》、《儀禮小疏》、《果堂集》等。其《果堂集》，多訂正經學之文。

❽ 杭侍御《續方言・序》：杭世駿著有《續方言》二卷，今有《四庫全書》本。

❾ 邵二雲學士逝世：邵二雲，即邵晉涵，參見〈與邵二雲書〉註❶。邵氏清高宗乾隆八年（1743）生，仁宗嘉慶元年（1796）丙辰六月十五日卒，年五十四。黃雲眉編有《邵二雲先生年譜》。

❿ 邵廷采氏撰著：邵廷采，清餘姚人，本名行中，字允斯，更名廷采，字念魯，幼讀劉宗周《人譜》，服膺王學。年二十，為縣學生，恥為應舉之文，從同縣黃宗羲問《乾鑿度》算法，會稽董瑒受陣圖，保定王正中學西曆，兼通刺擊之法。施琅征臺灣，遇廷采於西湖，縱談沿海要害，施奇之，請與俱，不赴。歸主姚江書院，好從遺老訪明亡故事，作《東南紀事》、《西南紀事》二書，未成而卒，年六十四。著有《姚江書院志略》、《思復堂文集》等。姚名達著有《邵念魯先生年譜》。

⓫ 《思復堂文集》：《四庫全書總目》（卷一八三）別集類存目（十）：「《思復堂集》十卷，國朝邵廷采撰。廷采字念魯，餘姚人，康熙初諸生，嘗從毛奇齡遊。是集刊於康熙壬辰，以龔翔麟所撰〈墓誌〉、邵思淵所撰〈墓表〉、萬經所撰〈小傳〉，冠諸編首。」

⓬ 班、馬、韓、歐、程、朱、陸、王：指班固、司馬遷、韓愈、歐陽修、程顥、程頤、朱熹、陸九淵、王守仁。

⓭　黃梨洲：黃宗羲，字太冲，號梨洲，學者稱南雷先生，明餘姚人。父尊素死
　　詔獄，宗羲具疏訟冤，袖長錐錐許顯純等，莊烈帝歎為忠義孤兒。歸益肆力
　　於學，盡發家藏書讀之，不足，復借鈔之，畢力著述。其學主先窮經，而求
　　事實於史，以濂洛之統，綜會諸家。康熙中舉鴻博，薦修《明史》，均力
　　辭。詔取所著書宣付史館，史局大案，必咨之，卒年八十六，私諡文孝。著
　　有《宋元學案》、《明儒學案》、《南雷文定》前集、後集、三集、四集、
　　五集、《南雷餘集》、《南雷文錄》、《南雷詩歷》等數十種。

⓮　黃璋：黃宗羲玄孫，字稚圭，號華陀，乾隆舉人，官沭陽知縣，著有《大俞
　　山房集》、《楊龜山先生年譜考證》等。

⓯　全謝山：即全祖望，參見〈王右丞集書後〉註❹。

## 【今譯】

（一）

　　昨天出示所校刊的《胡稚威徵君文集》，你所談到關於此書的先後目
次與胡氏的專斷愚妄，實在不值得一笑。胡氏在雍正、乾隆年間，在京師
很有名望，達三十年之久，到現在還有人很推崇他。學使刊行此書，一定
有京師的同僚囑付，實在是一件好事。同鄉都拿胡氏與毛奇齡相比，毛氏
可能不及胡氏。應當與杭世駿、齊召南二人，互相比較其優缺點。毛氏學
術駁雜，比不上杭氏、齊氏的醇正。如果就立說有依據，能自成一家言的
角度來說，不僅以文學的成就為限的話，那麼杭氏、齊氏似乎有所不足。
如果就卓越之才幹、豐富的學識來說，則都很相似。個人還沒讀過胡氏的
全部著作，不過常聽說他有條理的言論，也讀過他一部分的序記，曾經將
我個人的看法請教於同人，都很同意我的看法，所以很想能看到他的著
作，希望能印證我從前的想法。因此，你的鈔本暫借我看看，明天一定可
以奉還。至於各體文章的次序，序文放在最前，賦放在最後，認為這是胡
氏親自編定的，這話可能有人授意，應當仔細瞭解。拙著《文史通義》一
書裡的〈繁稱〉、〈匡謬〉、〈文集〉、〈文選〉、〈韓柳〉等篇，專門
討論編纂文集目錄的相關問題，十分感慨前人編次集部目錄，不瞭解古人

立言的旨意。文集的體制，大致相同，但是編成的各家文集，卻不斷變化。《漢書‧藝文志》的詩賦，是後代集部辭章類的創始者，諸子也是後代集部論撰類的創始者。但是詩賦分為五個類別，諸子區分為九個流派。而且同樣都是賦，荀卿的賦，不和屈原、宋玉的賦編在一起；同樣都是詩，漢高祖的詩，不與漢景帝的詩編在一起。古人都有師徒相傳的學術方法，慎重分明，後代編纂文集，不懂得校讎學，只依照蕭梁昭明太子編纂《昭明文選》粗疏的體例，一律把賦放在最前，其次是詩，最後是弔祭文，沒有人發現這種體例的錯誤，實在令人歎息！所以我曾經主張編次文集的篇次時，應先審定其人的學術淵源及流派，然後才可以排比其文體的先後次序，不能一概適用一個標準。這種說法雖是我提出的，仰視古人，偶有合乎我的說法的，只是沒能全部符合而已，有人就以為這種看法是錯誤的，這是古人之學不容易瞭解的地方。從前在保定，梁制軍有一位老師是仁和人葉君，沒有子女，卒後其門生搜集他的遺作，請我編成文集刊行。我根據葉君的專長，審度其立言的旨趣，將序文編在最前面，詩作編在最後，當時做這個決定，是經過慎重的考量的，不是隨便決定的，制軍初始不同意。我援引古今的文集做為證據改正他的看法，終成定本，現在杭州有這本文集。現在聽說胡氏的全集，首先是序，賦在最後，剛好和我所編定的葉君文集的體例相同，又聽說是出自胡氏親自編定，不覺心中有感，懷疑這種說法或有原由。胡氏全集有那些文體，我並不瞭解其內容，如果真是由他親自編定，他所編定的是對是錯，很難憑空論斷。我個人讀書沒有其他長處，但是對史書、諸子及詩文集，只要一讀就能瞭解其要旨。至於對尚未彙編成書的詩文集，商討去取的原則、審定篇目的次序，似乎對前人有整理的貢獻。只是請求借我閱覽，一定會提供淺薄的意見，必定可供參考。將這些意見寄給您，您覺得怎麼樣？

　　（二）

　　蒙您將《胡徵君集》借我一讀，讓我長久的期盼獲得寬慰。從前在京城，曾看見胡徵君所撰的〈沈徵君《詩義》序〉及〈杭世駿《續方言》

序〉、〈送馬力奮序〉、〈禹穴記〉等四篇，現在這本書中唯獨不見〈沈徵君《詩義》序〉。胡氏平常喜歡比擬為揚雄，現在把平日所聞所見互相驗證，頗有深博華麗的文辭，而缺少深沉不言的深邃思慮，您認為是辭章方面的傑出人才，果然如此。不過胡氏以經學聞名於世，尤其是專長於《三禮》，現在沒見到他在經學方面的著作，而文集中所載序、記、書信等，闡述他的見解，也沒有看到那些見解是源自《三禮》，而足以驗證他在《三禮》方面的成就，他的經學著作，恐怕不如江永、戴震二人的專精而有創見。只有〈與周內翰論洪範書〉、〈本韻二序〉及〈禹穴記〉三篇，看得出對於經解與史書，有所研習，內容大致未偏離主旨，但不能算是專門著作。〈與朱羅孝廉二書〉，內容是談論詩和古文，見解也不很深入。目前所見雖只有三分之一，其餘大致可以想見。近日準備出門遠行，而所積欠的稿債又多，來不及看中卷和下卷了。您印行了這本書以後，我想您會送我一本，那時候一定會慢慢讀它。《胡稺威集》篇幅甚巨而華麗，似乎無意於創立一家之言，從前我將他和杭世駿、齊召南相比擬，現在看起來不像。至於目次的先後，無從評論，他那種墨守舊法的愚妄，您所說很有道理。我認為將駢體文和散文雜放在一起而不加分別，又將〈三洞璇華序〉一文放在全書最前面，最不可效法，我想高明之士會善加審定。雖是如此，浙東前輩的著作很多還未刊行，這本書還算是中等的。

　　昨日聽到邵晉涵學士去世，哀悼許久，不完全是我和他的交情好的緣故。浙東地區的史學，從宋、元數百年以來，一直有很深厚的本源和傳統。如今邵學士逝世，浙東的典制資料及熟悉掌故的人就沒有了。這是因為邵學士天賦聰敏，家中藏有豐富的宋、元留下的圖書，這些圖書，當時博學之士只有口耳相傳，大部分的圖書，不是一般的讀書人是所能聞見的。我曾勸他傳授給他得意的學生，他答說還沒有理想人選；我也勸他撰述著作，他又說沒有空暇，如今永遠走了，多麼哀傷啊！從前在楚地時，曾與我約好一起修《宋史》，又約好一起以個人身分纂輯方志，這些，如今都已成為無法實現的願望了。回憶起在京城第一次見面時，曾問起他的

伯祖邵廷采先生的著作，大部分未曾刊行，原稿都還在；已經刊刻的《思復堂文集》，書中訛誤很多，與原作相去很多，想要重新校訂刊行，到現在未能做到。邵廷采先生可說是綜合班固、司馬遷、韓愈、歐陽修、程顥、程頤、朱熹、陸九淵、王守仁等人的思想，成為具有個人獨特見解、自成體系，而心中具有創造、創新的人，可惜江、浙的人都不知道有這樣一個人。又如黃宗羲，人人都知道他，但是他的著作還有很多沒有刊行，我曾在他的裔孫、前浙江嘉善訓導黃璋的家中，見到黃宗羲所輯的《元儒學案》數十大冊，從來沒有人能採集元代掌故，如此的豐富。又有鄞縣人全謝山，考取進士，擔任清官顯貴的官職，知識分子都知道他。他的文集專事搜採遺佚的文獻，對史學的貢獻很大，文筆雖不如邵廷采，但學問的廣博，則超過邵廷采。由於生性清高樸素，不修飾容貌，所以京城人士不太稱說、宣揚他的成就。這些都是急於顯揚的著作，學使所沒聽過的，不妨在適當的機會向他說明。我與學使一直都很相知、融洽，但他是我的長官，不方便常通信問候。奈何奈何！身體剛好有些不適，不能親筆寫信，用口說請人代寫又不能盡意，其他的等見面再談。

# 高郵沈氏家譜敍例

〈誥敕〉第一，敍曰：三代以上，天子賜姓，諸侯命氏，《周官》小史掌奠繫世，辨昭穆，蓋其時氏族掌於官守，平章百姓❶，異於黎民，姓氏皆本於君命也。後世封建易為郡縣，仕不世官，氏族不命於君上，人皆有姓無氏，而貴賤不可得分矣。然六朝郡望❷以及唐宋以來門閥❸名家，必取仕宦顯貴，以為清望❹所歸，則譜牒之冠〈誥敕〉，其亦賜姓命氏之遺意也。吾宗自士忠公以來，累代俱有仕宦，綸綍❺褒揚，奕葉❻稱榮，家乘自當恭錄以弁首矣。第譜牒之例，門類雖分，而先後一依行輩時代為序。惟〈誥敕〉本於命族之旨，義取尊君，昔人所謂稟時王之制度也，故恭登本朝恩命於先，而前代所頒附於後云。

〈世系源流圖〉第二，敍曰：萬物本天，人本乎祖，普天之民，追所自出，莫非三五之裔也。時遠世隔，則闕所疑而徵其所信，傳聞有自，則存其說而不泥其文，記載之通義也。吾沈溯原聃季，因沈子國以為氏，質之古而有合，此徵其所信者也；《吳興譜》自該以上❼，至周聃季

·387·

七十五世，皆支系聯屬，班班可考，雖經戰國去籍，秦火楚劫之餘，而猶無一世不貫，此存其說而不必泥其文者也。今謹繪為《源流》之圖，備稽考云。

〈支系表〉第三，敘曰：家譜系表，旁行斜上❽，乃是周譜舊式，後史所本者也。其法自上而下，尺幅可貫二三十世，文簡而明。近代修譜，率以五世分截。於是由六世上溯五世，勢須重檢前系，追其自出。由十一世溯第十世，亦復如之。繙繹❾既煩，支系又難清析。蓋緣多作子注，占其綫格，不知表外有牒，又不知字行職官生卒年月之例，詳於牒者，本不藉表格以明也。夫世系設表，惟取其分別支派，使蟬聯系屬，皎若列眉，但書名諱，占地無多，故尺幅可以徹上下也。茲譜自四四公以來，傳世二十有二，表格所占無多。但自士忠公後，嬾樵公一支，居普安之南關；漫漁公一支，居普安之城中。南關之裔無考。今高郵、普安子姓，俱漫漁公後也。漫漁公六傳至存孝公，從祖昆弟五支，乃或一傳而絕，或傳數世而無考。今惟存禮公一支，子姓繁衍，故表中所列，始自存禮公，而自四四公至存禮公一十一世，別為世系之圖，冠於表首。絕支支派無多，披圖可識，無取於表格也。存禮公至今，凡十一世，故表中僅列十一格。表中之第一世，即系圖連合之第十二世也。將來傳至二三十世，俱可依次增格，毋庸分截淆觀覽矣。其餘詳見〈世牒〉云。

〈世牒〉第四，敘曰：牒者，表之注也。表僅列名，而人之行次字號，歷官生卒，妻妾姓氏，子女所出，塋墓向方，皆當注於名下，如履貫然。表綫所不能容，故著牒以詳之，蓋古法也。牒用橫格，分列款目，占幅稍多而觀覽易者，直書如注，占幅較省而披閱難明。然用橫格款目，則存疑待質與留缺俟補之處，各有一定方所，於例較便，故今用其式焉。表以支派為主，伯支末世子孫未盡，不能書仲支之祖宗，所謂經也；牒以行輩為主，一輩弟兄叔季未盡，不能書伯支之子系，所謂緯也：一經一緯，所以表人倫之道也。

〈列傳〉第五，敘曰：譜傳即史傳之支流，亦以備史傳之采取也。近代譜家之傳，往往雜取時人投贈之筆，祝嘏銘誄之辭，藉以取徵，不復繩削。夫體裁雜出，既已義例不純，撰文之人，各敘因緣，則文辭不皆切用。至於一人之事，慶弔不同，或贊頌互詳，或誌狀複出，偏存則懼有遺漏，並錄又不免繁蕪，斯則不解別裁列傳，自具陶鎔，殆於滕、薛爭長魯庭❿，而不識賓由主度也。今取先世嘉言懿行可示訓者，編次列傳。舊譜所載，庭訓所貽，參以耳目聞見，依其世次，敬撰為若干篇，以存一家之記載。夫家傳備史傳之取裁，例視史傳加寬，寬乃可以備約取爾。然例寬而辭無假藉，蓋子孫表揚祖父，人有同情，但事必信而有徵，不敢矯誣失實，惟其謹嚴之至，斯乃所

以敬其先也。

〈內傳〉第六，敘曰：史傳方志，並有〈列女〉之篇，所以表內行也。內言不出於閫❶，何所事於表章，所以示婦學❷也。德言容工，本於《官禮》，後世婦教所師範❸也。劉向所錄，勸戒並存；范史所標，但取高秀。後世乃專畫於貞孝節烈，於義雖曰甚正，而塗則隘矣。方志寬於史傳，家譜自當寬於方志。內行可稱，何必盡出一途。凡安常處順而不以貞孝節烈當其變者，有如淑媛相夫，賢母訓子，哲婦持家，閨秀文墨之才，婢妾一節之善，豈無可錄。則規規❹於節孝斯存，毋乃拘乎！

〈外傳〉第七，敘曰：沈女婦於他姓，而內訓可傳，節行可表者，著為〈外傳〉。禮曰：「姑姊妹之薄也，蓋有受我而厚之者也。❺」劉氏向曰：「婦人內夫家，外父母家。」由所適之族而視沈為外，則沈氏之譜，不得不以嫁女入〈外篇〉矣。其未許嫁而孝行著於門內者，則附於〈內傳〉焉。

〈影圖〉第八，敘曰：事有出於先王，而後世必不可行者，祭必立尸以象神是也；事有出於後世，雖起先王而不可廢者，祀先之有影圖是也。肖象起於傅巖❻，影堂❼祀先，則仿於唐而行於趙宋，禮以義起，離百世可不廢也。程子謂「影設不可不慎，假有絲毫不似，便是他人，非吾親矣」。此說固正，亦未盡然。前人所畫聖賢、仙

佛、名人、高士諸圖，著於錄者，亦非得於目擊，多從想象為之，安能責其盡肖！而既已為之而名之矣，披圖敢不敬歟！孝子思親，繪影以存目想❶，自然惟恐追摩有弗至也；畫史有工拙，或流傳憶擬有失真，則亦不幸而無可如何之事也。然較之聖賢高士之憑空結撰，必有得其真傳之髣髴矣。苟有絲毫似吾親，而敢斥為他人歟！為人子者，盡心於力所能致斯已耳。然朝章冠服，采色陸離❶，綾絹裝潢，設以供奉甚便，而經久恐有失傳；募佳手白描❶，鐫板以為印本，附於譜牒，則俞久而不忘，雖前人所未為，亦禮之義起者歟！

〈塋域圖〉❶第九，敘曰：古者葬必北方北向，有專地也；墓大夫辨其兆域，有專官也。後世不可拘以古法，而大河以南與大河而北，分合之勢，又各有所宜，形家❷之言所由起也。然北地族葬，塋域猶易識別；南地分葬，數世而後，不為誌記，則失所考矣。先世自普安之徙而高郵，祖墓荒蕪，豪強乘瑕侵蝕，非樂山公之清釐刻石，則石友公且無所憑藉以復祖業矣，乃知譜錄不可少也。今取累葉塋墓方向坐落若祀田頃畝，繪其形勢方面及其四至八到❷，悉譜列之，以示久遠，疑未析者缺之。

〈文徵內篇〉第十，敘曰：譜為家史，前人嘉言懿行，諸傳既已載之，文則言之尤雅者也。〈奏疏〉尊君，列於首矣。舊譜傳狀，多刪取為新譜列傳，取畫一於體

例，非敢掠前人之美也。原本錄於〈文徵〉，非第存文，且使新譜諸傳，詳略互見，亦史家旁證之遺意也。考訂論辨之文，有關先世傳聞異同，嫌介疑似，尤為譜牒指南❷，則次列之。詩賦詞章，或有所抒發，或中有感遇，古人所貴賦詩以見志也，則又次列之。嗚呼！先世自潯州公以下，累世以儒業顯，流離兵革，患難頻遭，所存不得十之一二，茲所錄者，又累經散失之餘也。然文不貴多，子孫能讀前人之書，即區區所錄，教忠教孝，顯親揚名，大義已無所不備矣。

〈文徵外篇〉第十一，敘曰：〈內篇〉為沈氏累世撰著，〈外篇〉則他姓文人為沈氏作也。一時應酬投贈，豈無藻飾腴辭❷！然君子之交，文不離質。試取〈外篇〉辭事，與〈內篇〉所載反復互勘，而知當日交誼不為過情之譽也。唐柳子厚氏有〈先友記〉，記其先世所友，皆一時名輩，見古人之於交際，致慎重也。〈外篇〉之輯，非第為沈氏譜傳廣其旁證，亦見秉筆諸君子之行誼，不可為苟悅也。傳誌居首，序記祝嘏之文次之，詩詞又次之，凡若干篇。

〈舊譜敘例〉第十二，敘曰：書之迭纂而迭修者，惟方志與家譜為多，蓋可備史官之裁擇，則自下而上，比於日程月要，以待歲計，理勢然也。但前人纂錄具有苦心，後人襲其書而不著前人之〈序例〉，或僅存序跋而不著前

書之義例如何，則幾於飲水而忘源矣。故創輯者必著取材之所自，否則等於無徵弗信也。重修者必著前譜之〈序例〉，否則等於伯宗攘善❷❻也。迭修者則迭存之義例詳盡，而無事於修者，則但續其所無而不改其所有，斯庶幾矣。

**【今註】**

❶ 平章百姓：《尚書》：「平章百姓。」謂百官之氏族分別章明也。

❷ 郡望：郡中顯貴之氏族。三國魏文帝以州郡中有聲望之人任中正官，分九等評定州郡士人，授予官職。晉代以後，則以士族豪門為任大中正之標準，此等世家大族遂成為掌握政權之力量，成為郡望。

❸ 門閥：指祖先建立功勳者之家世。指名門貴室。

❹ 清望：清白之名望。謂家世清白，為人所敬重。《南史·張緒傳》：「帝欲用緒為右僕射，以問王儉。儉曰：『緒少有清望，誠美選也。』」

❺ 綸綍：制令。柳宗元《柳先生集》（卷三十八）〈代廣南節度使謝出鎮表〉：「鴻霈曲臨，惶駭交集，捧對綸綍，不知所圖。」

❻ 奕葉：累世、歷代。曹植《曹子建集·王仲宣誄》：「伊君顯考，奕葉佐時。」

❼ 《吳興譜》自該以上：該，沈該。宋吳興人，字守約，紹興間為禮部侍郎，出知夔州，召還，除參知政事，進左僕射，以老請罷，以觀文殿大學士奉祠。該邃於《易》，嘗撰《易小傳》上之，高宗降詔褒美。又有《中興聖語》（六十卷）、《文集》（五十卷）。事蹟具《宋元學案》（卷三十五）。

❽ 旁行斜上：《梁書·劉杳傳》：「王僧孺被敕撰譜，訪杳血脈所因。杳云：『桓譚《新論》云：「太史〈三代世表〉旁行邪上，並效周譜。」以此而推，當起周代。』」後泛指以表格形式排列之系表、譜牒等。

❾ 繙繹：翻取推究。

❿ 滕薛爭長魯庭：《左傳·隱公十一年》：「滕侯、薛侯來朝，爭長。」

⓫ 閫：婦人居住之內室。

⓬ 婦學：《周禮》：「九嬪掌婦學之法。」一婦德，二婦言，三婦容，四婦功是也。

⓭ 師範：效法、學習。

⓮ 規規：也作睍睍，小見之貌。

⓯ 姑姊妹之薄也，蓋有受我而厚之者也：《禮記・檀弓（上）》云：「喪服，兄弟之子猶子也，蓋引而進之也。嫂叔之無服也，蓋推而遠之也。姑姊妹之薄也，蓋有受我而厚之者也。」鄭玄《注》云：「或引或推，重親遠嫌。姑姊妹之薄，欲其一心於厚之者，姑姊妹嫁大功，夫為妻期。」孔穎達《疏》云：「姑姊妹之薄，謂姑姊妹之適人者，由期而降為大功也。受我而厚之，謂其夫受姑姊妹於我，為之服齊衰杖期，與父在為母同，情篤於夫家，則恩殺於本宗，此姑姊妹之所以出而降也。」

⓰ 傅巖：明代義烏人，字野清，崇禎進士，官至監察御史，有《事物考》。

⓱ 影堂：懸掛先人遺像之靈堂。

⓲ 目想：凝思。《文選》晉潘安仁（岳）〈寡婦賦〉：「窈冥兮潛翳，心存兮目想。」

⓳ 陸離：形容光彩斑爛絢麗。《淮南子・本經》：「喬枝菱阿，芙蓉芰荷，五采爭勝，流漫陸離。」

⓴ 白描：國畫中僅以淡墨鉤勒輪廓而不著顏色之畫法。

㉑ 塋域：墳墓所在之地。

㉒ 形家：堪輿家的別稱。以相度地形，為人卜宅墓，故稱形家。

㉓ 四至八到：四至，基地四面之界稱四至。八到，東、南、西、北、東南、西南、東北、西北，謂之八到。

㉔ 指南：指引定向。

㉕ 腴辭：美好之文辭。

㉖ 攘善：掠美。

## 【今譯】

第一篇〈誥敕〉，〈敘〉云：夏、商、周三代以前，天子賜姓，諸侯則命氏，《周禮》記載小史的職掌為建立世代制度，分辨昭穆次序，這是

因為當時氏族由官府負責，百官的氏族，分別得很清楚，與一般平民不同，姓氏都由國君賜給決定。後代封邦建侯的制度改為郡縣制度，官吏不再世襲，氏族也不再由國君賜給，人人都有姓無氏，地位的高低不再有所分別。但是六朝的郡望制度及唐、宋以來的名門貴室，都是選擇達官貴人來擔任，以為這些人是大家都認為家世清白，為大家所敬重的人。所以家譜前習慣上都先印有國君的誥敕，也是古代由帝王賜給姓氏所遺留的思想。我們家族從士忠公以來，每代都有人做官，國君所頒給的制令與褒揚，歷代都引為光榮，家譜自當恭錄放在書首。但是家譜的體例，雖有分類，而資料的排比，全部依輩分的先後為序。只有誥敕基於國君頒賜姓氏的意思，表示尊崇國君，也就是前人所謂承受當時國君的制度的意思，所以將本朝國君的敕令放在前面，前代君王的敕令則放在本朝國君敕令之後。

第二篇〈世系源流圖〉，〈敘〉云：萬物都以天為根據，人以祖先為根據，所有的人民，探索其來源，都是三皇五帝的子孫。時間久遠，世代隔絕，闕其所不知，徵考其可信的，傳聞有出處的，則留存其說法而不拘泥於文字，這是撰寫的原則。我們沈氏祖先為聃季，以沈子國為氏，徵考古事，相當符合，這是對可信的事加以考證。《吳興譜》從沈該以上，到周朝的聃季共七十五代，每一支系都相聯屬，都十分清楚明白，雖然經過戰國時代廢棄簿冊，秦代的焚書及楚王的劫掠，還能每代聯貫，這就是存其說而不必拘泥於文字。現在很恭敬的畫了《世系源流圖》，以備稽考。

第三篇〈世系表〉，〈敘〉云：家譜世代表，用表格書寫，是早期周代族譜的形式，為後代史者所依據。其寫法是從上而下，一葉可登錄二、三十個世代，簡單明瞭。近代所修的家譜，大都以五世為一個斷落，於是從第六代上溯第五代，必須重新檢視前段所載世系，追索其出自那一個世系。由十一世上溯第十世，也是如此。一方面翻檢麻煩，支系也不清楚。這是由於小注太多，占住綫格，修譜者不瞭解表格外另有記錄族人的簿冊，也不知道族人的字、排行、官職、生卒年月，凡是詳細記載於簿冊

的，本來就不需要寫在表格中。用表格記載世系，主要在記載其支系的遞傳，讓各支系之間的關係，清楚明白，只寫名諱，所佔篇幅不多，小小一葉中就可以貫通上下數代了。此譜從四四公以來，傳了二十二代，表格所佔不多。但是從士忠公以後，孏樵公一支，住在普安的南關；漫漁公一支，住在普安的城中。南關的後代，已無法查考。現在高郵普安的子孫，都是漫漁公的子孫。漫漁公傳到第六代存孝公，從祖兄弟五支，有的傳了一代就無子嗣，有的傳了數代，但無從查考。現在只有存禮公一支，子孫繁衍，所以表中所列的，從存禮公開始，而從四四公到存禮公共一十一世，另撰世系圖，放在表的最前面。無後代而斷絕的支系不多，一看世系圖就可得知，表格中沒有記載。存禮公到現在，共十一世，所以表中只有十一格。表中的第一世，也就是世系圖中的第十二世。將來傳到二、三十世，都可以依次序增加格數，不用分段，以免淆亂閱讀。其餘可詳見〈世牒〉。

　　第四篇〈世牒〉，〈敘〉云：牒，就是表的注釋。表中只列姓名，而一人的排行、字號、任官經歷、生卒年月、妻妾姓氏、子女是由那一位妻妾所生、墳墓所在，都應注釋在名下，像個履歷表。表格所容納不下的，撰牒予以詳細的記載，這是古代的方法。牒用橫格，分列款目，篇幅較多但覽閱容易。如果像注釋一樣直寫，篇幅較省，但翻閱不容易。用橫格款目的方式，那些尚待考證及尚待補缺的地方，各有一定的位置，這種體例比較方便，所以現在採用這種形式。表中所載以支派為主，長子的末代子孫還沒寫完，不能紀錄次子的祖宗，這稱之為經。牒的部分以排行輩分為主，同一輩的兄弟還沒寫完，不能紀錄長兄這一支的後代，這稱之為緯。一經一緯，可用以表現人倫的原理。

　　第五篇〈列傳〉，〈敘〉云：族譜的列傳是史書列傳的支流，也可提供撰寫史書列傳者取資。近代族譜的傳記，每取採用當時人贈送的文章及一些祝壽文字或喪祭銘誄，採用這些資料，不加甄擇。這些資料的體裁繁雜，體例已不精純，加上撰文者，各自敘述與死者的關係，其中資料多數

不切實用。況且記述同一人的事蹟，壽慶文章和弔祭文章不同，有些贊頌的內容，所說各有詳略；弔祭的墓誌、行狀，內容也有重複。如果只採用一部分，則恐怕有所遺漏；如果全部收錄，又不免太蕪雜，這是不瞭解決定取捨列傳的資料，要由自己鍛鍊，有點像春秋時滕侯、薛侯在魯國庭上爭長，不知道客人的排位是要由主人決定的。現在取先人可供後人效法的嘉言美德，撰為列傳。舊譜的資料，父親的告示，加上自己所聞所見，依世代次序，敬撰若干篇，以留存一個家族的文獻。家譜的列傳可供史傳的取資，體例較史傳為寬，資料較多，可供史傳有所選擇。不過，體例雖寬，但文辭不能私情寬容，子孫表揚父祖的事蹟，人情都相同，但是事蹟要有可信的事實，不可偽造事實，惟有嚴謹的態度，才是尊敬先人的正確方法。

第六篇〈內傳〉，〈敘〉云：史書的列傳及方志，都有〈列女傳〉，用以表彰婦女的事蹟。婦女的言論不出內室，為甚麼要加以表彰呢？是用來表現婦學。品德、語言、容儀、婦功，是出自《周禮》，這是後代婦女所效法學習的。劉向《列女傳》所載，勸勉、告誡都有；范曄《後漢書·列女傳》所標榜的，都是傑出的。後代則只限於貞孝節烈者，用意雖很正確，但是範圍則太狹窄了。方志〈列女傳〉收錄的條件較史書〈列女傳〉寬鬆，家譜所收自當比方志更為寬鬆。婦女可稱揚的事蹟，何必只限一種。凡是在平順的家庭中持家，不需以貞孝節烈應付變故的婦女，例如輔助丈夫的賢淑婦女、教育子女的賢母、料理家務的聰慧主婦、有藝文才華的大家閨秀、婢妾能有一種節義，怎麼會沒有可載錄的事蹟呢？只見到節孝部分，豈不是過於拘限嗎？

第七篇〈外傳〉，〈敘〉云：沈家女兒出嫁的，如果事蹟足以傳世，或節行足以表彰的，編在〈外傳〉。《禮記》說：「姑姊妹出嫁以後，喪服由一年降為九個月，是因為娶姑姊妹的人，一併將深恩重服承受過去了。」劉向說：「婦人以夫家為內，以父母家為外。」從所于歸的家族把沈氏視為外，那麼沈氏的家譜，不得不把嫁出去的婦女置於〈外篇〉了。

至於沒有出嫁而在家中有孝行的，則附在〈內傳〉。

第八篇〈影圖〉，〈敍〉云：有些先王制定的制度，但後代無法施行的，例如祭祀時，以臣下或晚輩充任神像，象徵死者的神靈以受祭的制度就是。有些制度是後世制定的，先王即使復活，也不會廢除的，例如祭祀祖先時要有祖先的圖像就是。繪製人物的肖像，是始於明代的傅巖，在靈堂懸挂先人遺像祭祀，則是始於唐代，而通行於宋代，合理的禮制，是永遠都會存在的。程子說：「繪設影像不能不謹慎，如果有一點點不像，就是別人，不是我的親人了。」這種說法，固然是對的，但也不完全如此。前人所繪的聖賢、仙佛、名人、高士等圖像，著錄於圖書或目錄的，也都不是親眼看過這些人，大部分都是憑想像繪成，怎能要求一模一樣？既然已畫好了，又題了名，看了圖像能不恭敬嗎？孝子思念父母，繪製圖像，以供凝思，自然惟恐畫得不完美。繪畫者的技巧有好壞之分，時間久了，依記憶所繪也可能失真，雖然不滿意，但是也沒辦法的事。不過比起那些憑想像所繪出來的聖賢、高士圖像，一定是比較與原貌類似。只要有一點像我父母，而敢說他是外人嗎？為人子女的，只要盡心盡力去做就可以了。但是朝廷所製定的帽子、衣服，彩色絢爛，用綾絹裝裱，陳列供奉十分方便，但是時間久了，會漸漸失去原貌，招募好的畫家用淡墨鉤勒畫像，刻版付印，附在家譜，時間再久也不會忘記，這種方法前人雖沒做過，是後來產生的合理的禮制。

第九篇〈塋城圖〉，〈敍〉云：古代墓葬處一定要在北的方位，而且要朝北，有專屬的地方。墓大夫考辨墓地的吉凶方位，有專門的官員。後代不可拘泥於古法，況且黃河以南與黃河以北，分合的現象，各有適合的地方，所以風水家就產生了。不過，北方同族的人葬在同一地區，墓地容易記得；南方人同一族分葬在不同的地方，數代以後，如果沒做好誌記，就不知先人墓地所在了。我的祖先從普安遷到高郵，祖墓荒蕪，強橫而又有權勢的人又乘機侵蝕，如果不是樂山公加以刻石釐清祖墳所在，那麼石友公就無從據以恢復祖業了，可知譜錄不能不記載祖墳。現在把歷代祖墳

的方向、位置，像祀田一樣，繪製四面八方的形勢，全部放在家譜中，讓久遠的後人都知道。疑而未知者缺之。

第十篇〈文徵內篇〉，〈敘〉云：族譜是一家之史，前人的善言美行，在列傳裡已有記載，文章則是格外雅正的言論。〈奏疏〉裡的作品，為了表示對國君的尊崇，放在最前面。舊日家譜裡的傳記、行狀，大部分刪節為新譜中的列傳，體例畫一，不敢奪取前人的優點。原文部分收在〈文徵〉，不僅保存原文，而且可使新譜的列傳，和原文參稽，詳略互見，這也是古代史家採徵旁證的方法。考訂論辨的文章，有關先人的傳聞如有異同，或者疑惑不定的，可為譜牒指引方向，排在其次。詩賦詞章可以抒發見聞，也可寫出心中的感受遭遇，古人最喜歡吟詩表達心志，則排在第三。唉！先人自潯州公以來，歷代都以儒家學術顯名於世，戰亂流離，頻遭患難，所留存的著作不到十分之一、二，這裡所收錄的，是經過多次散佚後所剩餘的。但是文章不在乎多，最重要的是子孫要能讀前人的著作，學會忠孝，顯親揚名，所有的大事理就都具備了。

第十一篇〈文徵外篇〉，〈敘〉云：〈內篇〉收的是沈氏歷代祖先的著作，〈外篇〉所收則是他姓文人寫給沈氏祖先的作品。所有的應酬贈送類的作品，不可能沒有過分修飾美好的文辭，不過君子交往的文章，文質兼備。試取〈外篇〉所載文章的文詞內容，與〈內篇〉所載文章一再對照，就可知道他們當日的交情友誼，並不做過分感情用事的讚譽。唐代柳宗元所寫〈先友記〉，記述他的先人所交朋友，都是當時有名望的人，可見古人交朋友，是十分慎重的。纂輯〈外篇〉的目的，不僅為了提供沈氏家譜更多的旁證，也可藉以考見當時寫文章者的行誼，不是貪圖一時之喜悅。傳記、墓誌放在最前面，其次是序、記及祝壽文字，最後是詩詞，共若干篇。

第十二篇是〈舊譜敘例〉，〈敘〉云：在各種圖書中，經過多次編纂、重修的，以方志與家譜為最多，因為這兩種書可供史官參考取材，那麼，從下而上，比照逐日逐月記載，然後統計一年之事的方法，是必然的

道理。前人纂錄費了很多心血，後人因襲前人的著作卻不說明前人編纂的〈序例〉，或者只保留有關的序跋而不說明前人著作的義例，這可以說是飲水而忘源了，所以最早的編纂者要說明文獻的出處，否則就無法取信於人。重修者則必須說明前譜的〈序例〉，否則就是掠前人之美了。後代多次重修者則多次保存的義例詳盡，如果不從事重修，那麼只要增入新的資料，不改動舊資料，這樣就可以了。

# 與馮秋山論修譜書

　　竊見譜例眉目❶不清，款列混淆，難以便人稽儉。足下所輯，特一門支譜耳，為系不過九世，存沒通計不過百人，即已擾擾不精至於如是；設撰東南鉅族統宗會譜，傳世至二三十，存歿名字至萬千人，勢必連牀架屋不能自休，而子孫欲考支系原流，亦必繙閱窮年不得端緒，則不知何所見而作此舉也！而指授之人，方且以為美善，惟恐人不知說之出於己也，序中反覆言之，則亦異乎吾所聞矣。夫序云；「修譜貴簡，庶幾子孫他日遷移，便於攜挈。」此說已不可訓。夫譜乃一家之史，史文宜簡宜繁，各有攸當，豈得偏主簡之一說以概其凡！至云便於遷移攜挈，則尤不成議論。充其所言，家藏《六經》、《三史》❷，其文不為簡矣，一遇子孫遷移，必當拋擲而棄毀之邪？抑《六經》、《三史》傳示子孫，必當刪節而簡括之邪？此則不問而知說之非也。雖然，彼之所見，即以主簡立說，則指授於人，必當以簡為法，庶幾所為之事一如其所見也。夫譜乃周人舊法，旁行斜上❸，用別昭穆❹親疏，較之連篇直書，觀覽易識，斯其義也。世數積三二十

輩，尺幅可申，猶當一貫而下，統合為篇。或至三四十
世，尺幅必不能容，然後再起別幅，以其首格承前卷之末
格可也。然亦必須下卷首格標明上卷末格支系，俾人按支
覆審，此則無可如何而出於不得已也。然已不勝標注之繁
與覆審之苦矣。今馮氏支譜，僅列九世，則律文五服之
圖，上治四世，下治四世，亦九世也。尺幅之間，寬綽可
容，而授其例者，乃截三世為幅，由四之六，由七之九，
即須別幅更起，而四世七世之冠於二幅三幅之首格者，又
不標明前幅末行三世六世之支系所出，欲知二幅三幅首格
所列之人出於前幅何支何派，又須反就前幅細閱於注，往
復再三，乃始辨之。而每人名下，詳書字號官階，生卒年
月，妻妾姓氏，子女嫡庶，多者繁至一二百言，少亦數十
餘言，橫格排列，累幅未了，欲尋支系派別，一望迷悶，
莫知所從。此則不如不用橫格，一體連篇直書，如閱花名
卯簿❺，猶為簡易者矣。夫旁行斜上，取辨昭穆親疏；況
所謂字號官階，生卒年月，妻妾姓氏，子女嫡庶，窆葬處
所，本不待旁行斜上之體而始能分明，例須無其輩行，排
列於後，直書為牒。彼觀之者，見表而昭穆親疏，瞭如指
掌。然後循表之名，考牒之注，豈不觀覽有序，編次可法
也哉！今為分別表牒，用紙不過十番，而一望可曉。而自
稱尚簡者之所指授，則注盈橫格，用紙至二十六番，而轉
令閱者尋究無從，其簡為何如邪？至卷首先代世系之圖，

則溯其祖之所出，但有本支而無旁支，故圖之所列，但有弟兄以定伯仲，而無兄弟之子以入旁親，此亦一定例也。第既名為圖，則約略方幅，系以墨綫，指掌可明，而亦分橫格，儼如作表，廣至兩幅，使覽者乍觀有類系表，又似旁支皆絕止有本支子孫者然，是又尚簡者之好繁而使人惑也。夫史學失傳已久，家譜之類，人自為書，家自為說，其難言者多矣。經生帖括❻之才，其於史事，本無所解，不足怪也。乃不自度德量力，強作解事，以自誤而誤人，且欲以此自鳴，至云欲天下之為譜者以是為法，何邪？

## 【今註】

❶ 眉目：指事情之頭緒或文章之條理、次第。

❷ 六經、三史：六經：《詩》、《書》、《易》、《禮》、《樂》、《春秋》。三史：《史記》、《漢書》、《後漢書》。

❸ 旁行斜上：參見〈高郵沈氏家譜敘例〉註❽。

❹ 昭穆：即左昭右穆。古代宗法制度，重視人倫尊卑次序，故死後宗廟或墓地，皆依輩分高低排列：始祖居中，其兩側依左昭右穆之次序分列後代之祖先。引申泛指家族之輩分。

❺ 花名卯簿：花名：指人口之名，應為參互不一，故曰花名。卯簿：清晨五時至七時為卯時，舊時官府上班辦公從卯時開始，是以點名稱點卯，應名稱應卯，點名簿稱卯簿。

❻ 帖括：《唐書・選舉志》：「明經者但記帖括。」唐制帖經試士，後以應試者多，至帖孤章絕言以惑之，應試者則取其難者編為歌訣，以便記憶，謂之帖括，謂包括帖經之門徑也。舊俗稱科舉應試文曰帖括，本此。

## 【今譯】

我私下看見一些家譜條理不清晰，款目排比混淆，檢索起來非常不方便。您所輯編的，僅是一家的支譜而已，只有九個世代，在世和去世的總計不到百人，就編得雜亂到這個地步，如果編撰東南大家族的總譜，這些大家族傳了二、三十代，在世和去世的族人多至上萬，必定會一再重複無法自止，而子孫想要考求家世的源流，可能翻閱整年也得不到頭緒，實在不瞭解會編成這個樣子。而指導編撰此書者，還自以為編得很好，惟恐別人不知道這是出自他的主意，在序中一再說明由他指導編撰，這也是我從來沒聽過的事。〈序〉說：「修撰家譜以簡單為貴，來日子孫遷居時，方便攜帶。」這種說法不值得效法。家譜是一個家族的史書，文字何者宜繁，何者宜簡，都需依其需要求取適當，那裡可以按主張從簡的說法，來規範所有的家譜呢？至於說方便遷居時攜帶，則更是不成道理。如果照他的說法，家中所藏《六經》、《三史》，文字繁夥，一遇子孫遷徙，就要把它們丟掉毀棄嗎？或者《六經》、《三史》，為了傳給子孫，就要刪節它們、簡化它們的內容嗎？這些道理，不問也知道他的說法是錯誤的。這是由於他的見解，是基於主張簡約的立場，所以他指導別人撰譜，必然以簡約為法則，如此編出來的家譜，就符合他的見解了。家譜的作法，是周代傳下的方法，用表格的方式，分別昭穆親疏的關係，比起長篇直寫的文字，閱讀起來容易瞭解，這是它的用意。世代累積了二、三十代，篇幅可以加長，但還是要聯成一貫，統合為完整的篇章。有時會多到三、四十代，篇幅必定容納不下，可以另起篇幅，第一頁的首格與前卷的末格承接就可以了。不過在下卷的首格必須標明上卷末格的支系，方便讀者按照支系查閱，這是不得已的方法，但也增加不少標注的繁瑣與查閱之辛苦了。現在馮氏的支譜，只列了九代，根據律文五服圖的規定，上推服四世，下推服四世，也是九世。篇幅可以充分容納，但是指導撰譜者，切斷為三世一幅，由四世到六世，由七世到九世，需另起一幅，而第四世、第七世寫在第二幅、第三幅首格的，又不標明前一幅末行第三世、第六世的支系，

想要知道第二幅、第三幅第一格所列的人究竟出於那一個支派，就得仔細閱讀前一幅的注，一再往復詳讀，才能得知。而每人名字下面，詳記字號、官階、生卒年月、妻妾姓氏、嫡出及庶出的子女，多的多到一、二百字，少的也有數十字，橫格排列，好幾幅都記不完，要想尋求支系派別，一望茫然，不知如何是好。關於這種情形，不如不用橫格，全部連篇直寫，讀起來就像閱看點名簿，簡單容易得多。用表格的目的，在於方便分辨家族的輩分及親疏關係，況且所謂字號、官階、生卒年月、妻妾姓氏、嫡出或庶出的子女、埋葬的地方，這些本來就不需用表格的體制才能清楚的，依慣例不分輩分排行，排列於後，直寫成牒就可以。讀譜的人，看了表就能清楚家族輩分和親疏關係了。然後依照表上的名字，考探牒裡的注，豈不是讓人讀起來很有次序，編次可供效法嗎？現在如分成表、牒撰寫，用紙不超過十張，一看就清楚。而自稱主張簡略者指導，橫格寫滿了各種注釋，所用紙張多至二十六張，反而讓讀者找不到頭緒，這怎麼叫做簡約呢？至於卷首的〈先代世系之圖〉，在於推溯其祖先的出處，只有本支而沒有旁支，所以圖中所列，只有兄弟定其伯仲的輩分，而沒有兄弟的兒子以入旁親，這是通用的體例。但是既然叫做圖，可以簡單製成方形，加上墨綫，就很清楚了，但是卻分成橫格，像在作表，廣到兩幅，使讀者看了很像世代表，又像只有本支子孫而旁支都斷絕了，這又是所謂主張簡略者卻喜好繁瑣，讓人困惑。史學失傳已久，家譜這一類著作，各自為書，各自有一套方法，不方便加以評論的地方很多。科舉應試的讀書人只會寫作科舉應試文，對於史事，本來就不瞭解，不值得責怪，但居然不自量力，勉強、假裝懂得撰寫家譜，不僅自誤，而且誤人，又想藉此博得聲名，甚至說希望天下撰作族譜者，倣效他的方法，為甚麼會這樣呢？

# 宜興陳氏宗譜書後

　　宜興陳氏，江南望族，自前明少保端毅公❶以來，世
有聞人。少保四子，貞貽、貞裕、貞達、貞慧❷，貞達以
忠義著，貞慧以名節顯，其最表者也。貞慧四子，其長子
翰林檢討維崧❸，以文采著於宜興；其第三子戶部主事宗
石，遷於商邱，有二子履中❹、履平❺，俱官科道京卿❻。
履中子淮為布政使，孫崇本為翰林侍講學士；履平子濂為
翰林編修。家世貴顯，宜興之族，莫能及焉。貞達殉忠，
事已顯著；有妾王殉烈，王生子崑生，有後，於今百五十
年，名不相通，而宜興本支，無能知者。幸商邱學士君得
見畫像，始為覈而通之。則知譜系之敘，雖賴子孫世守，
亦必搢紳通籍❼，世閥昭明，而後能徵流失之派，考沈淪
之迹也。古人之貴右族❽，豈無謂哉！第名門世族，譜牒
記載，必有可觀。今覽陳氏之譜，編次蕪雜，全無體要。
以五世為一表，第五格所列之名，仍標後表首格，五世以
至九世，九世至第十三世亦然。其無端重複之累，不待言
矣。且亦思俗譜之所以五世為格者，乃不解以字行生卒、
妻妾姓氏、子女所出之類，羅列為牒，而悉注本名之下，

故因子注多而橫格寬，又復限於尺幅，是以限數局於五世也。陳氏之譜，則表列單名，橫格易容，雖二三十世不難萃聚於一表也，而亦用俗譜之例，五世別圖，不亦困乎。每圖之後，列書字行生卒、妻妾子女之屬，所謂牒也。乃稱世傳，則亦大不諳於義例矣。世傳自是作譜人於橫表縱牒之中，擇其嘉言懿行可以為法則者，羅列為傳，非字行生卒之類人所同具而式有一定者，可稱傳也。《陳譜》以此為世傳，而取他人所作傳誌記序，一時求給投贈之篇，彙而次之，以謂可以見其先人言行：不知他人所作，雜出不倫，工拙互見，勢不能與全書一律，姑無論矣；且應求酬答之作，豈無過情之譽，偏主之辭！別為一類，以備參考，可也。即以此篇紀載之實，則譜乃一家史也，史文豈如是之漫❾無決擇乎！世系僅用墨線鉤聯，名雖為表，其實圖也。仕宦科第類表，行墨排書，並無縱橫格綫，其實牒也。此等沾沾細故，猶且不能辨別，又安論其他乎！第其中亦有良法為世族大家宜取則者，則宗譜刊修，局封其板❿，禁絕私印。而其所印造者，編列字號，收掌有人，子孫欲領譜者，收掌按字號以給之而登於簿籍，仍填收掌名字及所排字號於每卷之端。子孫雖有不肖，不能鬻譜。即鬻之而卷端有號與名，他人亦莫得而冒焉，抑亦可謂慎防於始者矣。余章姓，天下無二宗者，聚族之盛，今推會稽，譜則修於康熙中年。今雕板散佚，子孫家鮮藏本，離

家久者往往不辨宗系。而鄉曲❶有求附余宗譜者，宗人不可，因以重貲購宗人之不肖者，得統宗彙譜，全以獻之。彼自作譜，乃擇余宗譜中旁支有注後裔失考及出繼為他姓者，冒稱子姓歸宗❷。雖宗人守祠墓者自能辨之，而他所相遇，則直稱宗族，敘余家先世事，乃較章氏本支尤為詳明，蓋熟讀宗譜故也。此事近日猶可辨別，久之遷於他處，必有誤聯之弊矣。余故取陳氏分譜例，為他日修譜者法。

## 【今註】

❶ 少保端毅公：陳于廷，字孟諤，明宜興人。萬曆二十九年進士，由知縣徵授御史，甫拜命，即疏詆大學士朱賡。尚書王紀被斥，特疏申救。歷吏部左侍郎，忤魏忠賢，斥為民。崇禎初，起南京右都御史，召拜左都御史，以擬罪援引不當帝意，削籍歸家，居二年卒，福王時贈少保。有《定軒稿》。事蹟具《明史》（卷二五四）本傳。

❷ 貞慧：字定生，宜興人，于廷子。萬曆間廩生，與冒襄、侯方域、方以智稱四公子。阮大鋮以逆案久錮，謀復用，貞慧與吳應箕攻之。福王時，大鋮為兵部尚書，陷貞慧於獄，旋得釋。明亡後，隱居不出，足不入城市者十餘年，清順治間卒。著有《皇明語林》、《山陽錄》、《雪岑集》、《秋園雜佩》、《八大家文選》等。事蹟具《天啟崇禎兩朝遺詩傳》（卷四）。

❸ 陳維崧：貞慧子，字其年，號迦陵，少以諸生負盛名，貌清臞而多鬚，時稱陳髯。康熙中舉鴻博，授檢討，與修《明史》，越四年而卒。其駢體文，才力富健，汪琬謂開寶以後七百年，無此等作。詞尤凌厲光怪，變化若神。著有《湖海樓詩集》、《迦陵文集》、《儷體文》、《迦陵詞》等。

❹ 陳履中：貞慧孫，父宗石贅於商丘，遂為商丘人。字執夫，號雁橋，康熙舉人。俶儻穎邁，雍正間累擢御史，出為甘肅布政司參議，分守寧夏道，有惠政，坐事罷歸，家居二十餘年卒。著有《四書直解》、《孟子論文》、《河

套志》、《宋州人物志》、《寓園纂集》、《雁橋詩鈔》等。

❺　陳履平：履中弟，字勉夫，歷官巡城御史，擢通政司右通政。性嚴毅，彈劾無所梗避，憂歸不復出，與履中優游倡和以終。著有《南原詩稿》、《奏稿》等。

❻　科道京卿：舊制：都察院衙門，設吏、戶、禮、兵、刑、工六科給事中，及京畿遼藩等各道監察御史，統稱科道。京卿，京中大官。

❼　通籍：稱仕宦新進。

❽　右族：指大姓人家。古以右為上，門望貴顯，稱之為右族。《北史》：「王子直，字孝正，京兆杜陵人也，世為郡右族。」

❾　漫：放縱、不加檢點。

❿　扃封其板：扃，關閉。此謂封存宗譜之刻板。

⓫　鄉曲：鄉野偏僻之處所。

⓬　子姓歸宗：子姓，子孫。歸宗，舊時稱出繼異姓或別支之嗣子回歸本宗。

## 【今譯】

　　宜興陳氏，是江南有聲望的大家族。從明代少保端毅公以來，每一代都出現有名望的人。端毅公有四子：貞貽、貞裕、貞達、貞慧。貞達以忠義事蹟而為人所知；貞慧以名節而顯著於世，這兩人是表現最特出的。貞慧有四子，其長子翰林檢討維崧，在宜興很有文名；第三子戶部主事宗石，遷居商邱，生二子：履中、履平，都在京城任重要官職。履中的兒子陳淮，擔任布政使，孫子陳崇本任翰林侍講學士。履平的兒子陳濂任翰林編修。家世地位高貴聞達，宜興當地的家族，沒有人比得上。陳貞達為國而死，事蹟大家都知道。他的妾王氏也壯烈殉死。王氏生了兒子名叫崑生，有了後代，到今已一百五十年，但是與族人不相往來，宜興當地的家族，沒人知道他。幸好商邱的學士君看見崑生的畫像，才從事查考，使得互相往來。可知譜系的撰述，需賴子孫一代代典守，也需要由任官的士大夫及地位高顯的世代大家族，才能夠求索流失的族系，考求已沈淪的族人事蹟。古人之所以崇尚大家族，不是沒道理的！世代相傳的名門巨室，族

譜中的記載，一定有值得一讀的文獻。現在閱讀陳氏的族譜，編輯雜亂，毫無體例規範。每五個世代為一個表格，每個表最後一格所列的名字，仍然出現在次一表的第一格，從第五代到第九代，第九代到第十三代，也是如此，這種沒有道理的重複的缺失，不言可知。同時想到一般世俗的家譜，用五代為一個表格的原因，是因為不懂得將字、排行、生年、卒年、妻妾的姓氏、子女的生父母等，排比為家譜，全部注明在本名之下，一般人由於子注多而橫格較寬，又限於紙張的篇幅，於是每一表格就限於五世了。陳氏的族譜，只列出名，橫格易於容納，即使二、三十個世代也不難彙聚在一個表裡，卻仍然沿用一般人編纂家譜的方法，每五代另為一表，豈不是很困擾嗎？每個表格之後，列寫字、排行、生年、卒年、妻妾、子女等，稱之為牒，居然說這種體例是〈世傳〉，這是太不熟悉家譜的體例了。所謂〈世傳〉，應該是族譜的作者，從橫式的表格及縱式的牒裡，選擇一些可以做為人們效法的嘉言善行，排比成傳記，不是將每個人都共通有的字、排行、生年、卒年以共同的形式排比，就可以成為傳。陳氏族譜把排比生卒年的資料稱之為「世傳」，又取別人所寫的傳、墓誌、記、序，或臨時求索或別人贈送的文章，加以彙集排比，認為這些文章可以彰顯陳氏先人的言論與事蹟，卻不瞭解這些別人寫的文章，撰寫的人身分紛雜，好壞都有，必然不能與全書的水準一致，這還姑且不說，更值得注意的是這些求索得來、應酬的作品，難道沒有過分不實的讚揚與過於主觀的文辭嗎？另外編為一類，以供參考，是可以的。如果把這些文章視為可信的記述，族譜是一個家族的史書，史書的文獻難道是如此散漫而不加甄擇嗎？每一代的繼嗣體系只用黑綫鉤串聯繫，雖然稱之為表，實際上是圖。記載族人任官及科考題名的表，用墨色字體排比，沒有縱綫橫綫構成表格，其實是牒。這些小小的掌故，都沒能清楚分辨，又怎能談其他的呢？不過，其中也有些值得世家大族所採用的良法，那就是族譜刊行後，嚴格管制保管刻版，禁止私自印行。所印行的族譜，一律編定字號，有專門負責收藏掌管的人。子孫想要領取族譜，掌管的人就按照字號給付，在每卷

的前面填寫收掌者的名字及編定的字號。子孫如果不賢，也不能出售族譜。即使出售，由於卷首有編號與姓名，其他人無法假冒，這個方法，可以說是防患於未然。我姓章，天下章姓家族只有我們這一家，家族聚居最多的，現在以會稽為最，族譜則修於康熙中期。現在刻版已散佚，子孫家中很少有收藏的，離家很久的，每每不清楚自己的世系。家鄉有人要求附在我們族譜，族人不同意，於是用重金向不肖的族人購買族譜，不肖的族人統集宗譜，把完整的族譜賣給他。他就自行撰寫族譜，擇出我們章氏族譜中注說後代不詳或出繼他姓的，冒充為子孫回歸本宗。守祠墓的族人自能分辨這些人的身分，但是在其他地方遇見這些人，他們都以宗族相稱，談起我們章家前代的事，比章氏本宗更為詳細分明，因為這些人都熟讀族譜。這些事在短期內還可予以分辨，但是年代一久，遷居他處，一定會產生聯繫錯誤的缺失。我特地取陳譜分譜的體例，提供將來修家譜者取法參考。

# 引用及參考文獻

## 經部

連山一卷　清馬國翰輯　玉函山房輯佚書本

歸藏一卷　晉薛貞注　清馬國翰輯　玉函山房輯佚書本

周易注疏十三卷略例一卷　魏王弼、晉韓康伯注　唐孔穎達疏　十三經注
　　疏本

周易鄭氏注十二卷　漢鄭玄撰　宋王應麟輯　叢書集成初編本

周易舉正三卷　唐郭京撰　叢書集成初編本

尚書注疏二十卷　漢孔安國傳　唐陸德明音義　唐孔穎達疏　十三經注疏
　　本

尚書鄭注一〇卷　漢鄭玄注　宋王應麟輯　清孔廣林增訂　學津討原本

禹貢錐指二十卷例略圖一卷　清胡渭撰　皇清經解本

毛詩注疏二十卷　漢毛公傳　漢鄭玄箋　唐孔穎達疏　十三經注疏本

韓詩外傳一〇卷　漢韓嬰撰　漢魏叢書本

周禮注疏四十二卷　漢鄭玄注　唐陸德明音義　唐賈公彥疏　十三經注疏
　　本

儀禮注疏十七卷　漢鄭玄注　唐陸德明音義　唐賈公彥疏　十三經注疏本

禮記注疏六十三卷　漢鄭玄注　唐陸德明音義　唐孔穎達疏　十三經注疏
　　本

檀弓二卷　宋謝枋得批點　明閔刊朱墨套印本

中庸章句一卷　宋朱熹撰　五經四書本

大戴禮記十三卷　漢戴德撰　北周盧辯注　四部叢刊本

禮書一五〇卷　宋陳祥道撰　影清文淵閣四庫全書本

春秋左傳註疏六十卷　晉杜預注　唐陸德明音義　唐孔穎達疏　十三經注
　　疏本

春秋公羊註疏二十八卷　漢何休註　唐徐彥疏　十三經注疏本

穀梁注疏二十卷　晉范甯集解　唐陸德明音義　唐楊士勛疏　十三經注疏
　　本

春秋繁露十七卷　漢董仲舒撰　四部備要本

論語注疏二十卷　魏何晏集解　宋邢昺疏　十三經注疏本

論語一〇卷　宋朱熹集註　十三經讀本

論語正義二十四卷　清劉寶楠撰　皇清經解續編本

孟子註疏十四卷　漢趙岐注　宋孫奭疏　十三經注疏本

孟子二卷　宋蘇洵批點　明吳興閔氏刊朱墨藍三色套印本

孟子七卷　宋朱熹集注　十三經讀本

孟子正義三十卷　清焦循撰　皇清經解本

孝經注疏九卷　唐玄宗注　唐陸德明音義　宋邢昺疏　十三經注疏本

爾雅注疏十一卷　晉郭璞注　宋邢昺疏　十三經注疏本

小爾雅一卷　舊題漢孔鮒撰　漢魏叢書本

說文解字注十五卷　漢許慎撰　清段玉裁注　影經韻樓刊本

釋名八卷　漢劉熙撰　四部叢刊本

經典釋文三十卷　唐陸德明撰　叢書集成初編本

歷代鐘鼎彝器款識法帖二十卷　宋薛尚功撰　影清文淵閣四庫全書本

隸釋二十七卷附校勘記一卷　宋洪适撰　校勘記　張元濟撰　四部叢刊三
　　編本

方言十三卷　漢揚雄撰　晉郭璞注　四部叢刊本

續方言二卷　清杭世駿撰　叢書集成初編本

白虎通德論二卷　漢班固撰　漢魏叢書本

經義考三〇〇卷　清朱彝尊撰　四部備要本

經學歷史　皮錫瑞撰　商務印書館排印本

## 史部

史記一三〇卷　漢司馬遷撰　劉宋裴駰集解　唐司馬貞索隱　唐張守節正
　　義　二十五史本

史記鈔九十一卷　明茅坤撰　明萬曆三年原刊本

漢書一〇〇卷　漢班固撰　唐顏師古注　清王先謙補注　二十五史本

後漢書一二〇卷　劉宋范曄撰　唐李賢注　續志晉司馬彪撰　梁劉昭注
　　二十五史本

三國志六十五卷　晉陳壽撰　劉宋裴松之注　二十五史本

晉書一三〇卷　唐房玄齡等撰　二十五史本

宋書一〇〇卷　梁沈約撰　二十五史本

梁書五十六卷　唐姚思廉撰　二十五史本

南史八十卷　唐李延壽撰　二十五史本

魏書一一四卷　北齊魏收撰　二十五史本

北齊書五十卷　唐李百藥撰　二十五史本

北史一〇〇卷　唐李延壽撰　二十五史本

隋書八十五卷　唐魏徵等撰　二十五史本

舊唐書二〇〇卷　後晉劉昫等撰　二十五史本

新唐書二二五卷　宋歐陽修、宋祁等撰　二十五史本

新五代史七十四卷　宋歐陽修撰　宋徐無黨注　二十五史本

宋史四九六卷　元脫脫等撰　二十五史本

南宋書六十八卷　明錢士升撰　清嘉慶二年南沙席氏刊本

宋史翼四〇卷　清陸心源輯　潛園總集本

元史二一〇卷　明宋濂等撰　二十五史本

新元史二五七卷　柯劭忞撰　二十五史本

元史類編四十二卷　清邵遠平撰　清乾隆六十年南沙席氏掃葉山房刊本

明史三三二卷　清張廷玉等撰　二十五史本

清史稿五三六卷　趙爾巽等撰　民國十六年清史館排印本

逸周書一〇卷　晉孔晁注　漢魏叢書本

國語二十一卷　吳韋昭注　四部叢刊本

戰國策三十三卷　漢高誘注　四部備要本

十六國春秋一〇〇卷　魏崔鴻撰　影清文淵閣四庫全書本

漢紀三十卷　漢荀悅撰　四部叢刊本

順宗實錄五卷　唐韓愈撰　叢書集成初編本

資治通鑑二九四卷　宋司馬光撰　元胡三省注　世界書局印本

通鑑考異三十卷　宋司馬光撰　四部叢刊本

通鑑外紀十卷　宋劉恕撰　四部叢刊本

續資治通鑑長編五三〇卷　宋李燾撰　影文淵閣四庫全書本

皇王大紀八十卷　宋胡宏撰　影清文淵閣四庫全書本

劉更生年表　清梅毓撰　積學齋叢書本

劉向歆父子年譜　錢穆撰　民國三十六年中國文化服務社排印本

列女傳七卷　漢劉向撰　四部備要本

韓吏部文公集年譜一卷　宋呂大防撰　粵雅堂叢書本

韓子年譜五卷　宋洪興祖撰　粵雅堂叢書本

韓文公年譜一卷　宋樊汝霖撰　宋慶元刊本

韓文公歷官記一卷　宋程俱撰　粵雅堂叢書本

寶祐四年登科錄一卷　影清文淵閣四庫全書本

宋元學案一〇〇卷　清黃宗羲撰　四部備要本

宋元學案補遺一〇〇卷　清王梓材輯　四明叢書本

明儒學案六十二卷　清黃宗羲撰　四部備要本

國朝先正事略六十卷　清李元度撰　四部備要本

國朝詩人徵略六十卷　清張維屏撰　清嘉慶二十四年至道光十年番禺張氏
　　遞刊本

國朝耆獻類徵初編七二〇卷　清李桓輯　清光緒十年至十六年湘陰李氏刊
　　本

章實齋先生年譜　胡適撰　商務印書館排印本

清史列傳八十卷　中華書局編　上海中華書局排印本

歷代名人年里碑傳總表　姜亮夫撰　臺灣商務印書館影印本

唐會要一〇〇卷　宋王溥撰　叢書集成初編本

通典二〇〇卷　唐杜佑撰　十通本

通志二〇〇卷　宋鄭樵撰　十通本

文獻通考三四八卷　元馬端臨撰　十通本

清通典一〇〇卷　清乾隆三十二年敕撰　十通本

清文獻通考三〇〇卷　清乾隆十二年敕撰　十通本

太常因革禮一〇〇卷　宋歐陽修等撰　叢書集成初編本

書儀一〇卷　宋司馬光撰　叢書集成初編本

謚法四卷　宋蘇洵撰　叢書集成初編本

洪武禮制一卷　明不著撰人　明初刊本

水經注四十卷　後魏酈道元撰　四部叢刊本

寰宇記二〇〇卷（原缺卷一一三至一一九）　宋樂史撰　影清文淵閣四庫
　　全書本

大清一統志五六〇卷　清乾隆敕撰　四部叢刊續編本

中國地名大辭典　劉鈞仁編　國立北平研究院排印本

別錄一卷　漢劉向撰　清洪頤煊輯　問經堂叢書本

七略一卷　漢劉歆撰　清洪頤煊輯　問經堂叢書本

七錄一卷　梁阮孝緒撰　清王仁俊輯　玉函山房輯佚書續編本

漢藝文志考證十卷　宋王應麟撰　二十五史補編本

漢書藝文志條理八卷　清姚振宗撰　二十五史補編本

隋書經籍志考證十三卷　清章宗源撰　二十五史補編本

隋書經籍志補二卷　張鵬一撰　二十五史補編本

崇文總目五卷補遺一卷　宋王堯臣等編　叢書集成初編本

郡齋讀書志二〇卷　宋晁公武撰　清王先謙校刊本

直齋書錄解題二十二卷　宋陳振孫撰　商務印書館排印本

宋史藝文志補一卷　清黃虞稷、倪燦撰　清盧文弨錄　二十五史補編本

補遼金元藝文志　清倪燦撰　清盧文弨錄　二十五史補編本

補元史藝文志四卷　清錢大昕撰　二十五史補編本

國史經籍志五卷　明焦竑撰　叢書集成初編本

四庫全書總目二〇〇卷　清紀昀等奉敕撰　藝文印書館影印本

四庫簡明目錄二〇卷　清永瑢等撰　洪氏出版社影印本

四庫簡明目錄標注　清邵懿辰撰　邵章續錄　世界書局排印本

揅經室外集五卷　清阮元撰　四部叢刊本

清代禁書知見錄　孫耀卿撰　世界書局排印本

續修四庫全書提要　臺灣商務印書館排印本

子略四卷　宋高似孫撰　叢書集成初編本

文史通義校注　葉瑛撰　中華書局印本

校讐通義注　葉長青撰　廣文書局印本

集古錄十卷　宋歐陽修撰　影清文淵閣四庫全書本

金石錄三〇卷附校勘記一卷　宋趙明誠撰　校勘記　張元濟撰　四部叢刊
　　續編本

史通二十卷　唐劉知幾撰　四部叢刊本

廿二史劄記三十六卷補遺一卷　清趙翼撰　四部備要本

## 子部

抱朴子內篇二十卷外篇五十卷　晉葛洪撰　四部叢刊本

老子二卷　魏王弼注　諸子集成本

老子本義二卷　清魏源撰　叢書集成初編本

莊子三十三卷　晉郭象注　唐成玄英疏　諸子集成本

列子八卷　晉張湛注　諸子集成本

管子二十四卷　唐尹知章注　諸子集成本

韓非子集解二十卷　清王先慎撰　諸子集成本

尹文子二卷　周尹文撰　諸子集成本

荀子集解二十卷　唐楊倞注　清王先謙集解　諸子集成本

墨子閒詁十五卷　清孫詒讓撰　諸子集成本

孫子十家注十三卷　魏曹操等注　諸子集成本

鬼谷子三卷　舊題周鬼谷子撰　商務印書館印本

尸子二卷　周尸佼撰　清孫星衍輯　四部備要本

呂氏春秋二十六卷　秦呂不韋撰　漢高誘注　四部備要本

孔叢子三卷　舊題漢孔鮒撰　叢書集成初編本

說苑二十卷　漢劉向撰　四部叢刊本

新序十卷　漢劉向撰　四部叢刊本

法言十三卷　漢揚雄撰　諸子集成本

顏氏家訓二卷　北齊顏之推撰　四部叢刊本

二程全書　宋程顥、程頤撰　四部備要本

二程外書十二卷　宋程顥、程頤撰　宋朱熹輯　影清文淵閣四庫全書本

朱子語類一四〇卷　宋朱熹撰　宋黎靖德編　影清文淵閣四庫全書本

淮南子二十一卷　漢劉安撰　漢高誘注　四部備要本

風俗通義十卷　漢應劭撰　四部叢刊本

困學紀聞注二十卷　宋王應麟撰　清翁元圻注　商務印書館印本

老學菴筆記十卷　宋陸游撰　叢書集成初編本

夢溪筆談二十六卷補筆談一卷續筆談一卷　宋沈括撰　叢書集成初編本

能改齋漫錄十八卷拾遺一卷　宋吳曾撰　拾遺清孫星華輯　叢書集成初編
　　本

緯略十二卷　宋高似孫撰　叢書集成初編本

碧雞漫志一卷　宋王灼撰　學海類編本

容齋隨筆十六卷續筆十六卷三筆十六卷四筆十六卷五筆十卷　宋洪邁撰
　　四部叢刊續編本

黃氏日抄九十七卷（原缺卷八十一、卷八十九、卷九十二）　宋黃震撰
　　影清文淵閣四庫全書本

筆叢三十三卷　明胡應麟撰　影清文淵閣四庫全書本

日知錄集釋三十二卷　清顧炎武撰　清黃汝成集釋　清光緒元年崇文書局
　　刊本

退菴隨筆二〇卷　清梁章鉅撰　清道光十六年刊本

偽書通考　張心澂撰　商務印書館印本

佛學詞典　佛學書局編　臺北佛教出版社印本

山海經十八卷　晉郭璞傳　四部叢刊本

世說新語三卷　劉宋劉義慶撰　梁劉孝標注　四部叢刊本

太玄經十卷　漢揚雄撰　晉范望注　四部叢刊本

葬書一卷　舊題晉郭璞撰　影清文淵閣四庫全書本

天玉經內傳三卷外編一卷　舊題唐楊益撰　影清文淵閣四庫全書本

青囊奧語一卷　舊題唐楊益撰　影清文淵閣四庫全書本

北堂書鈔一六〇卷　唐虞世南撰　影清文淵閣四庫全書本

初學記三〇卷　唐徐堅等撰　影清文淵閣四庫全書本

藝文類聚一〇〇卷　唐歐陽詢等撰　影清文淵閣四庫全書本

太平御覽一〇〇〇卷　宋李昉等撰　四部叢刊三編本

玉海二〇〇卷　宋王應麟撰　大化書局影印本

冊府元龜一〇〇〇卷　宋王欽若等撰　影清文淵閣四庫全書本

佩文韻府一〇六卷拾遺一〇六卷　清張玉書等奉敕撰　臺灣商務印書館影
　　印本

說郛一二〇卷續集四十六卷　元陶宗儀編　陶珽重編並續　影清文淵閣四
　　庫全書本

說郛考　昌彼得撰　文史哲出版社排印本

## 集部

楚辭十七卷　漢王逸章句　宋洪興祖補注　四部叢刊本

楚辭集註八卷辨證二卷　宋朱熹撰　影清文淵閣四庫全書本

次山集十二卷　唐元結撰　影清文淵閣四庫全書本

文泉子集六卷　唐劉蛻撰　叢書集成初編本

王摩詰詩集七卷　唐王維撰　宋劉辰翁評　明吳興凌蒙初刊朱墨套印本

王右丞集箋註二十八卷附錄二卷　唐王維撰　清趙殿成註　清乾隆元年仁
　　和趙氏刊本

鄭守愚集三卷　唐鄭谷撰　四部叢刊續編本

集千家註杜詩二〇卷　元高楚芳編　湖北先正遺書本

昌黎先生集三十六卷　唐韓愈撰　李漢編　明崇禎間東吳葛鼐永懷堂刊本

朱文公校昌黎先生集四〇卷外集一〇卷集傳一卷遺文一卷　唐韓愈撰　李
　　漢編　宋朱熹考異　王伯大音釋　明初刊本

韓集舉正十卷外集舉正一卷　宋方崧卿撰　影清文淵閣四庫全書本

韓文考異四〇卷外集一〇卷遺文一卷　唐韓愈撰　宋朱熹考異　明朱吾弼
　　重編　明萬曆三十三年新安朱崇沐刊本

韓昌黎詩集編年箋注十二卷　清方世舉撰　清乾隆二十三年德州盧氏雅雨
　　堂刊本

新刊五百家註音辨唐柳先生文集二十一卷新編外集三卷　宋魏仲舉編　影
　　清文淵閣四庫全書本

柳河東集四十五卷外集五卷遺文一卷　唐柳宗元撰　明蔣之翹輯注　四部
　　備要本

唐王右丞詩集六卷　唐王維撰　明顧可久注　明萬曆十八年吳氏漱玉齋刊
　　本

類箋唐王右丞詩集十卷文集四卷外編一卷年譜一卷附錄二卷　明顧起經注
　　明嘉靖三十五年錫山顧氏奇字齋刊本

白蓮集十卷　五代釋齊己撰　影清文淵閣四庫全書本

經進東坡文集事略六十卷　宋蘇軾撰　宋郎曄注　四部叢刊本

臨川集一○○卷　宋王安石撰　影清文淵閣四庫全書本

攻媿集一一二卷　宋樓鑰撰　四部叢刊本

後村集五○卷　宋劉克莊撰　影清文淵閣四庫全書本

思復堂文集一○卷附錄一卷末一卷　清邵廷采撰　紹興先正遺書本

道古堂文集四十六卷　清杭世駿撰　清乾隆間刊本

古詩紀一五六卷　明馮惟訥編　影清文淵閣四庫全書本

樂府詩集一○○卷　宋郭茂倩撰　四部叢刊本

文選六○卷　梁蕭統編　唐李善注　四部備要本

全唐詩錄一○○卷　清徐倬編　清康熙四十五年武英殿刊本

文章軌範七卷　宋謝枋得評點　影清文淵閣四庫全書本

文章正宗二○卷續集二○卷　宋真德秀評點　影清文淵閣四庫全書本

全唐詩九○○卷　清聖祖敕編　清康熙四十六年內府刊本

唐文粹一○○卷　宋姚鉉編　四部叢刊本

文苑英華一○○○卷　宋李昉等編　影清文淵閣四庫全書本

宋詩紀事一○○卷　清厲鶚撰　影清文淵閣四庫全書本

全宋詞三○○卷　唐圭璋編　商務印書館排印本

詩所五十六卷　明臧懋循編　明萬曆三十一年刊本

經史百家簡編二卷　曾國藩編　曾文正公全集本

天啟崇禎兩朝遺詩傳　不著撰人　世界書局排印本

文章流別志論一卷　晉摯虞撰　關中叢書本

文心雕龍一○卷　梁劉勰撰　清黃叔琳注　四部備要本

詩品三卷　梁鍾嶸撰　四部備要本

後村詩話前集二卷後集二卷續集四卷新集六卷　宋劉克莊撰　適園叢書本

論文雜記　劉師培撰　劉申叔先生遺書本

## 叢書部

章氏遺書　清章學誠撰　民國十一年吳興劉氏嘉業堂刊本

　內編

　　　文史通義九卷

　　　校讎通義四卷

　　　方志略例二卷

　　　文集八卷

　　　湖北通志檢存稿四卷

　　　外集二卷

　　　湖北通志未成稿一卷

　外編

　　　信摭一卷

　　　乙卯劄記一卷

　　　丙辰劄記一卷

　　　知非日札一卷

　　　閱書隨劄一卷

　　　永清縣志七卷

　　　永清文徵三卷

　　　章氏遺書補遺一卷附錄一卷　劉承幹輯

　　　章氏遺書校記一卷　王秉恩撰

# 附錄一：〈史考釋例〉

## （附《史籍考》總目）

著錄之書，肇自劉氏《七略》，班氏因之，而述藝文，自是荀《簿》、阮《錄》、隋《籍》、唐《藝》，公私迭有撰記，不可更僕數矣。其因著錄而為考訂，則劉向《別錄》以下，未有繼者。宋晁氏公武、陳氏振孫，始有專書，而馬氏《文獻通考》，遂因之以著經籍，學者便之，然皆據所存書加詳悉耳。至於專門考求，無論書之存亡，但有見於古今著錄，或羣書所稱引，苟有名目著見，無不收錄考次，博綜貫串，勒為一家，則古人所無，實創始於朱氏彝尊《經義存亡考》也。（《經義考》之原名也，乃朱氏著書本旨。）今《史考》一依《經考》起義，蓋亦創始之書也。凡創始者，功倍而效不能全，朱氏《經考》，後人往往究其未至其前車也，況《史考》又倍難於經，雖黽勉加功，而牴牾疏漏，良亦不敢自保。然明知創始之難，不敢避難而務為之，則以經經必須史緯，著述之林，實為不可不補之缺典也。讀者諒其難，而有以益其所未盡，幸矣。

考訂與著錄，事雖相貫，而用力不同。著錄貴明類例，求於書之面目者也；考訂貴詳端委，求於書之精要者也。就劉氏父子之業而論，世人但知其經籍、藝文所祖而已，不知劉歆部次《七略》，為漢、隋諸志所祖，而世有其傳耳。至劉向所為，條其篇目，撮其旨意，錄而奏上之言，劉歆部《七略》時所稱為《別錄》者，乃考訂羣書之鼻祖，而後世鮮有述焉者也。觀於經禮諸記，孔疏所引《鄭氏目錄》與劉向不同，則同一治經，而各為目錄，即各有家法，非考訂不為功也。觀於唐人《十三代史目》，而

宗諫略止三卷，殷仲茂詳至十卷，則同一考史而各為著錄，即各成學業也。是知考訂與著錄之功，似同而異，學者混於一例而不能析也。鄭樵《通志》雖疏，其論校讎之例甚精，然猶不能分別兩家之同異，故其論書有名亡實不亡。曰《三禮目錄》雖亡，可取諸《三禮》；《十三代史目》雖亡，可取諸十三代史。噫！孔疏明著劉、鄭禮目不同，《唐志》明著宗、殷卷次不合，正著錄諸家各有考訂之明證，而樵乃但欲取諸本書，便可謂目錄耶，是故明乎向、歆術業之異同，而後知考訂與著錄之難易。知考訂之難於著錄，而後知朱氏創為存亡兼考，是益為其難。知經部之兼考存亡已為其難，則知史籍之存亡大倍於經考之難矣。

　　古無史學，其以史見長者，大抵深於《春秋》者也。陸賈、史遷諸書，劉、班部於《春秋》家學，得其本矣。古人書簡而例約，雖治史者之法《春秋》，猶未若後世治經學者之說《春秋》，繁而不可勝也。故《春秋》之義行，而名史皆能自得於不言之表焉。馬、班、陳氏不作而史學衰，於是史書有專部，而所部之書，轉有不盡出於史學者矣。蓋學術歧而人事亦異於古，固江河之勢也。史離經而子集又自為部次，於是史於羣籍畫分三隅之一焉，此其言乎統合為著錄也。若專門考訂為一家書，則史部所通不可拘於三隅之一也。史不拘三隅之一，固為類例之所通，然由其類例深思相通之故，亦可隱識古人未立史部之初意焉。

　　蓋史有律憲志，而卦氣通於律憲，則《易》之支流，通於史矣。史有藝文志，而《詩》《書》篇序為校讎目錄所宗，則《詩》《書》支流，通於史矣。（〈禹貢〉天文，〈洪範〉五行，〈雅〉〈頌〉入樂，姑勿具論。）史有職官志，而《周官》可通，有禮儀志，而《禮》《樂》二經可通。後儒攻《春秋》於講義者，不通於史，若《春秋》地理國名之考、長曆災變之推、世族卿聯之譜，則天文、地理、五行、譜牒，何非史部之所通乎。故六經流別為史部所不得不收者也。

　　自夫子有知我罪我之言，明《春秋》之所作，而戰國諸子遂以春秋為著書獨斷之總名，不必盡拘於編年紀月而命名亦曰春秋，此載籍之一大變

也。然年月縱可不拘，而獨斷必憑事實，於是亦自擴其所見所聞所傳聞者，筆之於書，若史遷所敘，鐸椒、虞卿、呂不韋之所撰述，雖曰諸子家言，實亦史之流別矣。又如隋、唐而後，子部列有類家，而會要典故之書，其例實通於史。法家（子部）之有律令（史部），兵家（子部）之有武備（史部），說家（即小說家，亦隸於子部。）之有聞見（史部），譜錄（古人所無，《遂初堂書目》所創，亦隸於子部。）之有名數（史部），是子庫之通於史者，什之九也。

文集仿於東京，至魏、晉而漸廣，至今則浩如煙海矣。然自唐以前，子史著述專家，故立言（入子）與記事（入史）之文，不入於集，辭章詩賦所以擅集之稱也。自唐以後，子不專家，而文集有論議；史不專家，而文集有傳記，亦著述之一大變也。彼雖自命曰文，而君子以為是即集中之史矣（指傳記言）。況內制、外制、王言通於典謨、表狀、章疏，蓋臣亦希訓誥，是別集之通乎史矣。至於總集，尤為同苔異岑，人知漢晉樂志，分別郊廟房中，而不知樂府之集，實備諸志之全。人知金石著錄創於歐、趙諸目，而不知梁元碑集，已為宋賢開創，是則集部之書，又與史家互出入也。

蓋史庫畫三之一，而三家多與史相通，混而合之則不清，拘而守之則已隘，是則決擇去取，不無搔首苦心。《史考》之牽連，不如《經考》之截然劃界也。自隋、唐諸志分別史為四庫之乙其大綱矣。史部條目，如正史、編年、職官、儀注之屬，少者不過十二三門（隋唐），多者不過十七八門，（焦氏《經籍志》、黃氏《千頃堂》）蓋為四分之一，大略不過如此，非為簡也，今既擴充類例，上援甲而下合丙丁，則區區專門舊目，勢不足以窮其變也。是則創條發例（今分十二綱，析五十七目），不無損益折衷（畢宮保原稟分一百十二子目，以其太繁，今為併省），史考之裁制，不如經考之依經為部，不勞分合也。

制書弁首，冠履之義也。朱氏《經考》蓋分御制、敕撰，今用其例。史成、金匱之藏，外廷無由得窺，史部不同經籍者也。一以欽定四庫書入

史部者為主，不見於四庫著錄，不敢登也。入四庫之著錄，而不隸於史部者，亦不敢登，義取於專部也。不敢妄分類例，謹照書成年月先後恭編，猶史之本紀，所以致謹嚴之意。仍注四庫部次於下，所從受也。

古史必先編年，而今以紀傳首編年者，編年自馬、班而下，《隋志》即以紀傳為正史，而編年則稱為古史矣。其實馬、班皆法《春秋》，命其本紀謂之春秋考紀，而著錄家未之察也。《唐志》知編年之書，後世亦未嘗絕，故改《隋志》古史之稱，而直題為編年類，事理固得其實，然未盡也。《隋志》題古史，猶示編年之體之本為正也。《唐志》以紀傳為正史，而直以編年為編年，乃是別出編年為非正史矣。是以宋人論史，乃惜孫盛、鑿齒之倫不為正史，幾於名實為倒置也。夫劉氏二體，以班、荀為不祧之祖，紀傳、編年，古人未有軒輊焉。自唐以後，皆沿《唐志》之稱，於義實為未安，故《史考》以紀傳、編年分部，示平等也。（不以正史與編年對待，則平等矣。）

或問紀傳、編年同列，是矣，何紀傳之中，又立正史子目耶？答曰：此功令也。自史氏專官失傳，而家自為學，後漢、六朝，一代必有數家之史是也。同一朝代，同一紀傳，而家學殊焉，此史學之初變也。然諸家林立，皆稱正史，其傳久與否，存乎人之精力所至，抑或有數存焉。自唐立史科，而取前史定著為十三家，則史頒學校，而為功令，所範圍益為十四而不能，損為十二而不可矣。故家自為學之風息，而一代之興，必集眾以修前代之史，則史學之再變也。自是之後，紀傳之史，皆稱功令，宋人之十七史，明人之二十一史，草野不敢議增減也。故《史考》於紀傳家史，自唐以前，雖一代數家，皆歸正史，自唐以後，雖閒有紀傳之書，亦歸別史子目而隸雜史焉。雖蕭常、郝經之《後漢書》義例，未嘗不正，而必以陳壽為正史，不敢更列蕭、郝者，其道然也。

正史一門，畢宮保原稟但稱紀傳，而紀傳中，又分通史（《史記》是也，又附入梁武《通史》、鄭樵《通志》，今應改入別史。）、斷代（班、范以下是也）、集史（《南》、《北史》是也。）、國別（《三國

志》是也。），不免繁碎。今以學校頒分二十四史為主，題為正史（應將原彙改正），而馮商、褚少孫、班叔皮諸家之續《史記》者，附《史記》後，華嶠、謝承、袁山松諸家之《後漢書》與范氏《後漢書》，依先後時代編次。何法盛、謝靈運、臧榮緒諸家之《晉書》，與唐太宗御撰《晉書》，依先後時代編次。（六朝諸史皆倣此。）蓋書傳有幸不幸，其初皆正史故也。（魏、吳諸書之於陳志亦然。）若唐、宋以後正史，自有一定無出入矣。國史從無流傳之書，而史志著錄與諸書所稱引者，歷有可考，要以後漢班固與陳宗、尹敏諸人修世祖紀與新市、平林諸傳，載紀為最顯著，自後依代編纂，與編年部之實錄、記注可以參互，皆本朝臣子修現行事例也。

史彙向不著錄，今從諸書記載采取而成，乃屬創始之事，若無憑藉，尚恐不免遺漏，蓋前人於此皆不經意故也。但古人作史，專門名家，史成不問彙也。自東觀集眾修書而後，同局之中，人才優劣敏鈍，判若天淵，一書之中，利病雜見，若不考求草彙所出，則功罪誰分。竊謂集眾修書，必當記其分曹授簡，且詳識其草創潤色，別為一篇，附於本書之後，則史官知所激勸。今之搜輯史彙，正欲使觀者感興也。但宋元以來，文史浩繁，耳目恐有未周，姑立此門，以為權輿。如有好學，專搜此事，自為一書，亦佳事也。

編年之中，原分實錄、記注二門，今以日曆、時政記、聖政等記，均合於實錄，而以記注標部，蓋此等皆是史成備削彙資，例不頒行於外，於義得相合為部次也。若專記一事，則當入傳記部之記事門，若特加纂錄（如《貞觀政要》之類），則入雜史。

編年之書，出於《春秋》，本正史也。乃馬、班之學盛，而史志著錄，皆不以編年為正史，然如荀悅、袁宏以後，魏、晉即有春秋，六朝往往繼出，自應入於編年，但其書不盡傳，如《隋志》所標古史、雜史，其中多編年書，不知盡屬編年否也。今以義例可推者，入於編年，斷代之下，其著錄不甚分別，而義例不可強推者，概入於雜史云。

　　圖表，專家年曆經緯，便於稽考世代之用，故亦附編年為部。其年號之書，無類可歸，雖非圖表，亦以義例而類附焉。

　　古人史學，口授心傳，而無成書，其有成書，即其所著之史是也。馬遷父子再世，班固兄妹三修，當顯、肅之際，人文蔚然盛矣。而班固既卒，《漢書》未成，豈舉朝之士，不能贊襄漢業，而必使其女弟曹昭就東觀而成之，抑何故哉。正以專門家學，書不盡言，言不盡意，必須口耳轉授，非筆墨所能罄。馬遷所謂藏名山而傳之必於其人者也。自史學亡，而始有史學之名，蓋史之家法失傳，而後人攻取前人之史以為學，異乎古人以學著為史也。史學之書，附於本史之後，其合諸史或一二家之史以為學者，別為史學之部焉耳。

　　史學專部，分為考訂（刊誤之類）、義例（史通之類）、評論（管見之類）、蒙求（鑑略之類）四門，自應各為次第。若專攻一書之史學，已附入本書。後者不復分類，但照時代後先，編入本門部次足矣。

　　雜史一門，原分外紀（《軒轅本紀》之類）、別裁（《路史》、《繹史》之類）、史纂（自為門類，如《十七史纂》、《宋史新編》、《宏簡錄》之類）、史鈔（隨文刪節，如《史記節要》之類）、政治（如《貞觀政要》之類）、本末（《紀事本末》、《北盟會編》、《宏簡錄》之類）、國別（《國語》、《國策》、《十六國春秋》之類），共為七門，今恐觚析太過，轉滋紛擾，合併雜史一門，較為包括，而原分名目，仍標其說於部目之下，則覽者不致訝其不倫。

　　割據與霸國之書，初分二門，今合為一，亦謂如《越絕書》、《吳越春秋》，下至《南唐》諸家皆是也。惟《華陽國志》、《隋志》入於霸史，後人多仍其目，或入地理。按此書上起魚鳧蠶叢，中包漢中公孫述、二劉蜀漢，下及李氏父子，非為一國紀載，又非地志、圖經，入於霸國固非，而入於地理尤非，斯乃雜史支流，限於方隅者耳。如《建康實錄》、《滇載記》、《炎徼紀聞》皆是選也。此例前人未開，緣種類無多，均強附霸史或地記耳。今創斯條，將後有類此者，可准例焉，故名雜史方記，

暗分子目，與地理志方隅之記名同而實異也。

星曆四門，天文記天象，非關推步。曆律記曆制，非關算術。五行記災祥，非關占候。時令記授時政令，非為景物。此則《史考》當收之義，不然，則混於術數諸家矣。但嫌介疑似，亦有在術數與史例之閒者，姑量收之，寧稍寬無缺漏也。此等著錄部目多在子家，而史家志篇目實不能關，可以識互通之義矣。

譜牒有專家、總類之不同。專則一家之書，總則彙萃之書，而家傳、家訓、內訓、家範、家禮，皆附入專譜門中，以其行於家者然也。但自宋以來，有鄉約之書，名似為一鄉設，其實皆推家範、家禮之意，欲一切鄉黨為之效法，非專為所居之鄉設也。施縱可徧天下，語實出於一家，既不可上附國典，又不可下入方志，故附之也。

譜學，古人所重，世家鉅族，國家所與為休戚者也。封建罷而門第流品之法又不行，故後世之譜學輕，如謂後世不須譜學，則幾於汨彝倫矣。律令人戶以籍為定，良賤不相昏姻，何嘗無流品哉。蔭襲任子雖不通行，而科第崛起之中，亦有名門鉅族、簪纓世胄，為國家所休戚者，皆運數也。但禮不下於庶人，原不能盡取齊民戶籍入《史考》也。且其書不掌於官，僅能耳目聞見，載籍論次之所及，而於源委實有所考者，則編次之，耳目未周，不能徧及也。

地理門類極廣，畢宮保原彙為二十二門，分荒遠、總載、沿革、形勢、水道、都邑、方隅、方言、宮苑、古蹟、書院、道場、陵墓、寺觀、山川、名勝、圖經、行程、雜記、邊徼、外裔、風物二十有二，不免繁碎。今暗分子目，統於五條之下：一曰總載，二曰分載，三曰方志，四曰水道，五曰外裔。其暗分子目，以類相從，觀者可自得也。

方志自前明以來，猥濫已甚，與齊民家譜同一，不可攬擷。今亦取其著錄有徵，及載籍論次所及，則編次之，其餘不勝錄也。

水道之書，與地志等，但記自然沿革者，方入地理。其治河、導江、漕渠、水利等類施人力者，概入於故事部工書條下。

外國自有專書，如《高麗圖經》、《安南志》之專部，《職貢圖》、《北荒君長錄》之總載，則入地理外裔之部。如《奉使琉球錄》及《星槎勝覽》，凡冊使自記行事者，雖閒及外國見聞，而其意究以記行為重，則皆入傳記部中記事條下。

故事原分一十六門，今併合為十門。出君上者為訓典，臣下者為章奏，統該一切制度者為典要，專門制度之書則分吏、戶、禮、兵、刑、工六科，其例最為明顯，而其嫌介疑似之迹無門，不與傳記相混（其詳辨見傳記）。惟確守現行者為故事，規於事前與誌於事後為傳記，則判然矣。官曹次於六書之後，亦故事之書也。名似與吏書相近，而其實亦易辨。吏書所部，乃銓敘官人、申明職守之書。官曹乃即其官守而備盡一官之掌故也。古者官守其法，法具於書，天下本無私門，故無著錄之事也。官私分而著述盛，於是設官校錄而部次之，今之著錄皆從此起也。官曹之書，則猶有守官述職之意，故以是殿六曹之後焉。

目錄一門，不過簿錄名目之書，原無深義，而充類以求，則亦浩汗難罄，合而為七略四簿，分而為經史百家，副而為釋道二藏，其易言耶。且如詩文之目，則有摯虞之《文章志》、鍾嶸之《詩品》，亦目錄也。而詩話、《文心》，凡涉論文之事，皆如《詩》、《書》小序之例，與《詩》、《書》相為發明，則亦當收矣。圖書之目，則書評、畫鑒，得以入之金石之目，則《博古》、《琳琅》諸籍，得以入之，故曰學問貴知類，知類而又能充之，無往而不得其義也。

傳記門目，自來最易繁雜，其志創於《隋志》雜傳，而《隋志》部次已甚混淆，蓋非專門。正史與編年、紀傳，顯然有別者，凡有記載，皆可混稱傳記，著錄苟無精鑒，則一切無類可歸者，皆恃傳記為龍蛇沮也。畢宮保原槀本分傳記子目一十有七，斟酌增減，定著十門，亦不得已也。

小說始於《漢志》，今存什一，而委巷叢脞之書，大雅所不屑道，《續文獻通考》載元人《水滸》、《演義》，未為無意，而通人鄙之，以此諸家著錄多不收稗乘也。今亦取其前人所著錄，而差近雅馴者，分為瑣

語、異聞兩目，以示不廢芻蕘之意。

朱氏《經考》體例，先分四柱，今仍用之。首著書名，名下注其人名，次行列其著錄卷數，三行判其存佚及闕與未見也。惟著錄卷數，閒有不注所出，今則必標出處，視朱為稍密矣。如漢、隋、唐志並有，則以最先之書著錄、其兩三史志並有，而篇卷不同者，則著其可徵之數，而以他錄同異注其下。或史志及官私著錄所無，而旁見他書記載者，必著其說於下曰：見某書。不著錄又有見於他書所稱述，而并無其篇卷者，則必著無篇目字（此朱氏未有之例也）。所以明其信而有徵也。或全書之中，摘取數篇別有當署之名目（如歐、蘇等集內之外制及奏疏。又如歐集內之《歸田錄》，韓集內之《順宗實錄》），則必著現在某書。如但於文集傳誌類中，敘其人生平著有某書，而他著錄所無，則必著云：見某篇所引。惟近代人其書現存而未著錄者，始用朱氏不載出處之例。朱氏引書皆現存者，惟阮孝緒《七錄》已佚，而僅見於《隋經籍志》注文，稱梁有某某書，卷若干者，朱氏皆直書《七錄》，一似《七錄》至今存者。引古之例，似有未合，然據法應著《隋志》注引《七錄》文云云，方合於例，而其文繁累無取，且此事本亦人所共知，朱氏不為欺人，是以今仍其例。

存佚，必實見而著存，知其必不復存而著佚，然亦有未經目見，而見者稱述其書，確鑿可信，則亦判存。又有其書久不著錄，而言者有徵，則判未見。如後漢謝承之書，宋後不復錄，而傅山謂其家有藏本，曾據以考曹全碑，雖琴川毛氏疑之，然未可全以為非，則亦判為未見，所以志矜慎也。又如古書已亡，或叢書刻其畸篇殘帙，本非完物，則核其著錄而判闕。亦有其書情理必當尚存，而實無的據，則亦判為未見，他皆倣此。

此書為鎮洋贈宮保畢公所創橐，遺編敗麓，斷亂無緒，予既為朱氏補《經考》，因思廣朱之義，久有斯志。聞宮保既已為之，故輟筆以俟觀厥成焉。及宮保下世，遺緒未竟，實為藝林闕典，因就其家訪得殘餘，重訂凡例，半藉原文，增加潤飾，為成其志，不敢掩前人創始之勤也。

## 《史籍考》總目

制書二卷

紀傳部　　正史十四卷　　國史五卷　　史彙二卷

編年部　　通史七卷　　斷代四卷　　記注五卷　　圖表三卷

史學部　　考訂一卷　　義例一卷　　評論一卷　　蒙求一卷

稗史部　　雜史十九卷　　霸國三卷

星曆部　　天文二卷　　曆律六卷　　五行二卷　　時令二卷

譜牒部　　專家二十六卷　　總類二卷　　年譜三卷　　別譜三卷

地理部　　總載五卷　　分載十七卷　　方志十六卷　　水道三卷　　外裔四卷

故事部　　訓典四卷　　章奏二十一卷　　典要三卷　　吏書二卷　　戶書七卷　　禮書二十三卷　　兵書三卷　　刑書七卷　　工書四卷　　官曹三卷

目錄部　　總目三卷　　經史一卷　　詩文（即文史）五卷　　圖書五卷　　金石五卷　　叢書三卷　　釋道一卷

傳記部　　記事五卷　　雜事十二卷　　類考十三卷　　法鑒三卷　　言行三卷　　人物五卷　　別傳六卷　　內行三卷　　名姓二卷　　譜錄六卷

小說部　　瑣語二卷　　異聞四卷　　共三百二十五卷　　（以上馬氏鈔本）

　　　　　　　　　　　　　　　　　　　　　（原載《章氏遺書》〈補遺〉）

# 附錄二：《和州志》（卷二）
# 〈書第六‧藝文〉

藝文

　　《易》曰：「上古結繩而治，後世聖人易之以書契。」百官以治萬民，以察夫文字之原，古人所以為治法也。三代之盛，法具於書，書守之官，天下之術業，皆出於官師之掌故，道藝於此焉齊，德行於此焉通，天下所以以同文為治，而《周官》六篇，皆古人所以即官守而存師法者也。不為官師職業所存，是為非法，雖孔子言禮，必訪柱下之藏是也。三代而後，文字不隸於職司，於是官府章程，師儒習業，分而為二，以致人自為書，家自為說，蓋泛濫而出於百司掌故之外者，遂紛然矣。（六經皆屬掌故，如《易》藏太卜，《詩》在太師之類。）書既散在天下，無所統宗，於是著錄部次之法，出而治之，亦勢之所不容已。然自有著錄以來，學者視為紀數簿籍，求能推究同文為治，而存六典識職之遺者。惟劉向、劉歆所為《七略》《別錄》之書而已，故其分別九流，論次諸子，必云出於古者某官之掌，其流而為某家之學，失而為某事之敝，條宣究極，隱括無遺，學者苟能循流而溯源，雖曲藝小數，詖辭邪說，皆可返而通乎大道，而治其說者，亦得以自辨其力之至與不至焉，有其守之，莫或流也，有其趨之，莫或歧也。言語文章，胥歸識職，則師法可復，而古學可興，豈不盛哉。韓氏愈曰：「辨古書之正偽，昭昭然若黑白分。」孟子曰：「詖辭知其所蔽，淫辭知其所陷，邪辭知其所離，遁辭知其所窮。」孔子曰：「多聞擇其善者而從之。」夫欲辨古書正偽，以幾於知言，幾於多聞，擇

善則必深明官師之掌，而後悉流別之故，竟末流之失，是劉氏著錄，所以為學術絕續之幾也。不能究官師之掌，將無以條流別之故，而因以不知末流之失，則天下學術無所宗師，生心發政，作政害事，孟子言之斷斷如也。然而涉獵之士，方且炫博綜之才，索隱之功，方且矜隅墟之見，以為區區著錄之文，校讎之業，可以有裨於文事。噫，其惑也。

右原道

六典亡而為《七略》，是官失其守也。《七略》亡而為四部，是師失其傳也。《周官》之籍富矣，保章天文，職方地理，虞衡理物，巫祝交神，各守成書，以布治法，即各精其業，以傳學術，不特師氏、保氏所謂六藝《詩》《書》之文也，〈司空篇〉亡，劉歆取〈考工記〉補之，非補之也，考工當為司空官屬，其所謂記，即冬官之典籍，猶《儀禮》十七篇，為春官之典籍，《司馬法》百五十篇，為夏官之典籍，皆幸而獲傳後世者也。當日典籍具存，而三百六十之篇，即以官秩為之部次，文章安得散也。衰周而後，官制不行，而書籍散亡，千百之中存十一矣。就十一之僅存，而欲復三百六十之部次，非鑿則漏，勢有難行，故不得已而裁為七略爾。其云蓋出古者某官之掌，蓋之為言，猶疑辭也，欲人深思，而曠然自得於官師掌故之原也。故曰：《六典》亡而為《七略》，官失其守也，雖然，官師失業，處士著書，雖曰法無統紀，要其本旨，皆欲推其所學，可以見於當世施行，其文雖連犿，而指趣可約也。其說雖諔詭，而龐雜不出也。故老、莊、申、韓，名、墨、縱橫，漢初諸儒，猶有治其業者，是師傳未失之明驗也。師傳未亡，則文字必有所本，凡有所本，無不出於古人官守，劉氏所以易於條其別也。魏晉之閒，專門之學漸亡，文章之士，以著作為榮華，詩賦章表，銘箴頌誄，因事結構，命意各殊，其旨非儒非墨，其言時離時合，裒而次之，謂之文集，流別之不可分者一也。文章無本，斯求助於詞采，纂組經傳，摘抉子史，譬醫師之聚毒，以待應時取給，選青妃紫，不主一家，謂之類書，流別之不可分者二也。學術既無專門，斯讀書不能精一，刪略諸家，取便省覽，其始不過備一時之捷給，未

嘗有意留青，繼乃積漸相沿，後學傳為津逮，分之則其本書具在，合之則非一家之言，紛然雜出，謂之書抄，流別之不可分者三也。會心不足，求之文貌，指摘句調工拙，品節宮商抑揚，俗師小儒，奉為模楷，裁節經傳，摘比詞章，一例丹鉛，謂之評選，流別之不可分者四也。凡此四者，並由師法不立，學無專門，末俗支離，不知古人大體，下流所趨，實繁且熾，其書既不能悉付丙丁，惟有強編甲乙，而欲執《七略》之舊法，部末世之文章，比於柄鑿方圓，豈能有合，故曰《七略》流而為四部，是師失其傳也，若謂史籍浩繁，《春秋》附庸，蔚成大國，（《七略》以太史公列春秋家，至二十一史，不得不別立史部）名墨寥落，小宗支別，再世失傳（名家者流，墨家者流，寥寥數家，後代不復有其書矣），以謂《七略》之勢，不得不變而為四部，是又淺之乎論著錄之道者矣。

右明時

聞以部次治書籍，未聞以書籍亂部次者也。漢初諸子百家，浩無統攝，官禮之意亡矣。劉氏承西京之敝，而能推究古者官師合一之故，著為條貫，以溯其源，則治之未嘗不精也。魏晉之閒，文集類書，無所統繫，（魏文帝撰徐陳應劉之文，都為一集，摯虞作《文章流別集》，集之始也，魏文帝作《皇覽》，類書之始也）專門傳授之業微矣。而荀李諸家（荀勗、李充），不能推究《七略》源流，至於王阮諸家（王儉、阮孝緒），相去逾遠，其後方技兵書，合於子部，而文集自為專門，類書列於諸子唐人四部之書（四部創於荀勗，體例與後代四部不同，故云始於唐人也），乃為後代著錄不祧之成法，而天下學術，益紛然而無復綱紀矣。蓋《七略》承《六典》之敝，而知存《六典》之遺法，四部承《七略》之敝，而不知存《七略》之遺法，是《七略》能以部次治書籍，而四部不能不以書籍亂部次也。且四部之藉口於不能復《七略》者，一曰史籍之繁，不能附春秋家學也。夫二十一史，部勒非難，至於職官、故事之書，譜牒、紀傳之體，或本官禮制作，或涉儒雜家言，不必皆史裁也。今欲括囊諸體，斷史為部，於是儀注不入禮經，職官不通《六典》，謨誥離絕《尚

書》，史評分途諸子，（史評皆諸子之遺，入史部非也）變亂古人立言本旨，部次成法以就簡易，如之何其可也。二曰文集日繁，不列專部，無所統攝也。夫諸子百家，非出官守，而劉氏推為官守之流別，則文集非諸子百家，而著錄之書，又何不可治以諸子百家之識職乎。夫集體雖曰繁賾，要當先定作集之人。人之性情，必有所近，得其性情本趣，則詩賦之所寄託，論辨之所引喻，紀敘之所宗尚，掇其大旨，略其枝葉，古人所謂一家之言，如儒墨名法之中，必有得其流別者矣。（如韓愈之儒家，柳宗元之名家，蘇軾之縱橫家，王安石之禮家）存錄其文集本名，論次其源流所自，附其目於劉氏部次之後而別白其至與不至焉，以為後學辨途之津逮，則卮言無所附麗，文集之弊，可以稍歇，庶幾言有物，而行有恆，將由《七略》專家，而窺《六典》遺則乎。家法既專，其無根駁雜，類鈔評選之屬，可以不煩而自治，是著錄之道，通於教法，何可遽以數紀部目之屬，輕言編次哉。但學者不先有以窺乎天地之純，識古人之大體，而遽欲部次羣言，辨章流別，將有希幾於一言之是而不可得者，是以著錄之家，好言四部，而憚聞《七略》也。

右復古

　史家所謂部次條別之法，備於班固，而實仿於司馬遷。司馬遷未著成法，班固承劉歆之學而未精，則言著錄之精微，亦在乎熟究劉氏之業而已矣。究劉氏之業，將由班固之書，人知之。究劉氏之業，當參以司馬遷之法，人不知也。夫司馬遷所謂序次六家，條辨學術同異，推究利病，本其家學（司馬談論陰陽儒墨名法道德，以為六家）尚己，紀首推本尚書（五帝本紀贊），表首推本春秋（三代世表序），傳首推本《詩》《書》，所關至於虞夏之文（伯夷列傳），皆著錄淵源所自啟也。其於六藝而後周秦諸子，若孟荀三鄒老莊申韓管晏屈原虞卿呂不韋諸傳，論次著述，約其歸趣，詳略其辭，頡頏其品，抑揚咏嘆，義不拘墟，在人即為列傳，在書即為敘錄，古人命意標篇，俗學何可繩尺限也。劉氏之業，其部次之法，本乎官禮，至若敘錄之文，則於太史，列傳微得其裁，蓋條別源流，治百家

之紛紛，欲通之於大道，此本旨也。至於卷次部目，篇第甲乙，雖按部就班，秩然不亂，實通官聯事，交濟為功，如《管子》列於道家，而敘小學流別，取其〈弟子職〉篇，附諸《爾雅》之後，則知一家之書，其言可採，例得別出也。伊尹、太公，道家之祖（次其書在道家），蘇子、蒯通，縱橫家言，以其兵法所宗，遂重錄於兵法權謀之部次，冠冕孫、吳諸家，則知道德兵謀，凡宗旨有所統會，例得互見也。夫篇次可以別出，則學術源流，無闕閒不全之患也。部目可以互見，則分綱別紀，無兩歧牽掣之患也。學術之源流，無闕閒不全，分綱別紀，無兩歧牽掣，則《周官》六卿聯事之意存，而太史列傳互詳之旨見（如貨殖敘子貢，不涉弟子列傳，儒林敘董仲舒王吉，別有專傳），治書之法，古人自有授受，何可忽也，自班固刪〈輯略〉，而劉氏之緒論不傳（輯略乃總論羣書大旨），省部目，而劉氏之要法不著（班省劉氏之重見者而歸於一），於是學者不知著錄之法，所以辨章百家，通於大道（《莊子‧天下篇》亦此義也），而徒視為甲乙紀數之所需，無惑乎學無專門，書無世守，轉不若巫祝符籙，醫士秘方，猶有師傳不失之道也。鄭樵〈校讐〉之略，力糾《崇文》部次之失，自班固以下，皆有譏焉。然鄭氏未明著錄源流，當迫官禮，徒斤斤焉，糾其某書當甲而惧乙，某書宜丙而訛丁，夫部次錯亂，雖由家法失傳，然儒雜二家之易混，職官故事之多歧，其書本在兩可之閒，初非著錄之惧，如使劉氏別出互見之法，不明於後世，雖使太史復生，揚雄再見，其於部次之法，猶是茫然不可統紀也。鄭氏能譏班志附類之失當，而不能糾其併省之不當，可謂知一十而不知二五者也。且吾觀後人之著錄，有別出《小爾雅》以歸《論語》者（本《孔叢子》中篇名，隋經籍志別出歸《論語》），有別出〈夏小正〉以入時令者（本《大戴禮》篇名，《文獻通考》別出歸時令），是豈足以知古人別出之法耶，特忘其所本之書，附類而失其依據者爾，《嘉瑞記》既入五行又互見於雜傳（《隋書‧經籍志》），《西京雜記》既入故事，又互見於地理（《唐書‧藝文志》），是豈足以知古人互見之法耶。特忘其已登著錄，重複而至於訛錯者爾。夫

末學支離，至附類失據，重複錯訛，可謂極矣。究其所以歧惧之由，則理本有以致疑，勢有所以必至，徒拘甲乙之成法，而不於古人之所以別出所以互見者，析其精微，其中茫無定識，弊固至乎此也。然校讎之家，苟未能深於學術源流，使之徒事裁篇而別出，斷部而互見，將破碎紛擾，無復規矩章程，斯救弊益以滋弊矣。是以校讎師法，不可不傳，而著錄專家，不可不立也。

右家法

州縣志乘藝文之篇，不可不熟議也。古者行人采書，太史掌典文章，載籍皆聚於上，故官司所守之外，無墳籍也。後世人自為書，家別其說，縱遇右文之代，購典之期，其能入於祕府，領在史官者，十無七八，其勢然也。文章散在天下，史官又無專守，則同文之治，惟學校師儒，得而講習，州縣志乘，得而部次，著為成法，守於方州，所以備輶軒之採風，待祕書之論定，其有奇袤不衷之說，亦得就其聞見，校讎是正，庶幾文章典籍，有其統宗，而學術人心，得所規範也。昔蔡邕正定石經，以謂四方之士，至有賄改蘭臺漆書，以合私家文字者，是當時郡國傳習，與中書不合之明徵也。文字點畫，小學之功，猶有四方傳習之異，況紀載傳聞，私書別錄，學校不傳其講習，志乘不治其部次，則文章散著，疑似兩淆，後世何所依據，而為之考定耶。鄭樵論求書之法，以謂因地而求，因人而求，是則方州部錄藝文，固將為因地因人之要刪也。前代搜訪圖書，不懸重賞，則奇書祕策不能會萃，苟懸重賞，則偽造古逸，妄希詭合，三墳之《易》古文之《書》，其明徵也。向令方州有部次之書，下正家藏之目，上備中祕之徵，則天下文字，皆著籍錄，雖欲私錮而不得，雖欲偽造而不能，有固然也。夫人口孳生，猶稽版籍，水土所產，猶列職方，況乎典籍文章，為學術源流之所自出，治功事緒之所流傳，不於州縣志書，為之部次條別，治其要刪，其何以使一方文獻無所闕失耶。

右例志

志曰：著錄當宗《七略》，尚矣。一州之書，體裁未備，且創例之

始，州中人士，或未盡喻其旨，又當乾隆三十四年，當事者修志未成，挾其典籍以去，今之所徵，益用寥寥，茲就今所有者，依《七略》成法，著之於錄，稍變通焉。其類例所無者，則姑闕之，以俟補綴。《七略》首有〈輯略〉，總論羣書大旨，班固刪之，非也。茲取所有之書，以類相從，論次於首，以從《七略》之舊，但此書粗備掌故，又以書籍隘陋，不欲高引博徵，以為河漢。謹據存書之中，為條別其一二大義，以俟後來者之踵事增華云爾。

六藝類凡一十八家。

六經皆《周官》掌故，《易》藏太卜，《書》、《春秋》掌於外史，（掌三皇五帝之書，四方之志）《詩》在太師，《禮》歸宗伯，樂屬司成，孔子刪定，存先王之舊典，所謂述而不作，故六藝為經，羣書為傳。劉向敘六藝為九種，則《孝經》、《論語》、《爾雅》，以傳而附經者也，後世有七經、九經、十三經之目，特記其部次云爾。若唐元度所謂《九經字樣》，劉敞所謂《七經小傳》，自撰書名，不知六藝，是不明綱紀之故也。

按《閩奏議》、《工科奏疏》二家，歸《尚書》部，凡詔誥號令，及章表箋疏，前人歸入集部，或入故事部，皆不知《尚書》者也，《詩經正宗》一家，歸詩部。

《琴操譜》、《調譜》二家，歸樂部，通藝術部，前代史志歸藝術，似矣。然《雅琴師氏》、《趙氏》，劉向皆歸於樂部，方得其指。劉向於封禪儀記入禮經，亦用其法也。必如是而後可以考著作之有流別，若後代儀注之書入史部，是以《儀禮》為虛器也，通琴譜調譜之類於藝術者，明乎理則樂之流別，而法則藝術專門耳。

《續稽古錄》、《古今年系》二家，歸春秋部，編年之書，固春秋之部屬，前史列於史部次於紀傳之後，非也。即紀傳之史，自遷固以迄梁陳，皆春秋家學，故遷固之書，其敘稱本紀，皆曰春秋考紀，雖歐陽修《五代史記》，其推本春秋之業，亦於義例之閒三致意焉。論者乃欲以紀

傳配《尚書》，編年配《春秋》，惑之甚矣，惟《晉書》、《隋書》以下，凡集眾官修之書，非復專家之學，不過整齊故事，以備要刪，法當別為部次，以附專家之後。

《論語注》一家，歸論語部，附六藝為傳。

《釋常談》、《篆類》、《韻通》、《五經難字》、《韻學捷貫》、《字學啟蒙》六家，歸小學部。

《六經精義》、《四書就正》、《四書講義》、《學庸達旨》、《四書衷解》、《四書管見》六家，歸經義部，前代著錄，至《隋經籍志》，始有經解部目，蓋總羣經以立言，不得分屬六藝也。然《石渠奏議》、《白虎通義》，籠罩羣言，自成一子，謂之經解可也。自宋人多為講說，後代功令程式，用以詮解經文，著為科律，師儒講習，其書實繁，大約敷衍經旨，隨文闡義，與前代經解，體實有殊，今特著為經義一篇，當附經解之後。

凡紀載類四十家。

紀載者《七略》所無，荀勗丙部所收史記舊事《皇覽》雜事，及阮孝緒《七錄》之二，名為傳記，專記史傳者，皆不得其統紀。夫春秋家學不可亡，則馬班以下，不得別立史部也。紀載簿錄，若傳記故事譜牒方志之倫（向隸史部），其書當《周官》之行，各有掌故，歸於所司，掌故既失，書籍散著，若盡歸六藝，則部次實繁，難於條別，特立史部，則全奪六藝，傳業無復源流。今以職官儀注之屬隸禮經，紀傳專家屬《春秋》，詔誥號令起居時政之屬屬《尚書》，其餘識大識小，簿籍具存，裁為紀載之篇，以次六藝之後。

《水都記》、《名山記》二家，歸地理部，《周官》職方氏之掌也。《七略》舊法，以地理歸形法家，與相人之書為一類，其義甚精。但山經地志，後代駁廣，而形勢、沿革、名勝三門，不與相地之術同科。且其所載，乃史志之一體，非專門之論著，是用裁為地理之篇，次於紀載之部。至於相地家言，當於地理部末，條其流別，其有卷次目錄，仍登術數之

家，亦互見之義例也。

《旌川志》、《景寧縣志》、《赤城縣志》三家，歸方志部，《周官》外史掌四方之志是也，鄭氏注：謂若晉之《乘》，楚之《檮杌》，魯之《春秋》，是則一國之史，非如職方氏之止辨山川風土而已也。前史藝文部次，州郡志乘，皆歸地理，可謂不知體要者矣。然如《華陽國志》、《江表志》之部於雜史霸史，則理宜有別，惟取《周官》外史掌志之義，名曰方志，於體允為符愜爾。

族譜十四家，年譜二家，歸譜牒部，《周官》小史所掌也（說詳氏族表敘），《七略》以《世本》、《漢大年紀》屬春秋家，後世譜牒之書，當知所淵源矣。然春秋、世曆、譜牒之書，乃入數術部中，專列曆譜一家，疑譜牒之法，古者曆官所掌也。年譜，一人之書也，族譜，一家之書也，方志，一州之書也，地理，天下之書也。四部之書治，而天下之紀載各有統率矣。

書目一家，歸目錄部。古無目錄之書，六官分職，各守其書，《周典》六篇，即當時典籍部次也。劉氏《七略》以後，失其傳矣。夫族譜以《春秋》治之，目錄以《官禮》治之，何其盛也，時異勢殊不能不別為部次，然源委不容不辨，故次於譜牒之後云。

《茶法要覽》、《河防通議》、《犀江治牘》三家，歸故事部。故事之書，或明一官之守，或條一事之經，皆有官司掌之，如茶法當屬山虞，河防水利當屬匠人，犀江治牘當屬小行人所獻五書中之一類，後世纂錄之家，因事簿錄，瑣屑繁委，不能一一領以專官，所部逐一體連編，謂之故事，義亦可通。惟是後世綱領不明，鄭樵謂故事之書，與職官一門易相混淆。夫職官全重官秩品令，或諸司職掌大綱，如《周官》敘列職事，謂之職官可也。若不過因其事掌於官，文則通於沿革，指僅明其專司，是乃所謂故事。譬猶司空之有〈考工記〉，樂正之有諸樂記，尚得謂之《周官》本文，六司敘職之書耶。斯其部次之閒，蓋若鳧鵠之弗可同，馬牛之不相及，乃相沿既久，曾無別白之條，則校讎之學失傳，非一朝一夕之故也。

《元祐黨籍列傳》、《項王遺事》、《和陽開天記》、《我師錄》、《復仇史》、《名僧傳》、《鑒忠紀》、《恤忠備史錄》、《歷陽人物志》、《忠節傳》、《陳冬青紀實》十一家，歸傳記部。傳記出於史官，他若稗野紀載，亦得供軒之采風，魏晉州郡中正，去古未遠，遺聞逸事，猶集史官，唐宋以還，史官載籍，大半出於中朝掌故，閒采諸家紀述，如何蕃之因韓愈，劉庭式之因蘇軾，文章之權重，而專門記傳之書往往略焉，是亦不可不甌錄者也。前史著錄於記傳一條，亦頗與故事相混，大抵學無辨識，狃於標題，如《八王故事》、《陶侃故事》、《桓元偽事》之屬，（《隋書》列故事部）皆載諸人事迹，絕非掌故成書，因標故事之題，隨入故事部次，則官尚書者，亦可標為伏勝孔安國之弟子矣。今著記傳專門，次於故事之後，故事為書志之外篇，記傳為列傳之餘乘，其義差相仿耳。

《晞車志》、《黃水湖叢談》、《瑣言》三家，歸小說部，是稗官之所掌也。《七略》以小說列諸子之末，亦取其一家言耳。然小說之體有二：敘瑣屑之事，紀載之屬也，彙叢脞之談，諸子之餘也。此三家俱有錄無書，存其說而別白之可矣。唐宋以後，紀聞隨筆，門類實繁，詩話文評，牽連雜記，是則諸子之中，所以別立文史專門也。

《夢中謎》一家，入傳奇部，通詞曲部，是亦委巷之書也。然稗官採於太史，則亦風謠之不可廢者。傳奇之體亦有二，無詞曲者，即小說之末流，是演義之屬也。宋元以來，始創其體，或取正史之事，或本小說之言，敷衍其文，大率不出男女離合，閒或紀述戰爭，敘次朝政，善善惡惡，若有益於風教，匹夫販婦之所觀感興起者，劉氏所謂採於芻蕘者矣。其有詞曲者，乃優伶之所演，其源本之樂府，其事通於小說，蓋匹夫之思，原非典則，然其情文所極，亦有不可沒者。

諸子類凡四十五家。

諸子者，官師失守，而處士各以所得立言以明用也。（說詳藝術）

《克復錄》、《心鑑篇》、《省鑑錄》、《鷄鳴集》、《道學淵源

集》、《河村文稿》、《鑑心錄》、《明霞野集》、《善好編》、《此同編》、《四書指月》十一家，歸儒家部。儒家者流，蓋出學校之官，不得守業，於是誦法先王，以詔來世，所謂守先待後，是當世不得昌其業也。孟荀而後，或依經立解，或著論明心，各有專家，未可輕議。有宋諸儒，厭諸子競於文辭，乃用質語記其師說，是為語錄。理雖不倍，辭太無文，擬諸孟荀，准辭為經，其去遠矣。文集之名，起於末世，無本之學，然就其人之所得，約略前後，如韓愈氏之〈原道〉諸篇，非儒家之要略歟。檢其文集前後，書牘殊體，題序異文，皆取闢佛守儒，旨無旁出，謂非儒家一子可乎。今悉準此為例，不入文集部次，凡有純儒文集，約其本旨。統與儒先語錄之屬，一體入編，以次董韓之後，故《河村文稿》、《明霞詩集》，並與《克復》、《鑑心》諸錄，皆次為一家之言云爾。

吳韜、孫廷鑄、孟思誼三家制義附儒家部。制義之源，肇於注疏。注以解經，疏以解注，師法相承，學者縱有所見，祇可墨守先民，毋敢自用其說，援經徵傳，以足其旨，曲暢旁搜，以闡其義，是其體也。宋用經生帖括，明人演為制義，皆本於此。風氣變遷，末學波靡，尚異標新，悖棄師法，則其弊也。原制義之定名，義則取諸經訓，制則定於令式，兩字括要，君師並尊。若夫科舉之業，自賢良文學之策，鹽鐵酒榷之論，皆漢廷制旨，經生法言，並得采列儒家，自成一子。近代制義，文詞浮薄，義意支離，其不可列於漢儒制策家言審矣。然流別之分，其來有自，舉而刪之，非也。別編科舉一門，亦非也。惟自為一類，而附於儒家之後，亦所以治之云爾。

《老莊解》一家歸道家部。

《韓文年編》、《陶詩考異》二家，歸名家部。名家者流，出於禮官，辨方正位，循名考實，必深於經曲禮意，乃合於天理節文，是其義矣。沿其流別，可以知言，可以論文，蓋先明乎制度精微，因以達乎文章體要。至於疾徐甘苦，得心應手，文史家言，所謂抉經之心，而高挹羣言之要也。自鍾嶸《詩品》，劉勰《雕龍》，知幾《史通》，而後知其意者

寡矣。末學支離，則評選類比之法，尋章摘句之風，庸師陋儒，轉相傳習，以為文章宗法，可以追蹤古人，則失之遠矣。自唐以來，皆以文史家次於集部之末，是徇末學陋識，非其本也。夫條別源流，辨名正物，乃名家之正傳，而禮官之支別也。

《續釋常談》、《夏日鈔》、《身世言》、《蘚書》、《古學辨體書》、《張祁文集》、《總得翁集》、《張于湖集》、《張才彥集》、《文安堂文集》、《戴本孝文稿》十一家，歸雜家部。雜家者流，出於議官，兼儒墨，合名法，其流別所以如此者，言其立言措意，不名一家，非謂如後世文集體裁雜出，謂之雜也。然古今異宜，體制各別，略貌言心，則專門之集，其理與諸子名家，未嘗分轍，如漢之解嘲客難，唐之七問五原，集中未嘗無子體，荀卿賦篇，韓非上書，子中未嘗無集體，特命書署目，當如《後漢》、《三國》諸史，載其所著，止云文若干篇，不與強立集名，斯存專家之義爾。名之為集，學術無復專門，雖韓愈之儒，陸贄之法，蘇洵之兵，蘇軾之縱橫，亦混於其體，而莫辨流別，是集之一體，晉宋而後，特創一無本之業，以為蛇龍之沮也。今特次雜家，以存古人立言必有所自之意。

詩賦類六十九家。

劉向次詩賦為五類，其雜賦歌詩分二部固已。至於秦漢諸賦，又以屈原、陸賈、孫卿分領三門，篇什既不盡存，敘錄亦無明指，當時區別，必有義例，今不得而知也。然古人詩賦，專門名家，其文介乎《離騷》、《國策》，寓言設對之閒，察其本指，亦有自命一子之意，故得條別部次，不相混淆，自漢而後，斯義亡矣。然就其善者，亦可別其旨趣，約略分編。今所徵取，大率有錄無書，則部次之法不可行也，茲用一體入編，而詞曲一家附其後云。

詩賦六十九家，歸詩賦部。

雜詩四家，附詩賦部。古人所謂雜詩，乃一人之作，以義無專指，所謂雜也，今彙次諸人，裒然稱集，乃雜而又雜矣。然附於詩賦之後，義類

自通，不必如後人之標總集也。

數術類凡三家。

劉氏《七略》，分數術為天文、曆譜、五行、蓍龜、雜占、形法六家，以為出於羲和史卜之官。史職久廢，道不虛行，則因其舊有之書，序為六種，按〈諸子略〉，有陰陽家，而〈數術〉又分六部，〈兵書〉亦有陰陽部，是當時家法，猶能辨別支分。近代雖有專家，古人官守，未復職業，班分部別，不可復詳。陰陽五行，蓍龜雜占，併合為一，通名推占之家，可以概其餘矣。天文形法，乃方圓之定位，學術之專家，仍分二部，以合劉氏之舊云。

《九九書》、《前知祕本》二家，歸推占部。

《雪心賦注解》一家，歸形法部。

方技類凡二家。

《七略》以兵書、數術、方技三部，別於諸子者，諸子立言以明道，兵書、數術、方技三部，守法以傳藝，虛理實事，義不同科，而後代四部同列子科，可謂不知體要者矣。南宋鄭寅《七錄》，以藝方技三門，次於經史子之後，不意末學之中，有此卓見，惜鄭樵不及與聞也。鄭寅以文為專門，似未通乎諸子，而去其集之部目，則所見過於鄭樵遠矣。兵書、方技，別立專部者，兵則國之大事，醫則性命之司，古人特重其學，故分條析目，不厭其詳，步兵校尉任宏校兵書，侍醫李國柱校方技，太史令尹咸校數術，所以重其能官而特書之也。凡此三者，非專官世業，莫得而校，而後代但以博雅之士，推為校書，豈能任耶。且以文章之士，任以著錄，又烏乎可哉。

《醫宗輯要》一家，歸醫經部。方技之有醫經，猶兵書之有權謀，皆專門經要之言，與名數法術之見於作用者，有先後之殊，故冠於首，以著重輕之次第爾。若兵法無形勢、陰陽、技巧之術法，方技無經方、房中、神仙之術法，則權謀之篇，醫經之書，與諸子之體，未嘗不相同也。然使校書之業，不領於專官，則是以人命為戲也。

　　《本草精金錄》一家，歸藥書類，劉氏方技四門無藥書，後人以醫家總括經言方書本草為一類，非也，藥書辨藥，而後方書可以定方，是本草當先經方而序也。然本草之書，又當通於《爾雅》，是著錄之不可不知者也。

　　釋教類凡七家。

　　釋氏之書，諸子類也，不隸於諸子者，以諸子皆官典之遺，釋氏教自外來，非《周官》六典所領也，然其言不可廢，而籍不可忘，或以為莊、列所開，或以為墨翟之道，未可以定釋氏之果為莊、列，果為墨翟也。其書自有部錄，自有師法，傳習不能盡通其精微，亦莫得而校讐其業也。姑附於後，以待辨擇可也。

　　《金剛經解》、《楞嚴通義》、《觀楞伽記》、《華嚴法界境》四家，歸經部。三藏之分，經為最尊，律儀次之，論又次之，猶儒家之六藝，冠於史傳子籍之上也。

　　《肇論》、《略注》、《長松茹退憨山緒言》三家，歸論部。

　　《名僧傳》一家，已歸記傳部，當互見於此，所以明家學也。儒林傳，亦可互見儒家者流，斯通乎著錄之道矣。志曰《隋經籍志》分四部，佛道從其附錄，蓋本於阮孝緒《七錄》，以佛道為六七二部爾。然子類有道家，而集末又附佛道，可謂不知源委者已。《文獻通攷》，以神仙別出道家，而與佛家同列子部之末，庶幾近矣。然神仙本方技家流，別出以配佛書，亦未盡其道也。今各隸部次，而佛氏自為專門，著錄諸家，亦可得其要已。

　　金石類凡一百七十四家。

　　金石之書，古有專門，鄭樵論之詳矣，《隋志》以石刻經書歸小學，李淑《邯鄲》之目，則於四部之外，別有書畫之志，法帖圖書，有由來矣。第《隋志》石經小學，所以檢校六書，考定點畫，自後承其流者，則有《五經文字》、《九經字樣》、《尚書古字》、《漢隸字源》諸條，總隸小學之門者也。《邯鄲》書畫之志，所以評隲法書，鑒品翰墨，於中分

其部者，則有《法書要錄》、《清河書舫》、《筆陣傳圖》、《臨摹要法》諸條，當隸藝術之部者也。乃若歐、趙金石之書，（歐陽修《集古錄》，趙明誠《金石錄》）呂、薛考古之錄，（呂祖謙《考古圖》，薛尚功《鐘鼎款識》）則辨章舊物，用資博雅。其後《東觀餘論》、《廣川書跋》，雖微及書翰，而意宗考徵，是鄭樵金石著略之所為發憤而言者也。第博古之家，貴存往蹟，而採摭之體，亦欲徵今，又自三代以下，庸器久缺，而石刻遂多，雖以金石名篇，而碑碣止傳一體，則闕其目以待補者也。是亦文字之散著，目錄之別篇，而鄭樵不入藝文部次，特為專條，非其質也。

右輯略

凡六藝部九家。

按《閩奏議》一卷，成性率菴著，自序曰：「予承乏按閩，入告之章，凡數百紙，其刑名奏繳，簿書期會，實繁且多，擇其中機宜關理亂，切地方利害者，得若干篇，付之梓人，昔人有云，豈曰能賢，聊以志邯鄲之一夢已耳，康熙甲辰孟秋。」

《工科奏議》一卷，成性著。

右尚書類二家。

（原載《章氏遺書》〈外編〉）

國家圖書館出版品預行編目資料

校讎通義今註今譯

劉兆祐註譯. – 初版. – 臺北市：臺灣學生，2012.03
面；公分（古籍今註今譯）

ISBN 978-957-15-1562-5 (平裝)
1. 校勘學

011.8                                          101003488

古籍今註今譯
校讎通義今註今譯

註　譯　者：劉　　　　兆　　　　祐
主　編　者：國　家　教　育　研　究　院
　　　　　　23703 新北市三峽區三樹路 2 號
　　　　　　電　話：（02）86711111
　　　　　　傳　眞：（02）86711274
　　　　　　網址：http://www.naer.edu.tw
著作財產權人：國　家　教　育　研　究　院
發　行　者：臺　灣　學　生　書　局　有　限　公　司
　　　　　　106 臺北市和平東路一段 75 巷 11 號
　　　　　　郵　政　劃　撥　帳　號：00024668
　　　　　　電　話：（02）23928185
　　　　　　傳　眞：（02）23928105
　　　　　　E-mail：student.book@msa.hinet.net
　　　　　　http://www.studentbooks.com.tw
展　售　處：國　家　書　店　松　江　門　市
　　　　　　104 臺北市松江路 209 號 1 樓
　　　　　　電　話：02-2518-0207（代表號）
　　　　　　國家網路書店 http://www.govbooks.com.tw
　　　五　南　文　化　廣　場　台　中　總　店
　　　　　　400 臺中市中區中山路 6 號
　　　　　　電話：04-22260330　傳眞：04-22258234

定價：新臺幣六六○元

西　元　2012　年　3　月　初　版

01118　　　　有著作權‧侵害必究
ISBN 978-957-15-1562-5 (平裝)
GPN：1010100466